teadue
1753

Della stessa autrice in edizione TEA:

Il lungo ritorno
Un pugno di cenere
In presenza del nemico
Il prezzo dell'inganno
Il morso del serpente
E liberaci dal padre
Cercando nel buio
La miglior vendetta
Un omicidio inutile
Agguato sull'isola
Scuola omicidi
Nessun testimone
Prima di ucciderla

Elizabeth George

Corsa verso il baratro

Romanzo

Traduzione di
Grazia Maria Griffini

TEA - Tascabili degli Editori Associati S.p.A., Milano
Gruppo editoriale Mauri Spagnol
www.tealibri.it

Prima edizione presso Mondadori, 1993,
con il titolo di *Per amore di Elena*.
La traduzione di Grazia Maria Griffini è pubblicata
su licenza di Arnoldo Mondadori S.p.A.

Titolo originale
For the Sake of Elena

Prima edizione TEADUE ottobre 2009

CORSA VERSO IL BARATRO

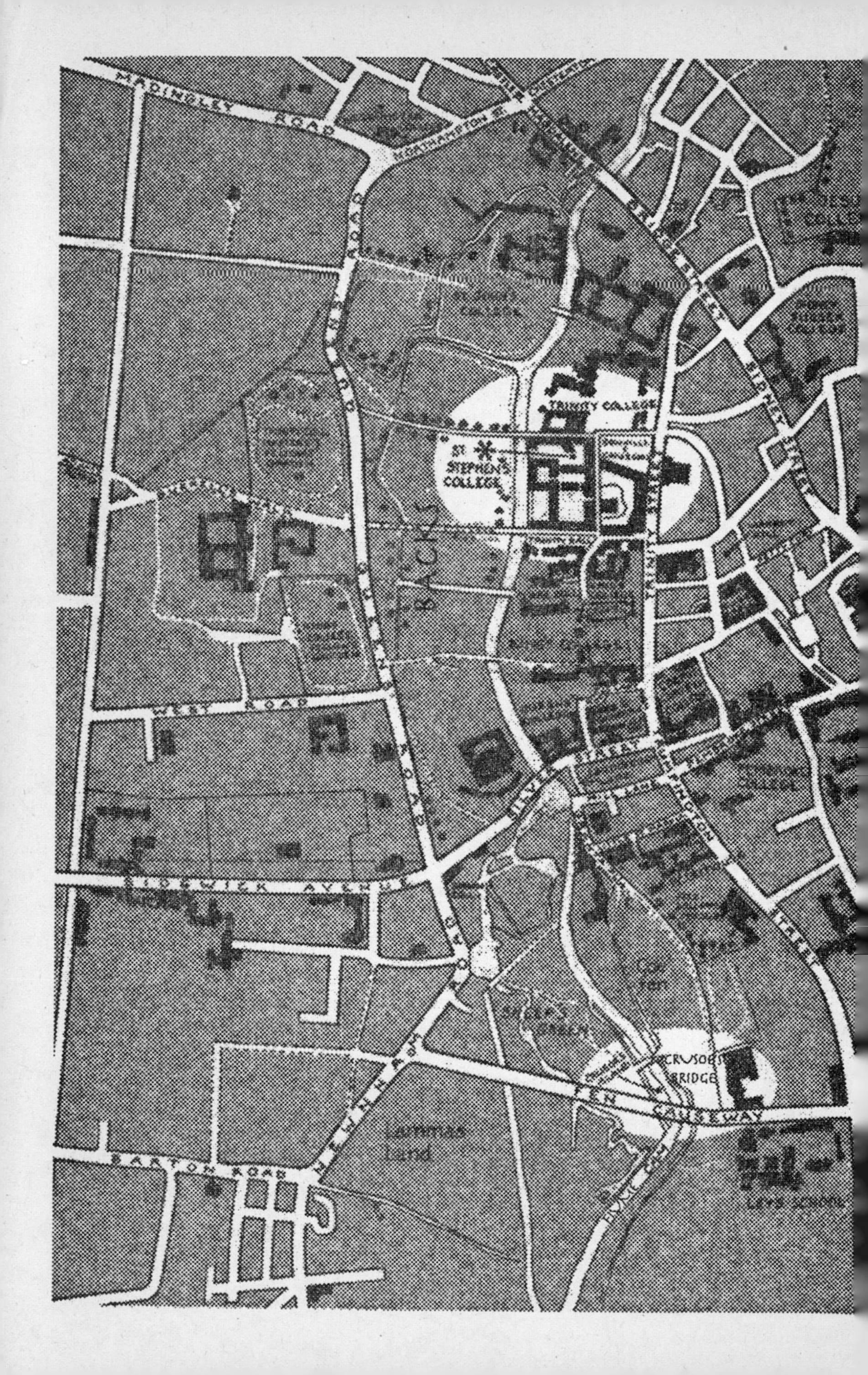

MADINGLEY ROAD
NORTHAMPTON ST.
TRINITY COLLEGE
ST STEPHEN'S COLLEGE
BACKS
WEST ROAD
SIDGWICK AVENUE
SILVER ST.
BARTON ROAD
NEWNHAM ROAD
FEN CAUSEWAY
CRUSOE'S BRIDGE
LEYS SCHOOL

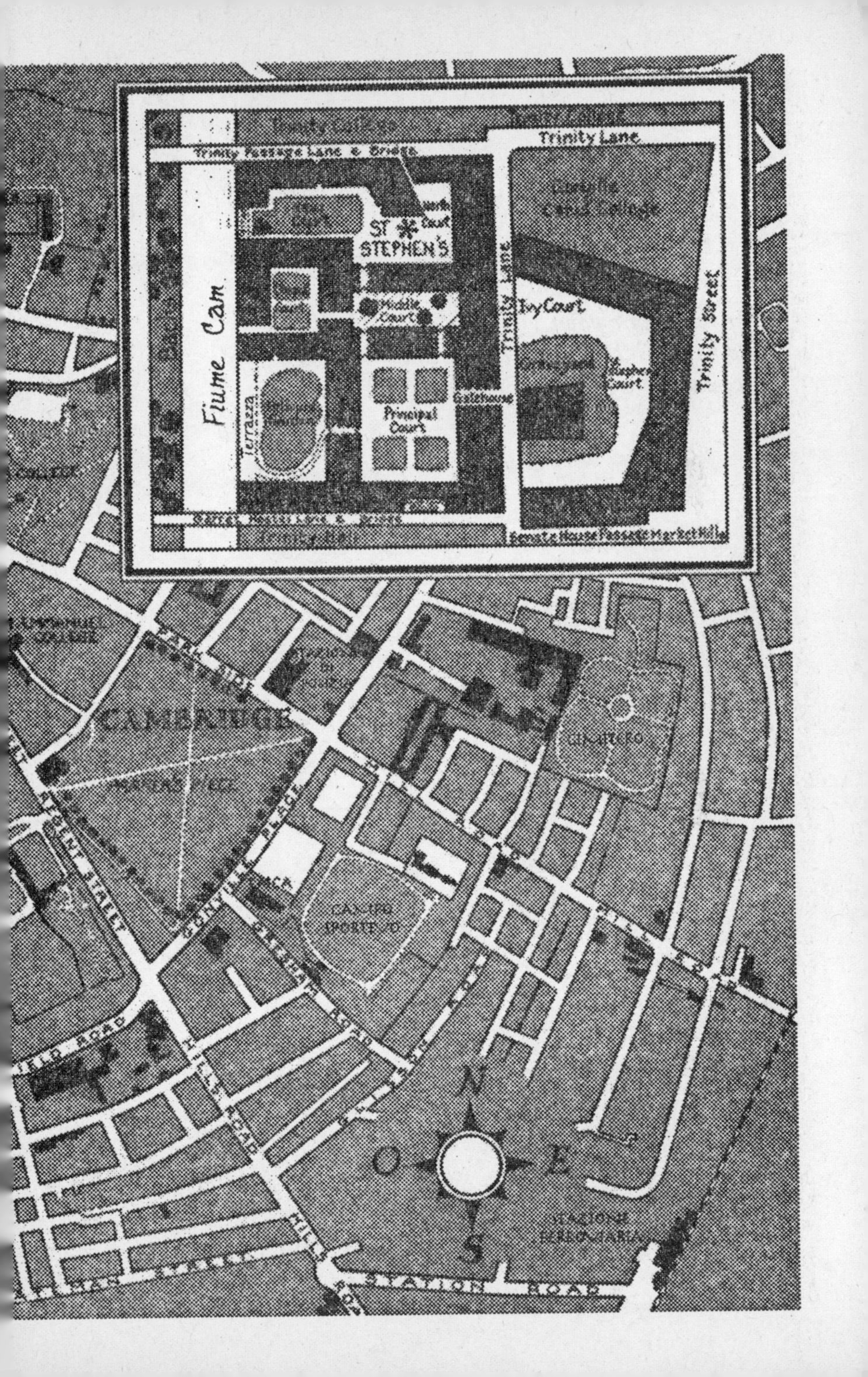

Trinity Lane
ST
STEPHEN'S
Middle Court
Principal Court
Gatehouse
Fiume Cam
Terrazza
Trinity Lane
Ivy Court
Trinity Street
Senate House Passage Market Hill
CIMITERO
CAMPO SPORTIVO
STAZIONE FERROVIARIA
STATION ROAD
N
O
E
S

Per mamma e papà,
che hanno incoraggiato la passione
e cercato di capire tutto il resto.

«*L'alba estingue il lucignolo consunto della stella,*
che i teneri illusi d'amore chiamano eterna,
e un languore di cera rapprende le vene,
seppure infiammate.»

SYLVIA PLATH

1

Elena Weaver si svegliò quando si accese la seconda luce in soggiorno, che fungeva anche da camera da letto. La prima, a una distanza di tre metri e mezzo circa, sulla scrivania, era riuscita solo a scuoterla un po'. L'altra, invece, posizionata in modo da colpirla dritta in faccia da una lampada da tavolo sul comodino, di quelle con il braccio snodato, ottenne lo stesso effetto di uno scoppio di musica fragorosa oppure di un allarme stridulo. Quando si insinuò nel suo sogno – un'intrusa sgradita, considerato il soggetto che il suo inconscio si affannava a inseguire – si ritrovò di colpo seduta.

Eppure, la notte prima non era lì, in quel letto, anzi, nemmeno in quella camera, dunque per un attimo sbatté le palpebre, sconcertata, domandandosi stupita quando le semplici tende rosse fossero state sostituite da queste altre, con un orribile motivo di crisantemi gialli e foglie verdi che spiccavano sullo sfondo di ciò che ricordava una distesa di felci. Erano tirate in modo da nascondere una finestra che, già di per sé, si trovava nel posto sbagliato. Come lo scrittoio. Anzi, non avrebbe dovuto nemmeno esserci, uno scrittoio. Di sicuro non sommerso da una marea confusa di carte, fogli, quaderni, libri aperti e un imponente computer.

Fu proprio quest'ultimo oggetto, come il telefono accanto, a mettere di colpo a fuoco ogni cosa. Si trovava nella sua camera, sola. Era rientrata appena prima delle due, si era spogliata in fretta e furia, lasciandosi cadere esausta sul letto, ed era riuscita a farsi quattro ore di sonno. Quattro ore... Elena si lasciò sfuggire un gemito. Non c'era da meravigliarsi se aveva creduto di trovarsi in tutt'altro posto.

Rotolando giù dal letto, infilò i piedi in un paio di pantofole foderate di pelo, raccolse una vestaglia di lana verde da un mucchio di vestiti sul pavimento, vicino a un paio di jeans, e se la mise. La stoffa era vecchia, talmente consunta da essere diventata soffice e leggera come una piuma. Un anno prima, quando era arrivata da matricola a Cambridge, suo padre le aveva regalato una stupenda vestaglia di seta – anzi, a dire la verità, le aveva regalato un intero guardaroba, che però lei non aveva trovato interamente di suo gusto –, ma l'aveva lasciata a casa sua durante una delle frequenti visite nei weekend. Pur adattandosi a indossarla in sua presenza per placare l'ansia con la quale pareva osservasse ogni sua mossa, non la metteva mai in altre occasioni. Di certo non a Londra, a casa della mamma, e nemmeno lì al college, mai. Quella vecchia verde era meglio. A contatto con la pelle nuda, sembrava velluto.

Attraversò la camera strascicando i piedi, si avvicinò allo scrittoio e spalancò le tende. Fuori era ancora buio, e la nebbia che da cinque giorni gravava sulla città, opprimente come un miasma mefitico, quella mattina le parve ancora più fitta, perché premeva contro i vetri della finestra a doppio battente, lasciandovi sopra un lieve strato di umidità simile a un merletto. Sull'ampio davanzale c'era una gabbia con una boccettina d'acqua appesa a un lato, una ruota al centro e un calzerotto di lana sportivo trasformato in cuccia nell'angolo di destra, in fondo. Accovacciato lì dentro, un batuffolo di pelo delle dimensioni di un cucchiaio da tavola, dello stesso colore dello sherry.

Elena tamburellò contro le sbarre gelide della gabbia. Vi accostò il viso, aspirò l'odore di ritagli di giornale misti a trucioli di legno di cedro ed escrementi, più aspri e pungenti, e cominciò a soffiare delicatamente in direzione della cuccia.

« Too-pooo... » chiamò. Poi bussò di nuovo delicatamente contro le sbarre della gabbia. « Too-pooo... »

In quel ciuffetto di pelo si aprì un luccicante occhio bruno. Il topo sollevò la testa. Fiutò l'aria con il naso.

« Tibbit », disse Elena e sorrise di gioia vedendo che al topolino fremevano i baffi. « 'Giorno, topastro. »

L'animale zampettò fuori della cuccia e andò a ispezionarle le dita, evidentemente si aspettava qualche leccornia mattutina. Elena aprì lo sportellino della gabbia e lo tirò fuori: eccolo sul palmo della mano, un affarino pieno di curiosità, lungo sì e no otto centimetri. Quando se lo appoggiò su una spalla, cominciò subito a esaminare le possibilità che offrivano quei capelli lunghissimi, lisci, dello stesso colore del suo pelo. A quanto sembrava, erano tutti elementi che offrivano ottime promesse di mimetizzazione, e infatti il topino si rannicchiò felice fra il colletto della vestaglia e il collo della ragazza, poi, aggrappandosi saldamente alla stoffa, cominciò a lavarsi il muso.

Elena fece altrettanto, aprì l'armadio che nascondeva il lavabo e accese la luce sopra di esso. Poi si lavò i denti, si legò i capelli all'indietro con un elastico e si mise a frugare nell'armadio alla ricerca della tuta da ginnastica e di un maglione. Si infilò i pantaloni e passò nel cucinino.

Qui accese la luce ed esaminò il ripiano dello scaffale sopra il lavello in acciaio inossidabile. Coco Pops, Wheetabix, Corn Flakes. Quella vista bastò a darle una sgradevole sensazione di nausea, e allora aprì il frigorifero, tirò fuori un cartone di succo d'arancia e se lo portò alla bocca. Il topino, intanto, terminate le abluzioni mattutine, zampettando era tornato ad acquattarsi sulla sua spalla, pieno di aspettative. Mentre beveva, Elena gli massaggiava la testolina con l'indice. I minuscoli dentini del topo le mordicchiarono l'unghia: basta con quelle manifestazioni d'affetto. Il roditore stava perdendo la pazienza.

«E va bene», gli disse. Cercò nel frigorifero, facendo una smorfia per l'odore rancido del latte andato a male, e trovò il barattolo del burro d'arachidi. La dose giornaliera era quel tanto che bastava a coprire la punta di un dito, e quando gliela offrì, il topo vi si avventò sopra, tutto felice. Stava ancora leccando gli ultimi rimasugli che gli imbrattavano il pelo, quando Elena tornò in camera e lo posò sullo scrittoio. Si tolse la vestaglia, si infilò un maglione e cominciò a fare stretching.

Sapeva quanto fosse importante scaldare i muscoli prima dell'allenamento quotidiano. Suo padre aveva cercato di inculcarglielo con monotona regolarità fin dal giorno in cui, ancora durante il primo trimestre, si era iscritta al club di atletica leggera. Comunque, continuava a trovarlo un esercizio terribilmente noioso, e l'unico modo per riuscire a portarlo a termine era fare qualcos'altro nel frattempo, per esempio abbandonarsi a qualche fantasia, tostare il pane, guardare fuori dalla finestra, oppure leggere libri che rifuggiva da un mucchio di tempo. Quella mattina combinò gli esercizi con i toast e la contemplazione alla finestra. Mentre il pane s'indorava nel tostapane sulla libreria, procedette a sciogliere i muscoli delle gambe e delle cosce, gli occhi rivolti al vetro. Fuori, la nebbia creava una specie di vortice ondeggiante intorno al lampione in mezzo alla North Court, togliendole qualsiasi illusione sulla corsa mattutina: non sarebbe stata affatto piacevole.

Con la coda dell'occhio, osservò il topo correre frenetico avanti e indietro sullo scrittoio, soffermandosi di tanto in tanto per alzarsi sulle zampette posteriori e annusare l'aria. Non era certo stupido. Milioni di anni di evoluzione olfattiva gli dicevano che nelle vicinanze c'era altro cibo, e voleva la sua parte.

Elena diede un'occhiata alla libreria per controllare se la fetta di pane era già pronta. Ne staccò un pezzetto per il topo e glielo buttò nella gabbia. Lui sgattaiolò subito in quella direzione; trafitte dalla luce, le minuscole orecchie sembravano di cera diafana.

«Ehi», gli disse, acchiappandolo mentre si stava infilando attraverso due volumi di poesia e altri tre di critica shakespeariana. «Dimmi almeno ciao, Tibbit.» Prima di rimetterlo in gabbia, si strofinò la guancia contro il pelo. Il pezzo di toast era quasi grosso come lui, ma il topino riuscì a trascinarselo verso la cuccia. Elena sorrise, tamburellò sopra la gabbia, afferrò il pane rimasto e uscì.

Mentre la porta a vetri antincendio del corridoio si richiudeva alle sue spalle con un sibilo sommesso, si infilò la felpa e si tirò su il cappuccio. Scese correndo la prima rampa della scala L e volteggiò sul pianerottolo, aggrappandosi alla balaustra in ferro battuto e atterrando leggiadra con le ginocchia piegate, in modo che il peso gravasse in prevalenza sulle gambe e sulle caviglie. Fece la seconda rampa ancora più veloce, attraversò l'atrio come un fulmine e spalancò la porta. L'aria fredda la colpì come una massa d'acqua e, per reazione, le si irrigidirono i muscoli. Si sforzò di rilassarli, e per qualche minuto abbozzò qualche passo di corsa sul posto, scuotendo le braccia. Respirò a fondo. A causa della nebbia proveniente dal fiume e dagli acquitrini, l'aria sapeva di humus e legna bruciata, e le si posò fredda sulla pelle come una specie di pellicola acquosa.

Attraversò l'estremità sud della New Court e, con passi veloci e scattanti, percorse anche i due passaggi che conducevano alla Principal Court. In giro non c'era nessuno. Alle finestre delle camere nemmeno una luce. Era stupendo, si sentiva euforica. E straordinariamente libera.

Aveva meno di un quarto d'ora da vivere.

Cinque giorni di nebbia avevano intriso di umidità edifici e alberi che adesso gocciolavano, creato graticci bagnati sui vetri delle finestre e pozzanghere sui marciapiedi. Appena fuori dal St Stephen's College, i fari di un furgone lampeggiarono nella foschia, due piccole lanterne arancioni simili agli occhi ammiccanti di un gatto. Nel Senate House Passage, dai lampioni vittoriani si allungavano dita di luce giallastra, e le guglie gotiche del King's College, che in un primo momento spiccavano ben visibili, scomparvero del tutto, quasi dissolvendosi su un buio fondale color tortora. Più oltre, il cielo indossava ancora la foggia di una notte di metà novembre. All'alba vera e propria mancava almeno un'ora.

Elena raggiunse a passo sostenuto King's Parade. Alla pressione delle suole sul marciapiede corrispondeva un fremito che le risaliva per i muscoli e le ossa delle gambe e raggiungeva l'addome. Premette con più forza il palmo delle mani contro i fianchi, nel punto preciso dove si erano posate quelle di lui, la notte prima. Ma a differenza di allora, il suo respiro era regolare, non rapido, impellente, concentrato sulla frenesia spasmodica di arrivare al piacere. Eppure, le pareva quasi di vedere ancora la testa di lui rovesciata all'indietro. Le pareva quasi di vederlo ancora concentrato sul calore, l'attrito e l'umida profusione del suo corpo. Le pareva quasi di vedere le sue labbra formare le parole: « Oddio, oddio, oddio », mentre spingeva con i fianchi e, avvinghiato a lei, la attirava con forza sempre maggiore contro di sé. E poi, il suo nome sulle labbra e il battito violento del suo cuore contro il petto. E il suo respiro, come quello di un atleta.

Le piaceva pensare a lui. Lo stava addirittura sognando quando, quella mattina, in camera sua si era accesa la luce.

Procedette veloce e piena di energia lungo King's Parade in direzione di Trumpington, schivando a zigzag la luce a chiazze. Da qualche parte, non molto distante da lì, qualcuno si stava preparando la colazione, perché nell'aria aleggiava un tenue aroma di bacon e caffè. Per reazione le si chiuse la gola, così accelerò il passo per sfuggire a quell'odore, finendo in pieno in una pozzanghera; l'acqua gelida le inzuppò la calza del piede sinistro.

A Mill Lane, svoltò verso il fiume. Il sangue cominciava a scorrerle veloce nelle vene e, nonostante il freddo, aveva cominciato a traspirare. Il sudore le si raccoglieva fra i seni e le gocciolava fino alla vita.

La traspirazione è segno che il tuo corpo sta lavorando, le avrebbe spiegato suo padre. «Traspirazione», naturalmente. Mai e poi mai avrebbe detto «sudore».

L'aria sembrava diventare più fresca a mano a mano che si avvicinava al fiume, evitando un carretto della spazzatura guidato dal primo essere vivente che avesse visto quella mattina, uno spazzino con una giacca a vento verde acido. L'uomo issò uno zaino sul manubrio e, al suo passaggio, sollevò un thermos, come per dedicarle un brindisi.

In fondo al viottolo, attraversò come un razzo il piccolo ponte pedonale che univa le due sponde del fiume Cam. Lo strato di mattoni sotto i piedi era viscido. Si fermò per qualche istante, pur continuando a correre sul posto, trafficando con il polsino della felpa per guardare l'orologio. Quando si accorse di averlo dimenticato in camera, imprecò a fior di labbra e tornò indietro per dare una rapida occhiata in Laundress Lane.

Accidenti, accidenti, doppiamente accidenti. Dov'è finita? pensò. Elena strinse gli occhi, cercando di distinguere qualcosa in mezzo alla nebbia. E subito sbuffò, stizzita. Non era la prima volta che le toccava aspettare e, se suo padre l'avesse avuta vinta, non sarebbe stata neanche l'ultima.

«Non se ne parla, Elena, a correre da sola non ci vai. A quell'ora del mattino, no. E neanche lungo il fiume. Fine della discussione. Se vuoi scegliere un altro percorso...»

Ma lei sapeva che non sarebbe cambiato nulla. Un altro percorso, un'altra obiezione. Aveva sbagliato fin dal principio, non avrebbe mai dovuto fargli sapere che aveva cominciato ad allenarsi. Ma al momento le era sembrata un'informazione innocua. «Mi sono iscritta al club di atletica, papà», ma lui era riuscito a trasformare anche quella cosa nell'ennesima dimostrazione di affetto paterno. Né più né meno come quando aveva messo le mani su alcuni suoi temi prima che li consegnasse al docente. Li aveva letti con la fronte aggrottata. «Guarda come mi preoccupo, guarda quanto ti voglio bene, vedi quanto apprezzo che tu sia tornata nella mia vita, non permetterò più che te ne vada ancora, tesoro mio»: questo si intuiva dall'espressione e dall'atteggiamento. Poi li aveva criticati, guidandola fra introduzioni e conclusioni e punti da chiarire, addirittura chiamando in aiuto la sua matrigna e abbandonandosi allo schienale della poltrona di pelle con gli occhi scintillanti. « Guarda che famiglia felice siamo! » A Elena si era accapponata la pelle.

Sbuffava. Aveva aspettato più di un minuto, eppure dalla grigia e spessa foschia all'imbocco di Laundress Lane non sbucava nessuno.

Che vada a farsi fottere, pensò, e riattraversò il ponte di corsa. Nello stagno alle sue spalle, il profilo di cigni e anatre si stagliava su uno sfondo che pareva trasparente come una garza, mentre lungo la riva sud-ovest un salice affondava i rami nell'acqua. Elena si girò per dare un'ultima occhiata, ma non vide nessuno arrivare di corsa all'appuntamento, quindi decise di proseguire.

Scendendo lungo la chiusa, ne calcolò male l'inclinazione e si accorse di essersi procurata un leggero strappo a un muscolo della gamba. Trasalì, ma continuò. I tempi ormai erano sballati – fra l'altro, non sapeva neanche quali fossero – ma chissà, forse sarebbe riuscita a guadagnare qualche secondo una volta arrivata sulla strada asfaltata. Affrettò il passo.

Il marciapiede si stringeva fino a ridursi a una striscia di asfalto, con il fiume sulla sinistra e la grande distesa verde dello Sheep's Green, velata di nebbia, sulla destra. Le sagome tozze degli alberi sbucavano dalla foschia e, quando in quelle tenebre dalla riva opposta del fiume riusciva a filtrare un filo di luce, i corrimano dei ponticelli pedonali si trasformavano in strisce bianche, nette, orizzontali. Mentre correva, le anatre si lanciavano in acqua silenziose, così frugò in tasca alla ricerca dell'ultimo avanzo di pane tostato del mattino, lo sbriciolò e glielo lanciò.

Gli alluci spingevano contro la punta delle scarpe da ginnastica a cadenza regolare. Cominciavano a farle male le orecchie per il freddo. Si allacciò i cordini del cappuccio della felpa sotto il mento, tirò fuori dalla tasca un paio di manopole e le infilò, soffiandosi sulle mani e premendosele contro la faccia ghiacciata.

Più avanti, scorrendo lento intorno a Robinson Crusoe's Island, un ammasso di terra fitto di alberi e cespugli a sud e occupato invece a nord dai sandolini, dalle canoe e dalle barche degli studenti in riparazione, il fiume si divideva in due – il corso principale da una parte e una specie di torrente fangoso dall'altra. Qualcuno doveva avere acceso da poco un falò, perché Elena ne fiutava l'odore nell'aria. Probabilmente si erano accampati abusivamente nella zona nord dell'isola durante la notte, lasciandosi dietro resti di legna carbonizzata, spenta in fretta e furia con l'acqua, perché un fuoco che si estingue da sé emana un odore diverso.

Incuriosita, Elena sbirciò fra gli alberi mentre procedeva a gran velocità. Le imbarcazioni erano ammucchiate una sull'altra, e dalla chiglia viscida e luccicante gocciolava l'umidità portata dalla nebbia. Ma il luogo era deserto.

Il sentiero cominciò a salire in direzione del Fen Causeway, che segnava la fine della prima parte del percorso. Come sempre, affrontò il declivio con un rinnovato scatto di energia, continuando a respirare regolarmente, anche se a poco a poco sentiva crescere la pressione al petto. Stava appena abituandosi alla nuova velocità quando le vide.

Due figure le apparvero davanti sull'asfalto, una piegata su se stessa e l'altra distesa di traverso. Erano vaghe e indistinte, amorfe; pareva addirittura che tremassero come ologrammi sfocati, illuminati dalla luce incerta che arrivava dalla strada lastricata alle loro spalle, a una ventina di metri di distanza. Sentendo arrivare Elena, la figura rannicchiata sembrò voltarsi verso di lei e alzò una mano. L'altra non si mosse.

Elena sforzò gli occhi, soffermandosi prima su una sagoma e poi sull'altra. Ne valutò statura e dimensioni.

È gente di città, pensò, e corse verso di loro.

La figura accucciata si alzò, ma indietreggiò quando la vide arrivare e parve scomparire nella nebbia più fitta vicino al ponticello pedonale che portava sull'isola. Elena si fermò di colpo: le tremavano le gambe, e cadde in ginocchio. Allungò le mani e scoprì che quello che stava esaminando in preda alla frenesia era soltanto un vecchio cappotto imbottito di stracci.

Confusa, si voltò, una mano appoggiata a terra, e fece per rialzarsi. Poi prese un bel respiro prima di parlare.

In quel momento, l'aria densa di nebbia le si squarciò davanti. Alla sua sinistra colse un rapido movimento. Si abbatté il primo colpo.

La prese in pieno, in mezzo agli occhi. Un lampo abbagliante ne trafisse il campo visivo e lei cadde all'indietro.

Il secondo colpo la raggiunse fra il naso e la guancia, squarciandole lo zigomo come un pezzo di vetro. Se ce ne fu un terzo, Elena non lo sentì.

Erano appena passate le sette, quando Sarah Gordon parcheggiò la Escort nell'ampio spiazzo lastricato accanto alla facoltà di ingegneria. A dispetto della nebbia e del traffico mattutino, era riuscita a coprire il tragitto da casa in meno di cinque minuti, sfrecciando lungo il Fen Causeway come se fosse stata inseguita da una legione di creature demoniache. Tirò il freno a mano, scese rapida nell'umidità e sbatté la portiera.

Con passo deciso si accostò al portabagagli, dal quale cominciò a tirar fuori tutta la sua attrezzatura: uno sgabello, un album da disegno, una valigetta di legno, un cavalletto, due tele. Posati questi oggetti ai suoi piedi, controllò di non aver dimenticato qualcosa. Si concentrò sui dettagli – dunque, carboncino e matite e tempere sono nella valigetta, sì... –, cercando di ignorare la nausea crescente e il tremito che le indeboliva le gambe.

Si fermò per un attimo con la testa appoggiata contro il vano sudicio e polveroso del portabagagli, e si impose di pensare solo al quadro. Era una cosa che aveva meditato, iniziato, sviluppato e completato un numero incredibile di volte fin da bambina, tanto che tutti gli elementi erano diventati quasi dei vecchi amici. Il soggetto, il luogo, la luce, la disposizione, la scelta della tecnica da utilizzare richiedevano la più completa concentrazione. E quindi si mise d'impegno. In quel preciso istante le si apriva un mondo di possibilità. Quella mattina rappresentava per lei una rinascita sacra.

Sette settimane prima, aveva segnato quel giorno sul calendario: 13 novembre. Aveva scritto « Fallo » di sbieco nel quadratino bianco di speranza, e adesso era lì per mettere fine a otto mesi di inattività che l'avevano paralizzata, sfruttando gli unici mezzi che conosceva per ritrovare la passione con cui, in passato, aveva sempre affrontato il proprio lavoro. Se solo fosse riuscita a radunare tutto il suo coraggio per superare quel piccolo contrattempo...

Richiuse il portabagagli e raccolse la sua roba. Ogni oggetto trovò subito la propria posizione naturale tra le sue mani e sotto le braccia. Non provò un momento di panico nemmeno quando si chiese come fosse riuscita a portare tutto ciò con sé in passato. E il semplice fatto che alcuni gesti fossero diventati automatici, quasi una seconda natura, un po' come andare in bicicletta, per un istante la rianimò. Si incamminò, ripercorrendo a ritroso il Fen

Causeway, e ridiscese il pendio in direzione di Robinson Crusoe's Island, dicendosi che il passato era morto ed era lì per seppellirlo.

Per troppo tempo era rimasta inebetita di fronte a un cavalletto, il cervello vuoto, senza riuscire a pensare alle possibilità di guarigione insite nel semplice atto di creare. Per tutti quei mesi non aveva creato nulla, solo i mezzi per distruggersi, cioè collezionare ricette per i sonniferi, ripulire e oliare la vecchia pistola, preparare il forno a gas, intrecciare una corda con sciarpe e foulard, convinta per tutto il tempo che la sua vena artistica fosse morta. Ma ormai era tutto finito, come le sette settimane di crescente terrore a mano a mano che il 13 novembre si avvicinava.

Si soffermò sul ponticello tra le due rive dello stretto corso d'acqua che separava Robinson Crusoe's Island dal resto dello Sheep's Green. Benché fosse giorno, la nebbia era ancora fitta e gravava tutt'intorno come un banco di nuvole. Tuttavia, da uno degli alberi sopra di lei filtrò il canto brioso di uno scricciolo adulto, mentre il traffico sulla strada asfaltata scorreva accompagnato dal rombo dei motori, ora forte ora più sommesso. Nelle vicinanze, in un punto imprecisato lungo il fiume, si levò il verso di un'anatra. Al di là del prato, nel parco pubblico, si sentì scampanellare una bicicletta.

Alla sua sinistra, le baracche del piccolo cantiere nautico erano ancora chiuse. Davanti a lei, dieci gradini di ferro salivano fino al Crusoe's Bridge e scendevano poi verso Coe Fen, sulla riva est del fiume. Si accorse in quel momento che il piccolo ponte pedonale era stato riverniciato. Dove prima era verde e arancione, corroso qua e là dalla ruggine, adesso era marrone, e i corrimano a zigzag che luccicavano attraverso la foschia erano stati dipinti color crema. Il ponte sembrava addirittura sospeso nel nulla, e ogni altra cosa intorno era alterata e nascosta dalla nebbia.

Malgrado la sua determinazione, sospirò. Era impossibile. Non c'erano né luce, né speranza, né ispirazione in un luogo così, freddo e squallido. Al diavolo gli studi notturni del Tamigi di Whistler. E che se ne vada all'inferno tutto ciò che Turner avrebbe potuto cavar fuori da un'alba simile! Nessuno avrebbe mai creduto che fosse andata a dipingere quel paesaggio.

Eppure, non poteva farci nulla. Era il giorno prescelto. Gli eventi esigevano la sua presenza su quell'isolotto. E avrebbe dipinto. Avanzò a passo sostenuto e poi spalancò il cigolante cancelletto in ferro battuto, ben decisa a ignorare quel gelo che pareva insinuarsi a poco a poco nel suo corpo.

Sentì il risucchio gorgogliante del fango viscido che le si appiccicava alla gomma delle scarpe da ginnastica, e rabbrividì. Faceva freddo. Niente drammi. Si aprì un varco nel folto boschetto di betulle, ontani e salici piangenti.

Dagli alberi filtrava la condensa. Le gocce cadevano su uno strato bruno rossiccio di foglie morte, emettendo un borbottio simile a quello del porridge che cuoce a fuoco lento. Proprio di fronte a lei scorse un grosso ramo marcio ondulato, caduto da un albero, e appena oltre un piccolo spiazzo sotto un pioppo, da cui si godeva una bella vista sul paesaggio. Sarah si diresse da quella parte. Appoggiò cavalletto e tele contro l'albero, aprì lo sgabello da campeggio e vi appoggiò la valigetta di legno. L'album da disegno, invece, se lo tenne stretto al petto.

Dipingere, disegnare, dipingere, fare un bozzetto... Il cuore le batteva all'impazzata. Le pareva di avere le dita fragili, secche. Le dolevano perfino le unghie. Ed era sdegnata per la propria debolezza.

Si sforzò di sedersi di fronte al fiume, e si mise a fissare il ponticello. Valutò ogni particolare, cercando di vederli come una linea o un angolo, un semplice problema di composizione che andava risolto. E come di riflesso, il suo cervello reagì e cominciò a determinare l'importanza e il valore di ciò che vedeva. Tre rami di ontano, la punta delle ultime foglie bagnata da gocce di rugiada, che riusciva a cogliere e a riflettere quella poca luce, fungevano da cornice al ponticello. Come linee diagonali, prima si allungavano sopra di esso e poi scendevano con un parallelismo perfetto sui gradini della scala che portava a Coe Fen dove, in un vortice di nebbia, baluginavano le luci distanti di Peterhouse. Un'anatra e due cigni fluttuavano sull'acqua del fiume, grigia quanto l'aria tutt'intorno, così indistinti da sembrare sospesi nel vuoto.

Tratti rapidi e decisi, pensò lei, impressioni audaci, qualche sbavatura di carboncino per dare un senso di maggiore profondità. Lasciò il primo segno sul foglio, poi un secondo e un terzo, prima che le sue dita scivolassero mollando il carboncino, che rotolò sulla carta e le finì in grembo.

Fissò con gli occhi sbarrati il pasticcio che aveva combinato con quel primo bozzetto. Strappò il foglio e ricominciò.

Mentre disegnava, avvertì i sintomi di un impellente attacco di diarrea, e la nausea che le stringeva la gola. « Oh, no, per favore », bisbigliò, e si guardò intorno; sapeva di non avere tempo di tornare a casa e di non potersi permettere di stare male lì, in quel momento. Guardò il foglio da disegno, vide le linee inadeguate, pedestri, e lo accartocciò.

Cominciò un terzo schizzo, cercando disperatamente di concentrarsi: doveva tenere la mano destra ben salda. Nell'estremo tentativo di dominare il panico, tentò di riprodurre l'angolazione dei rami di ontano. Tentò di copiare il profilo irregolare dei parapetti del ponticello. Tentò di abbozzare il motivo ornamentale del fogliame. Il carboncino si spezzò in due.

Allora balzò in piedi. No, non doveva andare così: la sua creatività doveva avere il sopravvento. E il tempo e lo spazio scomparire. Sarebbe dovuto tornarle il desiderio di lavorare. Invece no. Era scomparso. E ciò significava che lei era perduta.

Puoi farcela, pensò, con tutta la passione che aveva. Puoi e devi farcela. Niente può fermarti. Niente potrà ostacolarti.

Si infilò l'album da disegno sotto un braccio, afferrò lo sgabello e si mise in marcia, diretta verso l'estremità meridionale dell'isola. Si fermò solo quando raggiunse una piccola lingua di terra che era infestata di ortiche, ma offriva una diversa visuale del ponticello. Ecco, era il posto giusto.

Il terreno era argilloso, ricoperto di foglie. Alberi e cespugli formavano una fitta vegetazione, oltre la quale, in lontananza, si ergeva il ponte in pietra di Fen Causeway. Sarah riaprì lo sgabello e lo lasciò cadere a terra. Fece un passo indietro, ma perse l'equilibrio inciampando in un ramo nascosto sotto un mucchio di foglie, o almeno così sembrava. Considerato dove si trovava, forse avrebbe dovuto aspettarselo, invece si innervosì.

« Va' all'inferno », imprecò, e lo scostò con un calcio. Le foglie caddero via. Sarah si sentì rivoltare lo stomaco. Quello non era un ramo, ma un braccio.

2

Per fortuna, il braccio era attaccato al resto del corpo. Benché fosse nella polizia di Cambridge da ventinove anni, al sovrintendente Daniel Sheehan non era mai capitato di doversi occupare di un cadavere smembrato, e non voleva che questo discutibile privilegio venisse aggiunto al suo curriculum proprio ora.

Ricevuta la telefonata dal commissariato alle sette e venti, era partito a razzo da Arbury a sirene spiegate e con i lampeggianti accesi, felice di avere trovato una scusa per abbandonare il tavolo della colazione che, per il decimo giorno consecutivo, consisteva in spicchi di pompelmo, un uovo sodo e una fetta sottilissima di pane tostato senza burro, e durante la quale si era scatenato in commenti stizziti sull'abbigliamento e l'acconciatura del figlio e della figlia adolescenti, come se non portassero entrambi l'uniforme della scuola e non avessero avuto i capelli puliti e in ordine. Stephen aveva lanciato un'occhiata alla madre, e anche Linda, poi si erano concentrati sulla colazione, chinando la testa sul piatto con l'aria da martire, sottoposti da troppo tempo agli improvvisi sbalzi d'umore di quel dietomane cronico.

Al rondò di Newnham Road, il traffico era bloccato, e solo salendo sul marciapiede Sheehan riuscì a raggiungere il ponte di Fen Causeway un filo più veloce delle altre auto, che si muovevano a passo di lumaca. Non fece fatica, quindi, a immaginarsi l'intasamento e il caos che probabilmente ormai attanagliavano ogni arteria meridionale che portava in città e, quando si fermò dietro il furgone della Scientifica e scese, ritrovandosi nell'aria umida e fredda del mattino, raccomandò al poliziotto di guardia sul ponticello pedonale di avvertire la centrale via radio e chiedere rinforzi per rendere il traffico più scorrevole. Detestava perdigiorno e ficcanaso allo stesso modo. Incidenti, disgrazie e omicidi avevano il potere di far affiorare nella gente le qualità peggiori.

Stringendosi la sciarpa blu scuro intorno al collo e infilandone l'estremità sotto il bavero del cappotto, passò sotto il nastro giallo tirato per delimitare la scena del crimine. Sul ponticello, un gruppetto di studenti si sporgeva dal parapetto cercando di dare un'occhiata a quanto stava avvenendo di sotto. Sheehan grugnì, e fece un cenno al poliziotto perché li disperdesse. Se la vittima era una studentessa universitaria, non voleva che la notizia si diffondesse prima del dovuto. Dopo quell'indagine finita male all'Emmanuel, nel trimestre precedente, la polizia locale e l'università avevano dichiarato una fragile tregua, e lui non aveva nessun particolare desiderio di romperla.

Percorse il ponticello fino all'isolotto, dove una poliziotta era china su una donna che aveva faccia e labbra dello stesso colore del lino non candeggiato. Seduta su uno degli ultimi gradini in ferro del Crusoe's Bridge, si teneva un braccio sullo stomaco e si sorreggeva la testa con una mano chiusa a pugno. Portava un vecchio soprabito blu che probabilmente, quando era in piedi, le arrivava alle caviglie ed era incrostato di schizzi marroni e giallastri sul davanti. A quanto pareva, si era vomitata addosso.

« È lei che ha trovato il cadavere? » domandò Sheehan all'agente, che annuì. « Chi è venuto qui, finora? »

« Tutti, all'infuori di Pleasance. Drake lo ha trattenuto in laboratorio. »

Sheehan sbuffò. Senza dubbio si trattava dell'ennesimo bisticcio tra patologi. Indicò la donna avvolta nell'ampio soprabito con un gesto brusco del mento. « Procuratele una coperta. Trattenetela. » Poi tornò verso il cancelletto ed entrò nella zona meridionale dell'isolotto.

A seconda di come lo si guardava, quel posto poteva essere un sogno diventato realtà oppure un incubo. Quanto agli indizi, se ne potevano trovare in abbondanza: c'era di tutto, dai giornali semispappolati dalla condensa ai sacchetti di plastica della spazzatura. Tutta la zona sembrava una discarica a cielo aperto, e non mancava nemmeno come minimo una decina di impronte di scarpa nitide e bene impresse nel terreno fradicio. Che fossero differenti l'una dall'altra, lo si notava subito.

« Maledizione! » bofonchiò Sheehan.

La Scientifica aveva già disposto qua e là delle assi di legno, che partivano dal cancelletto e proseguivano verso sud, scomparendo nella nebbia. Sheehan si avviò guardingo da quella parte, evitando le gocce d'acqua che cadevano monotone dagli alberi. « Stille d'umidità » le avrebbe chiamate Linda, con quella passione per l'accuratezza linguistica che lo lasciava sempre sorpreso e a volte lo induceva a convincersi che la sua vera figlia fosse stata scambiata al reparto maternità sedici anni prima, chissà come e perché, con una creatura dal cuore pieno di poesia e il faccino arguto da folletto.

Si soffermò nei pressi di una radura e vide due tele e un cavalletto appoggiati contro un pioppo e una valigetta di legno aperta: sulla fila ordinata di pastelli e sugli otto tubetti di colore, ciascuno con un'etichetta scritta a mano, era già calato un velo di umidità. Si accigliò, poi spostò lo sguardo dal fiume al ponticello alle enormi volute di nebbia che si sollevavano simili a gas dall'acquitrino. Come soggetto per un dipinto, gli ricordava certa roba francese vista anni prima al Courtauld Institute: puntini, chiazze, macchie e sbuffi di colore, in mezzo a cui si riusciva a distinguere qualcosa soltanto a una decina di metri di distanza, se scrutavi il quadro con tutta la concentrazione possibile e pensavi a come ti sarebbero potute apparire le cose se avessi avuto bisogno di un paio di occhiali.

Poco più in là, dove le assi curvavano appena a sinistra, si imbatté nel fotografo della polizia e nella biologa del laboratorio di medicina legale. Per difendersi dal freddo, si erano imbacuccati con cappotto e berretto di lana, e saltellavano qua e là come due ballerini russi, ora su un piede ora sull'altro per favorire la circolazione. Il fotografo aveva la solita faccia livida di quando aspettava di immortalare un fatto di sangue. La biologa sembrava stizzita, invece. Si teneva le braccia strette contro il petto, spostando di continuo il peso del corpo da una gamba all'altra, e lanciava ripetute occhiate irrequiete in direzione della strada asfaltata, come se fosse convinta che l'assassino indugiasse ancora lì, alle loro spalle, e che l'unica speranza che avevano di catturarlo fosse lanciarsi nella nebbia.

Quando Sheehan li raggiunse ed esordì con la domanda abituale: « Be', cos'abbiamo stavolta? » capì il motivo dell'impazienza della donna. Dalla foschia, sotto i salici, stava sbucando un'alta figura che procedeva a passi cauti e guardinghi, tenendo gli occhi fissi a terra. Nonostante il freddo, portava l'ampio cappotto di cachemire buttato con indifferenza sulle spalle come un mantello e non aveva la sciarpa per non guastare l'effetto del completo italiano che indossava, nuovo di zecca e di gran classe. Era Drake, il direttore dell'unità scientifica di cui faceva parte Sheehan, una metà di quel binomio di scienziati i quali non facevano che bisticciare e, da cinque mesi ormai, cominciavano a scocciarlo. Non poté fare a meno di notare che, quella mattina, Drake indulgeva più del solito nella sua proverbiale inclinazione alla teatralità.

«Trovato niente?» domandò.

Drake fece una pausa per accendersi una sigaretta. Tenne il fiammifero fra le dita guantate e poi lo buttò in un barattolino che aveva tirato fuori dalla tasca. Sheehan si trattenne dal fare commenti. Quello stronzo non era mai impreparato.

«Sembra proprio che ci manchi l'arma del delitto», rispose. «Direi che dovremo dragare il fiume per cercarla.»

Fantastico, pensò Sheehan, facendo il calcolo degli uomini e delle ore di lavoro necessarie a completare un'operazione del genere. Andò a dare un'occhiata al cadavere.

«È una donna», confermò la biologa. «Anzi, una ragazzina.»

Guardando la vittima, Sheehan rifletté sul fatto che, lì intorno, mancava il rispettoso silenzio che chiunque si sarebbe aspettato di trovare di fronte alla morte. Dalla strada giungeva il suono ripetuto e insistente dei clacson, il rombo sommesso dei motori, lo stridere dei freni, delle voci. Gli uccelli cinguettavano fra gli alberi e un cane guaiva, per dolore oppure per gioco. Contigua e indifferente alle chiare prove di un atto di violenza, la vita continuava.

Che la morte della ragazza fosse stata violenta, era indubbio. Anche se buona parte del corpo era stata coperta di foglie secche di proposito, ne rimaneva visibile quel tanto che bastava per consentire a Sheehan di vedere il peggio. Qualcuno l'aveva colpita in piena faccia. Il cordino del cappuccio della felpa era girato e rigirato intorno al collo. Sarebbe toccato ai patologi stabilire se fosse morta in seguito alle ferite alla testa oppure per strangolamento, ma una cosa era certa: nessuno avrebbe potuto identificarla solo guardandole il viso. Era sfigurata.

Si accovacciò per osservarla più da vicino. Giaceva sul fianco destro, con la faccia nel terreno e i lunghi capelli in avanti, divisi in ciocche arruffate. Le braccia erano tese e i polsi accostati, ma non legati. Le ginocchia erano piegate.

Sheehan si mordicchiò il labbro inferiore con aria pensierosa, diede uno sguardo al fiume, che si trovava sì e no a tre metri di distanza, e poi riportò gli occhi sul cadavere. La ragazza indossava una tuta marrone, sporca e macchiata, e un paio di scarpe da ginnastica bianche con le stringhe sudicie. Era curata nell'aspetto e sembrava in buone condizioni fisiche. Insomma, corrispondeva in tutto e per tutto a quell'incubo a cui si era augurato di non trovarsi mai davanti. Le sollevò un braccio per controllare se avesse uno stemma o altro sulla felpa. Quando scorse uno scudo sormontato dalle parole *St Stephen's College* cucito sopra il seno sinistro, sbuffò per la disperazione.

«Accidenti», bofonchiò. Rimise il braccio della vittima nella posizione di prima e fece un cenno al fotografo. «Fai pure», gli disse, e si allontanò.

Guardò Coe Fen. Sembrava che la nebbia cominciasse a sollevarsi, ma poteva essere l'effetto della crescente luce del giorno, un'illusione momentanea, un desiderio. A ogni modo, che la nebbia ci fosse o no, non aveva importanza, in quanto lui era nato e cresciuto a Cambridge e sapeva perfettamente che cosa c'era al di là di quell'opaco velo di vapore in continuo movimento. Peterhouse. E al di là della strada, Pembroke. Alla sinistra, Corpus Christi. Da lì, a nord, a ovest e a est, si susseguiva un college dopo l'altro. Tutt'intorno, la città di Cambridge, che offriva loro i suoi servigi e addirittura doveva la propria esistenza all'università. E tutto ciò – i college, le facoltà, le biblioteche, le attività commerciali, le case e gli abitanti – rappresentava più di seicento anni di irrequieta simbiosi.

Sheehan sentì un movimento alle sue spalle e, voltandosi, si trovò a fissare gli occhi grigi di Drake, che era di pessimo umore. Era chiaro che l'esperto di medicina legale aveva capito che cosa aspettarsi. E già da parecchio tempo pregustava l'opportunità di mettere sotto pressione i suoi collaboratori, una volta tornato in laboratorio.

«A meno che non si sia massacrata la faccia con le proprie mani e poi non abbia fatto scomparire l'arma, ho i miei dubbi che qualcuno possa azzardarsi ad affermare che si tratta di suicidio», disse.

Nel suo ufficio di Londra, il sovrintendente Malcolm Webberly di New Scotland Yard spense il terzo sigaro che aveva fumato nel giro di tre ore e scrutò gli ispettori del proprio reparto, chiedendosi fino a che punto si sarebbero dimostrati compassionevoli nei suoi confronti, fingendo di non accorgersi che stava per tirarsi la zappa sui piedi. Considerate la lunghezza e l'entità della diatriba a cui si era abbandonato solo quindici giorni prima, sapeva che con ogni probabilità avrebbe dovuto aspettarsi il peggio. E indubbiamente se lo meritava. Aveva protestato con la sua équipe per almeno mezz'ora a proposito di quelli che, in tono caustico, aveva definito i Crociati della Campagna, e adesso stava per domandare a uno dei suoi uomini di entrare a far parte proprio di quel gruppo.

Valutò le alternative. Erano tutti seduti intorno al tavolo in mezzo al suo ufficio. Come al solito, Hale dava sfoggio dell'abituale carica nervosa che lo contraddistingueva e stava giocando con un mucchietto di fermagli, di cui sembrava si servisse per fabbricare una specie di armatura, forse perché si aspettava di scendere in campo contro un avversario armato di stuzzicadenti. Stewart, invece, lo stacanovista della squadra, sfruttava la pausa durante la conversazione per stendere un rapporto: era tipico di quelli come lui, c'era da aspettarselo. Correva voce che fosse persino riuscito a compiere l'impresa di fare l'amore con la moglie e al contempo compilare dei moduli per l'ufficio, oltretutto con lo stesso entusiasmo, o quasi. Di fianco a lui, MacPherson era intento a pulirsi le unghie con un temperino dalla punta spezzata, e aveva l'aria di chi, sotto sotto, era convinto che sarebbe passata anche questa, mentre, alla sua sinistra, Lynley stava pulendo gli occhiali da lettura con un fazzoletto di un candore abbagliante con ricamata in un angolo una grossa e vistosa A.

Webberly non poté trattenere un sorriso di fronte all'ironia della sorte. Solo quindici giorni prima si era dilungato a descrivere la strana propensione del paese per un tipo di indagine poliziesca «itinerante», per così dire, e per confermare la propria tesi si era servito di un articolo apparso sul *Times* che denunciava l'ammontare di fondi pubblici versati come in un pozzo senza fondo in quell'assurdo meccanismo che era il sistema giudiziario penale.

«Guardate un po' qua», aveva ringhiato, accartocciando il giornale che teneva tra le mani, in modo da rendere impossibile a chiunque di dargli anche solo una sbirciatina. «La polizia di Manchester indaga a Sheffield per un presunto caso di corruzione in seguito al fiasco di Hillsborough. Gli agenti dello Yorkshire sono a Manchester per verificare certe lamentele contro alcuni funzionari d'alto grado. Il West Yorkshire sta facendo qualche piccolo controllo sull'operato della squadra omicidi di Birmingham, la polizia dell'Avon e del Somerset sta ficcando il naso nel caso dei quattro di Guildford, nel Surrey, e quella del Cambridgeshire aspira a fare un bel repulisti in Irlanda del Nord e va a cercare addirittura la polvere sotto i letti degli eventuali terroristi. Nessuno si prende più la briga di pattugliare il proprio territorio di competenza, è venuto il momento di dire basta! »

I suoi uomini avevano annuito in segno di pensierosa approvazione, benché si fosse domandato se qualcuno di loro lo stava realmente ascoltando. L'orario di lavoro era lungo, e si portavano sulle spalle un peso enorme. Dedicare mezz'ora alle incomprensibili farneticazioni del loro sovrintendente era un impegno gravoso. Disgraziatamente, ci era arrivato troppo tardi, ma al momento si era lasciato prendere la mano dal piacere per la discussione, e il pubblico che aveva davanti era diventato il bersaglio involontario del suo messaggio, si sentiva costretto a continuare.

« Sono solo sciocchezze! Si può sapere cosa ci sta succedendo? Ci sono capi della polizia di contea che, al primo segnale di guai da parte della stampa, scappano a gambe levate come piccole lattaie vergognose e intimidite. Allora, piuttosto che prendere il comando della situazione, mandare avanti le indagini e, nel frattempo, dire ai giornalisti di pensare ai cavoli loro, si affannano a chiedere di mettere sotto inchiesta i loro stessi uomini! Ma chi sono questi idioti che non hanno il fegato di lavarsi i panni sporchi in casa propria? »

Se anche qualcuno si era offeso per quella serie di metafore di vario genere, non si era comunque azzardato a fare commenti. Piuttosto, si erano inchinati tutti davanti a quella domanda retorica e avevano aspettato con pazienza che fosse lui stesso a rispondere, e così aveva fatto. Ma non in modo diretto.

« Che non si azzardino a chiedermi di entrare in questo gioco assurdo! Sentiranno cos'ho da dire in proposito! »

Adesso che il momento era arrivato, però, si ritrovava con una richiesta speciale da due gruppi diversi e con precise direttive del proprio superiore, ma non aveva né il tempo né l'opportunità per poter dire a qualcuno quello che si meritava.

Webberly si alzò dal tavolo e tornò alla sua scrivania a passo lento, poi premette il pulsante dell'interfono e chiamò la segretaria.

Per tutta risposta, dal sottile apparecchio sbottarono interferenze e stralci di chiacchiere. Alle prime, ci era abituato. Dopo l'uragano del 1987, l'interfono non aveva più funzionato bene. Disgraziatamente era abituato anche alle chiacchiere: Dorothea Harriman tendeva ad agitarsi e diventava addirittura eloquente quando poteva attaccare bottone con qualcuno su un certo personaggio che riscuoteva tutta la sua indiscussa ammirazione.

« Se le è tinte, fidati. E da anni. Ecco perché nelle fotografie non ci sono mai sbavature di mascara intorno agli occhi... » Interferenze. « ... e non venirmi a dire che Fergie... Non mi interessa quanti altri figli decide di ave... »

« Harriman? » la interruppe Webberly.

« Un bel paio di collant bianchi sarebbe stata la cosa migliore... mentre lei ha sempre avuto un debole per quegli stramaledetti pois. Grazie a Dio, finalmente si è decisa a cambiare. »

« Harriman? »

« ... quel delizioso cappello che aveva ad Ascot quest'estate, non ti ricordi?... *Laura Ashley?* Mai! Meglio morta... »

Ecco, a proposito di morti..., pensò Webberly, rassegnandosi a optare per un metodo molto più primitivo, stentoreo ma indubbiamente efficace per ottenere l'attenzione della sua segretaria. Raggiunse la porta con passi lunghi e decisi, la spalancò e la chiamò a gran voce.

Non era ancora tornato al suo posto al tavolo, che Dorothea Harriman comparve sulla soglia. Si era tagliata i capelli da poco, li aveva cortissimi sulla nuca e sulle orecchie, mentre sulla fronte le scendeva ciò che restava della bionda chioma, cioè un lungo ciuffo lucente di un colore dorato che di naturale, ovviamente, non aveva proprio nulla. Portava un abitino di lana rossa, con scarpe abbinate e un paio di collant bianchi. Per sua disgrazia, il rosso le stava malissimo, proprio come alla principessa. Però, come la principessa, anche lei aveva un paio di caviglie favolose.

« Mi dica, sovrintendente Webberly » esordì, rivolgendo un rapido cenno di saluto ai funzionari seduti intorno al tavolo. Aveva assunto la classica espressione da segretaria modello, come per dire che pensava solo al lavoro e passava ogni momento della sua giornata con il naso sulla scrivania a sgobbare senza un attimo di sosta.

« Se pensa di potersi sottrarre per un momento a quelle che sono le sue attuali valutazioni sulla principessa...» attaccò Webberly. La faccia della donna sembrava il ritratto dell'innocenza. «Principessa? Quale principessa, scusi?» sembrava dire quel viso ingenuo. Ma Webberly sapeva che era meglio evitare di lasciarsi prendere la mano e arrivare allo scontro diretto. Dopo sei anni, aveva imparato che sarebbe uscito sconfitto se avesse tentato in alcun modo, con la forza o altro, di costringerla ad accantonare l'entusiastica ammirazione che provava per la principessa del Galles e in cui si crogiolava senza ritegno. Pertanto si rassegnò a dirle soltanto: «C'è un fax in arrivo da Cambridge. Ci pensi lei. E subito. Nel caso le arrivasse qualche telefonata da Kensington Palace, li metterò in attesa».

La Harriman strinse appena le labbra, mentre un sorriso da monella le alzava gli angoli della bocca. «Sì, un fax», ripeté. «Da Cambridge. Benissimo. Mi dia un momento, sovrintendente.» E poi aggiunse, come ultima frecciatina: «Sa, ci è andato anche Carlo».

John Stewart alzò gli occhi, tamburellando la punta della penna contro i denti, pensieroso. «Carlo?» domandò, vagamente confuso, quasi avesse il sospetto che, concentrando tutta la sua attenzione sul rapporto che aveva davanti, gli era sfuggito il nuovo argomento di discussione.

«Quello del Galles», spiegò Webberly.

«Galli? Che c'entrano adesso i galli con Cambridge?» domandò Stewart. «E di che razza di galli si tratta? Non ci capisco un'acca!»

«Non galli, *Galles*. Carlo, il principe del Galles», ringhiò Phillip Hale.

«Il principe del Galles si trova a Cambridge?» chiese Stewart. «Ma allora dovrebbe essere la squadra speciale a occuparsene, non noi.»

«Cristo santo!» Webberly gli sottrasse il rapporto che stava scrivendo e lo agitò mentre parlava. Quando vide che il suo diretto superiore lo trasformava in un rotolino di carta, Stewart trasalì e chiuse gli occhi. «Niente galli né principi del Galles. Il problema è Cambridge. Afferrato il concetto?»

«Sissignore.»

«Grazie.» Webberly notò con gratitudine che MacPherson aveva messo via il temperino e che Lynley lo stava osservando placido con quegli enigmatici occhi scuri che contrastavano in maniera così curiosa con i capelli biondi, corti, perfetti.

« C'è stato un delitto a Cambridge, e hanno chiesto a noi di occuparcene », spiegò Webberly, accantonando le eventuali obiezioni e i commenti dei suoi subordinati con un gesto rapido e improvviso della mano, che tagliò di netto l'aria, in verticale. « Lo so. Non ricordatemelo. Mi devo rimangiare quello che ho detto. E non mi garba affatto. »

« Hillier? » domandò Hale con astuzia.

Sir David Hillier era il sovrintendente capo, nonché il diretto superiore di Webberly. Se era stato lui a esigere che fossero i suoi uomini a occuparsi di un determinato caso, non la si poteva definire una semplice richiesta. Era un ordine, punto e basta.

« Non proprio. Hillier approva, però. È al corrente di questo caso. Ma la richiesta è pervenuta a me direttamente. »

Tre degli ispettori si fissarono incuriositi. Il quarto, Lynley, non distolse lo sguardo nemmeno per un attimo.

« Ho cercato di prendere tempo », disse intanto Webberly. « So benissimo che siete stracarichi di lavoro, che non sapete più da che parte girarvi e che potrei domandare a qualcuno di un altro reparto di occuparsene. Ma preferirei non farlo. » Restituì a Stewart il rapporto e rimase a osservarlo mentre lisciava le pagine con zelo contro il piano del tavolo per appiattirne gli angoli accartocciati. Poi continuò: « È stata assassinata una ragazza che studiava al St Stephen's College ».

Alla notizia, la reazione dei quattro uomini fu immediata. Un movimento della sedia, una domanda appena abbozzata e subito taciuta, una rapida occhiata in direzione di Webberly per leggervi sul viso qualche segnale di preoccupazione. Sapevano tutti che anche la figlia del sovrintendente era iscritta al secondo anno al St Stephen's College. La sua fotografia – lei mentre rideva irrefrenabile perché, inesperta com'era, faceva girare su se stessa la barca sulla quale stava insieme ai genitori durante una gita sul fiume Cam – faceva bella mostra di sé su una delle cassettiere dell'archivio nel suo studio. Webberly notò la preoccupazione sui loro visi.

« Non ha niente a che vedere con Miranda », li rassicurò. « Però lei conosceva la vittima. E questo è, in parte, il motivo per il quale mi hanno avvertito. »

« Ma non l'unico », obiettò Stewart.

« Per l'appunto. In realtà ho ricevuto due telefonate, e non dalla polizia di Cambridge ma dal preside del St Stephen's College e dal vicerettore dell'università. È una situazione delicata per la polizia locale. Il delitto non è avvenuto all'interno del college, quindi i nostri colleghi di Cambridge hanno il diritto di occuparsi delle indagini per conto proprio. Ma poiché la vittima è una studentessa, per iniziare hanno bisogno della collaborazione dell'università. »

« E all'università nicchiano? » MacPherson sembrava incredulo.

« Preferiscono che se ne occupi un'organizzazione esterna. Da quanto ho capito, sono rimasti molto infastiditi dal modo in cui la polizia locale ha affrontato e risolto il caso di un suicidio avvenuto nel secondo trimestre dell'anno scorso. C'è stata una grossolana mancanza di sensibilità nei riguardi di tutte le persone coinvolte, così ha detto il vicerettore, per non parlare della strana fuga di notizie riportata dalla stampa. E poiché, a quanto pare, questa ragazza è figlia di uno dei professori di Cambridge, desiderano che ogni cosa venga affrontata e trattata con delicatezza e tatto. »

« È un lavoro per l'ispettore Empatia », ironizzò Hale con una smorfia. Lo sapevano tutti, il suo era un tentativo ben poco velato di sottintendere che ci fosse un certo antagonismo ma anche una mancanza di obiettività. Chiunque era al corrente dei suoi problemi coniugali. E in quel momento, l'ultima cosa che desiderava era vedersi mandare fuori città per le indagini relative a un caso che si prospettava piuttosto lungo.

Webberly non gli diede retta. « I nostri colleghi di Cambridge non sono molto soddisfatti. In fondo, si tratta della loro zona, e preferiscono occuparsene da soli. Di conseguenza, chi andrà laggiù non si aspetti di essere accolto a braccia aperte! Però ho avuto un breve colloquio con il sovrintendente, un certo Sheehan. Mi sembra una brava persona, e mi ha assicurato che ci offriranno tutta la loro collaborazione. Secondo lui, è una situazione che coinvolge città e ateneo allo stesso modo, ed è seccato all'idea che i suoi uomini possano venire accusati di essere prevenuti nei confronti degli studenti. D'altra parte si rende conto che senza la collaborazione dell'università, qualsiasi agente mandi a occuparsi di questo caso, passerebbe i prossimi sei mesi a cercare un ago in un pagliaio. »

Un rumore di passi leggeri preannunciò l'arrivo della Harriman, che infatti entrò porgendo a Webberly alcuni fogli intestati della polizia del Cambridgeshire, recanti nell'angolo di destra uno stemma sormontato da una corona. Aggrottò le sopracciglia di fronte al mucchio di bicchierini di plastica per il caffè e ai portacenere dai quali esalava un odore sgradevole, sparsi qua e là sul tavolo in mezzo a cartellette e documenti. Fece schioccare la lingua, scaraventò i bicchierini nel portarifiuti vicino all'ingresso e se ne andò, reggendo i portacenere con le braccia tese e distogliendo lo sguardo in segno di disapprovazione.

A mano a mano che leggeva il rapporto, Webberly passava le informazioni principali ai suoi uomini.

« Finora, c'è ben poco su cui lavorare », disse. « Vent'anni. Elena Weaver. »

« Straniera? » domandò Stewart.

« Da quello che mi ha spiegato il preside stamattina, non mi pare. La madre vive a Londra e, come ho già detto, il padre insegna all'università, e tra l'altro è in lizza per la cattedra Penford di storia – qualunque cosa sia. È professore al St Stephen's e, a quanto mi dicono, nel suo campo gode di un'ottima reputazione. »

« Di conseguenza dobbiamo stendergli il tappeto rosso », obiettò Hale.

Webberly continuò: « Non hanno ancora fatto l'autopsia, ma abbiamo un'indicazione iniziale, anche se non particolarmente precisa, dell'ora del decesso, che viene calcolata fra la mezzanotte e le sette di stamattina. Un pesante oggetto contundente le ha letteralmente spappolato la faccia e... »

« Be', non è sempre così? » domandò Hale.

« ... e dopo, dicevo, almeno secondo un esame preliminare del cadavere, è stata strangolata. »

« Stupro? » s'informò Stewart.

« Finora nessuna indicazione in tal senso. »

« Fra mezzanotte e le sette? » domandò Hale. « Ma non dicevi che l'hanno trovata fuori dal college? »

Webberly scrollò il capo. « L'hanno trovata vicino al fiume. » Mentre leggeva il resto delle informazioni mandate dalla polizia di Cambridge, aggrottò le sopracciglia. « Aveva addosso una tuta e un paio di scarpe da ginnastica, quindi presumono che fosse uscita a fare jogging quando qualcuno l'ha aggredita. Il cadavere era ricoperto di foglie. È stata una donna a trovarla, una pittrice che era lì a disegnare ed è inciampata nel corpo verso le sette e un quarto di stamattina. A quanto riferisce Sheehan, ha anche vomitato sul posto.»

«Un bel guaio, perché così anche quei pochi indizi che potevano esserci saranno andati al diavolo!» obiettò Hale.

Per tutta risposta, gli altri sbottarono in risatine sommesse, ma Webberly non si scompose. Anni e anni a contatto con delitti di ogni genere avevano indurito anche i più teneri dei suoi uomini.

«Sempre secondo Sheehan», riprese, «hanno trovato sulla scena del crimine un tal numero di indizi e di elementi utili, che basterebbero a tenere impegnate per settimane due o tre squadre della Scientifica.»

«E come si spiega?» domandò Stewart.

«L'hanno rinvenuta su un isolotto che, evidentemente, viene usato come discarica a cielo aperto. Quindi adesso si ritrovano con almeno cinque o sei sacchi di immondizie da analizzare, insieme ai campioni prelevati dal cadavere.» Scaraventò il rapporto sul tavolo. «Questo è ciò che sono riusciti a sapere finora. Niente autopsia. Nessuna indicazione degli interrogatori fatti. A chiunque tocchi occuparsi di questo delitto, dovrà partire praticamente da zero.»

«Proprio un bel caso, malgrado tutto», fece MacPherson.

Lynley si stiracchiò e allungò la mano verso il rapporto. Inforcò gli occhiali, lo lesse da cima a fondo e poi aprì bocca per la prima volta.

«Me ne occupo io», disse.

«Mi pareva che fossi già impegnato con quel gigolò di Maida Vale», ribatté Webberly.

«Non più, il caso può essere considerato chiuso da stanotte. O meglio, da stamattina. Abbiamo catturato l'assassino alle due e mezzo.»

«Dio santo, figliolo, vedi di tirare il fiato di tanto in tanto, se ci riesci!» osservò MacPherson.

Lynley sorrise e si alzò. «Qualcuno di voi ha visto la Havers?»

Il sergente ispettore Barbara Havers era seduta davanti a uno dei computer del Centro Informazioni di New Scotland Yard, posto a pianterreno. Teneva lo sguardo fisso sullo schermo. In realtà avrebbe dovuto leggere il materiale relativo alle persone scomparse – almeno da cinque anni, stando a quanto le aveva detto l'antropologo del laboratorio di medicina legale – nel tentativo di facilitare l'identificazione di un mucchietto di ossa scoperto sotto le fondamenta di un edificio in via di demolizione sulla Isle of Dogs.

A conti fatti, si trattava di un favore per un collega del commissariato in Manchester Road, ma in quel momento il suo cervello non riusciva proprio ad assimilare la serie di informazioni assemblate sullo schermo. Figurarsi poi se era in grado di confrontarle con l'elenco delle misure di radio, ulna, femore, tibia e perone già in suo possesso. Si sfregò energicamente con indice e pollice tra le sopracciglia e diede un'occhiata al telefono su una scrivania poco distante.

Doveva chiamare casa. Sentiva un estremo bisogno di mettersi in comunicazione con sua madre, o se non altro di parlare con la signora Gustafson per vedere se ad Acton era tutto sotto controllo. Ma comporre quei sette numeri e aspettare con ansia crescente che qualcuno rispondesse e poi affrontare l'eventualità, tutt'altro che improbabile, che le cose andassero male, né più né meno come succedeva ormai da una settimana... No, non aveva il coraggio.

Poi si disse che, in ogni caso, telefonare ad Acton non aveva senso. La signora Gustafson era quasi sorda. E quanto alla mamma, viveva nel suo mondo confuso, chiusa in quella specie di demenza senile che durava da tempo. L'eventualità che la signora potesse sentire il telefono era remota come la capacità della mamma di comprendere che quel duplice squillo stridulo proveniente dalla cucina indicava che in qualche posto lontano qualcuno aveva il desiderio di parlarle attraverso quello strano strumento nero appeso alla parete. Sentendo quel rumore, era molto più probabile che la mamma andasse ad aprire lo sportello del forno oppure la porta di casa piuttosto che alzare la cornetta. E anche se fosse riuscita a compiere un gesto tanto impegnativo, c'era da dubitare che fosse in grado di riconoscere la voce della figlia o addirittura che ricordasse chi era senza un incoraggiamento continuo, frustrante e snervante.

Sua madre aveva sessantatré anni e godeva di ottima salute. Soltanto la sua mente stava morendo.

Barbara lo sapeva, anche nel migliore dei casi pregare la signora Gustafson di rimanere con sua madre durante il giorno, dietro lauto compenso, era soltanto una misura temporanea e insoddisfacente. La donna aveva già settantadue anni, e le mancavano l'energia e le risorse necessarie per assistere una paziente la cui giornata doveva essere programmata e controllata come quella di un bambino che muoveva i primi passi. E già tre volte Barbara si era vista costretta ad affrontare faccia a faccia le difficoltà e i problemi inerenti alla seppur limitata tutela della madre. In un paio di occasioni, tornando a casa più tardi del solito, aveva trovato la signora Gustafson che dormiva profondamente in salotto. Mentre alla TV si sentivano le finte risate del pubblico, sua madre si abbandonava alle sue fughe mentali: una volta era finita, senza accorgersene, fino in fondo al giardino sul retro, e un'altra era arrivata vacillante alla porta d'ingresso.

Ma a dare a Barbara il colpo di grazia era stato il terzo incidente, avvenuto due giorni prima. Uno degli interrogatori relativi al famoso caso del gigolò di Maida Vale l'aveva portata abbastanza vicino a casa, dunque ne aveva approfittato per fare una visita del tutto inaspettata e controllare come andavano le cose. La casa era vuota. In un primo momento non si era impaurita, perché aveva pensato che la signora Gustafson avesse portato la mamma a passeggio. Anzi, aveva addirittura provato un'immensa gratitudine per quella donna, tanto più anziana di lei, che si dimostrava disposta ad affrontare un impegno come tenere sotto controllo la signora Havers per strada.

Ma cinque minuti più tardi, la sua gratitudine si era disintegrata quando aveva visto comparire la signora Gustafson sui gradini della porta. Aveva fatto un salto a casa sua per dar da mangiare al pesciolino rosso, così le aveva spiegato, e poi aveva aggiunto: « La mamma tutto bene, vero? »

Per un attimo Barbara si era rifiutata di credere a quello che la domanda della signora Gustafson lasciava sottintendere. « Ma come, non è con lei? »

La donna si era portata una mano coperta di macchie brunastre alla gola, e un leggero tremito aveva cominciato a scuoterle i riccioli grigi della parrucca. « Ho fatto solo un salto a casa per dar da mangiare al mio pesciolino », le aveva ripetuto. « Ci ho messo soltanto un paio di minuti, Barbie. »

Barbara aveva guardato l'orologio di scatto. Si era sentita travolta da un'ondata di panico e le si era parata davanti una serie di scenari diversi, uno più assurdo dell'altro: sua madre morta lungo

Uxbridge Road, oppure che vagava sperduta fra la massa di gente in attesa della metropolitana, in chissà quale stazione, o smaniosa di trovare la strada per raggiungere il cimitero di South Ealing dov'erano sepolti suo figlio e suo marito o, addirittura, convinta di essere vent'anni più giovane, alla ricerca di un parrucchiere dov'era convinta di aver preso appuntamento. O magari aggredita, derubata, stuprata...

Si era fiondata fuori casa piantando in asso la signora Gustafson, che si torceva le mani e continuava a gemere: « Ci sono andata solo per dar da mangiare al mio pesciolino », come se questo bastasse a perdonare, almeno in parte, la negligenza. Aveva messo in moto la Mini e si era precipitata rombando in direzione di Uxbridge Road. Aveva imboccato e percorso a velocità folle strade laterali e viuzze intricate. Aveva fermato i passanti. Era entrata di corsa nei negozi. E finalmente era riuscita a trovarla nel parco giochi della scuola elementare del quartiere dove andavano non soltanto lei, ma anche suo fratello minore, morto già da molti anni.

Il preside aveva già telefonato alla polizia. Quando era arrivata, due agenti in uniforme, un uomo e una donna, stavano parlando con sua madre. Vedeva le facce di parecchi curiosi alle finestre. Be', perché non dovrebbero? aveva pensato. Non c'era dubbio, con addosso soltanto quella leggera vestaglietta estiva da casa, le pantofole ai piedi e gli occhiali, che però non teneva sul naso ma, chissà per quale motivo, sulla testa, sua madre costituiva un vero e proprio spettacolo. Aveva i capelli spettinati, e dal corpo esalava un odore sgradevole. Blaterava parole senza senso, protestava e discuteva come una pazza. E quando la poliziotta aveva allungato una mano per avvicinarla a sé, si era tirata indietro di colpo, con un'agilità incredibile, e aveva cominciato a correre verso la scuola chiamando a gran voce i suoi figli.

Tutto questo era successo soltanto due giorni prima, l'ennesima indicazione che la signora Gustafson non rappresentava più la risposta giusta al problema.

Negli otto mesi trascorsi dalla morte di suo padre, Barbara aveva già sperimentato una varietà di soluzioni con la speranza di risolverlo. In principio l'aveva portata in un centro diurno, che sembrava all'avanguardia nell'assistenza agli anziani, ma chiudeva alle sette, e le sue esigenze di lavoro non le consentivano di rispettare orari regolari. Se il diretto superiore di Barbara avesse immaginato che per lei era essenziale andare a prendere la mamma entro le sette, probabilmente avrebbe insistito perché avesse tutto il tempo necessario per farlo. Ma questo avrebbe comportato per lui accollarsi un peso ancora maggiore del normale, e non era giusto – Barbara teneva troppo al suo lavoro e alla sua collaborazione con Thomas Lynley per mettere a rischio l'uno o l'altra dando priorità ai propri problemi personali.

Dopo quel tentativo, aveva sperimentato una varietà di badanti a pagamento, per l'esattezza quattro, che complessivamente erano durate dodici settimane. Si era rivolta un gruppo parrocchiale e a una serie di assistenti sociali. Si era messa in contatto con i Servizi Sociali per ottenere un aiuto a domicilio. Alla fine, però, la scelta era ricaduta di nuovo sulla signora Gustafson, la vicina di casa. E malgrado la figlia fosse contraria all'idea e, anzi, l'avesse sconsigliata a Barbara, la signora si era assunta l'incarico, almeno temporaneamente. Ma la sua capacità di dedicarsi con tatto e pazienza alla signora Havers si era dimostrata modesta. E ancor più modesta era risultata la disponibilità di Barbara a sopportare le sue manchevolezze. Ormai era solo questione di giorni prima che si arrivasse all'irrimediabile.

Barbara sapeva che la risposta a tutto ciò era il ricovero, ma non riusciva ad accettare l'idea di mandare la madre a vivere in uno di quegli ospizi pubblici, le cui carenze, unite a quelle del Servizio Sanitario Nazionale, erano fin troppo note. Allo stesso tempo, se prima non vinceva alla lotteria, non poteva permettersi una clinica privata.

Si frugò nella tasca della giacca alla ricerca del biglietto da visita che aveva preso la mattina. Hawthorn Lodge, diceva. Uneeda Drive, Greenford. Una telefonata a Florence Magentry e i suoi problemi sarebbero stati risolti.

« Sono la signora Flo », aveva detto aprendo la porta a cui Barbara aveva bussato alle nove e mezzo. « È così che mi chiamano le mie care vecchiette. Signora Flo. »

Viveva in una palazzina a due piani, costruita in quello stile architettonico bruttino e senza pretese, caratteristico dell'edilizia postbellica che aveva battezzato con notevole ottimismo « villa dei biancospini », appunto. La facciata intonacata di grigio, ravvivata da mattoni rossi al pianterreno, era anche impreziosita da un motivo in legno scolpito color sangue di bue e da un bovindo a cinque lati, che guardava sul piccolo giardino pieno di nanetti. La porta principale si apriva direttamente sul vano della scala. A destra c'era il soggiorno, dove la signora Flo aveva accompagnato Barbara, chiacchierando in continuazione delle «amenità» che la casa offriva alle care vecchiette in visita.

«Preferisco dire così», le aveva spiegato la signora Flo, dando un colpetto sul braccio di Barbara; aveva la mano sorprendentemente morbida, bianca e calda. «Così si ha meno il senso della permanenza a lungo termine, non le pare? Venga, le faccio vedere.»

Barbara sapeva già che avrebbe notato solo quelle caratteristiche necessarie a convincerla che fosse la soluzione ideale. E così, a poco a poco cominciò a segnare a mente una crocetta vicino alle varie voci che riteneva essenziali. Arredamento accogliente nel soggiorno – i mobili erano vecchi, ma di buona fattura e solidi – comprensivo di televisore, stereo, due scaffali di libri e una raccolta di riviste grandi e colorate. Pareti dipinte e tappezzate di fresco, alle quali erano appese qualche stampa e incisioni allegre. Cucina ordinatissima e un piccolo tinello per i pasti, le cui finestre davano su un altro pezzetto di giardino sul retro della casa. Quattro camere da letto al piano superiore, una per la signora Flo e le altre tre per le sue «care vecchiette». Due bagni, uno di sopra e uno al pianterreno, entrambi di un candore abbagliante e i rubinetti che luccicavano come argento. E poi c'era la signora Flo, con gli occhialoni, i capelli a caschetto, molto moderni, e lo scamiciato chiuso sul colletto da una spilla a forma di viola del pensiero. Sembrava una padrona di casa abile e capace, e profumava di limone.

«Ha telefonato proprio al momento giusto», le aveva detto. «Abbiamo perso la nostra cara signora Tilbird la settimana scorsa. Aveva novantatré anni. Ma com'era lucida, se sapesse! Se ne è andata nel sonno, che Dio la benedica. Nessuno potrebbe augurarsi una morte più serena, vero? Fra un mese erano dieci anni che viveva qui con me.» Le erano diventati gli occhi lucidi nel faccione rubicondo. «Be', nessuno vive in eterno, è risaputo, giusto? Avrebbe piacere di fare la conoscenza delle mie care vecchiette?»

Le ospiti stavano prendendo un po' di sole nel giardinetto dietro la casa. Erano due soltanto: una donna cieca di ottantaquattro anni, che aveva sorriso e risposto al saluto di Barbara con un cenno della testa e poi, subito dopo, si era riaddormentata; e un'altra più giovane, sulla cinquantina, con l'aria impaurita, che si era aggrappata alle mani della signora Flo, facendosi piccola piccola sulla sedia. Barbara aveva riconosciuto quei sintomi al volo.

« Ce la fa a controllarle entrambe? » le aveva domandato con franchezza.

La signora Flo aveva accarezzato dolcemente i capelli della donnina. « Per me non sono un problema, cara. Dio dà a ciascuno il suo fardello, non è così? Ma non è mai superiore alle nostre forze. »

A quello stava pensando adesso, continuando a sfiorare con la punta delle dita il biglietto da visita che aveva nella tasca della giacca. Era la stessa cosa che stava cercando di fare lei, cioè liberarsi di un peso che, per pigrizia o perverso egoismo, non si sentiva di accollarsi?

Evitò la domanda prendendo in esame tutto ciò che poteva convincerla che sistemare sua madre a Hawthorn Lodge fosse la scelta giusta. Si mise a enumerare i lati positivi: la prossimità della stazione di Greenford e il fatto che, se si fosse decisa a portarla là, prendendo in affitto per sé il piccolo monolocale che era riuscita a trovare a Chalk Farm, avrebbe dovuto cambiare treno solo una volta, a Tottenham Court Road; il fruttivendolo appena dentro la stazione della metropolitana di Greenford, dove avrebbe potuto comprarle frutta fresca ogni volta che andava a trovarla; il giardinetto pubblico situato appena a una strada di distanza, il viale centrale fiancheggiato da cespugli di biancospino che conduceva al parco giochi con le altalene, il dondolo, la giostra e le panchine dove avrebbero potuto sedersi per guardare i bambini giocare scatenati e rumorosi; la fila di negozi poco distante: una farmacia, un supermercato, una bottiglieria, un panettiere e perfino una rosticceria cinese che vendeva cibi da asporto – proprio la cucina preferita della mamma.

Eppure, già mentre elencava a se stessa tutte quelle caratteristiche che avrebbero dovuto incoraggiarla a telefonare alla signora Flo intanto che aveva ancora un posto libero, Barbara capiva che stava di proposito evitando di prendere in esame alcuni degli aspetti negativi che non aveva potuto fare a meno di notare. Si disse che non c'era nulla da fare contro il rumore continuo che arrivava dalla A40 e il fatto che Greenford era stretta tra la ferrovia e l'autostrada. E poi c'erano quei tre nanetti striminziti nel giardinetto davanti casa. Chissà come mai, poi, le erano venuti in mente: forse perché c'era qualcosa di patetico nel naso sbucciato di uno, nel cappuccio rotto di un altro, nel braccio mancante del terzo? Il pensiero di quelle chiazze lucide sul divano, dove per troppo tempo si erano appoggiate le teste bisunte di vecchi, la terrorizzava. E quelle briciole all'angolo della bocca della cieca...

Cose di poco conto, si disse, piccoli uncini che affondavano in profondità nel proprio senso di colpa. Non ci si poteva aspettare la perfezione dappertutto. A parte che poi tutti questi piccoli elementi di sconcerto erano privi di importanza se paragonati alla loro vita ad Acton e alle condizioni della casa in cui abitavano adesso.

In realtà, la scelta non era tra Acton e Greenford, e nemmeno se tenere sua madre a casa o mandarla via. In realtà la decisione andava più nel profondo, alla vera e propria sostanza di quello che voleva lei: nulla di complicato, solo un'esistenza lontano da Acton, lontano dalla madre, lontano da quei fardelli che, a differenza della signora Flo, era convinta di non essere in grado di accollarsi.

Vendere la casa di Acton le avrebbe fornito denaro sufficiente per pagare il soggiorno presso la signora Flo. Inoltre sarebbe riuscita a sistemarsi a Chalk Farm. E non aveva importanza che il monolocale fosse largo sì e no tre metri e mezzo e lungo all'incirca otto, e in realtà fosse appena poco più di una rimessa per gli attrezzi da giardino ristrutturata, con il comignolo in terracotta e il tetto privo di qualche tegola d'ardesia. Però aveva delle potenzialità. E ormai Barbara non chiedeva altro dalla vita: solo la promessa, il sussurro, l'afflato di una possibilità.

Alle sue spalle, quando qualcuno infilò il tesserino di riconoscimento nella serratura automatica, la porta si aprì. Si girò e vide entrare Lynley, con un'aria stranamente riposata malgrado avessero fatto le ore piccole con l'assassino di Maida Vale.

«Come va?» le domandò.

«La prossima volta che mi offro di fare un favore a qualcuno, mi dia un pugno in faccia, ispettore! Questo schermo mi sta accecando.»

«Deduco che non ha trovato niente, allora.»

«No, niente. Però confesso di non essermi dedicata anima e corpo a questa ricerca.» Sospirò, si segnò le ultime voci che aveva letto e uscì dal programma. Poi si massaggiò il collo.

«Com'era Hawthorn Lodge?» le domandò Lynley. Prese una sedia e la accostò a quella di Barbara, poi si mise a sedere di fianco a lei davanti al computer.

Barbara fece del suo meglio per evitare di guardarlo negli occhi. « Bellino. Però Greenford è un po' fuori rispetto alla Central Line. E non so fino a che punto la mamma riuscirebbe ad ambientarsi. È troppo abituata ad Acton. Alla casa. Sa cosa intendo, no? Le piace essere circondata dalle sue cose. »

Sentiva che lui la stava osservando, ma sapeva che non le avrebbe offerto alcun consiglio. Avevano una vita così diversa, che Lynley non si sarebbe mai azzardato a darle dei suggerimenti. Tuttavia, Barbara sapeva anche che lui si rendeva perfettamente conto della situazione in cui si trovava sua madre e delle decisioni che avrebbe dovuto prendere al riguardo.

« Mi sento una specie di criminale », mormorò con voce cupa.

« Perché? »

« Quella donna le ha dato la vita. »

« Non sono stata io a chiederlo. »

« No. Ma ci si sente sempre responsabili verso chi ci ha dato qualcosa. Qual è la scelta migliore da fare? ci domandiamo. E la scelta migliore è anche quella giusta, oppure si tratta solo di una comoda fuga? »

« Dio non dà a nessuno di noi un fardello che non è in grado di sopportare », Barbara udì se stessa declamare.

« Questo è un luogo comune particolarmente ridicolo, Havers. È quasi peggio di affermare che tutto è bene quel che finisce bene. Che stupidaggine! Molto spesso le cose non vanno a finire affatto bene, anzi, succede proprio il contrario, e Dio, sempre che esista, distribuisce di continuo fardelli insopportabili. E lei dovrebbe saperlo meglio di chiunque altro! »

« Perché? »

« Perché fa la poliziotta. » Si alzò. « Abbiamo un lavoro fuori città. Si tratterà di qualche giorno. Io comincio ad andare, lei mi raggiunga appena possibile. »

Questa offerta la indispettì, perché implicava una concessione. Inoltre sapeva che non si sarebbe fatto accompagnare da nessun altro. Avrebbe svolto il lavoro di entrambi finché lei non fosse riuscita a raggiungerlo. Era tipico di Lynley. Odiava la sua innata generosità, perché la costringeva a sentirsi in debito nei suoi confronti, inoltre non era in grado – né ora né mai – di ripagarlo.

« No », disse. « Mi faccia solo sistemare le cose. E sarò pronta in... quanto tempo ho? Un'ora? Due? »

« Havers... »

« Ho detto che verrò. »

« Havers, è a Cambridge. »

Lei alzò di scatto la testa e colse una chiara soddisfazione in quei caldi occhi castani. Scrollò la testa incupita. « Lei è pazzo, ispettore. »

Lui annuì e le fece un gran sorriso. « Sì, ma d'amore. »

3

Anthony Weaver fermò la Citroën lungo l'ampio viale di ghiaia che conduceva alla sua casa in Adams Road. Rimase a fissare oltre il parabrezza il cespuglio di gelsomino invernale che cresceva ordinato sul traliccio alla sinistra della porta d'ingresso. Nelle ultime otto ore gli era sembrato di vivere in una specie di limbo, tra l'incubo e l'inferno, e adesso era annientato. La sua mente gli diceva che era in stato di shock. E senza dubbio avrebbe ricominciato a provare qualcosa appena quel periodo di incredulità si fosse concluso.

Non si apprestò a scendere dalla macchina. Attese invece che la sua ex moglie parlasse. Ma Glyn Weaver, seduta di fianco a lui, manteneva lo stesso silenzio con cui lo aveva accolto alla stazione ferroviaria di Cambridge.

Non gli aveva permesso di andare a prenderla a Londra, né tantomeno di portarle la valigia o di aprirle la porta. E nemmeno di assistere alla propria disperazione. Lui aveva capito. Aveva già accettato di accollarsi la colpa per la morte della loro figliola. Si era assunto quella responsabilità nel preciso momento in cui aveva identificato il cadavere di Elena. Quindi Glyn non aveva alcun bisogno di subissarlo di accuse, perché le avrebbe accettate tutte.

Notò che passava in rassegna la facciata della casa e si domandò se avrebbe fatto qualche commento in proposito. Non tornava più a Cambridge dall'epoca in cui aveva aiutato Elena a sistemarsi nel pensionato del St Stephen's College, e perfino in quell'occasione non aveva messo piede in Adams Road.

Del resto sapeva che avrebbe giudicato la casa come il frutto di una serie di elementi vari che si erano venuti a combinare: il suo nuovo matrimonio, l'eredità, l'egocentrismo professionale, un simbolo autentico del successo ottenuto, insomma. Era una casa di mattoni, a tre piani, con inserti in legno sbiancato, un rivestimento di mattonelle decorative tra l'ultimo piano e il tetto, il soggiorno a veranda con terrazza. In confronto al claustrofobico alloggio di quando si erano sposati, più di vent'anni prima – tre locali in Hope Street –, la differenza era abissale. Questa, invece, era una casa singola in fondo a un viale d'accesso a curve, distanziata da altri edifici e a meno di due metri e mezzo dalla strada. Era l'abitazione di un docente universitario, uno stimato membro della facoltà di storia. Altro che casupola male illuminata di sogni infranti...

Sulla destra, una siepe di faggi rossi, illuminata dai colori autunnali al tramonto, delimitava il giardino sul retro. Da un varco tra il fogliame sbucò un setter irlandese, che procedette festoso verso l'automobile. Vedendolo, Glyn parlò per la prima volta, a fior di labbra, senza commuoversi, o almeno così sembrava.

«È il suo cane?»

«Sì.»

«A Londra non potevamo tenerne uno. L'appartamento era troppo piccolo. Ha sempre desiderato un cane. Voleva uno spaniel. E...»

Glyn si interruppe e scese dalla vettura. L'animale abbozzò due passi incerti verso di lei, la lingua penzoloni in una specie di indolente, largo sorriso canino. Glyn lo osservò, senza salutarlo. L'animale avanzò di altri due passi e cominciò ad annusare il terreno intorno ai piedi della donna. In un batter d'occhi, Glyn tornò a osservare la casa.

«Justine ha saputo creare un posto incantevole dove vivere, Anthony», disse.

La porta d'ingresso racchiusa tra due pilastri di mattoni si spalancò, i pannelli di mogano lucidato catturarono appena un barlume della luce pomeridiana che andava spegnendosi in fretta ed era riuscita a filtrare attraverso la nebbia. La moglie di Anthony, Justine, rimase immobile con una mano sulla maniglia. «Glyn, entra, ti prego. Ho preparato il tè», disse, poi rientrò in casa, senza farle le condoglianze, che sapeva non sarebbero state gradite.

Anthony seguì Glyn, portò la sua valigia di sopra, nella camera degli ospiti, e, quando tornò, trovò le due donne in piedi nel salone: Glyn alla finestra che dava sul prato davanti alla casa, con i mobili in ferro battuto verniciato di bianco, disposti con cura e buon gusto, che baluginavano nella foschia, invece Justine vicino al divano con la punta delle dita unite e premute di fronte a sé.

Le sue due mogli non potevano essere più diverse tra loro. A quarantasei anni, Glyn non provava nemmeno a contrastare l'avanzare dell'età. Aveva il viso sciupato, le zampe di gallina intorno agli occhi, due rughe profonde che le segnavano le guance dal naso fino al mento e altre più sottili tutt'intorno alle labbra, la linea della mandibola e del mento che cominciava a rilassarsi. I capelli erano striati di grigio, e li portava lunghi, raccolti all'indietro in un austero chignon. La sua figura si era allargata in vita e sui fianchi, così adesso si infagottava in abiti in tweed, e portava calze color carne e scarpe basse.

In contrasto, a trentacinque anni Justine riusciva ancora a dare la sensazione di essere nel pieno della giovinezza. La sorte le aveva fatto dono di un viso che, invecchiando, sarebbe diventato ancora più piacevole; era attraente senza essere bella, aveva la pelle liscia, gli occhi azzurri, gli zigomi alti e pronunciati, la linea della mandibola ferma e salda. Era alta, flessuosa, con una cascata di capelli biondo cenere che portava sciolti sulle spalle, come aveva sempre fatto sin dall'adolescenza. Curata e in gran forma, indossava gli stessi vestiti con cui era andata al lavoro al mattino, un tailleur grigio di sartoria con un'alta cintura nera, calze grigie, décolleté nero, una spilla d'argento al bavero della giacca. Era perfetta, come sempre.

Anthony guardò oltre le sue spalle, in direzione della sala da pranzo dove aveva apparecchiato il tavolo per il tè del pomeriggio. Bastava a dimostrare come aveva trascorso il suo tempo da quando lui le aveva telefonato alla University Press per informarla della morte di sua figlia. Mentre lui era stato all'obitorio, al commissariato di polizia, al college, nel proprio ufficio, alla stazione ferroviaria, mentre aveva identificato il cadavere, risposto a un certo numero di domande, accettato condoglianze da parte di gente incredula e preso contatto con la ex moglie, Justine si era preparata per il lutto. E adesso il risultato delle sue fatiche era esposto sul ripiano lucido del tavolo da pranzo.

Il servizio da tè che faceva parte della lista nozze, con un motivo di roselline dai bordi dorati e le foglie arricciolate, era stato sistemato in tutta la sua magnificenza su una tovaglia di lino. Fra i piatti, le tazze, l'argenteria, i candidi tovaglioli inamidati e i vasi di fiori, facevano bella mostra di sé una torta ai semi di papavero, un vassoio di delicati sandwich e uno di sottili fette di pane imburrato, scone appena sfornati, conserva di fragole e panna montata.

Anthony guardò sua moglie. Justine fece un veloce sorriso, poi ripeté, con un gesto vago in direzione della tavola imbandita, ciò che aveva già detto: «Ho preparato il tè».

«Grazie, tesoro», le rispose. Quelle parole suonarono false, innaturali, come se fossero state provate e riprovate senza successo.

«Glyn?» Justine attese che si voltasse. «Posso offrirti qualcosa?»

Gli occhi di Glyn si posarono prima sulla tavola e poi su Anthony. «Grazie. No. Non credo che riuscirei a mangiare niente.»

Justine si voltò verso il marito. «Anthony?»

Lui intuì subito la trappola. Per un momento ebbe l'impressione di essere sospeso a mezz'aria fra due contendenti, come in un'eterna gara di tiro alla fune. Poi si avvicinò alla tavola apparecchiata e si servì un sandwich, uno scone, una fetta di torta. Il cibo sapeva di sabbia.

Justine gli andò accanto per versargli il tè. Nell'aria si levò un vapore che aveva il profumo intenso e fruttato della moderna miscela aromatica che lei preferiva. Rimasero lì così, uno accanto all'altra, davanti a quel ben di Dio, all'argenteria scintillante e ai fiori freschi. Glyn restò accanto alla finestra nell'altra stanza. Nessuno fece per sedersi.

«Che cosa ti ha raccontato la polizia?» gli domandò Glyn. «A me non si sono neanche degnati di telefonare.»

«Gli ho detto io di non farlo.»

«Perché?»

«Pensavo che toccasse a me...»

«*A te?*»

Anthony vide Justine posare la tazza, fissandone il bordo.

«Che cosa le è successo, Anthony?»

«Glyn, siediti. Ti prego.»

«Voglio sapere che cosa è successo.»

Anthony appoggiò il piatto vicino alla tazza di tè che non aveva nemmeno toccato. Tornò in salotto. Justine lo seguì. Si mise seduto sul divano, fece segno alla moglie di sedersi accanto a lui e aspettò che Glyn si scostasse da quella finestra, ma invano. Seduta al suo fianco, Justine cominciò a rigirarsi la fede nuziale intorno al dito.

Anthony raccontò l'accaduto. Elena era fuori a correre e qualcuno l'aveva uccisa. Era stata colpita con un corpo contundente, poi strangolata.

«Voglio vedere il corpo.»
«No, Glyn. È meglio di no.»
La voce della donna vacillò per la prima volta. «Era mia figlia. Voglio vedere il corpo.»
«Non com'è ridotto adesso. Fra un po', quando quelli delle pompe funebri avranno provveduto a...»
«Voglio vederla, Anthony.»
Lui si accorse che la voce di Glyn si faceva a poco a poco più acuta e tesa, e sapeva per esperienza cosa lo aspettava, quindi tentò di farle cambiare idea. «Ha un lato della faccia spappolato», le disse. «Si vedono le ossa. Non ha più il naso. È questo che vuoi vedere?»
Glyn frugò nella borsetta e tirò fuori un fazzolettino di carta. «Accidenti a te», bisbigliò. E poi: «Com'è successo? Mi avevi detto... mi avevi promesso... che non sarebbe mai andata a correre da sola».
«Ha telefonato a Justine ieri sera. E le ha detto che stamattina non sarebbe uscita.»
«Ha telefonato...» Glyn spostò lo sguardo da Anthony a sua moglie. «Tu correvi con Elena?»
Justine smise di rigirarsi la fede nuziale all'anulare, ma non di toccarla, come se fosse un talismano. «È stato Anthony a pregarmi di farlo. Non gli piaceva l'idea che Elena andasse a correre lungo il fiume quando era ancora buio, così ho deciso di accompagnarla. Ma ieri sera mi ha telefonato per avvisarmi che stamattina non sarebbe andata, invece deve aver cambiato idea per chissà quale motivo.»
«E da quanto tempo avevate trovato questa soluzione?» domandò Glyn, riportando l'attenzione sull'ex marito. «Hai detto che Elena non avrebbe più corso da sola, però non mi avevi spiegato che Justine...» Di colpo cambiò tono. «Come ti è saltato in mente di affidare il benessere di tua figlia a...»
«Glyn...» disse Anthony.
«Non se ne sarebbe preoccupata! Non l'avrebbe sorvegliata! Non si sarebbe preoccupata che Elena non corresse rischi.»
«Glyn, per l'amor di Dio.»
«È la verità. Non ha mai avuto una figlia, lei, come poteva sapere che cosa significa aspettare, osservare, torturarsi, farsi do-

mande. Avere dei sogni. Mille sogni che ormai non si realizzeranno più perché *lei* stamattina non è andata a correre con Elena.»

Justine era rimasta immobile sul divano. Aveva un'espressione impenetrabile, la faccia ridotta a una maschera impassibile di classe e buona educazione. «Lascia che ti accompagni nella tua camera», disse a Glyn, alzandosi. «Sarai esausta. Ti abbiamo preparato la camera gialla che dà sul retro della casa. C'è un gran silenzio, così potrai riposare.»

«Voglio la camera di Elena.»

«Be', sì, certamente. Non c'è problema. Devo solo cambiare le lenzuola...» E senza concludere la frase, si allontanò.

«Perché le hai affidato Elena?» iniziò Glyn.

«Ma cosa stai dicendo? Justine è mia moglie.»

«Già, il nocciolo della questione è questo, giusto? Che te ne importa della morte di Elena? Hai già chi può mettere al mondo un'altra figlia.»

Anthony si alzò. Mentre ascoltava le parole di Glyn, gli era venuta in mente un'immagine di Elena, come l'aveva vista l'ultima volta dalla finestra del soggiorno, che gli faceva un sorriso e un ultimo gesto di saluto dal sellino della bicicletta, pronta per andarsene, dopo che avevano pranzato insieme, perché aveva un appuntamento con il suo tutor. Avevano mangiato qualche sandwich insieme, loro due soli, avevano parlato del cane, godendosi un'ora di affetto reciproco.

Sentì crescere l'angoscia. Creare un'altra Elena? Mettere al mondo un'altra Elena? Ce n'era soltanto una. Anche lui era morto insieme alla figlia.

Superò la ex moglie senza vederla e uscì di casa, continuava a udire le sue parole dure e sommesse, pur non distinguendole l'una dall'altra. Barcollando, aveva raggiunto l'automobile e, con gesti incerti, aveva messo in moto. Stava già facendo retromarcia lungo il vialetto d'accesso, quando vide Justine uscire di corsa.

Lo chiamò. La scorse per un attimo alla luce dei fari prima di premere il piede sull'acceleratore e, tra schizzi di ghiaia, imboccare fragorosamente Adams Road.

Mentre guidava, si accorse che aveva il respiro affannoso e gli faceva male la gola. Cominciò a piangere – singhiozzi secchi, angosciosi, senza lacrime, per sua figlia, le sue mogli e il terribile pasticcio che aveva combinato con la sua vita.

Raggiunse Grange Road, poi Barton Road e infine, grazie a Dio, si accorse di essere ormai fuori città. Era buio, e la nebbia era fitta, specialmente in quella zona di campi incolti e di siepi già spoglie in vista dell'inverno imminente. Guidava spericolato e, quando la campagna cedette il posto a un paese, fermò la macchina, la parcheggiò e scese di scatto, accorgendosi che la temperatura era calata ancora, a causa di un vento gelido che soffiava dalla East Anglia. Aveva lasciato il soprabito a casa. Indossava soltanto la giacca, ma non aveva importanza. Tirò su il bavero e si incamminò, oltrepassò un cancello a doppio battente e cinque o sei cottage con il tetto di paglia, poi si fermò davanti alla casa di lei. Attraversò la strada per tenersi a una certa distanza dalla costruzione, ma perfino con quella nebbia riusciva a vedere dalla finestra.

Eccola là, che camminava avanti e indietro per il salotto con una tazza fra le mani. Era bassa, snella e minuta. Se l'avesse stretta fra le braccia, si sarebbe ridotta a un nonnulla, solo un fragile battito del cuore e una vita ardente che lo consumava, lo accendeva di passione e una volta l'aveva fatto sentire completo.

Voleva andare da lei. Aveva bisogno di parlarle. Voleva che lo abbracciasse.

Scese dal marciapiede. In quel momento, un'automobile gli sfrecciò di fianco e suonò il clacson per metterlo in guardia, dall'abitacolo giunse un grido soffocato. Lo fece tornare in sé.

Rimase a osservarla mentre si avvicinava al caminetto per aggiungere altra legna, come aveva fatto anche lui una volta, e quando si era voltato l'aveva scoperta a fissarlo, la mano protesa verso di lui, il suo sorriso come una benedizione.

« Tony », gli avrebbe sussurrato, pronunciando il suo nome con voce vibrante d'amore.

E lui le avrebbe risposto come adesso.

« *Tigresse* ». Appena un bisbiglio. « *Tigresse. La Tigresse.* »

Lynley arrivò a Cambridge alle cinque e mezzo e proseguì per Bulstrode Gardens, dove parcheggiò la Bentley di fronte a una casa che gli ricordò quella di Jane Austen a Chawton. Stesse proporzioni, stessa architettura: due finestre a doppio battente e, più sotto, una porta d'ingresso bianca; al piano superiore, tre finestre equidistanti, nella stessa, identica posizione. La costruzione era completata da un tetto di tegole alla fiamminga e svariati comignoli spogli, e aveva una struttura rettangolare, solida, assolutamente priva di interesse. In ogni caso, guardandola Lynley non provò lo stesso disappunto che aveva sentito a Chawton. Chissà perché, chiunque si sarebbe aspettato che Jane Austen vivesse in un piccolo cottage comodo e accogliente con il tetto di paglia, bizzarro e d'atmosfera, circondato da un giardino pieno di alberi e di aiuole fiorite. Del resto, nessuno si aspettava nemmeno che un assistente universitario della facoltà di teologia mantenesse a fatica una moglie e tre bambini in quella specie di casa di bambola.

Scese dalla macchina e si infilò il cappotto. La nebbia, come constatò subito, addolciva con un tocco di romanticismo alcune caratteristiche della casa che esprimevano una crescente indifferenza e trascuratezza. Al posto del giardino c'era un viale semicircolare con il fondo di ghiaia cosparso di foglie secche, che faceva un'ampia curva e conduceva alla porta d'ingresso; la parte interna era costituita da una grande aiuola eccessivamente rigogliosa, separata dalla strada da un muretto in mattoni. Non era stato fatto nulla per preparare il terreno all'autunno e all'inverno, tanto che i resti delle piante estive erano sparsi qua e là, rinsecchiti e avvizziti su uno strato solido e compatto di terriccio indurito. Un grande ibisco nascondeva il muro del giardino, arrampicandosi tra le foglie ingiallite dei narcisi che andavano strappate e portate via molto tempo prima. A sinistra della porta d'ingresso, a poco a poco un kiwi si era allungato fino a raggiungere il tetto, e adesso protendeva i suoi viticci su una delle finestre al pianterreno, mentre sulla destra un altro kiwi stava creando un cumulo inerte di foglie punteggiate da chissà quale malattia. Il risultato era che la facciata principale della casa aveva assunto un curioso aspetto sbilenco, in stridente contrasto con la perfetta simmetria delle sue linee architettoniche.

Lynley passò sotto una sottile betulla in fondo al viale. Da una casa vicina si sentiva una musica sommessa e, in un punto imprecisato in mezzo alla nebbia, una porta sbatté, emettendo uno schianto simile a un colpo di pistola. Schivando un triciclo rovesciato su un fianco, salì l'unico gradino che conduceva al portico e suonò il campanello.

Allo squillo risposero subito le grida di due bambini che facevano a gara per arrivare alla porta per primi, accompagnati dal sonoro scoppiettio di chissà quale misterioso giocattolo. Poiché le manine ancora non riuscivano ad aggrapparsi alla maniglia e a girarla, si misero a tempestare freneticamente di pugni il pannello di legno.

« Zietta Leen! » Difficile dire se fosse un maschio o una femmina a gridare.

Nella stanza a destra dell'ingresso si accese una luce e sul viale si disegnò un opalescente riquadro luminoso appena visibile fra la nebbia. Un neonato cominciò a piangere. Una voce di donna urlò: « Un momento, per favore! »

« Zietta Leen! La porta! »

« Lo so, Christian. »

Sopra la testa si accese una lucina, e Lynley sentì gli scatti della chiave. « Sta' indietro, tesoro mio », disse la donna, aprendo.

Li vide tutti e quattro incorniciati dall'architrave e da una soffusa luce dorata che filtrava obliqua dal salotto, degna di un quadro di Rembrandt. Ed effettivamente, sia pure solo per un momento, ebbe quasi l'impressione di avere davanti un dipinto – la donna indossava un pullover rosa con cappuccio, contro cui teneva appoggiata una piccolina avvolta in uno scialle color ribes, mentre due bambini le si aggrappavano alle gambe dei pantaloni di lana nera: il maschietto con un vistoso livido sotto un occhio e la femminuccia che stringeva fra le mani l'impugnatura di un giocattolo con le ruote. Ecco cos'era il rumore che aveva sentito Lynley: quando la bambina trascinava sul pavimento quella specie di cupola in plastica trasparente, si alzava una serie di pallottole colorate che andavano a colpire le pareti come rumorose bolle di sapone.

« Tommy! » esclamò Lady Helen Clyde. Fece un passo indietro e invitò i bambini a fare la stessa cosa. Loro ubbidirono, di comune accordo. « Sei a Cambridge. »

« Sì. »

La donna guardò dietro di lui, come se si aspettasse di vederlo in compagnia. « Sei solo? »

« Già. »

« Che sorpresa. Entra. »

La casa emanava un odore intenso di lana bagnata, latte acido, borotalco e pannolini, gli aromi tipici dell'infanzia. E straripava anche del disordine tipico dell'infanzia: giocattoli sparpagliati sul pavimento del salotto, libri di favole con le pagine strappate spalancati su divano e poltrone e, davanti al camino, un mucchio di golfini e di tutine. Su una sedia a dondolo in miniatura giaceva una copertina azzurra spiegazzata e piena di macchie, e, quando Lynley si accinse a seguire Lady Helen nella cucina che dava sul retro, il maschietto si precipitò ad afferrarla e se la strinse al petto. Poi guardò Lynley di sottecchi con insolente curiosità.

«E lui chi è, zietta Leen?» domandò. La sorella era rimasta vicino a Lady Helen, la mano sinistra letteralmente incollata ai pantaloni della zia, come una specie di appendice, mentre il pollice della destra aveva trovato il modo di insinuarsi in bocca. «Piantala, Perdita», le gridò il maschietto. «La mamma dice che non ti devi succhiare il dito. Sei proprio una poppante!»

«Christian», mormorò Lady Helen in tono di dolce rimprovero. Poi guidò Perdita a un tavolino sotto una finestra; la piccola si sedette su una seggiolina e cominciò a dondolarsi avanti e indietro, succhiandosi il pollice e tenendo i grandi occhi scuri fissi sulla zia, con un'espressione che pareva colma di angoscia.

«Non hanno ancora accettato come dovrebbero il fatto di avere una nuova sorellina», osservò Lady Helen con la massima tranquillità, rivolta a Lynley, mentre si spostava la neonata in lacrime da un braccio all'altro. «Stavo proprio per portarla di sopra. È l'ora della poppata.»

«E Pen? Come sta?» domandò Lynley.

Lady Helen diede un'occhiata ai nipotini, e quello sguardo bastò a spiegare tutto. Non stava affatto meglio.

«Lascia che porti la bambina di sopra», gli disse. «Torno fra un minuto.» Poi gli sorrise. «Ce la fai?»

«Christian morde?»

«Soltanto le femmine.»

«Be', è già qualcosa.»

Lei scoppiò a ridere e si allontanò, riattraversando il salotto. Poi Lynley la udì salire i gradini delle scale e mormorare qualcosa alla neonata, cercando di placarne gli strilli.

Riportò lo sguardo sui bambini. Christian e Perdita erano gemelli, questo lo sapeva, e avevano poco più di quattro anni. La bambina era nata un quarto d'ora prima del fratello, che però era più grosso e robusto, più aggressivo e, a quanto pareva, poco incline a reagire favorevolmente agli approcci amichevoli di un estraneo. Del resto, considerati i tempi in cui vivevano, era meglio così. A ogni modo, non facilitava le cose. Da parte sua, Lynley non aveva mai dato il meglio di sé quando si era trovato ad avere a che fare con bambini di quella età.

« La mamma è malata. » Christian accompagnò questo annuncio sferrando un calcio all'anta di uno degli armadietti della cucina. E poi ancora, uno, due, tre calci, non meno violenti del primo; infine, lasciando cadere la copertina azzurra per terra, spalancò l'armadietto e cominciò a tirare fuori una serie di pentole e padelle con il fondo di rame. « È colpa della bambina se sta male. »

« Ma no, sono cose che capitano », gli rispose Lynley. « Presto starà meglio. »

« Non mi interessa. » E Christian sbatté energicamente una padella contro il pavimento. « Perdita piange. E stanotte ha fatto la pipì a letto. »

Lynley guardò la bambina. Aveva i capelli folti e ricci che le scendevano arruffati sugli occhi e continuava a dondolarsi avanti e indietro senza aprire bocca. Le guance lavoravano febbrili intorno al pollice. « Immagino che non l'abbia fatto apposta. »

« Papà non tornerà più a casa. » Christian scelse una seconda padella con la quale cominciò a dar colpi spietati e fragorosi alla prima. Era un rumore stridulo, di quelli che fanno accapponare la pelle, eppure pareva lasciare indifferenti i due bambini. « A papà non gli piace la sorellina. È arrabbiato con la mamma. »

« Che cosa te lo fa pensare? »

« La zietta Leen mi piace. Ha un buon odore. »

Ecco finalmente un argomento sul quale avrebbero potuto conversare. « Sì, è proprio vero. »

« A te piace la zietta Leen? »

« Sì, moltissimo. »

A quanto sembrava, Christian era convinto che un'affermazione del genere bastasse a farli diventare amici. Balzò in piedi e spinse una pentola con il coperchio contro la coscia di Lynley.

« Tieni », gli disse. « Si fa così. » E gli diede una dimostrazione pratica della propria abilità nel far baccano, sbatacchiando un coperchio su un'altra pentola.

« Insomma, Tommy! Non gli darai corda, per caso? » Lady Helen si richiuse la porta della cucina alle spalle e si precipitò a salvare il pentolame della sorella. «Vai a sederti con Perdita, Christian. Adesso vi preparo il tè.»

«No! Io voglio giocare!»

«In questo preciso momento no, non si può.» Lady Helen gli staccò le dita dal manico di una pentola, lo prese in braccio e lo portò vicino al tavolo. Lui si mise a scalciare e a strillare. Sua sorella lo guardava con gli occhi sgranati, continuando a dondolarsi avanti e indietro. «Devo far prendere il tè a tutti e due», spiegò Lady Helen a Lynley, cercando di sovrastare le grida di Christian. «Questo non si mette tranquillo finché non ha mangiato.»

«Sono venuto in un brutto momento, eh?»

La donna. «Eh, sì...»

Lui provò un tuffo al cuore. Intanto Helen si era inginocchiata e aveva cominciato a radunare le pentole sparse sul pavimento. La raggiunse per aiutarla. Alla luce cruda e spietata della cucina, ne colse il pallore del viso. Il naturale colorito roseo che di solito le ravvivava le guance sembrava sparito, e sotto gli occhi aveva lievi segni scuri che sembravano quasi ferite. «Quanto tempo ancora dovrai rimanere qui?» le domandò.

«Cinque giorni. Sabato arriva Daphne, si fermerà due settimane. E poi verrà la mamma per altre due. Dopo Pen dovrà cavarsela da sola.» Si scostò dalla guancia una ciocca di capelli castani. «E non so proprio come farà, Tommy. Non l'avevo mai vista ridotta così.»

«Christian dice che suo padre non si fa vedere molto spesso.»

Lady Helen strinse con forza le labbra. «Per l'appunto. Ecco, direi che è un eufemismo.»

Le accarezzò la spalla. «Che cosa è successo, Helen?»

«Non te lo so dire. È come se avessero un vecchio conto da regolare. E nessuno dei due è disposto a parlarne.» Sorrise senza allegria. «La sublime felicità di un matrimonio deciso dal cielo.»

Sentendosi inspiegabilmente ferito, Lynley tirò via la mano.

«Scusami», gli disse Helen.

Nel tentativo di abbozzare un sorriso, gli tremò la bocca. Poi si strinse nelle spalle e mise a posto anche l'ultima pentola.

«Tommy...» Si voltò a guardarla. «È inutile. Lo sai questo, vero? Non saresti dovuto venire.»

Poi Helen si alzò e cominciò a tirare fuori del cibo dal frigorifero e portò quattro uova, il burro, una fetta di formaggio e due pomodori vicino ai fornelli. Frugò in un cassetto e prese una pagnotta. Poi in fretta, senza più aprire bocca, preparò da mangiare ai bambini, mentre Christian pareva impegnatissimo a scarabocchiare chissà cosa sul tavolo con un mozzicone di matita tolto da una guida del telefono in un mucchio disordinato di altri oggetti su un piano da lavoro poco distante. Perdita continuava a dondolarsi avanti e indietro, succhiandosi il pollice con aria felice e le palpebre semichiuse.

Appoggiato al lavello, Lynley non levava gli occhi di dosso da Lady Helen. Non si era ancora tolto il soprabito, né lei si era offerta di prenderglielo.

Si domandò che cosa aveva sperato di ottenere andando da lei a casa di sua sorella. Oltretutto Helen era preoccupata ed esausta perché doveva occuparsi di due bambini piccoli e di una neonata, che non erano nemmeno figli suoi. Già, che cosa aveva sperato di ottenere? Che gli cadesse tra le braccia piena di gratitudine? Che lo avrebbe accolto come una benedizione? Un'ancora di salvezza? Che la sua faccia si sarebbe illuminata di gioia e di desiderio? Che le sue difese sarebbero crollate e si sarebbe arresa, definitivamente, senza più dubbi, una volta per tutte? La Havers aveva ragione. Era uno stupido.

«Allora me ne vado», le disse.

Lei era ai fornelli, stava versando le uova strapazzate dalla padella in due piatti decorati con gli animaletti di Beatrix Potter, e si voltò. «Torni a Londra?» gli chiese.

«No. Sono qui per lavoro.» E le raccontò quel poco che sapeva. «Mi hanno trovato un alloggio al St Stephen's College», concluse.

«Così potrai rivivere i giorni in cui studiavi.»

«Rifare i letti, pulire i cucinini, chiedere le chiavi al portiere quando si esce la sera...»

La donna portò i piatti in tavola insieme al pane tostato, ai pomodori grigliati e al latte. Christian si avventò sul cibo come se fosse stato vittima di un lungo periodo di carestia. Perdita continuò a dondolarsi, invece. Lady Helen le mise una forchetta in mano, le accarezzò la testolina bruna e le sfiorò delicatamente la morbida guancia.

«Helen...» Fu un sollievo pronunciare il suo nome. Lei alzò gli occhi e lo guardò. «Me ne vado.»

«Aspetta, ti accompagno.»

Lo seguì per il salotto fino alla porta d'ingresso. Faceva più freddo in quella parte della casa. Lui guardò la scala.

«Posso salutare Pen?»

«Direi di no, Tommy.» Lui si raschiò la gola e annuì. Come se avesse colto qualcosa nella sua espressione, Helen gli toccò un braccio con la mano. «Ti prego, cerca di capire.»

Istintivamente, intuì che non stava parlando della sorella. «Suppongo che non potrai liberarti per cena.»

«Non posso lasciarla sola con loro. E poi, chissà quando tornerà a casa Harry! Stasera aveva un ricevimento ufficiale all'Emmanuel. Non è escluso che si fermi lì a dormire. L'ha già fatto per quattro notti, la settimana scorsa.»

«Se tornasse a casa, mi telefoneresti al college?»

«Non tornerà.»

«Ma metti caso...»

«Oh, Tommy.»

Si sentì travolgere da un'ondata improvvisa di desolazione che lo incitò a dirle: «Quando ho saputo che bisognava venire a Cambridge, mi sono offerto io di occuparmi di questo caso, Helen».

Ma non appena ebbe pronunciato queste parole, provò soltanto un profondo disprezzo per se stesso. Ecco, stava ripiegando anche lui sulla forma peggiore di ricatto emotivo. Era un tentativo di raggiro, disonesto, indegno di entrambi. Lei non reagì. Nell'oscurità del vestibolo, era un contrasto di luci e ombre. La curva lucente dei capelli che le scendevano sulle spalle, il pallore d'avorio della pelle. Lynley allungò una mano, le accarezzò la mandibola. Lei gli si avvicinò, cercando riparo tra le pieghe del suo soprabito. Gli fece scivolare le braccia intorno al corpo. Lui le appoggiò la guancia sulla testa.

«Christian ha detto che gli piaci perché hai un buon odore», le sussurrò.

La sentì sorridere contro il petto. «Davvero?»

«Sì.» Si concesse di tenerla stretta a sé ancora per un momento prima di sfiorarla con le labbra. «Ha ragione», le disse e la lasciò andare. Poi aprì la porta.

«Tommy...» Helen incrociò le braccia sul petto. Lynley non disse niente, aspettando con ansia che fosse lei a fare una specie di primo passo.

«Nel caso Harry si facesse vedere, ti telefono», gli disse.
«Ti amo, Helen.» E si avviò all'automobile.

Lady Helen tornò in cucina. Per la prima volta in nove giorni, da quando era arrivata a Cambridge, esaminò la stanza con distacco, come se fosse un'estranea. *Distruzione*, diceva chiaro e tondo.

Benché lo avesse lavato soltanto tre giorni prima, il pavimento di linoleum giallo era di nuovo sudicio, macchiato di cibo e bevande, i resti dei pasti dei bambini. Le pareti sembravano unte, imbrattate da impronte grigiastre che parevano indicatori stradali in rilievo sullo strato di intonaco. Il piano da lavoro ormai fungeva da spazio dove accatastare tutto ciò che non trovava posto altrove. Accanto a un fascio di lettere mai aperte, una ciotola di legno piena di mele e di banane annerite, qualche quotidiano, un barattolo di plastica con utensili e spazzole da cucina e un album da colorare completo di pastelli, c'erano una rastrelliera zeppa di bottiglie di vino, un frullatore elettrico, un tostapane e una fila di libri impolverati. Intorno ai fornelli, si intravedevano chiazze incrostate di liquido fuoriuscito dalle pentole, mentre su tre cesti di vimini vuoti in cima al frigorifero si erano formate le ragnatele.

Lady Helen si domandò che cosa poteva aver pensato Lynley di fronte a uno spettacolo simile. Certo che era un bel cambiamento dall'altra volta – l'unica, peraltro – in cui era stato lì, in Bulstrode Gardens, per una cena piacevole e serena nel giardino dietro casa, d'estate, preceduta da un drink sulla stupenda terrazza che ormai da tempo era stata trasformata in parco giochi e sabbiaia per i bambini, intasata di giocattoli. A quell'epoca, sua sorella e Harry Rodger erano amanti, e vivevano insieme, consumati e stimolati a vicenda dalla passione di un amore appena sbocciato. Anzi, non si accorgevano di nulla che non fossero loro stessi. Si scambiavano sguardi carichi di significati e sorrisi d'intesa; si toccavano con affetto a ogni minimo pretesto; si imboccavano l'uno con l'altra e bevevano dallo stesso bicchiere. Di giorno avevano ciascuno la propria vita – Harry lavorava all'università come assistente, Pen al Fitzwilliam Museum – ma di notte diventavano una cosa sola.

Allora, tanta devozione reciproca le era sembrata eccessiva e imbarazzante, troppo stucchevole e dunque di cattivo gusto. Adesso, invece, si domandava il perché della propria reazione davanti a una manifestazione d'amore così palese. E finì per ammetterlo: avrebbe preferito che sua sorella e Harry Rodger facessero i piccioncini come prima, piuttosto che vedere cos'erano diventati dopo la nascita della loro terza creatura.

Christian, intanto, si stava ancora dedicando al pasto che aveva davanti facendo un gran baccano. Le fettine di pane tostato erano diventate bombardieri in picchiata che stava facendo precipitare con evidente entusiasmo nel piatto, accompagnandoli con effetti sonori a tutto volume. Uova, pomodori e formaggio ormai gli gocciolavano sulla tutina. Sua sorella, invece, aveva soltanto spiluccato qualcosa. In quel momento, fra l'altro, sedeva immobile sulla seggiolina con una bambola sulle ginocchia, che osservava con aria pensierosa ma senza toccarla.

Lady Helen le si inginocchiò accanto, mentre Christian continuava a strillare: «*Baam! Pum!*» Le uova ormai erano schizzate su tutto il tavolo. Perdita sbatté lievemente le palpebre quando un pezzetto di pomodoro le atterrò su una guancia.

«Christian, adesso basta», gli intimò Lady Helen, togliendogli il piatto. Era il suo nipotino. Doveva essergli affezionata e, probabilmente, nella maggior parte delle circostanze, era così. Ma dopo nove giorni, la sua pazienza si era ridotta al minimo e se, per caso prima aveva provato compassione per i taciti timori che spiegavano il comportamento del bambino, adesso si rese conto di non riuscire a trovarne dentro di sé neanche un pizzico. Christian aprì la bocca, preparandosi a un ululato di protesta. Ma lei si sporse in avanti e gliela tappò con la mano. «Basta. Ti stai comportando come un bambino cattivo. Smettila, ho detto, e subito!»

Che l'adorata zietta Leen gli parlasse a quel modo lo lasciò così stupefatto da spingerlo, sia pure momentaneamente, a un minimo di collaborazione. Ma fu solo questione di un attimo. «Mamma!» gridò, e gli si colmarono gli occhi di lacrime.

Senza un briciolo di rimorso, Lady Helen approfittò del vantaggio. «Sì, la mamma sta cercando di riposare e tu, invece, fai di tutto per disturbarla, non è così?» Christian ammutolì e allora si rivolse alla sorellina. «Non hai voglia di mangiare qualcosa, Perdita?»

La piccola continuava a tenere gli occhi fissi sulla bambola che le giaceva inerte sulle ginocchia, con le guance tonde e lisce come biglie di vetro e un placido sorriso sulle labbra. Il ritratto dell'infanzia, pensò. «Adesso vado di sopra a dare un'occhiata alla mamma e alla bambina. Vuoi rimanere tu qui con Perdita a farle compagnia al posto mio?» chiese a Christian.

Christian diede un'occhiata al piatto di sua sorella. «Non ha mangiato», sentenziò.

«Forse puoi convincerla ad assaggiare qualcosa.»

Li lasciò insieme e salì da Pen. Nel corridoio al piano di sopra, la casa pareva avvolta dal silenzio; quando si trovò in cima alle scale, si soffermò un attimo e appoggiò la fronte contro il vetro freddo di una finestra. Pensò a Lynley e alla sua inaspettata comparsa a Cambridge. Si era già fatta un'idea abbastanza precisa di ciò che la sua presenza poteva presagire.

Non erano passati neanche dieci mesi da quando aveva guidato come un folle sino a Skye per andare a trovarla e chiederle di sposarlo in quella gelida giornata di gennaio, in cui lei aveva rifiutato. Non glielo aveva più domandato e, nel periodo di tempo intercorso, bene o male avevano raggiunto una specie di tacito accordo nella speranza di ritrovare il piacere di quella compagnia disinvolta e senza problemi che, in passato, li aveva uniti. Tuttavia, non aveva funzionato, poiché con la sua proposta di matrimonio Lynley aveva oltrepassato una barriera indefinibile, alterando il loro rapporto in un modo che nessuno dei due avrebbe potuto prevedere. Adesso si trovavano in quella specie di limbo in cui dovevano affrontare il fatto che, pur restando amici per il resto della loro esistenza se avessero scelto di farlo, in realtà la loro amicizia era finita nel preciso momento in cui Lynley aveva affrontato l'alchimistico rischio di trasformarla in amore.

Così ogni incontro da gennaio in poi – e non aveva importanza quanto fosse innocente o inutile o casuale – era stato pervaso dal ricordo di quella domanda di matrimonio. E proprio perché non l'avevano più affrontato, pareva che l'argomento si fosse trasformato in una distesa di sabbie mobili che li separava. Un passo falso, e Helen sapeva che vi sarebbe sprofondata, prigioniera, come in una melma soffocante, del tentativo di volergli dare spiegazioni che lo avrebbero ferito e addolorato più di quanto lei potesse sopportare.

Sospirò e tirò indietro le spalle. Aveva male al collo. Il vetro freddo della finestra le dava la sensazione di avere la fronte umida. Si sentiva stanca da morire.

In fondo al corridoio, la porta della camera da letto di sua sorella era chiusa e allora bussò piano prima di entrare. Ma non rimase ad aspettare che Penelope rispondesse. Dopo nove giorni in sua compagnia aveva imparato che era inutile.

Le finestre erano chiuse per via della nebbia e dell'aria fredda della notte, e una stufetta elettrica, in aggiunta al calorifero, rendeva la stanza soffocante. In mezzo alle due finestre chiuse c'era il lettone matrimoniale, su cui stava distesa Penelope con la neonata appoggiata al seno gonfio; perfino alla luce tenue e soffusa della lampada sul comodino aveva il viso di un pallore spettrale. Anche quando Lady Helen la chiamò per nome, rimase immobile, la testa all'indietro appoggiata alla spalliera del letto, gli occhi chiusi, le labbra strette in una linea sottile di dolore. Aveva il viso velato di sudore, che le scendeva dalle tempie fino al mento in sottili rivoli che poi le gocciolavano sul petto nudo, formandone altri. Mentre Lady Helen la osservava, una lacrima – una sola, ma incredibilmente grossa e lenta – le rigò la guancia, ma lei non se l'asciugò, e nemmeno aprì gli occhi.

Non era la prima volta che Lady Helen sentiva la frustrazione della propria inutilità. Aveva visto in che condizioni era il seno di sua sorella, i capezzoli sanguinanti e lacerati; l'aveva sentita piangere e lamentarsi mentre si tirava il latte. Eppure conosceva Penelope abbastanza bene per sapere che, una volta presa una strada, niente di quello che poteva dirle l'avrebbe convinta a cambiare idea. Penelope avrebbe allattato la bambina fino al sesto mese, a ogni costo e nonostante la sofferenza. La maternità era diventata un'innegabile questione d'onore, una posizione dalla quale non si sarebbe mai ritirata.

Lady Helen si avvicinò al letto e guardò la neonata; si accorse per la prima volta che Pen non la teneva in braccio, ma l'aveva posata su un cuscino, che reggeva contro di sé, comprimendole il faccino contro il petto. La piccina succhiava. E Pen continuava a piangere in silenzio.

Non usciva da quella camera dal mattino. Il giorno prima, invece, si era fatta forza e, di malavoglia, era scesa in salotto, dov'era rimasta per una decina di minuti con i gemelli tra i piedi intanto che la sorella cambiava le lenzuola. Oggi, invece, era rimasta dietro la porta chiusa, riavendosi soltanto quando Lady Helen le portava la neonata da allattare. A volte leggeva. A volte sedeva in poltrona vicino alla finestra. Per la maggior parte del tempo piangeva.

E benché la neonata ormai avesse già un mese, né Pen né suo marito le avevano dato un nome e, quando ne parlavano, la chiamavano « la piccola » oppure « lei ». Un po' come se, così facendo, quella presenza fosse un elemento meno stabile e duraturo nelle loro vite. Se non aveva un nome, non esisteva. E se non esisteva, non erano stati loro a generarla. E se non l'avevano generata loro, non erano costretti a constatare che l'amore, il desiderio, la dedizione o qualsiasi altro sentimento ci fosse stato all'origine del suo concepimento, adesso parevano scomparsi.

Con le manine strette a pugno, la neonata rinunciò a succhiare. Aveva sul mento un velo verdastro di latte materno. Lasciandosi sfuggire un mezzo singulto, Pen si scostò il guanciale dal petto e Lady Helen sollevò la piccina, appoggiandosela contro la spalla.

« Ho sentito la porta. » La voce di Pen era esausta e tesa. Non aprì gli occhi. I capelli, scuri come quelli dei figli, erano ridotti a una massa pesante e arruffata che le premeva sul cranio. « Harry? »

« No. Era Tommy. È qui per lavoro. »

Pen spalancò gli occhi. « Tommy Lynley? E cosa è venuto a fare qui da noi? »

Lady Helen diede qualche colpetto sulla schiena tiepida della neonata. « A salutare, suppongo. » Si avvicinò alla finestra. Pen si mosse appena nel letto. Lady Helen intuì che sua sorella la stava osservando.

« E come faceva a sapere dove trovarti? »

« Sono stata io a dirglielo, naturalmente. »

« Perché? No, non rispondere. Volevi che venisse, vero? » La domanda sottintendeva un tono vagamente accusatorio. Lady Helen si voltò; sembrava che la nebbia premesse contro i vetri della finestra come una mostruosa ragnatela fradicia. Ma prima che potesse rispondere, sua sorella continuò: « Non posso darti torto, Helen. Vuoi andartene di qui. Vuoi tornare a Londra. E chi non lo vorrebbe? »

« Questo non è vero. »

« Il tuo appartamento, la tua vita, il silenzio... Oddio, la cosa di cui sento più la mancanza è proprio il silenzio. E stare sola. E avere del tempo da dedicare a me stessa. E un po' di privacy. » Pen cominciò a piangere. A tentoni cercò un pacchetto di fazzoletti di carta fra le creme e gli unguenti sul comodino. «Scusami. Sono un disastro. Non sono più utile a nessuno.»

«Non dire così, dai. Sai benissimo che non è vero.»

«Ma guardami! Ti prego, guardami, Helen. Non so fare niente, solo bambini. Non riesco neanche a essere una mamma come si deve per i miei figli. Sono una rovina. Una scansafatiche.»

«È solo depressione, Pen. Lo capisci anche tu, vero? C'eri già passata con la nascita dei gemelli, e se ben ricordi...»

«Niente affatto! Stavo bene. Benissimo.»

«Ti sei dimenticata com'era. Te lo sei buttato alle spalle. E anche stavolta succederà la stessa cosa.»

Pen girò la testa dall'altra parte. Singhiozzò. «Harry si ferma di nuovo all'Emmanuel, vero?» Poi girò di scatto il viso bagnato di lacrime in direzione della sorella. «Non importa. Non rispondere. Tanto l'ho già capito.»

In nove giorni era la prima volta che la sorella le faceva intravedere un'apertura, e lei non se la lasciò sfuggire. Andò subito a sedersi sul bordo del letto. «Mi vuoi dire che cosa sta succedendo, Pen?»

«Ha ottenuto quello che voleva. Perché dovrebbe darsi la pena di valutare il danno?»

«Ottenuto...? Ti giuro che non capisco. C'è un'altra donna?»

Pen scoppiò in una risata amara, soffocò un singhiozzo e poi abilmente cambiò argomento. «Tu sai per quale motivo è venuto qui da Londra, Helen. Non fingere di essere ingenua. Sai cosa vuole, e ha intenzione di ottenerlo. Perché il vero spirito di Lynley è questo: precipitarsi a capofitto verso la meta.»

Lady Helen non rispose. Appoggiò la bambina sul letto, supina, e si sentì scaldare il cuore osservandola agitare i pugnetti, scalciare e sorridere. Lasciò che le afferrasse un dito con le sue, minuscole, e si chinò a baciargliele. Che miracolo della natura! Dieci dita delle mani, dieci dei piedi... e poi quelle deliziose unghiette!

«È qui per altri motivi che non risolvere qualche delitto di terz'ordine, e tu dovresti essere pronta a dissuaderlo.»

«Ma quella è acqua passata!»

«Come fai a essere così sciocca...» Sua sorella si protese verso di lei e l'afferrò per un polso. «Ascoltami, Helen. Adesso hai tutto quello che vuoi. Non buttarlo via per un uomo. Fallo uscire dalla tua vita. Lui ti desidera. E ha intenzione di averti. Non rinuncerà mai e poi mai finché non glielo dici tu in faccia, chiaro e tondo. Di conseguenza, fallo.»

Lady Helen le lanciò un sorriso che sperava fosse amabile e affettuoso. E coprì la mano della sorella con la propria. «Pen, tesoro, qui non si tratta di un capitolo di *Tess dei d'Urbeville*. Tommy non vuole attentare alla mia virtù. E anche se volesse, ho proprio paura che, invece...» Scoppiò in una risata lieve. «Aspetta, fammi pensare... sì, arriva pressappoco con quindici anni di ritardo. Saranno quindici anni esatti la vigilia di Natale. Vuoi che ti racconti tutta la storia?»

Sua sorella tirò via la mano. «Non sto scherzando!»

Lady Helen la guardò, provando uno strano senso di stupore e di impotenza, mentre gli occhi di Pen si colmavano di nuovo di lacrime. «Pen...»

«No! Tu vivi nel mondo dei sogni. Rose e champagne e lenzuola di seta. Cicogne che portano bambini... Tesorini deliziosi, seduti sulle ginocchia della mamma in adorazione. Nulla di puzzolente, sgradevole, doloroso o disgustoso. Be', se hai intenzione di sposarti, ti consiglio prima di guardarti in giro.»

«Tommy non è venuto a Cambridge per chiedere la mia mano.»

«Guardati bene intorno, e con attenzione. Perché la vita è uno schifo, Helen. È sporca e abbietta. È solo un percorso verso la morte. Ma tu non ci pensi. Tu non pensi a niente.»

«Adesso sei ingiusta.»

«Oh, sono quasi tentata di dire che stai pensando di scopartelo. Ecco cosa speravi quando l'hai visto. E non posso darti torto. Come potrei? A quanto si dice, a letto deve essere favoloso. Conosco donne a Londra che farebbero i salti di gioia per poterlo verificare. Quindi fai quello che vuoi. Scopatelo. Sposalo. La mia unica speranza è che tu non sia tanto stupida da illuderti che possa restare fedele a te o al vostro matrimonio. O a qualsiasi altra cosa, insomma.»

«Siamo soltanto amici, Pen. È tutto, punto e basta.»

«Magari la tua unica aspirazione è quella di avere case e automobili e domestici e tanti soldi. E il titolo, naturalmente. Non dimentichiamolo. Contessa di Asherton. Che matrimonio brillante! Una di noi, perlomeno, potrà rendere orgoglioso papà.»

Si voltò su un fianco e spense la lampada del comodino. «Adesso voglio dormire. Metti a letto la bambina.»

«Pen...»

«No. Voglio dormire.»

4

« È indubbio che Elena Weaver avesse tutte le capacità per ottenere il massimo dei voti », disse Terence Cuff a Lynley. « Ma suppongo che lo si dica della stragrande maggioranza degli studenti, vero? Che cosa ci farebbero qui se non avessero le potenzialità per eccellere nelle materie preferite? »

« Lei in che cosa si sarebbe laureata? »

« In inglese. »

Cuff versò due bicchieri di sherry e ne offrì uno a Lynley. Poi gli indicò con un cenno del capo tre poltrone imbottite intorno a un tavolo alla destra del caminetto della biblioteca, a due livelli sovrapposti, un esempio di eccesso decorativo della tarda architettura elisabettiana, impreziosito da cariatidi di marmo, colonne corinzie e lo stemma di Vincent Amberlane, Lord Brasdown, fondatore del college.

Sul far della sera, prima di andare lì, Lynley aveva fatto una passeggiata solitaria attraverso i sette cortili che costituivano i due terzi del St Stephen's College, soffermandosi sulla terrazza del giardino dei professori, che dava sul fiume Cam. Era appassionato di architettura. Sapeva apprezzare ogni manifestazione individuale delle bizzarrie dei singoli periodi. E se aveva sempre trovato in Cambridge una ricca fonte di curiosità – dalla fontana della Trinity Great Court al Queen's Mathematical Bridge – scoprì che il St Stephen's College meritava un'attenzione speciale. Nel complesso rappresentava ben cinquecento anni di stili diversi, dalla cinquecentesca Principal Court, con gli edifici in mattoni rossi e le chiavi di volta in pietra da taglio, fino alla moderna North Court, una struttura triangolare che comprendeva la sala comune degli studenti, il bar, un salone per le conferenze e lo spaccio all'interno di una serie di pannelli scorrevoli in vetro incorniciati di mogano brasiliano. Il St Stephen's era uno dei college più grandi dell'università, « racchiuso dai tre Trinity », come lo descriveva il dépliant: a nord il Trinity College e a sud la Trinity Hall, mentre

Trinity Lane divideva in due le sezioni a est e a ovest. Solo il fiume, che scorreva lungo il confine occidentale, impediva al college di essere completamente soffocato da altre costruzioni.

Il Master's Lodge si trovava all'estremità sud-ovest del parco, confinava con Garret Hostel Lane e si affacciava sul Cam. La costruzione risaliva al Seicento e, come le residenze degli altri presidi situate nella Principal Court, era sfuggita al tentativo di rinnovare la facciata in concio, una mania diffusissima a Cambridge nel Settecento. Di conseguenza aveva conservato la parte esterna in mattoni originari, contro i quali spiccavano le chiavi di volta in pietra. E come molta dell'architettura di quel periodo, era una felice combinazione di particolari classici e gotici. Due grandi finestre a bovindo sporgevano ai lati del portone d'ingresso, mentre una fila di abbaini sormontati da timpani semicircolari si ergevano dal tetto sporgente in ardesia. Un certo amore per il gotico resisteva nei merli decorativi, nell'arco acuto in cui era incassata l'entrata dell'edificio e nelle volte a ventaglio sul soffitto. Lynley aveva appuntamento lì con Terence Cuff, il preside del St Stephen's, laureatosi anche lui all'Exeter College di Oxford.

Lynley osservò Cuff sistemare la propria figura dinoccolata in una delle poltrone imbottite della biblioteca rivestita in legno. Non si ricordava di lui a Oxford, ma aveva almeno una ventina d'anni in più, dunque che quel nome non gli dicesse nulla non significava necessariamente che non si fosse distinto negli studi.

Sembrava sfoggiare una certa fiducia in se stesso con la stessa disinvoltura con cui indossava i pantaloni fulvi e la giacca blu scuro. Era chiaro che, nonostante fosse profondamente – e forse perfino personalmente – preoccupato per l'omicidio di uno degli studenti più giovani del college, non considerava la morte di Elena Weaver un motivo per mettere in discussione la propria competenza in qualità di preside.

« Provo un grande sollievo a sapere che il vicerettore ha accolto con favore la proposta che fosse Scotland Yard a coordinare le indagini », iniziò Cuff, posando il bicchiere di sherry sul tavolo. « Naturalmente avere Miranda Webberly qui da noi al St Stephen's è stato di notevole aiuto. Ci è bastato dare al vicerettore il nome di suo padre. »

« Secondo quanto risulta a Webberly, c'è stata un po' di preoccupazione per il modo in cui, durante il secondo trimestre dell'anno scorso, la polizia locale ha trattato un certo caso.»

Cuff si sostenne la testa con l'indice e il pollice. Non portava anelli. Aveva i capelli folti, color grigio cenere. «Si trattava di un caso lampante di suicidio, invece c'è stata una piccola fuga di notizie da parte di qualche agente e così la nostra stampa cittadina ha interpretato la faccenda come se in realtà si trattasse di un omicidio. Sa benissimo anche lei che cose del genere possono succedere, ma è bastato per insinuare che l'università volesse proteggere qualcuno, e si è venuta a creare una situazione sgradevole, per quanto di modesta entità, gonfiata volutamente dalla stampa locale. Preferirei evitare che la cosa si ripetesse. Il vicerettore è d'accordo.»

«Ma a quanto mi sembra di capire, la ragazza non è stata uccisa entro i confini dell'università, e quindi parrebbe abbastanza logico supporre che il colpevole sia qualcuno che abita in città. In tal caso, indipendentemente da quello che può fare New Scotland Yard, si sta infilando in una situazione altrettanto spiacevole, seppur diversa.»

«Sì. E lo so benissimo, mi creda.»

«Quindi il fatto che Scotland Yard venga coinvolta...»

Cuff interruppe bruscamente Lynley: «Elena è stata uccisa su Robinson Crusoe's Island. La conosce, per caso? Si trova a poca distanza da Mill Lane e dallo University Centre. Da molto tempo è diventata un punto di ritrovo per i giovani, ci vanno a bere e a fumare.»

«Studenti dei college? Mi sembra un po' curioso.»

«Precisamente. No, i nostri studenti non hanno bisogno dell'isolotto, possono bere e fumare nelle sale comuni. I laureati specializzandi possono andare allo University Centre. Chiunque voglia fare qualcosa di diverso può approfittare della propria camera. Abbiamo regole precise, com'è naturale, ma non posso dire che costringiamo gli studenti a osservarle con particolare rigore. Sono finiti i giorni dei sorveglianti.»

«Quindi devo concludere che l'isolotto serva soprattutto ai ragazzi della città.»

«L'estremità meridionale sì», confermò Cuff. «La parte settentrionale, invece, viene usata come piccolo cantiere nautico oppure come rimessa per le barche durante l'inverno.»

«Barche del college, cioè?»

« In parte sì. »

« Di conseguenza, è possibile che i vostri studenti e i ragazzi del posto si incontrino sull'isolotto. »

Cuff non lo negò. « Che sia stato uno sgradevole battibecco fra uno studente e qualche ragazzo della città? Che sia una vendetta per qualche insulto mirato? »

« Ritiene che una ragazza come Elena Weaver avesse una certa propensione per questo genere di litigi? »

« Sta pensando a una violenta discussione che poi ha portato a tenderle un'imboscata, un agguato? »

« Mi sembra una possibilità. »

Cuff alzò gli occhi dal bicchiere e guardò un antico mappamondo nel vano di uno dei bovindi. La luce delle lampade ne proiettava il contorno, benché appena deformato, sul vetro difettoso della finestra. « In tutta franchezza, mi pare abbastanza improbabile. Ma anche in caso contrario, se stiamo parlando di un assassino che la conosceva ed era lì ad aspettarla, ho i miei dubbi che venisse dalla città. A quanto ne so, a Cambridge non conosceva nessuno abbastanza intimamente perché si potesse arrivare addirittura a un delitto. »

« Pensa a un incidente, a un capriccio, dunque? »

« Il portiere di notte ci ha detto che la ragazza è uscita dal college verso le sei e un quarto. Da sola. Non c'è dubbio che sarebbe comodo trarre subito l'ovvia conclusione: la ragazza è andata a fare jogging da sola ed è rimasta vittima di un assassino sconosciuto. Disgraziatamente, ho una certa propensione a credere che ci sia dell'altro. »

« Allora secondo lei si conoscevano? Un altro studente? »

Cuff aprì una scatola di palissandro che si trovava sul tavolo e offrì a Lynley una sigaretta. Quando questi rifiutò, ne accese una per sé, fissò per un attimo nel vuoto e disse: « Mi sembra più probabile ».

« Ha qualche idea in proposito? »

Cuff sbatté rapidamente le palpebre. « Nessuna. No. »

A Lynley non sfuggì il tono deciso che quelle parole nascondevano, e decise di ritornare sull'argomento dal quale erano partiti. « Mi accennava alle brillanti potenzialità di Elena... »

« Un'affermazione significativa, non trova? »

«Diciamo piuttosto che mi porterebbe a sospettare un fallimento piuttosto che un successo. Cosa può raccontarmi di lei?»

«La sua idea era laurearsi in inglese. E se non sbaglio quest'anno il corso si concentrava sulla storia della letteratura; a ogni modo, nel caso avesse bisogno di sapere qualcosa di più, credo che il suo tutor anziano glielo potrà dire con esattezza. È lui che si è occupato di Elena e del suo inserimento nella vita del college fin da quando ci è entrata come matricola, l'anno scorso.»

Lynley alzò un sopracciglio. Sapeva quali erano gli obiettivi di un tutor anziano. Si occupava di problemi più personali che accademici. Di conseguenza, che si fosse interessato a Elena Weaver lasciava a intendere che avesse avuto problemi di adattamento ben più gravi delle solite difficoltà di uno studente confuso che doveva imparare a destreggiarsi fra i misteri del sistema educativo accademico.

«C'è stato qualche guaio?»

Prima di rispondere, Cuff si prese il tempo necessario per far cadere la cenere della sua sigaretta in un portacenere di porcellana. «Sì, più del solito. Era una ragazza intelligente, di una straordinaria bravura nello scrivere, ma molto presto, subito dopo l'inizio del primo trimestre, ha cominciato a non presentarsi più agli appuntamenti con il suo tutor, dunque ha ricevuto il primo richiamo.»

«Ah, ce ne sono stati altri?»

«Ha smesso di frequentare le lezioni. Si è presentata ubriaca ad almeno tre incontri con il tutor. Più di una volta è stata fuori tutta la notte – se ritiene che sia importante, il tutor anziano le dirà quante – senza firmare il registro che abbiamo in portineria.»

«Devo concludere che non ha ritenuto di espellerla per via del padre. È lui la ragione per la quale, inizialmente, la ragazza è stata ammessa al St Stephen's?»

«Solo in parte. Weaver è un accademico di fama, quindi è naturale che abbiamo preso seriamente in considerazione sua figlia. Ma al di là di questo, come le dicevo, era una ragazza intelligente. E i suoi voti alle superiori erano buoni. Le prove scritte per l'ammissione sono andate bene. E il colloquio anche, nel complesso. In ogni caso non c'è dubbio che, almeno in un primo momento, la ragazza avesse un buon motivo per trovare pesante la vita a Cambridge.»

«Così, quando i richiami cominciarono a fioccare...»

«Il tutor anziano, i supervisori e io ci riunimmo per stilare un piano di azione. E fu tutto abbastanza semplice. Oltre a doversi dedicare con maggiore impegno agli studi, frequentare le lezioni e firmare il modulo di presenza dopo ogni incontro con i supervisori, insistemmo perché avesse maggiori contatti con il padre, in modo che anche lui potesse controllarne i progressi. Così cominciò a passare i weekend con lui.» Poi sembrò imbarazzato. «Il padre suggerì che sarebbe potuto esserle utile tenere un animaletto in camera – in realtà si trattava di un topolino – nella speranza che ciò contribuisse a sviluppare il suo senso di responsabilità e la costringesse a tornare al college di notte. A quanto pare, aveva un'autentica passione per gli animali. Poi convocammo un giovanotto dal Queen's, un certo Gareth Randolph, perché la tenesse d'occhio e, cosa ancor più importante, la invogliasse a far parte di una confraternita adatta a lei. Purtroppo temo di doverle confessare che il padre non ha mai approvato quest'ultima scelta. Anzi, è stato contrario fin dal primo momento.»

«Per via del ragazzo?» domandò Lynley.

«Per via della confraternita. Si chiama ASNU, e Gareth Randolph ne è il presidente. È uno fra gli studenti disabili più brillanti dell'università.»

Lynley aggrottò le sopracciglia. «A sentirla, sembrerebbe che Anthony Weaver fosse preoccupato che sua figlia potesse avere una relazione con un disabile.» Non c'era dubbio, cominciava a profilarsi un bel guaio.

«Precisamente», rispose Cuff. «Ma per quello che mi riguardava, una storia con Gareth Randolph sarebbe stata la soluzione migliore per Elena.»

«Perché?»

«Per il motivo più logico. Anche Elena era disabile quanto lui.» Vedendo che Lynley rimaneva in silenzio, Cuff sembrò perplesso. «Non lo sa? Presumo che gliel'abbiano detto.»

«Cosa? No.»

Terence Cuff si protese leggermente verso di lui. «Sono desolato. Credevo che ne fosse già al corrente. Elena Weaver era sorda.»

La sigla ASNU, gli spiegò Terence Cuff, stava per Associazione Studentesca Non Udenti, un gruppo che si riuniva ogni settimana in una piccola sala per conferenze in disuso nel seminterrato della biblioteca di Peterhouse, in fondo a Little St Mary's Lane. In apparenza, costituiva un punto di appoggio per il cospicuo numero di studenti sordi che frequentavano l'università di Cambridge, ma si dedicava anche con impegno a lottare per far passare il concetto che la sordità era una diversa forma di cultura, piuttosto che una menomazione.

«Hanno un orgoglio straordinario», spiegò Cuff. «E sono stati fondamentali per promuovere un incredibile senso di amor proprio e rispetto di sé fra gli studenti sordi. Non c'è da vergognarsi quando si parla a gesti e non a parole. Non è un disonore non capire quello che dice un'altra persona seguendone i movimenti delle labbra.»

«Mi pare di capire però che Anthony Weaver desiderava tenere sua figlia alla larga da questo gruppo. Mi pare assurdo, se era sorda anche lei!»

Cuff si alzò dalla poltrona e si accostò al camino, poi accese il mucchietto di brace nel recipiente di metallo. La stanza cominciava a diventare fredda e, per quanto quel gesto fosse comprensibile, poteva anche lasciar sospettare che il preside volesse prendere tempo. Quando il fuoco fu acceso, Cuff rimase lì in piedi. Si infilò le mani nelle tasche dei calzoni e cominciò a osservarsi attentamente la punta delle scarpe.

«Elena sapeva leggere le labbra», spiegò Cuff. «E parlava abbastanza bene. I genitori, sua madre in modo particolare, avevano fatto il possibile per dotarla degli strumenti che le consentissero di vivere come una ragazza normale in un mondo normale. Non volevano sembrasse sorda, dunque per loro l'ASNU rappresentava un passo indietro.»

«Però Elena parlava il linguaggio dei segni, o sbaglio?»

«Sì, certo. Ma aveva cominciato soltanto da adolescente, quando la scuola superiore che frequentava a quell'epoca, dopo aver fallito nell'intento di persuadere la madre a iscriverla a un programma speciale, aveva chiesto l'intervento dei Servizi Sociali. Ma anche dopo non ebbe mai il permesso di comunicare in quel modo. Per quanto ne so, i suoi genitori non hanno mai imparato il linguaggio dei segni.»

« Che antiquati », rifletté Lynley.

« Per il suo modo di pensare. Ma la loro aspirazione era che la figlia potesse cavarsela al meglio in un mondo di udenti. Possiamo anche non essere d'accordo con i modi, ma il risultato fu che Elena sapeva non solo leggere le labbra, ma parlare e comunicare con il linguaggio dei segni. In effetti, sapeva fare tutto. »

« Certo, sapeva fare tutto », convenne Lynley. « Ma mi domando a quale mondo sentisse di appartenere. »

A mano a mano che il fuoco se ne impadroniva, il mucchietto di braci si muoveva. Cuff le ravvivò dando abili colpetti con l'attizzatoio. « Indubbiamente adesso capisce per quale motivo fossimo ben disposti a trattare Elena con una certa indulgenza. In fondo era prigioniera fra due mondi. E come mi faceva rilevare poco fa, da come l'avevano cresciuta, non poteva sentirsi del tutto a suo agio in nessuno. »

« Certo che è una decisione ben strana per una persona colta e istruita come Weaver. Che tipo è? »

« Uno storico brillante. Un intelletto fino. Un uomo di profonda integrità professionale. »

A Lynley non sfuggì l'ambiguità della risposta. « Mi par di capire che, oltre a tutto questo, è anche candidato per una certa promozione... »

« La cattedra Penford? Sì, è anche lui nella rosa dei candidati. »

« Di che si tratta, con esattezza? »

« È la cattedra di storia più importante di tutta l'università. »

« Dunque è motivo di prestigio? »

« Di più. È la garanzia di poter fare ciò che vuole per il resto della carriera. Potrà tenere le lezioni, pubblicare opere e seguire i laureati specializzandi quando e se ne avrà voglia. Avrà la più completa e assoluta libertà dal punto di vista accademico, oltre a un riconoscimento di livello nazionale, ai massimi onori, alla stima dei suoi colleghi. Dovesse essere lui il prescelto, sarà il momento più bello della sua carriera. »

« E il curriculum scolastico zoppicante della figlia ne avrebbe ridotto le probabilità di successo? »

Cuff alzò le spalle, schivando così sia la domanda sia quel che sottintendeva, e disse: « Non faccio parte della commissione, ispettore. Ormai è da dicembre che stanno prendendo in esame

grigio colmo di papaveri indiani color salmone, di cui tre boccioli erano caduti sulla superficie avorio su cui era appoggiato. Entrambi erano firmati Weaver. Dunque il marito, la moglie o la figlia avevano interessi artistici. Su un tavolino in vetro, appoggiato contro una parete, c'era una composizione di tulipani di seta, e vicino a essi una copia di *Elle* e una fotografia con la cornice d'argento. Per il resto, nulla in quella stanza lasciava pensare che ci vivesse qualcuno. Lynley si domandò se anche il resto della casa fosse più o meno simile, poi si avvicinò al tavolino e guardò la fotografia. Era il giorno delle nozze e, almeno a giudicare dalla lunghezza dei capelli di Weaver, doveva risalire come minimo a dieci anni prima. La sposa – con l'aria solenne, celestiale e sorprendentemente giovane – era la donna venuta poco prima ad aprirgli la porta.

«Ispettore?» Lynley si riebbe dall'esame dello scatto e si voltò proprio mentre stava entrando il padre della ragazza morta. Camminava con estrema lentezza. «La madre di Elena è di sopra, dorme. Devo andare a svegliarla perché scenda a parlare con lei?»

«Ha preso una pastiglia, tesoro.» Sulla soglia era comparsa la moglie di Weaver, un po' titubante, sfiorando con una mano la spilla d'argento a forma di giglio che portava sul bavero della giacca.

«Visto che dorme, al momento non ho bisogno di lei», lo rassicurò Lynley.

«È ancora sotto shock», gli spiegò l'uomo, poi aggiunse, benché non fosse necessario: «È arrivata solo questo pomeriggio da Londra».

«Devo preparare il caffè?» domandò la donna, senza avventurarsi oltre dentro la stanza.

«Per me no», disse Lynley.

«Neanche per me. Grazie, Justine, tesoro.» Weaver le rivolse un breve sorriso, ma lo sforzo che gli costava era evidente, sia nell'espressione sia nel comportamento; poi allungò una mano per indicarle di raggiungerli, e lei obbedì. Weaver si avvicinò al caminetto dove accese un fuoco a gas nascosto sotto un'ingegnosa composizione di pezzi di carbone finti. «Prego, si accomodi, ispettore.»

Weaver scelse per sé una delle due poltrone di pelle e sua moglie si accomodò nell'altra. Nel frattempo Lynley lo osservava, e poté così notare in lui quegli indizi appena percettibili a dimostrazione del fatto che agli uomini è permesso affrontare il dolore più straziante anche davanti agli estranei. Dietro gli occhiali con la spessa montatura in metallo, aveva gli occhi color nocciola iniettati di sangue, e le palpebre inferiori segnate da due semicerchi arrossati. Quando le muoveva, le mani, piuttosto piccole per un uomo della sua altezza, erano scosse da un tremito e le labbra, parzialmente nascoste da un paio di baffi scuri, corti e ordinati, tremavano mentre aspettava che Lynley parlasse.

Com'è diverso da sua moglie, pensò l'ispettore. Bruno, il girovita un po' appesantito, come succede all'avvicinarsi della mezza età, i capelli appena brizzolati, la pelle che cominciava a raggrinzirsi sulla fronte e sotto gli occhi. Indossava un completo con il panciotto e aveva i gemelli d'oro ai polsini; eppure, nonostante l'abbigliamento piuttosto formale, riusciva ad apparire del tutto fuori posto nella fredda e studiata eleganza che lo circondava.

«Che cosa possiamo dirle, ispettore?» La voce di Weaver tremava come le sue mani. «Cosa possiamo fare per essere di aiuto. Devo saperlo. Devo trovare quel mostro. L'ha strangolata. L'ha picchiata selvaggiamente. Gliel'hanno detto, questo? Il suo viso era... Portava la catenina d'oro con il piccolo unicorno che le ho regalato l'ultimo Natale, così ho capito che era Elena appena l'ho vista. A parte quello, aveva la bocca socchiusa e ho visto uno dei denti davanti. Mi è bastato. Quella piccola scheggiatura... Ah, quel dente.»

Justine abbassò gli occhi e intrecciò le mani, tenendosele in grembo.

Weaver si tolse gli occhiali. «Che Dio mi aiuti. Non riesco a credere che sia morta.»

Benché fosse a casa loro in qualità di professionista venuto ad affrontare e a risolvere un crimine, Lynley non rimase impassibile di fronte all'angoscia del suo interlocutore. Quante volte, negli ultimi trent'anni, era stato testimone di una scena simile? Eppure ancora oggi non sapeva come dare conforto a chi soffriva, né più né meno di quando, agli inizi della carriera, si era trovato a dover affrontare nel suo primo interrogatorio la figlia ormai adulta e in preda a una crisi di nervi di una donna che era stata massacrata a randellate e uccisa dal marito ubriaco. In genere, preferiva che il dolore si manifestasse liberamente, così si augurava di poter offrire alle vittime la magra consolazione di sapere che c'era qualcuno pronto a condividere il loro bisogno spasmodico di giustizia.

Weaver continuò a parlare, e intanto gli si colmarono gli occhi di lacrime. « Era tenera. Fragile. »

« Perché era sorda? »

« No. Per colpa mia. » Quando gli si spezzò la voce, sua moglie si voltò di scatto a guardarlo, serrando convulsa le labbra, poi abbassò di nuovo gli occhi. « Ho lasciato sua madre quando Elena aveva cinque anni, ispettore. A un certo punto delle indagini sarebbe venuto a saperlo, quindi tanto vale che glielo dica subito. Era a letto che dormiva. Ho fatto le valigie, me ne sono andato e non sono mai più tornato. Non sapevo come spiegare a una creatura di cinque anni, che non poteva nemmeno sentirmi, che non lasciavo lei, che non era colpa sua, ma che il matrimonio con sua madre era così infelice che non riuscivo più a sopportarlo. La responsabilità è mia e di Glyn, non di Elena. Però io ero suo padre, e l'ho lasciata, l'ho tradita. Lei ha cercato di lottare contro quest'idea, e con il fatto che per certi versi fosse stata un po' anche colpa sua, per i quindici anni successivi. Rabbia, confusione, mancanza di fiducia, paura. Ecco i demoni che la tormentavano. »

Lynley non dovette nemmeno formulare una domanda per incanalare il discorso di Weaver nella giusta direzione. Era come se non aspettasse altro che l'occasione più propizia per autoflagellarsi.

« Avrebbe potuto scegliere Oxford... anzi, Glyn voleva che andasse là, non che stesse qui con me... eppure Elena ha scelto Cambridge. Può capire che cosa ha significato per me? Tutti gli anni vissuti a Londra con sua madre... io avevo cercato di starle vicino, di essere presente come meglio potevo, ma era lei a tenermi a distanza. E mi aveva sempre permesso di fare il padre soltanto in superficie. Qui, invece, avevo l'opportunità di ridiventare un padre vero per lei, di riallacciare il nostro rapporto, di cercare con ogni mezzo di... » Si interruppe alla ricerca delle parole giuste. « ... di portare a compimento l'amore che provavo per lei. E la mia più grande gioia è stata quella di accorgermi che in quest'ultimo anno il legame che ci univa aveva ricominciato a esistere, a farsi più forte, e provavo una gran felicità a rimanere qui seduto a guardare Justine che aiutava Elena a scrivere temi e relazioni. Quando queste due donne... » Ebbe un attimo di incertezza.

« Queste due donne nella mia vita... queste due donne insieme, Justine ed Elena, mia moglie e mia figlia... » Finalmente si abbandonò alle lacrime. Fu un pianto orribile, umiliante, fatto di singhiozzi strazianti; con una mano si copriva gli occhi e con l'altra stringeva gli occhiali.

Justine Weaver rimase seduta nella sua poltrona, imperturbabile. Sembrava non fosse in grado di compiere nemmeno il minimo movimento, pareva scolpita nella pietra. Poi le sfuggì un unico, lieve sospiro, alzò la testa e fissò quel focherello artificiale che ardeva allegramente.

« Mi è sembrato di capire che all'inizio Elena aveva avuto un periodo difficile all'università », riprese Lynley, rivolgendosi sia a Justine sia al marito.

« Sì », rispose lei. « Ambientarsi... da Londra, dove viveva con la madre, a qui... be', ecco... » Lanciò uno sguardo imbarazzato al marito. « Ci è voluto un po' di tempo perché... »

« E come avrebbe potuto essere altrimenti? » domandò Weaver. « Stava lottando con la sua stessa vita. Faceva del suo meglio. Cercava con tutte le sue forze di essere una creatura completa. » Si asciugò la faccia con un fazzoletto spiegazzato che, in seguito, continuò a stringere in mano, appallottolato. Si mise nuovamente gli occhiali. « Ma per me non aveva nessuna importanza, perché Elena era una gioia. Una creatura innocente. Un dono. »

« Dunque le sue difficoltà non le hanno provocato nessun imbarazzo dal punto di vista professionale? »

Weaver lo guardò con occhi sgranati. E in un solo istante la sua espressione passò dalla disperazione devastante all'incredulità. Lynley trovò inquietante quel cambiamento così improvviso e, nonostante l'occasione si prestasse al dolore e alla rabbia, non poté fare a meno di domandarsi se per caso non stesse assistendo a un'abile sceneggiata.

« Mio Dio », esclamò Weaver. « Si può sapere che vuole insinuare? »

« Ho saputo che lei fa parte di una rosa di pochi candidati per una posizione di notevole prestigio qui all'università », riprese Lynley.

« E questo che cosa avrebbe a che vedere con... »

Lynley si protese verso di lui per interromperlo. « Il mio compito è ottenere informazioni e valutarle, professor Weaver. E per questo sono costretto a fare domande che, in altri casi, probabilmente preferirebbe non udire nemmeno.»

Weaver rifletté su queste parole affondando convulsamente le dita nel fazzoletto che stringeva in pugno. «Niente di ciò che riguardava mia figlia mi ha mai procurato alcun imbarazzo, ispettore. Niente. Nemmeno la più piccola parte di lei. Niente di ciò che faceva.»

Lynley tenne il conto di tutti quei dinieghi. E non gli sfuggì che a Weaver si erano irrigiditi i muscoli del viso. «Aveva dei nemici?» domandò.

«No. E nessuno, conoscendo Elena, avrebbe potuto farle del male.»

«Anthony», azzardò Justine, «non pensi che lei e Gareth... si potrebbe prendere in considerazione l'eventualità di un diverbio?»

«Gareth Randolph?» disse Lynley. «Il presidente dell'ASNU?» Quando Justine assentì, continuò: «Il dottor Cuff mi ha detto che l'anno scorso gli era stato affidato l'incarico di... diciamo... di sorvegliante. Che cosa può dirmi in proposito?»

«Se è stato lui, lo ammazzo», fu la risposta di Weaver.

Ma Justine si accollò il compito di rispondere con esattezza alla domanda. «Studia ingegneria al Queen's College.»

«E i laboratori di ingegneria si trovano vicinissimi a Fen Causeway» aggiunse Weaver, più a se stesso che a Lynley. «Gareth Randolph teneva lì le lezioni pratiche, e lì aveva anche il suo ufficio da supervisore. Cosa saranno da Crusoe's Island, un paio di minuti a piedi? E, tagliando per Coe Fen, forse correndo ce la si potrebbe fare addirittura in un minuto.»

«Era affezionato a Elena?»

«Si vedevano spessissimo», rispose Justine. «D'altra parte che Elena dovesse frequentare spesso l'ASNU era previsto dagli accordi presi l'anno scorso dal dottor Cuff e dai supervisori. Toccava a Gareth assicurarsi che lo facesse, come pure accompagnarla agli eventi sociali.» Lanciò uno sguardo cauto al marito prima di concludere con un'ultima frase soppesata: «Secondo me, a Elena piaceva Gareth. Ma non tanto quanto lei piaceva a lui. E, tutto sommato, è un gran bel ragazzo, e anche molto simpatico. Non posso pensare che...»

«Fa anche parte della squadra di pugilato» continuò Weaver.

«È un ottimo elemento, addirittura rappresenta Cambridge nelle gare universitarie. Me lo ha detto Elena.»

«È possibile sapesse che stamattina sua figlia sarebbe uscita per fare jogging?»

«Ecco, ha centrato il punto», obiettò Weaver. «Non pensavamo che sarebbe uscita.» Si voltò verso la moglie. «Sei stata tu a dirmi che non aveva intenzione di andare a correre, che ti aveva telefonato.»

Nelle sue parole si coglieva una vaga sfumatura di accusa. Justine si tirò indietro leggermente, una reazione quasi impercettibile, considerando la sua postura rigida in poltrona. «Anthony.» Mormorò il suo nome in tono di discreta supplica.

«Le ha telefonato?» ripeté Lynley, perplesso. «E come ha fatto?»

«Con un Ceephone», rispose Justine.

«Cos'è, una specie di videotelefono?»

Anthony Weaver si riebbe, distolse lo sguardo dalla moglie e si alzò a fatica dalla poltrona. «Ne ho uno nel mio studio. Adesso glielo mostro.»

Lo precedette in sala da pranzo e nella cucina immacolata, attrezzata con tutta una serie di apparecchi luccicanti, poi imboccò un breve corridoio che portava sul retro. Il suo studio era in una stanzetta affacciata sul giardino interno. Quando accese la luce, un cane cominciò a guaire sotto la finestra.

«Gli hai dato da mangiare?» domandò Weaver.

«Vuole entrare.»

«Non me la sento. No. Non farlo, Justine.»

«È soltanto un cane. Non capisce. Non è mai dovuto stare...»

«Non farlo.»

Justine ammutolì. E come prima, mentre Lynley e il marito entravano nella stanza, rimase accanto alla porta.

Lo studio era diverso dal resto della casa. Per terra c'era un vecchio tappeto consunto con un motivo floreale. I libri erano ammassati su economici scaffali sbilenchi di legno di pino. Appoggiata su una cassettiera, c'era un'intera collezione di fotografie e, appesi alle pareti, dei disegni incorniciati. La scrivania di Weaver, enorme, di metallo grigio, orribile, era stata sistemata sotto l'unica finestra. Oltre a un mucchietto di corrispondenza e a un certo numero di opere di consultazione, c'erano anche un computer, un telefono e un modem. Allora era quello il Ceephone.

« Come funziona? » domandò Lynley.

Weaver si soffiò il naso e si infilò il fazzoletto nella tasca della giacca, poi disse: « Telefonerò al mio studio al college ». Avvicinatosi alla scrivania, accese il monitor, premette un certo numero di pulsanti sul telefono e digitò una combinazione sul modem.

Dopo pochi minuti, lo schermo si divise in due sezioni tagliate orizzontalmente da una riga sottile e compatta. Nella parte inferiore comparvero le parole: *Jenn è in linea.*

« Un collega? » domandò Lynley.

« Adam Jenn, uno dei miei studenti specializzandi. » Weaver si mise a scrivere rapidamente sulla tastiera e nel frattempo il suo messaggio allo studente veniva visualizzato nella metà superiore dello schermo. *Sono il professor Weaver, Adam. Sto facendo vedere alla polizia come funziona il Ceephone. Elena l'ha usato ieri sera.*

Nella metà inferiore dello schermo si lesse: *Bene. Devo rimanere qui accanto all'apparecchio, in caso le servisse? Vogliono vedere qualcosa di speciale?*

Weaver rivolse a Lynley uno sguardo interrogativo. « No, va bene così », rispose. « È tutto chiaro. »

Non è necessario, scrisse Weaver.

La risposta fu *Ok.* E poi, un momento dopo: *Rimarrò qui per il resto della serata, professor Weaver. E anche domani. E fintanto che avrà bisogno di me. La prego, non si preoccupi di niente.*

Weaver deglutì a fatica. « Bravo ragazzo », sussurrò. Poi spense il monitor. E tutti rimasero con gli occhi fissi sullo schermo a osservare quei messaggi che lentamente si dissolvevano.

« Che cosa le ha fatto sapere Elena ieri sera? » domandò Lynley a Justine.

Lei era ancora accanto alla porta, con una spalla appoggiata allo stipite. Fissò il monitor come per cercare di ricordarsene. « Ha detto soltanto che stamattina non sarebbe uscita a correre come al solito. A volte un ginocchio le dava un po' fastidio. E io ho concluso che volesse tenerlo a riposo per un paio di giorni. »

« A che ora ha telefonato? »

Justine aggrottò le sopracciglia con aria pensierosa. « Dev'essere stato poco dopo le otto, perché mi ha chiesto di suo padre, e lui non era ancora rientrato dal college. Le ho spiegato che aveva del lavoro da finire, allora lei ha risposto che lo avrebbe cercato là.»

«E lo ha fatto?»

Weaver scosse la testa. Il labbro inferiore cominciò a tremargli, dunque vi appoggiò sopra l'indice della mano sinistra come se, così facendo, potesse controllare ogni altra manifestazione dei propri sentimenti.

«Era sola quando le ha telefonato?»

Justine annuì.

«Ed è certa che si trattasse di Elena?»

La pelle delicata di Justine sembrò diventare ancora più tesa e contratta sugli zigomi. «Naturalmente. Chi altri...»

«Chi era al corrente del fatto che voi due avevate l'abitudine di uscire a correre insieme al mattino?»

Gli occhi di Justine si spostarono verso suo marito, poi tornarono a posarsi su Lynley. «Anthony lo sapeva, e suppongo di averlo detto a un paio di miei colleghi.»

«Dove lavora?»

«Alla University Press.»

«Nessun altro?»

Di nuovo, Justine guardò il marito. «Anthony? Non sai di nessun altro?»

Weaver stava ancora fissando il monitor del Ceephone, quasi avesse la vaga speranza di vedervi apparire una chiamata. «Adam Jenn, credo. Sono sicuro di averglielo detto. E gli amici di Elena, direi. Le compagne che avevano la stanza sulla stessa scala.»

«Chi aveva accesso alla sua camera e al suo telefono?»

«Gareth», rispose Justine. «È naturale che lo abbia detto a Gareth.»

«E ha un Ceephone anche lui.» Weaver fissò Lynley. «Non è stata Elena a fare quella telefonata, vero? L'ha fatta qualcun altro.»

Adesso Lynley riusciva quasi a sentire la crescente necessità del suo interlocutore di fare qualcosa, di entrare in azione. Che fosse falsa o sincera, non avrebbe saputo dirlo. «È una possibilità», ammise. «Ma forse stamattina Elena preferiva semplicemente andare a correre da sola. Sarebbe stato da lei agire così?»

«Correva con la sua matrigna. Sempre.»

Justine non ribatté nulla. Lynley si voltò a guardarla, ma lei sfuggì quello sguardo. Come ammissione di colpa, era più che sufficiente.

Weaver disse alla moglie: «Stamattina, quando sei uscita a correre come al solito, non l'hai vista, neanche per un minuto? Perché, Justine? Perché non l'hai cercata? Perché non l'hai tenuta d'occhio?»

«Avevo ricevuto la sua telefonata, tesoro», rispose lei senza perdere la pazienza. «E quindi non mi aspettavo di vederla. A ogni modo, non sono andata a correre lungo il fiume.»

«È uscita anche lei a correre stamattina?» le domandò Lynley. «E a che ora?»

«Alle sei e un quarto, come sempre. Ma ho seguito un percorso differente.»

«Non è passata nelle vicinanze del Fen Causeway?»

Un attimo di esitazione. «Sì, ci sono passata, ma ormai ero alla fine del mio giro, non al principio. Avevo girato intorno alla città, poi sono arrivata alla strada asfaltata, provenendo da est, e ho proseguito verso ovest in direzione di Newnham Road.» Lanciando una rapida occhiata al marito, cambiò leggermente posizione come per cercare di armarsi di forza e coraggio. «Francamente, detesto correre lungo il fiume, ispettore. L'ho sempre detestato. Di conseguenza, quando mi si è offerta l'occasione di scegliere un altro percorso, ne ho approfittato. Tutto qui.»

E questa, pensò Lynley, si avvicinava molto a una confessione da parte di Justine di fronte al marito riguardo la natura dei suoi rapporti con la figliastra, Elena.

Non appena l'ispettore se ne fu andato, Justine fece entrare il cane in casa. Anthony era salito al piano di sopra, quindi non l'avrebbe mai saputo. Dal momento che non sarebbe più sceso fino all'indomani mattina, si domandò che male ci poteva essere a lasciar dormire il cane nella sua solita cesta di vimini. Si sarebbe alzata presto e avrebbe pensato lei stessa a mandarlo fuori, prima che lui lo vedesse.

Era sleale agire in questo modo, in contrasto con il desiderio del marito. Justine sapeva che sua madre non si sarebbe mai azzardata a commettere una cosa simile, dopo che papà le aveva fatto capire chiaramente ciò che voleva. Ma bisognava pensare anche al cane, una creatura confusa e abbandonata, alla quale l'istinto aveva già detto chiaramente che qualcosa non andava, anche se non avrebbe mai saputo di che si trattava o perché.

Quando aprì la porta di servizio, il setter arrivò subito, non a balzi dal prato, come era abituato a fare, ma titubante, quasi sapesse che rischiava di non essere il benvenuto. Arrivò sulla soglia tenendo la testa color rame china, poi alzò gli occhi, con aria speranzosa, in direzione di Justine. E scodinzolò un paio di volte. Rizzò di scatto le orecchie, che subito si afflosciarono.

«Va tutto bene», gli bisbigliò lei. «Vieni dentro.»

C'era qualcosa di confortante nel rumore delle zampe sul pavimento, uno stridio sommesso, mentre fiutava le piastrelle. Anzi, c'era qualcosa di confortante in tutti i suoni che emetteva: il guaito e il sordo brontolio di quando giocava, il respiro affannoso che gli sfuggiva mentre scavava e si ritrovava con il naso pieno di terra, il lungo sospiro prima di adagiarsi nella cuccia alla sera, il fievole brontolio per richiamare l'attenzione di qualcuno. Per molti versi era simile a un essere umano! Justine era sbalordita.

«Secondo me un cane farebbe bene a Elena», aveva affermato Anthony l'anno precedente, prima dell'arrivo della figlia a Cambridge. «La cagna di Victor Troughton ha fatto i cuccioli poco tempo fa. La porterò a vederli e le lascerò scegliere quello che preferisce.»

Justine non aveva protestato. Una parte di lei avrebbe voluto. Anzi, la protesta nasceva spontanea, in quanto il cane, fonte potenziale di fastidi e di confusione, avrebbe vissuto lì, in Adams Road, non al St Stephen's College con Elena. Ma aveva anche provato un brivido di vitalità a quell'idea. A parte uno stupido pappagallino azzurro, devoto a sua madre, e un pesciolino rosso che, la stessa sera in cui l'aveva vinto a una festa, era saltato fuori dalla boccia traboccante d'acqua con uno balzo suicida e si era spiaccicato sulla carta da parati con un motivo di giunchiglie, dietro la credenza – lei aveva solo otto anni –, Justine non aveva mai avuto un vero e proprio animale domestico, un cane che la seguisse dappertutto ciondolando, oppure un gatto che le si accoccolasse ai piedi del letto, o un cavallo, in sella al quale percorrere i sentieri solitari del Cambridgeshire. Per i suoi genitori non era sano tenere un animale in casa. Portava germi. E i germi non erano una cosa da famiglia decorosa. Da quando avevano ereditato il patrimonio del suo prozio, il decoro era tutto per loro.

Anthony Weaver le aveva permesso di dare un taglio netto a tutto ciò, era stato la sua definitiva proclamazione di maturità e mancanza di decoro. Le pareva ancora di vedere tremare la bocca di sua madre mentre balbettava queste parole: « Ma come ti è venuto in mente, Justine? Lui è... be', insomma, è ebreo ». E riusciva ancora a provare quella fitta di soddisfazione, acuta, lacerante come un dolore fisico, che l'aveva colta in pieno petto di fronte al pallore e alla costernazione con cui la donna aveva accolto la notizia del suo imminente matrimonio. La reazione del padre era stata meno sgradevole.

« Ha cambiato il cognome. Insegna a Cambridge. Ha un futuro solido e sicuro. Che sia già stato sposato è un po' un problema, e sarei più contento se non fosse tanto più anziano di te, ma, tutto considerato, non è un cattivo partito. » Poi aveva incrociato le caviglie e allungato una mano verso la pipa e una copia del *Punch* che, già da molto tempo, aveva deciso fosse la lettura più appropriata per un gentiluomo la domenica pomeriggio. « E in ogni caso sono proprio contento per la faccenda del cognome. »

Non era stato Anthony a cambiarlo, ma suo nonno, che aveva fatto sostituire soltanto due lettere. Da Weiner, tipico cognome tedesco, era diventato Weaver, un anglosassone. Certo, non lo si poteva definire un cognome di gran classe, ma il nonno di Anthony, all'epoca, non poteva comprendere la delicata sensibilità della classe cui aspirava, che gli avrebbe impedito, e per sempre, di abbattere la barriera costituita dal suo accento e dalla sua professione. Nella vita mondana, generalmente le classi alte non frequentavano il sarto da cui si facevano confezionare i vestiti, e non aveva importanza che il negozio fosse vicino a Savile Row.

Anthony le aveva raccontato ogni cosa poco dopo il loro incontro alla University Press dove, in qualità di assistente redattrice neolaureata all'Università di Durham, Justine aveva ricevuto l'incarico di seguire le ultime fasi di un libro sul regno di Edoardo III. Anthony Weaver lo aveva proposto per la pubblicazione e ne era anche il curatore: si trattava di una raccolta di saggi scritti dai migliori studiosi di medioevalistica del paese. Negli ultimi due mesi avevano lavorato insieme, a volte nel piccolo ufficio di Justine alla University Press, più spesso nell'alloggio a lui riservato presso il St

Stephen's College. E quando non lavoravano, Anthony le parlava di svariati argomenti: le sue origini, la figlia, il primo matrimonio, la carriera, la vita in genere.

Lei non aveva mai conosciuto un uomo capace di confidare tanta parte di sé a parole. Ed era stato così che, uscendo da un mondo in cui comunicare con gli altri consisteva solo nell'alzare leggermente le sopracciglia o nell'accennare a una smorfia con le labbra, si era innamorata della sua disponibilità a parlare, di quel suo caldo sorriso che a volte lo illuminava all'improvviso, del modo con cui la coinvolgeva nel racconto, fissandola dritto negli occhi. Dalla vita non avrebbe desiderato niente di più che poterlo ascoltare sempre, e negli ultimi nove anni ci era riuscita, almeno fino al giorno in cui ad Anthony il mondo circoscritto dell'Università di Cambridge non era più bastato.

Justine rimase a osservare il setter irlandese che frugava nella scatola dei giochi; estrasse un consunto calzino nero, con cui ingaggiò una bella gara di tiro alla fune sulle piastrelle del pavimento della cucina. « Stasera no », gli bisbigliò. « Va' nella tua cesta. E rimani lì. » Gli diede una pacca affettuosa sulla testa, si gustò la morbida carezza della sua lingua calda sulle dita e lasciò la cucina. Si fermò un attimo in sala da pranzo per togliere un filo che penzolava dalla tovaglia e poi nel salone per spegnere il fuoco a gas, osservandone le fiamme che scomparivano rapide, risucchiate fra i ciocchi finti. Quindi, non essendoci più niente che potesse impedirglielo, salì le scale.

Anthony era disteso sul letto nella camera in penombra. Si era tolto le scarpe e la giacca, e automaticamente Justine andò a sistemare le prime nella scarpiera e la seconda sull'attaccapanni. Poi si voltò verso suo marito. La luce che filtrava dal corridoio baluginò sulla bava di lacrime che gli si biforcavano sulle tempie e gli scomparivano fra i capelli. Teneva gli occhi chiusi.

Avrebbe voluto provare pietà, dispiacere o compassione. Qualcosa, qualsiasi cosa, tranne il riacutizzarsi di quell'ansia che l'aveva subito colta nel pomeriggio, quando Anthony se n'era andato di casa in macchina, lasciandola sola con Glyn. Si accostò al letto: era di lucido teak danese, costituito da una specie di piattaforma in stile modernissimo che si prolungava poi lateralmente nei comodini. Su ciascuno di essi erano posate tozze lampade in ottone a forma di fungo, e Justine accese quella vicina alla testa del marito. Lui alzò il braccio destro per coprirsi gli occhi, e allungò la mano sinistra, cercando quella di lei.

«Ho bisogno di te», sussurrò. «Rimani con me. Stai qui.»

Lei non si sentì aprire il cuore come sarebbe accaduto anche soltanto un anno prima. E nemmeno sentì risvegliarsi e fremere il suo corpo per le implicite promesse sottintese da quelle parole. Le sarebbe piaciuto sfruttare il momento come avrebbero fatto altre donne nella sua posizione, cioè per aprire il cassetto del comodino, tirare fuori la scatola dei profilattici e dirgli: «Se hai tanto bisogno di me, questi buttali via». Ma non ne ebbe il coraggio. Se mai aveva avuto la sicurezza necessaria per agire a quel modo, Justine sapeva di averne consumate le riserve, e già da molto tempo. Ormai, tutto quanto poteva esserci di positivo era scomparso. Da un'eternità, almeno così le sembrava, si sentiva carica di sfiducia e rabbia, provava un bisogno di vendetta che niente, fino a quel momento, era ancora riuscito a soddisfare.

Anthony si voltò su un fianco e la fece sedere sul letto, poi le posò la testa in grembo, circondandole la vita con le braccia. Meccanicamente, come per abitudine, lei reagì e si mise ad accarezzargli i capelli.

«È solo un brutto sogno», le disse. «Questo weekend Elena tornerà e staremo di nuovo insieme, tutti e tre. Faremo una gita in macchina a Blakeney, oppure ci eserciteremo per la caccia al fagiano. O ci limiteremo a stare seduti a chiacchierare. Ma saremo una famiglia. Insieme.» Justine guardò le lacrime che gli colavano sulle guance e poi le gocciolavano sul bel tessuto di lana grigia della sua gonna. «La rivoglio», sussurrò lui. «Elena. *Elena.*»

Lei rispose l'unica cosa che a quel punto considerava la sola, assoluta verità. «Mi dispiace.»

«Abbracciami. Ti prego.» Le fece scivolare le mani sotto la giacca del tailleur e le strinse la schiena. Per un attimo, gli sentì mormorare il suo nome. La avvicinò ancora di più a sé e le sfilò la camicetta dalla cintura della gonna. Aveva le mani calde. Le fece salire piano fino al reggiseno, poi glielo slacciò. «Abbracciami», le ripeté. Le tolse la giacca dalle spalle e portò la bocca all'altezza dei seni, sfiorandoli. Attraverso la seta leggera della camicetta, sentì prima il respiro, poi la lingua, infine i denti sul capezzolo, che cominciava a indurirsi. «Abbracciami e basta», le sussurrò. «Abbracciami. Ti prego.»

Lei sapeva che fare l'amore rappresentava una delle reazioni più normali a una perdita dolorosa, era un modo per riaffermare la vita sulla morte. L'unica cosa che non poté trattenersi dal domandare a se stessa fu se suo marito, quello stesso giorno, non avesse già avuto la stessa reazione altrove.

Quasi come se ne avesse intuito la reticenza, Anthony si tirò indietro. Prese gli occhiali sul comodino e se li inforcò. «Scusami», le disse. «Non riesco più nemmeno a capire quello che faccio, ormai.»

Lei si alzò. «Dove sei andato?»

«Mi è sembrato che non volessi...»

«Non sto parlando di quello, adesso. Sto parlando di oggi pomeriggio. Dove sei andato?»

«A fare una corsa in macchina.»

«Dove?»

«In nessun posto.»

«Non ti credo.»

Lui distolse lo sguardo e posò gli occhi sul cassettone in teak dalla linea asciutta, semplice.

«Ci risiamo. Sei andato da lei. Avete fatto l'amore. Oppure hai voluto soltanto... sì, comunicare... com'è che dicevi? Ah, sì: 'Da anima a anima'.»

Anthony tornò a fissare la moglie. E scrollò lentamente la testa. «Sai scegliere sempre il momento adatto, vero?»

«Non cercare di evitare l'argomento, Anthony. Così è come ammettere la tua colpa. Ma non funziona, neanche stasera. Dove sei andato?»

«Che cosa devo fare per convincerti che è finita? Sei stata tu a volerlo. Hai stabilito tu il modo, e hai avuto quel che volevi. È finita.»

«Davvero?» A questo punto si decise a giocare l'asso nella manica. «E allora mi vuoi dire dove sei andato ieri sera? Subito dopo aver parlato con Elena, ti ho telefonato al college, nel tuo studio. Dov'eri, Anthony? Hai mentito all'ispettore, ma sono sicura che a tua moglie puoi dire la verità.»

«Abbassa la voce. Non voglio che Glyn si svegli.»

«Me ne infischio, dovessi anche far resuscitare i morti!»

Ma subito dopo aver pronunciato queste parole trasalì, e lui fece altrettanto. Servirono a gettare acqua sul fuoco della sua collera, esattamente come la risposta del marito, la voce rotta dall'emozione.

«Oh, magari potessi, Justine.»

5

Nel sobborgo londinese di Greenford, il sergente Barbara Havers imboccò piano Oldfield Lane con la sua Mini arrugginita. Sul sedile accanto, sua madre era ripiegata su se stessa come una marionetta con i fili allentati, infagottata in un polveroso cappotto nero. Prima di lasciare Acton, Barbara le aveva legato intorno al collo uno sgargiante foulard rosso e blu, ma a un certo punto del tragitto la signora Havers era riuscita a slacciare il grosso nodo e adesso si serviva del foulard come di un manicotto, attorcigliandoselo sempre più stretto intorno alle mani. Nonostante le luci del cruscotto, Barbara si accorse che gli occhi di sua madre erano sbarrati e colmi di terrore, pur dietro le lenti degli occhiali. Da anni non si allontanava tanto da casa sua!

« C'è anche una rosticceria cinese dove puoi comprare quello che vuoi e portartelo via », le spiegò. « E guarda, mamma, ecco il parrucchiere, e il farmacista. Come vorrei che fosse giorno! Così almeno potremmo andare al parco e sederci per un po' sulle panchine. Ma lo faremo molto presto. Addirittura il prossimo weekend, spero. »

Per tutta risposta, sua madre si mise a canticchiare. Rannicchiata il più possibile vicino alla portiera, inconsapevolmente aveva scelto una musica appropriata. Barbara non sapeva il titolo, però conosceva bene le prime sette parole della melodia. « *Think of me, think of me fondly*, pensa a me, pensa a me con amore... » L'aveva sentita alla radio innumerevoli volte negli ultimi anni, e di sicuro doveva averla ascoltata anche sua madre, se la ricordava in quel preciso momento d'incertezza per definire in qualche modo ciò che stava provando dietro la facciata confusa della demenza senile di cui soffriva.

Certo che sto pensando a te, avrebbe voluto dirle Barbara. Questa è la scelta migliore. È l'unica alternativa.

Invece ricominciò a parlare, cercando disperatamente di infondere una falsa allegria alle sue parole: « E guarda un po' com'è largo il marciapiede qui, mamma. Non se ne vedono così ad Acton, vero?»

Non si aspettava una risposta, che infatti non arrivò. Svoltò in Uneeda Drive.

«Vedi gli alberi lungo la strada, mamma? Adesso sono spogli, ma pensa come saranno belli quest'estate!» Certo, non erano paragonabili a quella specie di tunnel frondoso che spesso si poteva osservare sopra alcune strade dei quartieri più eleganti di Londra. Erano stati piantati a troppa distanza l'uno dall'altro per ottenere un effetto del genere, però riuscivano comunque a mitigare lo squallore e la monotonia di quella fila di bifamigliari di mattoni e intonaco, e, non fosse stato altro che per questo motivo, Barbara li aveva notati con gratitudine. E allo stesso modo apprezzava i giardini davanti alle case, li indicava a sua madre mentre vi passavano davanti, fingendo di notare particolari che invece il buio della sera oscurava. Chiacchierò amabilmente, descrivendo una famigliola di nanetti, qualche anatroccolo di gesso, un beverino per gli uccelli e un'aiuola di fiori di Phlox e viole mammole. Poco importava se sua madre non aveva visto niente di tutto questo. Già l'indomani mattina non se ne sarebbe più ricordata, forse nemmeno dopo un quarto d'ora.

E in realtà Barbara sapeva bene che non ricordava neanche ciò che si erano dette su Hawthorn Lodge nel pomeriggio, appena tornata a casa. Aveva telefonato alla signora Flo, aveva preso gli accordi necessari perché sua madre diventasse una delle «ospiti» della casa, ed era andata a fare i bagagli.

«In principio alla sua cara mamma non servirà avere tutto qui con sé», le aveva spiegato con garbo la signora Flo. «Porti soltanto una valigia con un po' di tutto, poi il trasferimento definitivo sarà graduale. Se crede possa renderla più felice, le dica che si tratta solo di una vacanzina.»

Dopo aver passato anni a sentire sua madre organizzare vacanze che non avrebbero mai fatto, adesso a Barbara non poté sfuggire l'ironia di dover preparare la valigia e parlare di una «vacanzina» a Greenford. Così diversa dalle destinazioni turistiche che erano state da sempre il sogno della mente sconnessa della mamma! Eppure, proprio il fatto di avere dedicato tanto tempo e tante riflessioni all'idea di prendersi una vacanza, le aveva reso la vista di quella valigia meno terrificante di quel che sarebbe stato altrimenti.

Comunque, alla donna non era sfuggito che Barbara stava mettendo nella grossa valigia di similpelle soltanto le proprie cose. Così era perfino andata in camera della figlia a frugare tra la sua roba, ed era tornata con un mucchio di pantaloni e golf, quasi tutto il guardaroba.

«Ne avrai bisogno, cara», le aveva detto. «Soprattutto se andiamo in Svizzera. Perché stiamo andando in Svizzera, vero? Sapessi da quanto tempo desidero andarci! Aria fresca... Barbie, pensa all'aria fresca!»

Così le aveva spiegato che non sarebbero andate in Svizzera e che non le sarebbe stato possibile accompagnarla. Aveva concluso il discorso con una bugia: «Ma si tratta soltanto di una vacanzina di pochi giorni. Ti raggiungerò per il weekend», con la speranza che, chissà come, sua madre riuscisse a concentrarsi su questa idea per il tempo necessario a sistemarla senza troppe difficoltà a Hawthorn Lodge.

Adesso, però, Barbara si stava accorgendo che la confusione aveva avuto il sopravvento su quei pochi istanti di rara lucidità durante i quali sua madre aveva ascoltato l'elenco dei vantaggi del soggiorno presso la signora Flo, rispetto agli svantaggi di servirsi ancora della signora Gustafson. A mano a mano che lo stupore aumentava, sua madre si mordeva il labbro superiore. E come da una prima, quasi invisibile incrinatura in una lastra di vetro si irradiano poi, a stella, crepe più profonde, dalla bocca della donna si allargò una rete di rughe sottilissime che formarono una specie di traforo sulle guance e sugli occhi. Torceva le mani sotto quella specie di manicotto formato dal foulard. Prese a canticchiare a un ritmo più sostenuto. «*Think of me, think of me fondly...*»

«Mamma», la chiamò, accostando la Mini al marciapiede, il più vicino possibile a Hawthorn Lodge. Nessuna risposta, solo quel sommesso mormorio. Barbara provò un tuffo al cuore e si accorse che tutto il coraggio di prima era sparito. Eppure c'era stato un momento, quel pomeriggio, in cui si era illusa che il passaggio da una casa all'altra sarebbe avvenuto con facilità. Le era sembrato addirittura che la mamma fosse eccitata e piena di aspettative all'idea, almeno finché le era stata prospettata come una vacanza. Adesso, invece, Barbara si accorse che c'erano tutte le premesse perché si trasformasse in un'esperienza straziante, proprio come aveva previsto.

Pensò di pregare per avere la forza di concludere il suo progetto. Ma non credeva in Dio con una particolare convinzione, e il pensiero di invocarlo nei momenti di comodo perché ne esaudisse i bisogni, le pareva inutile quanto ipocrita. Così cercò di farsi coraggio e aprì la portiera dalla sua parte, poi girò intorno alla macchina per aiutare sua madre a scendere.

« Eccoci qua, mamma », esclamò con aria allegra, facendo appello a tutte le proprie risorse, anche se sapeva benissimo quanto fossero inadeguate ad affrontare situazioni simili. « Vogliamo fare la conoscenza della signora Flo? Cosa ne dici? »

Con una mano reggeva la valigia, con l'altra teneva sotto il braccio la madre. La guidò lungo il marciapiede verso la facciata di intonaco grigio che recava in sé la promessa della salvezza eterna.

« Mamma, ascolta », le disse, mentre suonava il campanello. Da dentro giunse la voce di Deborah Kerr che cantava *Getting to know you,* chissà, forse per accogliere la nuova ospite. « Hanno anche la musica. La senti? »

« C'è puzza di cavolo », rispose lei. « Barbie, non mi pare che una casa puzzolente sia adatta per una vacanza. Il cavolo è una verdura da poveri. No, non va bene. »

« L'odore proviene dalla casa vicina, mamma. »

« Sento puzza di cavolo, Barbie. E io non prenoterei mai una stanza in un albergo che puzza di cavolo. »

A Barbara non sfuggì il tono sempre più querulo e ansioso della voce di sua madre. Pregò in cuor suo che la signora Flo venisse subito alla porta e suonò di nuovo il campanello.

« Da noi non si serve il cavolo. Di sicuro mai agli ospiti. »

« Va tutto bene, mamma, non preoccuparti. »

« Barbie, non credo... »

Fortunatamente, la luce sotto il piccolo portico si accese all'improvviso. La signora Havers sbatté le palpebre, stupita, e fece un balzo all'indietro, stringendosi più che poteva a Barbara.

La signora Flo indossava lo stesso chemisier lindo e ordinato con la piccola spilla a forma di viola del pensiero che le chiudeva il colletto. E aveva un aspetto fresco e riposato, come l'altra volta. « Siete arrivate! Magnifico. » Uscì al buio e prese la signora Havers sottobraccio. «Entri, tesoro, venga a conoscere le mie care vecchiette. Stavamo proprio parlando di lei, sa? Ci siamo cambiate per conoscerla, siamo tutte emozionate.»

«Barbie...» disse a sua figlia con voce supplichevole.

«Non ti preoccupare, mamma. Sono proprio qui, dietro di te.»

Le «care vecchiette» erano in soggiorno e stavano guardando *Il re e io* in videocassetta. Deborah Kerr cantava melodiosa a un gruppo di bei bambini orientali. Le «care vecchiette» – sul divano – si dondolavano a tempo.

«Eccoci qui, mie care», annunciò la signora Flo, mettendo un braccio sulle spalle della signora Havers. «È arrivata la nostra nuova ospite. E noi siamo pronte a fare la sua conoscenza, vero? Oh, come vorrei che la signora Tilbird fosse qui a condividere questo piacere con noi!»

La signora Salkild e la signora Pendlebury rimasero ferme sul divano, spalla contro spalla. La signora Havers si manteneva a debita distanza e, intanto, lanciava sguardi pieni di terrore in direzione di Barbara. Sua figlia le sorrise con aria rassicurante. La valigia che continuava a reggere stretta contro di sé le pareva fosse diventata una cosa sola con il suo braccio.

«E allora, cara, non vogliamo toglierci questo bel cappotto e il foulard?» disse la signora Flo, allungando una mano verso il primo bottone.

«Barbie!» strillò la signora Havers.

«Suvvia, non è il caso di spaventarsi. Va tutto bene, sa? Noi tutte siamo felici che starà qui in nostra compagnia per un po'!»

«Sento puzza di cavolo!»

Barbara depose la valigia sul pavimento e andò in soccorso della signora Flo. La mamma si teneva aggrappata con entrambe le mani al primo bottone del cappotto come se fosse stato un prezioso diamante. Agli angoli della bocca le si era raccolta un po' di bava.

«Mamma, è la vacanza che volevi», disse Barbara. «Saliamo di sopra, piuttosto, così puoi vedere la tua camera.» E la prese per un braccio.

«È sempre un po' difficile per loro all'inizio», intervenne la signora Flo che, forse, si era accorta anche dell'incipiente panico di Barbara. «Rimangono frastornati per il cambiamento. È normale, non deve preoccuparsene.»

Insieme condussero la donna fuori dal soggiorno, dove tutti quei bambini orientali cantavano entusiasti all'unisono. La scala era troppo stretta perché potessero salirla tutte e tre affiancate, di conseguenza fu la signora Flo a precedere le altre, continuando a chiacchierare amabilmente. Ma dietro quelle parole, a Barbara non era sfuggita la calma determinazione che la animava, al punto che si meravigliò per la sua disponibilità e pazienza a trascorrere la vita occupandosi di persone anziane e inferme. Barbara, invece, in quel momento desiderava solo andarsene di lì il più rapidamente possibile, anche se si disprezzava per quella forma di claustrofobia emotiva.

Dover accompagnare la mamma su per la scala, non contribuì certo a diminuire l'esigenza di assoluta e completa evasione che stava provando. Il corpo della signora Havers si era irrigidito. Ogni passo era una conquista. E per quanto le mormorasse parole d'incoraggiamento e continuasse a tenerle la mano intorno al braccio per sorreggerla, era un po' come condurre un animale innocente al macello, in quegli ultimi momenti terribili nei quali comincia a fiutare nell'aria l'odore inequivocabile del sangue.

« Il cavolo... » piagnucolò la signora Havers.

Barbara cercò di corazzarsi contro quelle parole. Sapeva perfettamente che, lì dentro, non c'era odore di cavolo. Nello stesso tempo si rendeva conto che il cervello di sua madre si stava aggrappando all'ultimo pensiero razionale che era riuscito a formulare. Però quando sentì che le abbandonava la testa ciondoloni contro la spalla e vide il curioso disegno irregolare che formavano le lacrime sulla cipria con cui, d'impulso, si era cosparsa il viso come una bambina, in preparazione a quella vacanza da tanto tempo desiderata, Barbara avvertì la morsa soffocante del senso di colpa.

Non capisce, si disse. Non lo capirà mai.

« Signora Flo, non credo che... » cominciò.

In cima alle scale, la donna si voltò e sollevò una mano con il palmo rivolto all'insù, per impedirle di aggiungere altro. « Le conceda un momento, cara. Non è facile per nessuno, vero? »

Attraversò il pianerottolo e aprì una delle porte che davano sul retro della casa, dove una luce era già accesa per accogliere nel migliore dei modi la nuova « cara vecchietta ». La camera era stata attrezzata con un letto da ospedale. Ma all'infuori di questo sembrava una normale camera da letto, anzi, molto più allegra e accogliente di quella che sua madre occupava nella casa di Acton.

«Guarda com'è carina la tappezzeria, mamma», le disse. «Quante margheritine... A te piacciono, vero? E il tappeto, poi. Ma l'hai visto bene? Ci sono margheritine anche lì. E poi hai un lavabo tutto per te. E una poltrona a dondolo vicino alla finestra. Non mi ricordo se ti avevo detto che si vede il parco, mamma. Così potrai guardare i bambini che giocano a palla.» Ti prego, si disse, ti prego, dammi un segnale.

Aggrappata al suo braccio, la signora Havers si lasciò sfuggire una specie di miagolio.

«Mi dia la valigia, cara», disse la signora Flo. «Se mettiamo via tutte queste cose in fretta, farà prima a sistemarsi e ad ambientarsi. Meno cambiamenti ci sono, meglio è. Si è ricordata di portare qualche fotografia e qualche oggettino che è abituata a vedersi intorno, vero?»

«Sì. Li ho messi in cima ai vestiti.»

«E allora sarà meglio tirarli fuori per primi, cosa ne dice? Solo le foto, per il momento. Sarà come ricreare un pezzettino di casa sua.»

Le foto erano soltanto due, unite in una cornice a libro: il fratello e il padre di Barbara. Aperta la valigia, la signora Flo tirò fuori la cornice e la sistemò sul cassettone. Fu allora che all'improvviso Barbara si accorse di avere avuto tanta fretta di eliminare la mamma dalla propria vita, da non aver portato nemmeno un proprio ritratto. Adesso se ne vergognò, arrossendo.

«Oh, guardi, non trova che così stia bene?» chiese la signora Flo, facendo qualche passo indietro e piegando la testa da un lato per ammirare le fotografie. «Che bambino adorabile. Chi è?»

«Mio fratello. È morto.»

La signora Flo fece schioccare la lingua in segno di comprensione. «Vogliamo toglierle il cappotto, adesso?» domandò.

Aveva dieci anni, pensò Barbara. E vicino al suo letto non c'era nessuno della famiglia, neanche un'infermiera, a tenergli la mano e a rendere più dolce la sua fine. Era morto solo.

La signora Flo ripeté: «Proviamo a togliercelo, cara».

Barbara si accorse che, al suo fianco, la mamma si rimpicciolìva.

«Barbie...» Nelle due sillabe del suo nome colse una nota di inequivocabile sconfitta.

Più di una volta Barbara si era chiesta com'era morto suo fratello, se si era spento serenamente senza risvegliarsi dal coma in cui era sprofondato, se in ultimo avesse aperto gli occhi e si fosse trovato abbandonato da tutti e da tutto, circondato soltanto dai macchinari, dai tubi, dalle flebo e dagli strumenti che l'avevano tenuto in vita.

«Sì. Oh, brava, così! Un bottone. E poi un altro. Adesso ci sistemiamo e prendiamo una tazza di tè. Spero che le piaccia. E magari le va anche una fetta di torta?»

«Cavolo», fu l'unica parola che uscì dalla bocca della signora Havers. Era quasi incomprensibile, come un grido fievole, distorto, che giungeva da lontano.

Barbara prese una decisione. «I suoi album», disse. «Signora Flo, ho dimenticato gli album della mamma.»

Lei alzò gli occhi dal foulard che era riuscita a districare dalle mani della signora Havers. «Potrà portarglieli in seguito, cara. Non le serve tutto subito.»

«Certo, ma sono importanti. Deve assolutamente averli con sé. Ha raccolto...» Barbara si interruppe per un attimo, rendendosi conto che stava per commettere una sciocchezza e intuendo, in fondo al cuore, che non esisteva un'altra risposta. «Pensava sempre alle vacanze, faceva progetti, le organizzava... aveva raccolto tutto il materiale negli album. Ci lavorava ogni giorno. Si sentirebbe perduta e...»

La signora Flo le posò una mano sul braccio. «Mia cara, la prego, mi ascolti. Quello che lei sta provando adesso è naturale. Ma questa è la soluzione migliore. Deve rendersene conto.»

«No. È già abbastanza brutto che mi sia dimenticata di portare una mia foto, non trova? Non posso lasciarla qui senza quegli album. Mi spiace. Le ho rubato il suo tempo. Ho combinato un gran pasticcio. Ho solo...» Oh, che voglia di piangere, pensò, ma no, adesso non poteva, perché la mamma aveva bisogno di lei e doveva ricontattare la signora Gustafson e prendere accordi. Adesso non era il momento di piangere.

Andò al cassettone, richiuse con uno scatto la cornice e la ripose in valigia, che tirò giù energicamente dal letto. Poi prese dalla tasca un fazzolettino di carta e lo usò per asciugare le guance di sua madre e soffiarle il naso.

«Va bene», le disse. «Andiamo a casa.»

Il coro stava cantando il *Kyrie* quando Lynley attraversò la Chapel Court e si avvicinò alla cappella che, preceduta da un'ampia arcata, ne occupava quasi per intero l'estremità ovest. Benché si capisse subito, alla prima occhiata, che era stata costruita per essere ammirata dalla Middle Court, a est, nel Settecento la necessità di ingrandire il college aveva portato a erigere un quadrilatero di nuovi edifici di cui era il punto focale. E nonostante la nebbia e l'oscurità, non poteva essere altrimenti.

Le luci al pianoterra si riflettevano sull'esterno in concio della costruzione che, se non era stata progettata da Wren, rappresentava comunque un omaggio al suo amore per la decorazione classica. La facciata della cappella si levava dal centro dell'arcata, racchiusa da quattro pilastri corinzi che sorreggevano un timpano, intersecato da un orologio e da un lucernario a cupola. Festoni decorativi partivano dai pilastri. Su entrambi i lati dell'orologio luccicava debolmente un occhio di bue. In mezzo all'edificio spiccava una trabeazione ovale. Nel suo insieme, tutto ciò esprimeva la squisita realizzazione concreta dell'ideale classico di Wren, l'equilibrio. E nei punti in cui, alle estremità nord e sud, la cappella non occupava interamente il lato ovest della corte, l'arcata incorniciava il fiume e, più oltre, la zona dei college. L'effetto era incantevole di sera, con la nebbiolina che, salendo dall'acqua, circondava in ondeggianti volute il basso muricciolo e veniva a lambire anche le colonne. Con il sole, poi, doveva essere magnifico.

Quasi per coincidenza, si levò uno squillo di tromba. Le note erano pure e dolci nella fredda aria notturna. E mentre Lynley apriva la porta della cappella situata all'angolo sud-est dell'edificio – per nulla meravigliato di scoprire che l'entrata principale era solo un trucco architettonico, quindi inutilizzabile – il coro rispose con un altro *Kyrie*. Entrò nella cappella proprio mentre si levava il secondo squillo.

Fino alle alte finestre ad arco che raggiungevano un cornicione decorato a dente di cane, le pareti erano rivestite di pannelli di quercia dorati, sotto cui erano disposti gli uni di fronte agli altri, rivolti verso la navata centrale, alcuni banchi nello stesso legno. Vi erano seduti i cantori del coro del college, concentrati sul trombettista che, ai piedi dell'altare, stava suonando le ultime note. Era una ragazza, che pareva letteralmente schiacciata dall'imponente dossale dorato in stile barocco in cui era incorniciato un dipinto raffigurante la resurrezione di Lazzaro. Quando abbassò lo strumento, vide Lynley e gli rivolse un sorriso, mentre dal coro partivano impetuose le note dell'ultimo *Kyrie*. Seguirono alcune tonanti battute d'organo. Il direttore del coro prese qualche appunto frettoloso sullo spartito che aveva davanti.

« Gli alti fanno pena », disse. « I soprani sembrano civette starnazzanti. I tenori, cani che ululano. Quanto agli altri, appena passabili. Alla stessa ora domani sera, per favore. »

Una serie di gemiti e di lamenti accolse quel giudizio. Il direttore li ignorò, si infilò la matita tra i capelli neri e disse: « Invece la tromba è stata eccellente. Grazie, Miranda. E questo è tutto, signore e signori ».

Mentre il gruppo si scioglieva, Lynley si inoltrò lungo la navata e raggiunse Miranda Webberly, che stava pulendo la tromba prima di richiuderla nell'astuccio. « A quanto vedo, il jazz l'hai abbandonato, Randie », osservò.

La ragazza alzò di scatto la testa, facendo sobbalzare i capelli ricci, color zenzero, che teneva raccolti. « Ah, no. Mai! » gli rispose.

Era vestita come al solito, notò Lynley: una tuta sformata che, secondo lei, avrebbe dovuto slanciarla e nasconderne la figura bassa e tozza. Il colore, invece – blu eliotropio scuro – pareva calcolato per far risaltare gli occhi chiari.

« Allora fai sempre parte della band? »

« Certo. Anzi, mercoledì sera suoniamo alla Trinity Hall. Vuole venire? »

« Non me lo perderei per niente al mondo. »

Lei sorrise. « Bene. » Richiuse di colpo l'astuccio della tromba e lo posò sul bordo di un banco. « Ha telefonato papà per avvisarmi che stasera sarebbero arrivati un paio dei suoi agenti. Come mai è solo? »

« Il sergente Havers aveva alcune questioni personali da risolvere. Mi raggiungerà. Domattina, credo. »

« Mmm. Bene. Posso offrirle un caffè o qualcos'altro? Immagino che sia qui per parlare. Lo spaccio è ancora aperto. Oppure possiamo salire in camera mia.» Benché questo secondo invito fosse stato rivolto in tono casuale, le guance di Miranda erano diventate rosso fuoco. «Cioè, se vuole parlare in privato... Be', ha capito cosa intendevo, no?»

Lynley sorrise. «Sì, andiamo nella tua stanza.»

La ragazza si infilò con gesti impacciati un ampio giaccone da marinaio, e, quando Lynley si affrettò ad aiutarla, lo ringraziò di sfuggita, girando appena la testa, poi si avvolse una sciarpa intorno al collo e andò a prendere la tromba. «Bene, allora venga» gli disse. Io sono nella New Court», e si avviò lungo la navata.

Invece di attraversare la Chapel Court e di servirsi del passaggio che collegava le due costruzioni a est e a sud – «Le chiamano Randolph Digs» lo informò Miranda. «La casa di Randolph, dal nome dell'architetto. Brutto, vero?» – lo condusse lungo l'arcata ed entrò in una porta all'estremità nord. Da qui salirono una breve rampa di scale, procedettero lungo un corridoio, oltrepassarono una porta antincendio, percorsero un altro corridoio, oltrepassarono un'altra porta antincendio e affrontarono la seconda rampa di scale. Per tutto il tempo Miranda non fece che parlare.

«Ancora non riesco a capire come mi sento dopo quello che è successo a Elena», disse. Sembrava un discorso che si era già fatta diverse volte quel giorno. «Continuo a ripetermi che dovrei provare indignazione, rabbia o dolore, invece fino a questo momento non provo assolutamente nulla. Salvo il senso di colpa per la mia freddezza. E il fatto che mi sento importante, perché adesso papà deve occuparsi della faccenda – tramite lei, chiaro – e io sarò tra quelli informati dei fatti. Faccio schifo, vero? Sono o non sono cristiana? Non dovrei piangerne la perdita?» Non attese che Lynley rispondesse. «Vede, il problema essenziale è un altro, cioè non riesco ancora ad accettare che Elena sia morta. Ieri sera non l'ho vista, e stamattina non l'ho sentita uscire. Del resto qui viviamo così, di conseguenza mi sembra tutto normale. Forse se io fossi stata la persona che ha rinvenuto il corpo, oppure se fosse stata uccisa nella sua camera e l'uomo delle pulizie l'avesse trovata e fosse venuto a chiamarmi urlando – un po' come in un film, capisce? – avrei visto con i miei occhi, l'avrei saputo e, in un certo senso, ne sarei rimasta turbata e commossa. Quello che mi preoccupa è l'assenza totale di qualsiasi sensazione. Non provo emozioni. Sto forse diventando di pietra? Ma non me ne importa proprio niente?»

«Eravate molto amiche?»

«Ecco il punto. Avrei dovuto cercare di capirla di più. Fare uno sforzo maggiore. La conosco dall'anno scorso.»

«Ma non eravate amiche?»

Miranda si soffermò nel vano della porta che dava sulla New Court. Arricciò il naso. «A me non piace correre», disse in tono vago, e la aprì.

Alla loro sinistra, una terrazza si affacciava sul fiume. A destra, invece, un viottolo a ciottoli correva tra il palazzo costruito da Randolph e un prato, al centro del quale svettava un enorme castagno e, più oltre, si intravedeva un imponente edificio a ferro di cavallo che si allungava quasi a cingere per buona parte la New Court – tre piani in stupendo stile neogotico, decorati con due finestre a cuspide, porte ad arco fitte di massicce borchie di ferro, tetto smerlato e una torre a guglia. Benché fosse stato costruito con lo stesso materiale del palazzo di fronte, non poteva essere più diverso.

«Da questa parte», aggiunse Miranda e lo precedette lungo il viottolo che correva fino all'angolo sud-est dell'edificio. Un gelsomino si arrampicava rigoglioso su per i muri. Lynley ne aspirò la dolce fragranza per un attimo, prima che Miranda aprisse una porta accanto alla quale, in un piccolo blocco in pietra, era incisa, ma appena visibile, la lettera L.

Salirono velocemente le due rampe di scale. La camera di Miranda era situata in un piccolo corridoio di fronte a un'altra, con la quale divideva un cucinino, una doccia e un bagno.

Miranda si fermò nel cucinino, riempì d'acqua un bollitore e lo mise sul fornello. «Dovremo accontentarci, ho soltanto il caffè istantaneo», disse con una smorfietta. «Per fortuna ho un po' di whisky. Possiamo rinforzarlo, se lo gradisce. Basta che non vada a raccontarlo a mia madre.»

«Cosa, che ti sei data all'alcol?»

Lei alzò gli occhi al cielo. «Che non mi sono data a un bel niente. A meno che si tratti di un uomo. In quel caso può raccontarle qualsiasi cosa. Ma, mi raccomando, che sia una storia convincente. Négligé di pizzo nero, roba del genere. Le darà speranza.» Poi rise e raggiunse la porta della sua camera. Molto saggiamente, l'aveva chiusa a chiave, notò Lynley. Non per niente era la figlia di un poliziotto.

«Vedo che sei riuscita a procurarti una sistemazione addirittura lussuosa», osservò non appena entrarono, ed effettivamente, per gli standard di Cambridge, era vero. L'alloggio di Miranda era costituito non da un solo locale, bensì da due: una piccola camera da letto e un salotto. Quest'ultimo era abbastanza ampio da contenere due divani di dimensioni ridotte e un tavolo da pranzo in noce che fungeva da scrittoio. In un angolo c'erano anche un camino in mattoni incassato nel muro e una finestra con sotto un sedile in legno di quercia, che dava su Trinity Passage Lane. Sopra c'era una gabbietta di metallo. Lynley andò a osservare il minuscolo prigioniero che in quel momento era occupato a correre dentro una piccola, cigolante ruota sospesa.

Miranda depose la tromba vicino alla poltrona e lasciò cadere il giaccone lì vicino, poi disse: «Lui è Tibbit». Infine si diresse verso il camino per trafficare con il fuoco elettrico.

Mentre si stava togliendo il soprabito, Lynley alzò di scatto la testa. «Il topolino di Elena?»

«Quando ho saputo quello che era successo, sono andata a prenderlo in camera sua. Mi è sembrata la cosa più logica da fare.»

«E quando è stato?»

«Nel pomeriggio. Forse... poco dopo le due.»

«La sua camera non era chiusa a chiave?»

«No. Perlomeno, non ancora. Elena non la chiudeva mai a chiave.» Su uno scaffale in un vano della parete c'erano parecchie bottiglie di liquori, cinque bicchieri, tre tazze con piattino. Miranda ne prese due e una bottiglia, e posò tutto sul tavolo. «Che non chiudesse mai a chiave è un dettaglio importante, vero?»

Il topolino smise di correre, scese dalla ruota e si precipitò verso una delle pareti della gabbia. Gli vibravano i baffi, gli fremeva il naso. Con le zampine anteriori si aggrappò alle sottili sbarre di metallo, poi si raddrizzò su quelle posteriori e cominciò ad annusare con interesse le dita di Lynley.

«Magari sì», le rispose. «Ma tu hai sentito qualcuno nella sua camera stamattina? Più tardi, però, verso le sette, le sette e mezzo.»

Miranda scosse la testa. E sembrò dispiaciuta. «Mi metto i tappi», gli spiegò.

«Ti metti i tappi nelle orecchie quando vai a letto?»

«Sì, lo faccio da...» Esitò, e per un attimo parve imbarazzata, ma poi, come se volesse scrollarsi di dosso quel vago senso di disagio, continuò: «Altrimenti non riesco a dormire, ispettore. Suppongo, ormai, di esserci abituata. Lo so, sono privi di fascino, ma purtroppo è la triste realtà».

Lynley colmò le lacune della giustificazione impacciata di Miranda e l'ammirò per quel coraggioso tentativo di trasformarla in bravata. Che il matrimonio dei Webberly tirasse avanti a fatica non era un segreto per chi conosceva bene il sovrintendente. Era logico, quindi, che sua figlia avesse cominciato a mettersi i tappi nelle orecchie fin da quando era a casa, per non sentire i litigi e le discussioni notturne dei genitori soprattutto se diventavano particolarmente accesi e violenti.

«A che ora ti sei alzata stamattina, Randie?»

«Alle otto», gli rispose la ragazza. «Dieci minuti più, dieci minuti meno.» Fece un sorrisetto astuto. «Diciamo alle otto e dieci, forse è meglio. Avevo una lezione alle nove.»

«E cos'hai fatto? La doccia? Un bagno?»

«Mmm... sì. Ho bevuto una tazza di tè. Ho mangiato fiocchi d'avena e un po' di pane tostato.»

«La sua porta era chiusa?»

«Sì.»

«E sembrava tutto normale? Nessun segno che ci fosse entrato qualcuno?»

«No. Anche se...» Il bollitore cominciò a fischiare nel cucinino. Miranda infilò le dita nei manici delle due tazze e in quello di una piccola lattiera e andò alla porta, poi si fermò. «Non so cosa avrei dovuto notare. Cioè... ecco, diciamo che Elena riceveva più ospiti di me, capisce?»

«Aveva tanti amici?»

Miranda prese ad accarezzare con la punta di un dito la sbeccatura su una delle tazze. Il fischio del bollitore sembrava diventare più acuto e intenso. E Miranda sembrava sempre più a disagio.

«Amici... maschi?» insisté Lynley.

«Aspetti, vado a prendere il caffè.»

E uscì a precipizio dalla stanza, lasciando la porta spalancata. Lynley la sentiva muoversi nel cucinino. E vedeva l'altra stanza chiusa in corridoio. Si era fatto consegnare dal portiere la chiave di quella porta, che adesso era sbarrata, ma non provava il minimo desiderio di usarla. Esaminò questa sensazione, così in contrasto con quella che, invece, avrebbe dovuto provare.

Aveva deciso di affrontare il caso a ritroso. Le regole della sua professione gli dicevano che, malgrado l'ora, appena arrivato avrebbe dovuto parlare prima di tutto con la polizia di Cambridge, poi con i genitori della vittima e in terzo luogo con la persona che aveva trovato il cadavere. Dopo, sarebbe stato suo compito frugare tra gli oggetti della vittima alla ricerca di qualche indizio per scoprire l'identità del suo assassino. Roba da manuale di scuola con la dicitura PROCEDURA CORRETTA, come gli avrebbe senza dubbio fatto notare il sergente Havers. Non sarebbe stato capace di elencare i motivi per cui, invece, aveva agito altrimenti. Sentiva semplicemente che la natura del delitto suggeriva l'esistenza di un rapporto personale fra l'assassino e la ragazza uccisa e forse, più ancora, il desiderio di regolare un vecchio conto in sospeso. E soltanto un attento esame delle persone coinvolte nella tragedia avrebbe potuto rivelare con esattezza il senso di quel rapporto e del conto in sospeso.

Miranda tornò con le tazze e la lattiera su un vassoio di metallo rosa. «Il latte è andato a male», annunciò, posando le tazze sui piattini. «Mi spiace. Dovremo accontentarci del whisky. Però ho un pochino di zucchero. Ne vuole?»

Lynley prese tempo. «Dicevi che Elena aveva molti amici» disse. «Devo credere che si trattasse di uomini.»

A giudicare dall'espressione della ragazza, doveva essersi illusa che, mentre preparava il caffè, l'ispettore si fosse dimenticato della domanda. Lui la raggiunse vicino al tavolo. Miranda versò distratta un po' di whisky in ciascuna delle tazze, mescolò con lo stesso cucchiaino, che poi leccò e continuò a stringere in mano, cominciando a batterlo ripetutamente contro il palmo dell'altra mentre gli rispondeva.

«Non solo», spiegò. «Era molto amica delle ragazze della squadra di atletica. Di tanto in tanto venivano qui loro, oppure andavano insieme a qualche festa. Era una patita di feste, Elena. Le piaceva ballare. Diceva che, se la musica era abbastanza alta, ne sentiva le vibrazioni.»

«E gli uomini?» domandò Lynley.

Miranda picchiò il dorso del cucchiaino contro il palmo della mano, poi aggrottò le sopracciglia e fece una smorfia. «La mamma sarebbe al settimo cielo se io ne avessi soltanto un decimo di quelli che aveva Elena. Piaceva agli uomini, ispettore.»

«E ti risulta difficile capire il perché?»

«No, anzi, lo capisco benissimo. Era vivace e divertente, le piaceva parlare e ascoltare, il che è terribilmente strano se si pensa che, in realtà, non poteva fare nessuna di queste due cose, vero? Eppure, chissà come, riusciva sempre a dare l'impressione che, quando stava con te, fossi tu il centro del suo interesse. Di conseguenza posso capire che un uomo... be', lo sa anche lei.» E agitò il cucchiaino avanti e indietro per completare la frase.

«Vuoi dire che siamo egocentrici, giusto?»

«Agli uomini piace credere di essere sempre al centro di tutto, no? Ed Elena era molto brava a farglielo credere.»

«Vedeva qualcuno in particolare?»

«Tanto per cominciare, Gareth Randolph», rispose Miranda. «Veniva spessissimo a trovarla. Due o tre volte la settimana. E io capivo sempre quando era qui, perché l'atmosfera cambiava, come se l'aria si facesse più pesante, per l'intensità. Elena mi diceva di sentire la sua aura nel preciso momento in cui apriva la porta della scala. Ecco che arrivano i guai, diceva, se eravamo nel cucinino. E trenta secondi dopo, compariva lui. Elena affermava di avere quasi delle sensazioni medianiche quando c'era di mezzo Gareth.» Miranda rise. «In tutta franchezza, per me le arrivava semplicemente il profumo della sua colonia.»

«Facevano coppia fissa?»

«Andavano in giro insieme. E la gente li associava.»

«A Elena piaceva?»

«Lei diceva che Gareth era soltanto un amico.»

«C'era qualcun altro di speciale?»

Miranda bevve un sorso di caffè e si versò dell'altro whisky, spingendo poi la bottiglia verso Lynley. «Non so se fosse speciale, però frequentava anche Adam Jenn, quello che si sta specializzando con suo padre. Lo vedeva molto spesso. E poi anche il professor Weaver si fermava da lei abbastanza di frequente, però suppongo che lui non conti, vero? Qui era l'unico a tenerla sotto controllo. Non aveva avuto risultati molto buoni l'anno scorso – gliel'hanno detto, questo? – e lui voleva essere sicuro che la cosa non si ripetesse. Perlomeno questo sosteneva Elena. Ecco, arriva il mio guardiano, diceva sempre quando lo vedeva dalla finestra. Anzi, un paio di volte era venuta addirittura a nascondersi qui da me per fargli uno scherzo, poi era corsa fuori ridendo quando lui aveva cominciato ad agitarsi, perché non l'aveva trovata nella sua camera nonostante gli avesse detto che lo avrebbe aspettato lì.»

«Devo concludere che non le piaceva affatto il piano di emergenza messo a punto per tenerla qui all'università.»

«Ripeteva sempre che la parte migliore di quel piano era il topolino. L'aveva chiamato Tibbit. Ecco il mio compagno di cella, diceva. Era fatta così, ispettore. Riusciva a scherzare su tutto.»

Evidentemente Miranda aveva esaurito le informazioni, perché si lasciò andare contro lo schienale della sedia su cui stava seduta a gambe incrociate, e bevve dell'altro caffè. Ma gli lanciò un'occhiata guardinga, e Lynley capì che gli aveva taciuto qualcosa.

«C'era qualcun altro, Randie?»

Miranda si agitò irrequieta sulla sedia. Si mise a scrutare con attenzione un cestino pieno di mele e arance che era sul tavolo, poi alzò gli occhi verso i poster appesi alla parete. Dizzy Gillespie, Louis Armstrong, Wynton Marsalis durante un concerto, Dave Brubeck al pianoforte, Ella Fitzgerald davanti al microfono. No, non aveva rinunciato al suo amore per il jazz. Poi guardò di nuovo Lynley, ficcandosi l'impugnatura del cucchiaino nella massa arruffata di ricci che erano i suoi capelli.

«Allora, c'era qualcun altro?» ripeté Lynley. «Randie, se sai qualcosa...»

«Non so nient'altro, ispettore. E non posso dirle ogni cosa, le pare? Perché anche quello che potrei raccontarle – magari un particolare di minor conto – magari non significa niente. Se solleticassi la sua curiosità, invece, rischierei di far del male a qualcuno, non è così? Papà dice che questo è il pericolo più grosso che si corre a fare il poliziotto.»

Lynley prese nota mentalmente di ricordarsi per il futuro di scoraggiare Webberly dal riempire la testa della figlia di certe sciocchezze filosofiche. «D'accordo, è possibile», ammise. «Ma io non ho nessuna intenzione di arrestare una persona per il semplice fatto che hai menzionato il suo nome.» Vedendo che Miranda continuava a tacere, si protese verso di lei e batté un dito contro la sua tazza di caffè. «Parola d'onore, Randie. D'accordo? Sai qualcos'altro?»

«Quello che so riguardo a Gareth, Adam e il padre di Elena, me lo diceva lei», gli rispose la ragazza. «Ecco perché le ho riferito tutto. Ogni altra idea che posso essermi messa in testa non sarebbe che una chiacchiera senza fondamento. Oppure qualcosa che ho visto ma che non ho compreso, dunque di nessuna utilità. Anzi, magari può contribuire a fare andare tutto storto.»

«Qui non è questione di pettegolezzi, Randie. Stiamo cercando di arrivare alla verità che si nasconde dietro la morte di Elena. Voglio fatti, non congetture.»

La reazione di Miranda non fu immediata. Continuò a fissare la bottiglia di whisky sul tavolo. Sull'etichetta era visibile l'impronta di un dito unto. «I fatti non sono conclusioni», obiettò. «È quello che dice sempre papà.»

«Senz'altro. Sono pienamente d'accordo.»

Lei esitò, poi si guardò alle spalle come per assicurarsi che non ci fosse nessuno. «Quello che sto per raccontarle riguarda solo qualcosa che ho visto, nient'altro», riprese.

«Ho capito.»

«Bene», rispose, poi si raddrizzò, tirando indietro le spalle come per prepararsi a ciò che stava per fare, ma sempre con l'aria di chi eviterebbe volentieri di confidarsi. «Credo che domenica sera abbia litigato furiosamente con Gareth. Però», si affrettò ad aggiungere, «non lo so con sicurezza, perché non li ho sentiti, parlavano a gesti. Li ho soltanto intravisti per un momento nella camera di Elena prima che lei chiudesse la porta. Quando se ne è andato, Gareth era letteralmente fuori di sé dalla rabbia. Ha sbattuto la porta facendo un baccano del diavolo. Ma forse non significa niente, perché lui è sempre agitato, e magari stavano solo discutendo... che so... dell'imposta pro capite.»

«Già. Capisco. E dopo il litigio?»

«Se ne è andata anche Elena.»

«Che ora poteva essere?»

«Più o meno le otto meno venti. E non l'ho più sentita rientrare.» A Miranda sembrò di leggere sul viso di Lynley un interesse più marcato, così si affrettò a proseguire. «Non credo che Gareth abbia qualcosa a che vedere con quello che è successo, ispettore. Ha un caratteraccio, d'accordo, e ha sempre con i nervi a fior di pelle, ma non è stato l'unico a...» Si mordicchiò un labbro.

«È venuto qualcun altro?»

«Nooo... non proprio.»

«Randie...»

Si fece piccola nella sedia. «Be', ecco... il signor Thorsson.»
«È venuto qui?» Annuì. «Chi sarebbe?»
«Il tutor di Elena. Insegna inglese.»
«E quando?»
«Veramente l'ho visto qui un paio di volte. Ma domenica, no.»
«Di giorno o di sera?»
«Di sera. Una volta dopo tre settimane dall'inizio del trimestre. E poi ancora giovedì scorso.»
«È possibile che sia venuto qui anche più spesso?»
Lei sembrò riluttante a rispondere, però disse: «Presumo di sì. Io, comunque, l'ho visto solo due volte. Due volte e basta, ispettore». Il tono della voce sottintendeva che fosse un dato di fatto.
«Lei non ti ha mai detto per quale motivo venisse a trovarla?»
Miranda scosse piano la testa. «Credo che non le fosse molto simpatico, perché lo chiamava Lenny il Lumacone. Lennart. È svedese. Non so altro. Veramente. Sul serio.»
«Questo è quanto, dunque.» Mentre lo diceva, Lynley ebbe la più completa certezza che da un fatto del genere Miranda Webberly – in quanto figlia di un poliziotto – avrebbe potuto ricavare una serie di supposizioni differenti.

Lynley passò dalla portineria e si fermò un momento a casa del custode prima di prendere per Trinity Lane. Molto saggiamente, Terence Cuff aveva disposto che gli alloggi per i visitatori si trovassero nella St Stephen's Court, che, come la Ivy Court, era separata dal resto del college da quello stretto viottolo. Non c'erano né portiere né portineria, quindi di notte il portone non era mai chiuso a chiave e, di conseguenza, gli ospiti avevano una maggior libertà di movimento rispetto a studenti, specializzandi e assistenti.
Una semplice cancellata in ferro battuto la separava dalla strada. E quella linea di demarcazione era interrotta solo dal muro della St Stephen's Church, una costruzione irregolare di pietre non sbozzate e di diversa forma, una delle prime parrocchie di Cambridge, le cui chiavi di volta, i contrafforti e la torre normanna in pietra contrastavano con l'elegante edificio in mattoni, di stile edoardiano, che la circondava parzialmente.
Lynley spalancò il cancello. Una seconda recinzione interna se-

gnava il confine del cimitero. E qui le tombe apparivano appena illuminate dagli stessi bassi lampioni che diffondevano sui muri della chiesa un cono di luce giallastra e sotto cui volteggiavano fiacche delle falene dalle ali umide. Durante la sua conversazione con Miranda, la nebbia si era fatta più fitta, e adesso trasformava sarcofaghi, lapidi, tombe, cespugli e alberi in sagome senza colore che si disegnavano confuse su uno sfondo di foschia in continuo, lento spostamento. Lungo la cancellata in ferro battuto che separava la St Stephen's Court dal cimitero, erano accostate le une alle altre forse un centinaio o anche più di biciclette con il manubrio lucente, reso viscido dall'umidità.

Oltrepassandole, Lynley si diresse verso la Ivy Court, dove il portiere l'aveva già accompagnato nella sua camera, proprio in cima alla scala O. All'interno dell'edificio regnava una grande quiete. Le stanze venivano usate soltanto dai professori di ruolo del college, gli aveva spiegato l'uomo. Comprendevano uffici, studi e sale riunioni dove si incontravano supervisori e studenti, cucinini e locali più piccoli attrezzati con un letto. Ma poiché in gran parte i professori vivevano fuori del college, di notte l'edificio era praticamente deserto.

La camera destinata a Lynley comprendeva uno dei timpani in stile olandese dell'edificio e guardava sulla Ivy Court e il cimitero di St Stephen's. L'ambiente non contribuiva certo a tirar su il morale – piccoli tappeti squadrati per terra, pareti gialle macchiate e tende con un motivo floreale sbiadito. Era chiaro che a St Stephen's non ci si aspettava che i visitatori si trattenessero a lungo.

Poco dopo, Lynley si scoprì a esaminare lentamente l'arredo. Sfiorò con la punta delle dita la poltrona che esalava odore di muffa, aprì un cassetto, passò il palmo della mano lungo le mensole vuote e regolabili allineate lungo una parete. Fece scorrere l'acqua nel lavabo. Controllò la resistenza dell'unica asta in acciaio inossidabile a cui appendere gli abiti nell'armadio. E pensò a Oxford.

La camera era diversa, ma la sensazione identica: che il mondo intero gli si aprisse davanti, pronto a rivelare i propri misteri nel momento stesso in cui offriva la promessa di soddisfazioni future. Il vantaggio di poter approfittare di un relativo anonimato gli aveva subito fatto provare la sensazione di essere rinato. Scaffali e cassetti vuoti, pareti spoglie. Qui poteva lasciare la propria impronta, così aveva pensato. Non era necessario rivelare il suo titolo nobiliare e spiegare da quale ambiente proveniva; nessuno avrebbe mai scoperto l'origine di quell'ansia ridicola che lo divorava. A Oxford, le vite segrete dei genitori di uno studente non interessavano a nessuno. Qui poteva mettersi in salvo dal suo passato, così aveva pensato allora.

Adesso, riflettendo sulla tenacia con cui si era aggrappato a lungo a quella convinzione adolescenziale e definitiva, gli venne da ridere. Anzi, si era addirittura immaginato a procedere verso un futuro dorato nel quale non avrebbe dovuto fare nulla per affrontare le scelte che lo avevano portato fin lì. È incredibile come ciascuno di noi sia capace di sfuggire alla propria realtà, rifletté.

La valigia era ancora sullo scrittoio nella nicchia creata dal timpano. Gli ci vollero meno di cinque minuti per svuotarla e sistemare la sua roba; poi si mise a sedere, ma si accorse che la camera era gelida e che provava un bisogno spasmodico di trovarsi altrove. Tentò di distrarsi, e cominciò a scrivere il rapporto di quella prima giornata, un compito che in genere toccava al sergente Havers, ma che adesso si accollò volentieri, ben felice per quel diversivo che, se non altro per un'ora o poco più, gli avrebbe consentito di non pensare a Helen.

« Una telefonata per lei. Sì, signore », gli aveva detto il portiere poco prima, quando era passato da lui.

È lei, mi ha telefonato, si era subito detto. Harry è tornato a casa. E di conseguenza il suo umore era migliorato, per poi ripiombare nella desolazione più nera quando l'uomo gli aveva consegnato il messaggio. Il sovrintendente Daniel Sheehan della polizia di Cambridge sarebbe stato lieto di incontrarlo l'indomani mattina alle otto e mezzo.

Da parte di Helen, niente. Si mise a scrivere con regolarità, senza fermarsi, riempiendo una pagina dopo l'altra con i particolari relativi al suo colloquio con Terence Cuff, alle impressioni che si era fatto dopo la conversazione con Anthony e Justine Weaver, alla descrizione del Ceephone e delle possibilità che presentava, aggiungendo anche tutta la serie di fatti che era riuscito a raccogliere conversando con Miranda Webberly. Scrisse molto più del necessario, lasciando libero sfogo al flusso dei pensieri, cosa che la Havers avrebbe di certo disprezzato – e giustamente – ma che gli serviva per concentrarsi sull'omicidio evitando di lasciarsi attirare verso altre questioni, che avrebbero unicamente esasperato la frustrazione che lo teneva con i nervi a fior di pelle. Comunque, il suo tentativo si concluse con un pieno fallimento. Dopo un'ora, posò la penna, si tolse gli occhiali, si sfregò gli occhi e pensò subito a Helen.

Ormai capiva che la sua pazienza stava per esaurirsi. Helen aveva voluto del tempo, e lui gliel'aveva concesso, un mese dopo l'altro, sempre convinto che, se avesse commesso un passo falso, l'avrebbe persa. E per sempre. Per quanto possibile, aveva cercato di trasformarsi di nuovo in quell'uomo che, in passato, era stato per lei un amico con cui divertirsi, un compagno disinvolto e sempre disponibile, pronto a impegnarsi in qualsiasi pazzesca avventura le fosse venuto il capriccio di proporgli, dal giro in mongolfiera sulla Loira alla spedizione archeologica nel Burren. Non gli importava, purché lei fosse lì, vicino a lui. Però si stava accorgendo che fingere un affetto fraterno diventava ogni giorno più difficile, e che le parole *ti voglio bene* non erano più l'espressione adatta a definire la natura della loro stretta e intima amicizia. Anzi, si stavano trasformando, e anche in fretta, in un guanto di sfida che lui le lanciava a ripetizione, esigendo una conferma che lei non sembrava affatto disposta a concedergli.

Helen continuava a vedersi con altri uomini. Non gliel'aveva mai detto chiaro e tondo, però lo sapeva, lo intuiva. Glielo leggeva negli occhi quando gli parlava di una commedia che aveva visto, di un cocktail al quale era stata invitata, di una galleria d'arte che aveva visitato. E se anche lui aveva cercato altre donne, nel tentativo, sia pure momentaneamente riuscito, di scacciare il pensiero di Helen dal proprio cervello, non era mai stato capace di scacciarne la presenza spirituale dal proprio cuore, come non aveva saputo dare un taglio a quel legame che la univa alla propria anima. Quando era con una donna chiudeva gli occhi, cercando di immaginare che quel corpo sotto il proprio fosse di Helen, di udire le grida di Helen, di essere stretto fra le braccia di Helen, di assaporare il miracolo della bocca di Helen. E più di una volta, dopo essersi lasciato sfuggire un fugace grido di esaltazione raggiungendo il piacere dell'orgasmo, si era ritrovato subito nella disperazione più nera. No, ormai dare e ricevere piacere non gli bastava più. Voleva fare l'amore. Voleva possedere l'amore. Ma non senza Helen.

Si accorse di avere i nervi tesi. Le braccia e le gambe gli facevano male. Si allontanò dallo scrittoio e andò al lavabo per lavarsi la faccia e guardarsi allo specchio con obiettività.

Sì, decise che Cambridge sarebbe stato il loro campo di battaglia. Se aveva qualcosa da vincere o da perdere, l'avrebbe scoperto lì.

Tornato allo scrittoio, sfogliò gli appunti, leggendo qua e là le proprie parole ma senza assimilarne nessuna. Richiuse di scatto il block-notes e lo appoggiò con violenza.

Tutto a un tratto, gli pareva che l'aria nella camera fosse diventata opprimente, appesantita dagli odori del disinfettante, appena spruzzato, e del fumo stantio, che cercavano di sopraffarsi a vicenda. Soffocava. Allungandosi sul piano dello scrittoio, aprì il vetro della finestra a ghigliottina e lasciò che la brezza della sera gli accarezzasse le guance. Dai pini del cimitero sottostante, seminascosto dalla nebbia, esalava un tenue profumo di fresco. Il terreno sarà coperto da uno spesso strato di aghi, pensò, e mentre ne respirava a pieni polmoni la fragranza, gli parve quasi di immaginare quella superficie soffice e spugnosa sotto i piedi.

Un movimento nei pressi della cancellata in ferro battuto richiamò la sua attenzione. In un primo momento pensò fosse il vento che, alzandosi, cominciava a sospingere la nebbia lontano da cespugli e alberi. Ma tenendo gli occhi fissi in quella direzione, improvvisamente notò una figura sbucare dall'ombra di uno degli abeti rossi e si accorse che il movimento non proveniva affatto dall'interno del cimitero, ma dal perimetro tutt'intorno, dove qualcuno si stava intrufolando furtivamente tra le biciclette, in direzione opposta alla sua, intento a scrutare le finestre sul lato est del cortile. Che fosse un uomo o una donna, Lynley non lo avrebbe saputo dire; ma quando accese la lampada dello scrittoio per vedere meglio, la figura si irrigidì, quasi come se si fosse resa conto, per qualche misterioso motivo soprannaturale, di essere osservata, sia pure a una distanza di almeno venti metri. Poi Lynley sentì il rombo del motore di un'automobile ferma in Trinity Lane. Ridendo, qualcuno si diede la buonanotte. Come risposta, qualche allegro colpetto di clacson. Poi l'automobile partì a gran velocità, grattando la marcia. Pian piano le voci si spensero e l'ombra sottostante ridiventò materia e movimento.

Di chiunque si trattasse, sembrava che il suo obiettivo non fosse rubare una delle biciclette. Infatti, si avviò verso una porta sul lato est della corte. Un lampione a forma di lanterna carico di edera, da cui prendeva nome il luogo – Ivy Court, appunto – offriva una fioca illuminazione in quell'angolo. Lynley attese che la figura entrasse nella lattiginosa penombra appena prima della porta, augurandosi che, chiunque fosse, si decidesse a girarsi, così ne avrebbe visto il volto. La figura, invece, si avviò spedita e silenziosa verso la porta, allungò una pallida mano per afferrare la maniglia e scomparve all'interno dell'edificio. Ma per un attimo, mentre quella sagoma indistinta passava sotto la luce, Lynley aveva potuto osservare che aveva i capelli folti, scuri e abbondanti.

Una donna faceva pensare subito a un appuntamento con qualcuno che, senza dubbio, doveva essere là ad aspettarla con ansia, dietro una di quelle finestre buie, vuote. Aspettò invano l'accendersi di una luce. Ma, meno di due minuti dopo che la donna era scomparsa, la porta si riaprì e lei uscì. Stavolta si fermò un istante sotto il lampione per chiuderla. E il tenue riverbero mise in risalto la curva di una guancia, la linea di un naso e di un mento. Ma fu solo un attimo, poi la sconosciuta scomparve nel cortile, dileguandosi tra l'oscurità del cimitero. Silenziosa come la nebbia.

6

Il quartier generale della polizia di Cambridge era situato di fronte a Parker's Piece, un vasto prato dal quale partivano e si intersecavano una serie di sentieri. C'era qualcuno che faceva jogging, sbuffando impalpabili nuvolette di fiato, mentre sull'erba due allegri dalmata con la lingua penzoloni davano la caccia a un frisbee arancione lanciato da un uomo barbuto, magro come un chiodo, la cui testa calva luccicava al sole mattutino. Pareva che tutti facessero festa perché la nebbia era scomparsa. Perfino i pedoni che camminavano rapidi sul marciapiede alzavano il viso per lasciarsi inondare dal sole dopo giorni e giorni. E per quanto la temperatura non fosse salita rispetto alla mattina prima e un vento frizzante minacciasse di farla calare rapidamente, il cielo azzurro e la giornata luminosa contribuivano a rendere il freddo stimolante e non più insopportabile.

Lynley si fermò davanti alla costruzione grigia di mattoni e cemento che ospitava la centrale della polizia. Di fronte alle porte d'ingresso era stata installata una bacheca con affissi manifesti sulle misure di sicurezza da adottare in macchina in caso di bambini a bordo e sulle avvertenze per chi si metteva al volante ubriaco, nonché la pubblicità di un'organizzazione di vigilantes chiamata Crimestoppers. Sopra di essa era stato appiccicato un ciclostile, che descriveva a grandi linee la morte di Elena Weaver e chiedeva informazioni a chiunque l'avesse vista la mattina del giorno prima o la domenica sera. Si trattava di un documento impaginato alla bell'e meglio, su cui era stato aggiunto un ritratto della ragazza uccisa, una fotocopia sfocata e poco nitida. Il ciclostile non era opera della polizia. In fondo alla pagina erano stampati in modo chiaro e visibile un numero di telefono e il nome dell'associazione a cui rivolgersi, l'ASNU. Quando lo vide, Lynley sospirò. Gli studenti sordi si stavano organizzando per svolgere le indagini per conto proprio. E questo non gli avrebbe certo facilitato le cose.

Una folata di aria calda lo colpì in pieno viso appena spalancò la porta a doppio battente ed entrò nel vestibolo, dove un giovanotto vestito di pelle nera stava discutendo in toni accesi con il centralinista per una multa ricevuta. Seduta su una delle sedie, lo aspettava la sua compagna, che portava un paio di mocassini, era avvolta in quello che sembrava un copriletto indiano e continuava a borbottare: « Su, Ron, lascia perdere. Accidenti, lascia perdere », pestando i piedi spazientita sul pavimento di mattonelle nere.

L'agente lanciò a Lynley uno sguardo pieno di gratitudine, ben contento di quel diversivo. E ne approfittò subito per dare un taglio allo sproloquio del giovanotto. « Stammi a sentire, va' che non ci penso proprio a... » stava sbraitando. « Siediti, figliolo. Te la stai prendendo per niente! » lo zittì il centralinista, e subito dopo, facendo un cenno di saluto a Lynley, aggiunse: « Lei è quello di Scotland Yard? »

« Ma è così evidente? »

« Il colorito. Pallore da poliziotto, così lo chiamiamo. A ogni modo, mi faccia vedere il distintivo. »

Lynley estrasse il documento. Il centralinista lo esaminò prima di far scattare la serratura della porta che separava il vestibolo dal commissariato di polizia vero e proprio.

Si sentì il ronzio di un cicalino, e intanto, con un cenno del capo, l'uomo fece capire a Lynley che poteva procedere: « Primo piano », gli disse. « Basta seguire le indicazioni. » Poi riprese l'accanita discussione con il giovanotto vestito di pelle.

L'ufficio del sovrintendente si trovava sul lato principale del palazzo, che dava su Parker's Piece. Mentre Lynley si avvicinava, la porta si aprì, e una donna spigolosa, con un taglio di capelli geometrico, si piazzò immobile sulla soglia a braccia conserte, i gomiti appuntiti come aculei. Lo scrutò attentamente dalla testa ai piedi. Era chiaro che dal centralino avevano già avvertito per telefono il piano superiore.

« Ispettore Lynley. » Parlò con la stessa intonazione che avrebbe potuto usare per descrivere una malattia sociale. « Il sovrintendente ha già in programma una riunione con il capo della polizia della contea a Huntington per le dieci e mezzo. Quindi devo pregarla di ricordarsene quando... »

« Basta così, Edwina », gridò una voce dall'ufficio interno.

Le labbra sottili della donna abbozzarono un sorriso gelido.

Poi si fece da parte per far passare Lynley. « Naturalmente », rispose. « Caffè, signor Sheehan? »

« Sì. » Mentre parlava, il sovrintendente Daniel Sheehan si era alzato e aveva attraversato la stanza per andare incontro a Lynley, ancora sulla porta. Gli tese una grossa mano carnosa, in sintonia con il resto della sua figura massiccia e corpulenta. La stretta era salda e, per quanto la presenza di un rappresentante di Scotland Yard costituisse una specie di invasione del proprio campo operativo, il sorriso con cui l'accompagnò prometteva cordialità e amicizia. « Caffè anche per lei, ispettore? »

« Niente latte, grazie. »

Edwina rispose con un brusco cenno del capo e si dileguò, lasciando dietro di sé sul pavimento del corridoio il crepitio nitido e squillante dei tacchi alti. Sheehan si lasciò sfuggire una risatina. « Entri, prima che i leoni l'aggrediscano. Anzi, forse farei meglio a dire la leonessa. Non tutti qui da noi vedono di buon occhio la sua visita. »

« Mi pare una reazione ragionevole. »

Sheehan gli fece cenno di accomodarsi, ma non su una delle due sedie di plastica davanti alla scrivania, piuttosto su un divano in similpelle azzurra che, insieme a un tavolino di legno impiallacciato, costituiva una specie di zona riunioni. Appesa alla parete, c'era anche una carta topografica del centro della città. Ciascuno dei college era indicato con un cerchiolino rosso.

Intanto che Lynley si toglieva il soprabito, Sheehan tornò alla scrivania, su cui un fascio di cartellette, che parevano una vera e propria sfida alla forza di gravità, traballavano in modo precario in direzione del grosso cestino per la carta straccia sul pavimento. E mentre raccoglieva carte e documenti con una clip, Lynley ne approfittò per osservarlo attentamente con curiosità mista ad ammirazione, tanto lo trovava calmo e pacifico di fronte a quella che poteva essere interpretata come una manifesta accusa di incompetenza.

In ogni caso, almeno in apparenza Sheehan non dava affatto l'impressione di essere un tipo imperturbabile. La sua carnagione rubizza faceva pensare al carattere bizzoso di chi è incline a perdere le staffe. Le sue dita tozze parevano promettere pugni robusti. Il petto possente e le cosce massicce sembravano l'emblema del violento, del rissoso per natura. Eppure i suoi modi semplici e disinvolti erano una contraddizione in termini. Come le sue parole, del tutto spassionate. Quanto poi alla scelta degli argomenti di discussione, sembrava che lui e Lynley si fossero già parlati, raggiungendo una sorta di tacita solidarietà. Il suo approccio a quella che poteva essere una situazione poco simpatica era stranamente privo di diplomazia. A Lynley piacque subito, proprio per questo. Rivelava com'era realmente, cioè uno di quegli uomini che vanno dritto al sodo e sanno sempre chi sono e quanto valgono.

« Purtroppo devo ammettere che ce la siamo voluta », esordì Sheehan. « C'è un problema nel laboratorio di medicina legale che andava risolto due anni fa. Il mio capo non ama ritrovarsi coinvolto in queste diatribe fra reparti, ma siccome le maledizioni ricadono sempre su chi le ha lanciate, chi semina vento raccoglie tempesta, mi perdoni la frase fatta. »

Scostò una delle sedie di plastica e tornò verso il divano, lasciando cadere quel fascio caotico di carte e documenti sul tavolino, dove già si trovava una cartelletta con la scritta *Weaver*. Si accasciò sulla sedia, che scricchiolò sotto il suo peso.

« Neanch'io posso dire di essere felice come una pasqua all'idea di avervi qui », ammise. « Ma non mi sono stupito quando il vicerettore mi ha telefonato per informarmi che l'università voleva Scotland Yard. Nel maggio scorso, il nostro laboratorio di medicina legale ha combinato un gran casino riguardo al suicidio di uno studente. E l'università ovviamente non vuole il bis. Non posso biasimarli. Però quello che non mi va giù è che una decisione del genere lascia sottintendere che sono prevenuti. A giudicare dal loro comportamento, mi verrebbe da credere che se uno studente va al creatore, ci sono molte probabilità che la polizia locale, durante le indagini, faccia di tutto per liquidarne almeno un altro. »

« Mi è stato detto che una fuga di notizie nel suo reparto durante l'ultimo trimestre ha provocato critiche e pessimi giudizi sull'università da parte della stampa. »

Sheehan si limitò a confermarglielo con una specie di grugnito. « La fuga di notizie è partita dalla Scientifica. Deve sapere che in quel reparto ci sono due star. E quando uno non è d'accordo con le conclusioni dell'altro, invece di litigare in laboratorio, lo fanno a mezzo stampa. Drake, il più anziano in grado, aveva liquidato quel decesso come un suicidio. Secondo Pleasance, il più giovane, si trattava invece di delitto, almeno partendo dal presupposto che un suicida mostra sempre una certa propensione a piazzarsi davanti a uno specchio prima di tagliarsi la gola. Questo, invece, si era sgozzato disteso sul letto, e Pleasance si rifiutava di accettarlo. Tutti i nostri guai sono partiti da lì.» Sheehan sollevò una coscia con un altro grugnito e si cacciò la mano nella tasca dei calzoni. Ne estrasse un pacchetto di chewing gum che cominciò a far ballonzolare sul palmo della mano. «È un mucchio di tempo che insisto con il mio capo perché li divida, quei due, oppure che licenzi Pleasance. È quello che sto cercando di ottenere, per l'esattezza, da ventun mesi, ormai. E se Scotland Yard, occupandosi di questo caso, riuscirà a mettere in luce anche questo problema, potrò considerarmi un uomo felice.» Offrì a Lynley un chewing gum. «Sono senza zucchero», gli disse, ma quando lui scosse la testa, rispose: «Non la critico affatto, sa? Sembra proprio di masticare della gomma». Poi ne piegò uno in due e se lo cacciò in bocca. «Ma almeno così ho l'illusione di mangiare qualcosa. Purtroppo è il mio stomaco che non riesco a convincere.»

«È a dieta?»

Sheehan si diede una violenta pacca contro la cintola prorompente, da cui la pancia traboccava come un pallone. «Tutto questo deve sparire. L'anno scorso ho avuto un attacco di cuore. Ah, ecco il caffè.»

Edwina entrò a passo deciso nella stanza, reggendo con entrambe le mani, benché a una certa distanza dal corpo, un vassoio di legno screpolato con sopra due tazze marroni, da cui si levavano nuvolette di vapore. Posò il caffè sul tavolo, guardò l'orologio e disse, lanciando una rapida occhiata significativa in direzione di Lynley: «Devo chiamarla all'interfono quando è ora di partire per Huntingdon, signor Sheehan?»

«Me la cavo da solo, Edwina.»

«Il capo della polizia l'aspetta alle...»

«Sì, lo so, alle dieci e mezzo.» Sheehan prese la tazza e la alzò in una specie di brindisi alla sua segretaria. Intanto le rivolse un sorriso, non solo di gratitudine, ma anche di congedo.

A guardare Edwina, sembrava volesse ribattere, invece uscì. Non chiuse la porta del tutto, e Lynley se ne accorse.

«Non abbiamo da darle molto più di qualche indicazione preliminare», disse Sheehan, indicando con la tazza il fascio di carte e il dossier sul tavolino. « Non potremo fare l'autopsia fino alla tarda mattinata di oggi. »

Inforcando gli occhiali, Lynley gli domandò: « Che cosa sapete? »

« Finora, non molto. Ha ricevuto due colpi in piena faccia con un oggetto contundente, il che ha provocato la frattura dello sfenoide. Poi è stata strangolata con il cordino del cappuccio della felpa che indossava. »

« A quanto mi è dato di capire, tutto ciò è avvenuto su un isolotto. »

« Soltanto l'uccisione vera e propria. Abbiamo rinvenuto degli schizzi di sangue, piuttosto abbondanti, sul sentiero che corre lungo la riva del fiume. È probabile che sia stata assalita lì e poi trascinata sull'isolotto passando dal ponticello pedonale. Quando ci andrà, vedrà subito che non è un problema. L'isolotto è separato dalla riva ovest del fiume soltanto da una specie di fossato. L'assassino ci avrà messo quindici secondi o anche meno a trascinare la vittima lontano dal sentiero, dato che ormai aveva perso i sensi. »

« La ragazza si è difesa? Ha lottato? »

Sheehan soffiò sul caffè e poi ne bevve rumorosamente un sorso. Scosse la testa. « Portava i guanti, ma sul tessuto non abbiamo trovato capelli, peli o frammenti di pelle. Secondo noi, è stata colta di sorpresa. Nel laboratorio di medicina legale adesso stanno esaminando la tuta per cercare di saperne di più. »

« Altri indizi? »

« Una marea di rifiuti che stiamo esaminando. Giornali spappolati, pacchetti di sigarette vuoti, una bottiglia di vino. C'è di tutto, glielo assicuro. Ormai da molti anni quell'isolotto è una specie di punto di ritrovo per la gente del posto. Con ogni probabilità, dovremo setacciare i rifiuti di almeno un paio di generazioni. »

Lynley aprì il dossier. « Avete ristretto l'arco di tempo in cui può essere avvenuto il decesso fra le cinque e mezzo e le sette del mattino », osservò, alzando gli occhi verso Sheehan. « Secondo quello che ho saputo al college, il portiere l'ha vista uscire dal recinto dell'università alle sei e un quarto. »

« E il cadavere è stato scoperto poco dopo le sette. Di conseguenza, avete praticamente meno di un'ora su cui orientarvi. Niente male, come limite di tempo! » osservò Sheehan.

Intanto Lynley stava scorrendo rapidamente le fotografie della scena del crimine. «Chi l'ha trovata?»

«Una certa Sarah Gordon. Era andata laggiù per disegnare.»

Lynley alzò la testa di scatto. «Con quella nebbia?»

«L'ho pensato anch'io. Non si vede a dieci metri di distanza. Non riesco a capire che cosa volesse fare. Eppure aveva con sé tutta l'attrezzatura necessaria, un paio di cavalletti, una valigetta con i colori, tubetti di tempera e pastelli, quindi è evidente che aveva intenzione di stare lì a lungo. Ma quando, invece dell'ispirazione ha trovato il cadavere, la seduta si è interrotta, e piuttosto bruscamente.»

Lynley, intanto, continuava a esaminare le fotografie. La ragazza giaceva al suolo coperta quasi per intero da un mucchio di foglie fradice. Era girata sul fianco destro, le braccia di fronte a sé, le ginocchia piegate e le gambe leggermente raccolte. Sembrava dormisse, se non fosse stato che aveva la faccia girata contro il terreno e i capelli in avanti, che le lasciavano il collo nudo. Intorno a esso, il cordino le segava la pelle, in certe parti affondandovi a tal punto che pareva quasi invisibile, tanto da lasciar pensare a un gesto di forza rara, brutale, trionfante, a una violenta scarica di adrenalina nei muscoli dell'assassino. Lynley studiò meglio le fotografie. C'era qualcosa di vagamente familiare in esse, e si domandò perfino se quel delitto non fosse la copia di un altro.

«Certo che, guardandola, non si direbbe che qualcuno l'abbia fatta fuori per caso e poi l'abbia scaraventata proprio in quel punto», disse.

Sheehan si protese leggermente in avanti per dare anche lui un'occhiata alle foto. «No, ha ragione. Non certo a quell'ora del mattino. Non si tratta di omicidio preterintenzionale. Qualcuno l'aspettava, e le ha teso una trappola.»

«Mmm... precisamente. E ne abbiamo anche le prove.» Riferì al sovrintendente la presunta telefonata di Elena a casa del padre la sera prima della morte.

«Dunque state cercando qualcuno che ne conosceva gli spostamenti, gli orari e gli impegni quella mattina, e sapeva che la matrigna, potendo evitarlo, non sarebbe andata a correre lungo il fiume alle sei e un quarto. Per me è qualcuno che conosceva bene la ragazza.» Sheehan prese in mano prima una foto e poi un'altra, e le guardò con un'espressione di profondo rammarico sul viso.

« Non riesco mai ad accettare la morte di una ragazza così giovane. Non una morte di questo genere, poi. » Buttò di nuovo le fotografie sul tavolino. « Faremo di tutto per aiutarla, entro i limiti delle nostre possibilità, pur tenendo conto della situazione nel laboratorio di medicina legale. Se questo cadavere ci può fornire qualche indicazione, ispettore, a parte tutte le persone che conoscevano bene la vittima, non credo di sbagliare dicendo che dovrà cercare un assassino accecato dall'odio. »

Il sergente Havers uscì dallo spaccio e scese le scale della terrazza solo pochi attimi dopo che Lynley era uscito a sua volta dal passaggio della biblioteca che collegava la Middle Court alla North Court. Con un colpetto deciso, scaraventò la sigaretta in un'aiuola di astri e si infilò le mani nelle tasche del cappotto verde chiaro, che teneva sbottonato quanto bastava a far intravvedere sotto un paio di pantaloni blu scuro con le ginocchia sformate, un maglione violaceo e due sciarpe, una marrone e una rosa.

« Che visione, Havers! » disse Lynley appena lei lo raggiunse. « Cos'è, l'effetto arcobaleno? Sa benissimo a che cosa alludo. È simile all'effetto serra, ma più evidente? »

La donna frugò a lungo nella borsetta alla ricerca di un pacchetto di Players. Ne tirò fuori una, l'accese e con aria pensierosa gli soffiò il fumo in faccia. Lynley fece del suo meglio per non aspirarne l'aroma. Non fumava da dieci mesi, ma continuava a provare l'indicibile desiderio di strapparle la sigaretta dalle dita e di fumarsela fino al filtro.

« Ho pensato che sarebbe stato meglio cercare di armonizzarmi il più possibile con l'ambiente », ribatté la Havers. « Non le piace? Perché? Non sembro una studentessa universitaria? »

« Sì. Senz'altro. Se lo dice lei... »

« Che cosa posso aspettarmi da uno che ha studiato a Eton? » gli domandò la Havers con gli occhi rivolti al cielo. « Se mi fossi presentata con cilindro, pantaloni a righe e giacca a code, avrei ottenuto la sua approvazione? »

« Soltanto se avesse avuto Ginger Rogers sottobraccio. »

La Havers scoppiò in una risata. « Vada al diavolo. »

« Anche lei. » Intanto la osservava far cadere la cenere per terra. « E allora? È riuscita a sistemare sua madre all'Hawthorn Lodge? »

Due ragazze li superarono, impegnate in una conversazione silenziosa, le teste vicine e chine su un pezzo di carta. Lynley notò che era lo stesso ciclostile appeso nella bacheca davanti al commissariato di polizia. Tornò a guardare la Havers, che, invece, continuava a fissare le due studentesse finché non scomparvero dietro la siepe erbosa che marcava l'ingresso della New Court.

« Havers? »

Lei fece un gesto della mano, come per fargli capire di non insistere, poi diede un lungo tiro alla sigaretta. « Ho cambiato idea. Non ha funzionato. »

« E adesso che cosa farà? »

« Continueremo con la signora Gustafson ancora per un po'. Voglio vedere come vanno le cose. » Senza motivo, si passò una mano sulla testa, arruffandosi i capelli corti. L'aria fredda li fece crepitare lievemente. « Dunque, cos'abbiamo qui? »

Per un attimo, Lynley si adattò all'evidente desiderio di privacy della collega, e le riferì i fatti come riportati da Sheehan. Quando concluse il racconto affermando che, fino a quel momento, non sapeva altro, lei gli domandò: « Armi? »

« Dei colpi al viso, ancora non sanno niente. Sulla scena del crimine non è stato lasciato niente, e stanno ancora lavorando su eventuali segni presenti sul cadavere. »

« Di conseguenza si tratta del solito corpo contundente non identificato », osservò la Havers. « E riguardo allo strangolamento, invece? »

« Il cordino del cappuccio della felpa. »

« L'assassino sapeva cosa avrebbe indossato la ragazza? »

« È possibile. »

« Foto? »

Le consegnò la cartelletta. Il sergente si mise la sigaretta in bocca, aprì il dossier e, socchiudendo gli occhi per il fumo, esaminò gli scatti ammucchiati sopra il rapporto. « Lei è mai stata alla Brompton Oratory a Londra, Havers? »

Lei alzò gli occhi, e la sigaretta le sobbalzò fra le labbra mentre gli rispondeva: « No. Perché? Si sta per caso interessando a quell'antica religione? »

« C'è una statua, laggiù, di santa Cecilia martire. In un primo momento, appena ho visto le fotografie, ho capito che la posizione del cadavere mi ricordava qualcosa, ma non sono riuscito a spiegarmi di che si trattasse; però, mentre tornavo qui, mi è venuto in mente. È la statua di santa Cecilia.» Lynley frugò tra le foto per trovare quella giusta. «Il modo in cui i capelli le ricadono in avanti, la posizione delle braccia, perfino il cordino intorno al collo...»

«Santa Cecilia è stata strangolata?» domandò la Havers. «Ho sempre pensato che il martirio più comune fosse dare le vittime in pasto ai leoni davanti a una folla di romani che lanciavano grida di gioia e di incitamento, con il pollice verso.»

«In quel caso... Se ben ricordo, le è stata mozzata la testa, ma non completamente, ci ha messo due giorni a morire. La statua, però, mostra soltanto il taglio, che assomiglia un po' a un cordino.»

«Cristo santo! Non mi meraviglio che sia ascesa in paradiso.» La Havers lasciò cadere la sigaretta a terra e la schiacciò. «Insomma, mi vuole spiegare a cosa sta pensando, ispettore? Ci troviamo di fronte a un assassino che muore dalla voglia di ricreare tutte le statue della Brompton Oratory? Perché se fosse così, mi auguro che mi tolgano dal caso quando verrà il turno del crocifisso. A proposito, in quella chiesa c'è per caso una scultura che rappresenta la crocifissione?»

«Non riesco a ricordarmene. Però ci sono tutti gli apostoli.»

«E undici di loro sono stati martiri», commentò la Havers. «Siamo nei guai, e fino al collo. A meno che l'assassino non cerchi soltanto donne.»

«Non ha importanza. Ho i miei dubbi che qualcuno sia disposto ad accettare la mia teoria», rispose Lynley, e la condusse verso la New Court. Mentre camminavano, le elencò tutte le informazioni e gli elementi di un certo interesse che aveva raccolto dopo aver parlato con Terence Cuff, i Weaver e Miranda Webberly.

«La cattedra Penford di storia, un amore deluso, una buona dose di gelosia e una cattiva matrigna», commentò la Havers, che poi guardò l'orologio. «E tutto questo in sedici ore soltanto, cioè da quando ha cominciato a occuparsi da solo di questo caso. È proprio sicuro di aver bisogno di me, ispettore?»

«Senza dubbio! Tanto per cominciare, lei può spacciarsi per una studentessa molto meglio di me. Sarà il suo abbigliamento...» Le aprì la porta della scala L. «Ci sono due rampe», disse, mentre estraeva la chiave dalla tasca.

Dal primo piano proveniva una musica, che cresceva di intensità a mano a mano che salivano. Il gemito sommesso di un sassofono, la risposta di un clarinetto... il jazz di Miranda Webberly. Nel corridoio del secondo piano sentirono qualche titubante nota di tromba: era Miranda, che cercava di accompagnare quei grandi artisti.

«Ecco, è questa», disse Lynley, e infilò la chiave nella toppa.

A differenza di Miranda, Elena Weaver aveva una stanza sola, le cui finestre guardavano sulla terrazza di mattoni bruni della North Court. Inoltre era in disordine. Ante di armadi e cassetti spalancati, lampade accese, sullo scrittoio libri aperti, con le pagine svolazzanti all'improvvisa folata di vento che si era alzata dopo che avevano aperto la porta. Sul pavimento, una vestaglia verde ridotta a un mucchietto di stoffa informe insieme a un paio di jeans, una camiciola nera e un capo di nylon appallottolato, forse un paio di mutandine usate.

L'aria era calda, pesante, e odorava vagamente di chiuso e di panni sporchi. Lynley si avvicinò allo scrittoio e spalancò una delle finestre, mentre la Havers si toglieva il cappotto e le sciarpe, scaraventando tutto sul letto. Poi si accostò al caminetto incassato nel muro, in un angolo della stanza, sulla cui mensola era allineata una fila di unicorni in porcellana. Alla parete erano appesi dei poster che rappresentavano unicorni, a volte in compagnia dell'immancabile damigella, il tutto avvolto da un eccesso di nebbia soprannaturale.

All'altra estremità della stanza, Lynley era intento a frugare nell'armadio che conteneva, in massima parte, un'accozzaglia di indumenti elasticizzati in colori fosforescenti. Le uniche eccezioni, un paio di pantaloni di tweed, puliti e stirati, e un vestito a fiori con un delicato colletto di pizzo.

La Havers lo raggiunse. Senza dire una parola, esaminò il guardaroba della vittima. «Sarà meglio mettere tutto nei sacchi perché possano fare un controllo con le fibre che troveranno sulla tuta», disse. «È probabile che la tenesse qui dentro.» Cominciò a staccare gli indumenti dalle grucce. «Però è curioso, non trova?»

«Che cosa?»

Gli indicò con il pollice l'abitino e i calzoni appesi in fondo alla sbarra. «Mi saprebbe dire, ispettore, quale parte voleva recitare la ragazza? La vamp appariscente o l'angioletto con il colletino di pizzo?»

«Forse tutte e due.» Intanto sullo scrittoio aveva notato un grosso calendario che serviva anche da block-notes, e si affrettò a spostare libri, quaderni e tutto il resto per dargli un'occhiata. «Forse avremo un colpo di fortuna, Havers.»

Lei stava infilando gli indumenti in un sacco di plastica che aveva preso dalla borsa. «Cos'ha trovato?»

«Un calendario. Non ha staccato le pagine dei mesi passati, le ha solo girate.»

«Uno a zero per noi, allora!»

«Precisamente.» Allungò la mano verso il taschino della giacca per tirar fuori gli occhiali.

I primi sei mesi del calendario rappresentavano gli ultimi due terzi del primo anno di Elena all'università. In gran parte, gli appunti e le annotazioni erano chiari. Le lezioni erano suddivise per argomento: da *Chaucer, ore 10.00*, ogni mercoledì, a *Spenser, ore 11.00*, il giorno successivo. Il suo tutor doveva essere il docente con il quale si incontrava più spesso, e Lynley giunse a questa conclusione notando che il nome *Thorsson* era stato scritto a caratteri cubitali alla stessa ora in ogni settimana del trimestre di Pasqua. Altri appunti davano indicazioni più dettagliate sulla vita della ragazza. Da gennaio fino a tutto maggio, era indicata sempre più spesso la sigla ASNU, dunque Elena si era adeguata almeno a una delle linee guida datele dal suo tutor, dai supervisori e dallo stesso Terence Cuff, ai fini di una sua riabilitazione sociale. Appuntamenti fissi e in orari determinati presso le sedi del club di atletica e di caccia lasciavano intendere che ne fosse socia. Ogni mese, la voce *Papà* punteggiava sempre più abbondantemente le pagine, quindi era un indizio significativo della quantità di tempo che Elena trascorreva con suo padre e la seconda moglie. Invece non c'era nessuna indicazione che si vedesse con la madre a Londra, se non per le vacanze.

«Ebbene?» domandò la Havers a Lynley, che stava esaminando attentamente un mese dopo l'altro. Scaraventò nel sacco anche l'ultimo capo di vestiario raccolto dal pavimento, lo chiuse e scrisse qualcosa su un'etichetta.

«Mi sembra tutto in ordine», stava dicendo Lynley. «Anche se... Havers, venga un po' a spiegarmi come interpreterebbe lei questo.» Quando la donna lo raggiunse davanti allo scrittoio, Lynley le indicò un simbolo che Elena aveva usato ripetutamente in tutti i mesi: un semplicissimo disegnino a matita che rappresentava un pesce stilizzato. Vi compariva per la prima volta il 18 gennaio e si ripeteva con regolarità tre o quattro volte ogni settimana. Di sabato appariva solo sporadicamente, mentre era rarissimo di domenica.

La Havers si chinò a osservarlo, lasciando cadere il sacco di indumenti sul pavimento. « Sembrerebbe il simbolo del cristianesimo », disse infine. « Forse aveva deciso di redimersi. »

« Sarebbe stata una rapidissima svolta », ribatté Lynley. « L'università la voleva nell'ASNU, ma nessuno ha mai pronunciato una sola parola sulla religione. »

« Magari preferiva che non lo sapesse nessuno. »

« Questo mi sembra abbastanza chiaro. Non voleva che nessuno sapesse niente. Non sono sicuro che il simbolo abbia a che fare con Dio, però. »

Ma la Havers non si scoraggiò, e provò a interpretare il disegnino in un altro modo. « Il suo sport preferito era la corsa, vero? Magari è una dieta. Questi erano i giorni in cui doveva mangiare pesce. Fa bene per la pressione, per il colesterolo, per... per cosa? Dà più tono ai muscoli o roba simile? Però era già magra come uno stecco, lo si capisce dalla taglia dei vestiti... Quindi magari non voleva farlo sapere a nessuno. »

« Che meditasse di diventare anoressica? »

« Mi sembra una buona soluzione. Poiché tutti ficcavano il naso nei suoi affari, il peso era una cosa che poteva controllare personalmente. »

« Ma in tal caso sarebbe stata costretta a cuocerlo nel cucinino qui annesso », obiettò Lynley. « Randie Webberly se ne sarebbe accorta e me l'avrebbe detto. E a ogni modo, sbaglio o le persone anoressiche smettono di mangiare? »

« Okay. Allora è il logo di qualche associazione. Un gruppo segreto di dubbio gusto. Magari c'è di mezzo la droga, l'alcol, oppure un furto di informazioni riservate. Dopotutto questa è Cambridge, che ha dato i natali alle Cinque Stelle, il più prestigioso gruppo di traditori di tutto il Regno Unito. Magari Elena si era illusa di seguirne le orme. Magari quel pesciolino è il simbolo del loro gruppo. »

Continuarono a sfogliare il calendario. Di mese in mese, le annotazioni rimanevano immutate, e a poco a poco, in estate, scomparivano. Resisteva soltanto il pesciolino, ma per tre volte appena. La sua ultima apparizione risaliva al giorno prima della morte, e l'unico altro appunto di una certa importanza era un semplice indirizzo scritto il mercoledì precedente al delitto: *31, Seymour Street, ore 2.00.*

« Qui c'è qualcosa di interessante », esclamò Lynley, e la Havers ne prese nota insieme al nome dei due club di cui la ragazza era socia. Ricopiò anche il pesciolino.

« Me ne occuperò io », disse poi, e cominciò a frugare nei cassetti dello scrittoio mentre Lynley si dedicava all'armadio che ospitava il lavabo. Conteneva una quantità indescrivibile di oggetti, ed era una chiara dimostrazione del fatto che, quando lo spazio è ridotto al minimo, si poteva trovar posto a un mucchio di cose. Lì dentro c'era davvero di tutto, dal detersivo per i panni a una macchinetta per fare i popcorn, ma nulla che dicesse qualcosa di significativo su Elena.

« Guardi un po' qua », lo chiamò la Havers, mentre richiudeva l'armadio e si accingeva a esaminare a uno a uno i cassetti dell'altro. Alzò gli occhi e vide che la collega gli mostrava una scatoletta bianca, decorata con un motivo a fiorellini azzurri. Al centro, l'etichetta con la prescrizione medica. « Pillola anticoncezionale », gli spiegò, estraendone il sottile contenitore argentato, ancora chiuso nell'involucro di plastica.

« Non mi sembra sia il caso di meravigliarsi, visto che siamo nella camera di una studentessa ventenne », le fece notare Lynley.

« Ma portano la data del febbraio scorso, ispettore. E la confezione è intatta. Si direbbe che, al momento, non ci fosse nessun uomo nella sua vita. Dunque è il caso di eliminare un amante geloso dalla lista dei presunti assassini? »

Eppure, pensò Lynley, questo non faceva che confermare ciò che Justine Weaver e Miranda Webberly gli avevano detto il giorno prima a proposito di Gareth Randolph, cioè che lui ed Elena non avevano una relazione. Il contraccettivo, comunque, poteva anche sottintendere un rifiuto a lasciarsi coinvolgere in un rapporto intimo con qualcuno, e questo poteva essere un motivo valido per scatenare la rabbia dell'assassino. Ma, nel caso avesse avuto dei guai con un uomo, si sarebbe confidata, avrebbe cercato consolazione in qualcuno, almeno un consiglio.

In corridoio, la musica tacque. Dalla tromba uscì ancora qualche ultima nota un po' incerta ma squillante, poi, dopo pochi istanti di trambusto, il cigolio di una porta sostituì ogni altro rumore.

«Randie?» la chiamò Lynley.

La porta della camera di Elena si aprì verso l'interno e sulla soglia comparve Miranda, infagottata nel pesante giaccone da marinaio e nella felpa blu scuro, con un berretto verde acido calcato in modo sbarazzino. Stava per uscire. Portava un paio di scarpe nere da ginnastica alte fino alla caviglia, da cui sbucavano dei calzini decorati con fette di anguria, o almeno così sembrava.

Vedendo com'era vestita, la Havers esclamò eloquente: «Non ho niente da aggiungere, ispettore». E poi, alla ragazza: «È un piacere vederti, Randie».

Miranda sorrise. «È arrivata presto.»

«Per forza. Non potevo permettere che Sua Maestà si arrabattasse alla meno peggio da solo. Fra l'altro...» aggiunse con un'occhiata sardonica in direzione di Lynley, «non ha ancora colto lo spirito della vita universitaria moderna.»

«Grazie, sergente», ribatté Lynley. «Senza di lei, mi sentirei perso.» Indicò il calendario. «Ti spiacerebbe venire a dare un'occhiata a questo pesciolino, Randie? Ti dice niente?»

Miranda lo raggiunse allo scrittoio e guardò i disegnini, poi scosse la testa.

«Non cucinava mai niente nel vostro cucinino?» le domandò la Havers, con l'evidente intenzione di trovare conferma alla propria teoria della dieta.

Miranda era incredula. «Cucinare? Cosa, del pesce? Elena che cucinava del pesce?»

«Tu avresti dovuto saperlo, vero?»

«Io sarei stata male. Non ne sopporto neanche l'odore!»

«Allora... non potrebbe trattarsi di qualche associazione a cui apparteneva?» La Havers, intanto, era passata alla teoria numero due.

«Mi spiace. So che faceva parte dell'ASNU, era iscritta al club di atletica e probabilmente anche a un paio di altri, ma non so quali.» Intanto Randie stava sfogliando le pagine del calendario, esattamente come avevano fatto anche loro due poco prima, mordicchiandosi la punta del pollice con fare pensieroso. «È ripetuto troppo di frequente», osservò quando, andando a ritroso, giunse fino a gennaio. «Nessuna associazione organizza tutte queste riunioni!»

«Allora potrebbe trattarsi di una persona?»

Lynley si accorse che le guance di Miranda si imporporavano. «Non saprei. Sul serio. Non ha mai detto che c'era qualcuno di così importante. Intendo una persona speciale, con cui vedersi tre o quattro sere la settimana. Non ne ha mai parlato.»

«Non lo sai con sicurezza, è questo che vuoi dire», obiettò Lynley. «Non è un dato di fatto. Però vivevi con lei, Randie. E la conoscevi molto meglio di quello che credi. Raccontami cosa faceva Elena. Limitati ai fatti, niente di più. Alla fantasia, ci penso io.»

Miranda esitò a lungo prima di ribattere: «Di sera usciva spessissimo per conto suo».

«E rimaneva fuori tutta la notte?»

«No. Non poteva, perché dal dicembre scorso il portiere la controllava. Però quando usciva tornava sempre tardi... cioè, ogni volta che si recava a uno di questi appuntamenti segreti. Quando andavo a letto, non era ancora rientrata.»

«Appuntamenti segreti?»

Annuì, facendo ondeggiare vigorosamente i capelli color zenzero. «Usciva da sola. Si metteva sempre il profumo. Non prendeva neanche un libro. Così ho pensato che si vedesse con qualcuno.»

«Ma non ti ha mai detto di chi si trattava!»

«No. E a me non piaceva ficcare il naso negli affari suoi. Credo che non volesse confidarsi con nessuno.»

«Dunque questo non farebbe pensare a un compagno di studi, a un altro universitario, vero?»

«Suppongo di no.»

«E se fosse stato Thorsson?» Gli occhi di Miranda si abbassarono di nuovo sul calendario. Ne sfiorò il bordo con aria assorta. «Che cosa sai dei suoi rapporti con Elena? C'è qualcosa sotto, Randie. Mi basta guardarti in faccia per capirlo. E Thorsson è stato qui giovedì sera.»

«Io so soltanto...» sospirò Randie esitante. «Quello che diceva lei. Soltanto quello che mi diceva lei, ispettore.»

«Va bene. È logico. Ci siamo capiti.» Lynley notò che la Havers girava una delle pagine del suo block-notes.

Miranda la osservò mentre scriveva. «Ha detto che lui voleva 'farsela' a tutti i costi, ispettore. Che le stava dietro sin dal trimestre scorso. E adesso aveva ricominciato ad assillarla. Lei lo odiava per questo. Diceva che era viscido, un verme. E che lo avrebbe denunciato al dottor Cuff per 'molestie sessuali'.»

«E l'ha fatto?»

«Non lo so.» Miranda prese a girare e rigirare un bottone del giaccone. Come se fosse un piccolo talismano, che le infondeva forza e fiducia. «Non so neanche se ne ha avuto l'opportunità, capisce?»

Quando Lynley e la Havers lo raggiunsero, Lennart Thorsson era in procinto di terminare una lezione alla facoltà di inglese in Sidgwick Avenue. Bastavano le dimensioni dell'aula per far capire senza possibilità di equivoci non solo la popolarità della sua materia ma anche quella del suo approccio a essa e del suo modo di insegnare, perché i posti erano, come minimo, un centinaio, e quasi tutti occupati da studentesse. Non solo, sembrava che almeno il novanta per cento di quelle ragazze pendesse letteralmente dalle sue labbra.

E in effetti ciò che stava dicendo era molto interessante, oltretutto esposto in un inglese perfetto, senza il minimo accento straniero.

Mentre faceva lezione, lo svedese camminava avanti e indietro. E non si serviva di appunti. Piuttosto sembrava che cercasse ispirazione nel gesto, ripetuto abbastanza spesso, di passarsi la mano destra fra i folti capelli biondo tiziano sparsi sulla fronte e sulle spalle in ciocche spettinate che gli davano un certo fascino e, insieme ai baffi piegati all'ingiù lungo la curva delle labbra, ne facevano un personaggio in perfetto stile anni Settanta.

«E dunque proviamo a esaminare i concetti che Shakespeare esprime nelle sue opere teatrali dedicate a re e sovrani», stava dicendo Thorsson. «Monarchia. Potere. Gerarchia. Autorità. Dominio. E non possiamo evitare una verifica di ciò che significava per lui la questione dello *status quo*. Fino a che punto Shakespeare, nelle sue opere, scrive da una prospettiva che vuole mantenere lo *status quo*? E se così fosse, come lo fa? E se invece sta creando con estrema abilità qualcosa di illusorio per fingere di aderire alle pastoie sociali della propria epoca mentre, in realtà, nello stesso tempo sposa la causa di un insidioso sovvertimento dell'ordine sociale?»

Thorsson fece una pausa per consentire a chi prendeva furiosamente appunti di non perdere il filo del ragionamento. Si voltò e ricominciò a camminare. « Prendiamo ora in esame la posizione opposta. Fino a che punto Shakespeare sta contestando apertamente le gerarchie sociali dell'epoca? E da quale punto di vista le sta contestando? Nella sua contestazione è forse implicita la possibilità di una scala di valori alternativa, sovversiva? E se così fosse, quali sono questi valori? Oppure... » Thorsson puntò un dito contro il suo uditorio e si protese in avanti, mentre il tono di voce si faceva più intenso e vibrante. « Shakespeare sta forse facendo qualcosa di ancor più complesso? Sta forse mettendo in dubbio e sfidando le fondamenta di questo paese, il *suo* paese – autorità, potere e gerarchia – in modo da negare le premesse sulle quali la società elisabettiana era fondata? Sta forse proponendo modi di vivere alternativi? Sta forse obiettando che, se tale possibilità rimane circoscritta solo alle condizioni esistenti, l'uomo non evolve e non cambia? Perché la vera premessa da cui parte Shakespeare, presente in ogni sua opera teatrale, non è che tutti gli uomini sono uguali? E non è forse vero che, in ciascuna di queste opere, ogni sovrano arriva a un punto in cui i suoi interessi coincidono con quelli dell'umanità nel suo complesso e non più semplicemente con la sovranità? 'Perché un re è soltanto un uomo, come me': *Enrico V*. Come me, capite? Ecco, dunque, qual è il nocciolo della questione, l'uguaglianza. Il re e io siamo uguali. Siamo uomini. Non c'è gerarchia sociale che tenga. Non ci resta che concordare sul fatto che Shakespeare, in qualità di artista immaginifico, riusciva a recepire ed elaborare idee delle quali non si sarebbe parlato ancora per secoli, a proiettarsi in un futuro che non conosceva, consentendoci di capire finalmente che il motivo per il quale le sue opere sono ancora attuali è perché siamo ben lontani dal comprenderne il pensiero. »

Thorsson si avvicinò a lunghi passi al podio, salì e afferrò un quaderno, che poi chiuse di scatto. « Allora, alla settimana prossima. *Enrico V*. Buona giornata. »

Per un momento, nessuno si mosse. Un fruscio di carta. Una matita che cadeva. Poi, con un'evidente riluttanza, il suo pubblico si riebbe e si lasciò sfuggire un sospiro collettivo. A mano a mano che i presenti si dirigevano verso le uscite, la conversazione si animò. Nel frattempo Thorsson stava infilando i quaderni e due libri in uno zaino. E mentre si toglieva la toga nera e la arrotolava per riporla insieme al resto, rivolse qualche parola a una ragazza con i capelli arruffati che era rimasta seduta in prima fila. Poi, dopo averle sfiorato la guancia con un dito e riso per qualcosa che aveva detto, risalì il corridoio in direzione della porta.

«Ah!» disse la Havers sottovoce. «Ecco qua il nostro Principe delle Tenebre.»

Era un nomignolo particolarmente azzeccato. Non solo Thorsson dimostrava una certa predilizione per il nero, ma ne faceva addirittura una bandiera, nell'evidente tentativo di creare un contrasto con la pelle chiara e i capelli biondi. Maglione, calzoni, giacca di stoffa a lisca di pesce, soprabito e sciarpa, tutto nero. Perfino le scarpe erano nere, con la punta affusolata e i tacchi alti. Se avesse voluto interpretare il ruolo del giovane ribelle e cinico, non avrebbe potuto scegliere un costume migliore. Tuttavia, quando arrivò davanti a Lynley e alla Havers e, dopo averli salutati con un rapido cenno del capo, fece per procedere, l'ispettore si accorse che non era poi tanto giovane. Le zampe di gallina agli angoli degli occhi erano vistose, come le ciocche brizzolate nella folta chioma spettinata. Avrà sui trentacinque anni, decise Lynley. Erano coetanei, lui e lo svedese.

«Signor Thorsson?» Gli mostrò il distintivo. «Sono un ispettore di Scotland Yard. Può concederci qualche minuto?»

Thorsson guardò prima lui poi la collega, infine ancora Lynley, che li presentò. «Siete qui per Elena Weaver, vero?» chiese il professore.

«Sì.»

Si infilò lo zaino su una spalla e, con un sospiro, si passò convulsamente una mano fra i capelli. «Qui non possiamo parlare. Avete la macchina?» Aspettò un cenno affermativo da parte di Lynley. «Andiamo al college, allora.» Si voltò di scatto e uscì dalla porta, buttandosi la sciarpa oltre la spalla.

«Un'uscita trionfale», commentò la Havers.

«Chissà perché, comincio ad avere la sensazione che sia un vero esperto.»

Seguirono Thorsson lungo il corridoio, giù per le scale e in quella specie di chiostro aperto creato da un architetto moderno pieno di buone intenzioni, che aveva realizzato un progetto secondo cui la base degli istituti universitari poggiava su colonne di cemento armato tutt'intorno a un prato rettangolare. Così, la struttura risultante pareva sospesa a mezz'aria e, oltre a dare un'impressione di precarietà, non offriva nemmeno la minima protezione contro il vento che, in quel preciso istante, si stava insinuando fra le colonne in turbinose folate.

«Fra un'ora ho un incontro con uno studente», li informò Thorsson.

Lynley gli rivolse un garbato sorriso. «Mi auguro di cuore che avremo già finito.» Fece un gesto vago in direzione della sua macchina, che era parcheggiata in divieto di sosta all'ingresso nord-est del Selwyn College, e lo invitò a seguirli. Lynley e la Havers si incamminarono uno di fianco all'altra sul marciapiede, mentre Thorsson si limitava a rispondere con un cenno distratto agli studenti in bicicletta che lo salutavano.

Fu solo quando raggiunsero la Bentley che il conferenziere shakespeariano rivolse nuovamente la parola ai due agenti, ma soltanto per dire: «Adesso la polizia inglese ha in dotazione queste? *Fy fan!* Accidenti! Non c'è da meravigliarsi che questo paese stia andando a rotoli.»

«Ah, ma in compenso se vuole c'è la mia», ribatté la Havers. «Se fa la media fra una Mini di dieci anni e una Bentley di quattro, il risultato è sette anni, o sbaglio?»

Lynley sorrise senza farsi vedere. Nel suo caustico cuore, la Havers aveva rimuginato sulla lezione di Thorsson e ne aveva fatto tesoro. «Lei mi ha capito, vero?» continuò. «Un'automobile, di qualsiasi marca sia, ha sempre quattro ruote.»

Thorsson non sembrò affatto divertito.

Salirono sulla Bentley. Lynley risalì Grange Road per poi tornare in centro. In fondo alla strada, prima di svoltare a destra, in Madingley Road, un ciclista solitario li superò, diretto fuori città. Ci volle qualche istante perché Lynley lo riconoscesse: era il cognato di Helen, l'assente Harry Rodger. Stava tornando a casa, il soprabito che gli svolazzava intorno alle gambe, aprendosi come due grandi ali di lana. Lynley lo osservò, chiedendosi se avesse passato tutta la notte all'Emmanuel. La faccia di Rodger sembrava flaccida e pallida, salvo per il naso, che era rosso, come le orecchie. Sembrava il ritratto dell'infelicità più completa. A Lynley bastò vederlo per provare un'improvvisa fitta di preoccupazione che lo riguardava solo indirettamente. Piuttosto, era preoccupato per Helen, doveva toglierla dalla casa della sorella e farla tornare a Londra. Accantonò questa riflessione e si impose di concentrarsi sulla conversazione che nel frattempo si stava svolgendo tra la Havers e Lennart Thorsson.

«Le sue opere descrivono la lotta dell'artista per elaborare una visione utopistica, sergente, che va oltre la società feudale e affronta, invece, il problema dell'intera umanità, non semplicemente di un gruppo scelto di individui che sono nati ricchi e fortunati per un unico e semplice capriccio del destino. In tal senso, la sua opera è prodigiosamente – anzi, miracolosamente – sovversiva. Eppure i più critici fra i suoi studiosi non la vedono così. Sono terrorizzati al pensiero che uno scrittore del Cinquecento possa aver avuto una visione sociale più grandiosa della loro – che, naturalmente, di visioni sociali non ne hanno affatto.»

«Allora Shakespeare era un marxista mancato?»

Thorsson proruppe in una specie di grugnito derisorio. «Snobismo semplicistico», ribatté. «Non me lo sarei mai aspettato da...»

La Havers si girò sul sedile: «Si?»

Thorsson non concluse la frase, non ce n'era bisogno. «Da qualcuno della sua classe sociale», avrebbe voluto dire, ma quelle parole rimasero sospese tra loro come un'eco; in realtà, spogliavano di significato la sua tanto liberale critica letteraria.

Procedettero in silenzio, sfrecciando fra autocarri e taxi lungo St John's Street, per poi imboccare quella specie di stretta gola che era Trinity Lane. Lynley parcheggiò nei pressi del Trinity Passage – che durante il giorno non era mai chiuso a chiave e offriva un accesso immediato alla New Court – appena fuori dell'ingresso nord del St Stephen's College.

«Il mio alloggio è da questa parte», disse Thorsson, avviandosi a grandi falcate verso il lato ovest dell'edificio, che dava sul fiume. Scostò un pannello di legno e rivelò il proprio nome, dipinto in bianco su una targa nera vicino alla porta, ed entrò alla sinistra della torre merlata, sulle cui lisce pareti di pietra il caprifoglio cresceva rigoglioso. La Havers si era accorta che la scala L si trovava esattamente di fronte, sul lato est della stessa New Court, e lanciò un'occhiata d'intesa a Lynley, poi lo seguirono.

Thorsson li precedeva, salendo rumorosamente le scale; le suole delle scarpe colpivano il legno nudo dei gradini in un rabbioso *staccato*. Quando riuscirono a raggiungerlo, aveva già infilato la chiave nella toppa di una porta che dava accesso a una camera affacciata sul fiume, sui vividi colori autunnali dei college e sul Trinity Passage Bridge, dove un gruppo di turisti era intento a scattare fotografie. Thorsson attraversò la stanza, si diresse verso le finestre e lasciò cadere lo zaino su un tavolo che si trovava sotto di esse. Distese il soprabito su due sedie, una di fronte all'altra, poi si spostò verso un ampio vano in un angolo dove c'era un letto a una piazza.

«Sono distrutto», disse. E si sdraiò supino sul plaid. Trasalì, come se fosse scomodo. «Prego, sedetevi», aggiunse, indicando una poltrona e un divano abbinati, ai piedi del letto, rivestiti di un tessuto che aveva lo stesso colore del fango bagnato. La sua intenzione era chiara. Aveva voluto che l'interrogatorio si svolgesse a casa sua, così avrebbe dettato lui le regole del gioco.

Dopo quasi tredici anni in polizia, ormai Lynley era abituato ad affrontare ogni genere di bravate, capziose o d'altro tipo, dunque ignorò l'invito e attese qualche istante prima di andare a osservare i libri disposti sugli scaffali di una libreria a vista, appoggiata contro una parete. Poesia, classici, critica letteraria in inglese, francese e svedese, e parecchi volumi di opere erotiche, uno dei quali era aperto a un capitolo che si intitolava «L'orgasmo femminile». Lynley abbozzò un sorrisetto astuto. Quel tocco sottile gli piaceva.

Intanto il sergente Havers stava aprendo il block-notes sul tavolo. Dalla borsa a tracolla tirò fuori una matita e guardò Lynley con aria piena di aspettative. Sul letto, Thorsson sbadigliò.

Lynley si allontanò dalla libreria. «La vedeva molto spesso, Elena Weaver», dichiarò.

Thorsson sbatté le palpebre. «Non mi sembra che questo sia un valido motivo per sospettarmi, ispettore. Ero uno dei suoi supervisori.»

«Però la frequentava anche al di fuori delle sue mansioni.»

«Davvero?»

«È stato nella sua camera. E a quanto mi risulta, più di una volta.» Con aria pensierosa, Lynley passò in rassegna il letto, lentamente, in tutta la lunghezza, cercando di farlo nel modo più clamoroso e smaccato possibile. «Era qui che le faceva lezione, signor Thorsson?»

«Sì. Cioè, al tavolo. Ho scoperto che le ragazze riflettono meglio quando appoggiano il fondoschiena su una sedia, invece che stando sdraiate su un letto.» Scoppiò in una risatina. «Capisco benissimo a che cosa vuole mirare, ispettore. Ma la prego, si tranquillizzi. Non ho l'abitudine di sedurre le studentesse, nemmeno quando sono loro a lasciar capire che sono pronte a farsi sedurre.»

«Sarebbe il caso di Elena?»

«Entrano qui dentro e si siedono allargando le loro belle gambe, e io colgo al volo il messaggio. Capita continuamente. Ma non me ne approfitto per scoparle.» Sbadigliò di nuovo. «Non nego di essermene fatte tre o quattro, ma solo dopo laureate, perché a quel punto, ormai, erano persone adulte e conoscevano a perfezione le regole del gioco. Si divertono un po' durante il weekend, tutto qui, poi se ne vanno, calde ed eccitate, senza fare domande o prendersi impegni. Ce la spassiamo – probabilmente se la spassano molto più loro di me, in tutta franchezza – e la faccenda finisce lì.»

A Lynley, comunque, non era sfuggito che Thorsson non avesse risposto direttamente alla sua domanda. «I cattedratici di Cambridge», stava continuando il professore, «che hanno una relazione amorosa con le allieve sono sempre gli stessi, sono tutti uguali, hanno determinate caratteristiche che non variano mai, ispettore. Se sta cercando uno di loro, perché pensa che si sia scopato la ragazza, provi a cercare fra quelli di mezza età, sposati, brutti. Provi a cercare tra quelli che sono, in linea di massima, profondamente infelici e anche imbecilli.»

«Insomma, qualcuno che sia del tutto diverso da lei», commentò la Havers, che non si era mossa dal tavolo.

Thorsson non le badò. «Non sono un pazzo. Non ho interesse a farmi rovinare. Perché questa è la sorte che tocca a un *djavlar typ* che combina un casino con uno studente, maschio o femmina che sia. Lo scandalo basterebbe a rovinarlo per anni e anni.»

«Come mai ho l'impressione che uno scandalo del genere non le creerebbe nessun problema, signor Thorsson?» gli domandò Lynley.

E la Havers aggiunse: «Ma è vero che lei la molestava sessualmente?»

Thorsson si girò su un fianco. Fissò gli occhi sulla donna, poi piegò gli angoli della bocca in una smorfia di disprezzo.

«È andato a trovarla giovedì sera», riprese la Havers. «Perché?

Per impedirle di fare quello che aveva minacciato? Non posso immaginare che sarebbe rimasto indifferente se la ragazza fosse andata dal preside. E allora... che cosa le ha raccontato, Elena? Aveva già inoltrato un reclamo formale per le molestie? Oppure sperava di impedirglielo? »

« È proprio stupida come una vacca », replicò Thorsson.

Lynley si sentì travolgere da un'ondata di rabbia, ma si accorse che il sergente Havers non aveva avuto nessuna reazione a quelle parole. Si era messa, invece, a far roteare lentamente un portacenere, esaminandone il contenuto. La sua espressione era impassibile.

« Dove abita, signor Thorsson? » gli domandò Lynley.

« Nelle vicinanze di Fulbourn Road. »

« È sposato? »

« No, grazie a Dio. Non si può esattamente dire che le donne inglesi mi infiammino il sangue. »

« Vive con qualcuno? »

« No. »

« Ha passato la notte tra domenica e lunedì con qualcuno? C'era qualcuno con lei lunedì mattina? »

Thorsson distolse lo sguardo per una frazione di secondo. « No », rispose. Ma come la maggior parte delle persone, anche lui non sapeva raccontare bene le bugie.

« Elena Weaver faceva parte della squadra di atletica », continuò Lynley. « Lo sapeva? »

« Può darsi. Non me ne ricordo. »

« Si allenava ogni mattina. Lo sapeva? »

« No. »

« La chiamava « Lenny il Lumacone ». Lo sapeva? »

« No. »

« Per quale motivo è andato a cercarla, nella sua camera, giovedì sera? »

« Credevo che avremmo potuto parlare e chiarirci come due adulti. Ho scoperto che mi sbagliavo. »

« Quindi lei sapeva benissimo che Elena aveva intenzione di denunciarla per molestie sessuali. È questo che le ha raccontato giovedì sera? »

Thorsson scoppiò in una risata che sembrava un ululato. E buttò le gambe giù dal letto, appoggiandole al pavimento. « Adesso capisco. Ma lei arriva troppo tardi, ispettore, se è venuto qui a cercare di scovare il movente del suo omicidio. Nossignore, non attacca. E sa perché? Perché quella carognetta aveva già sporto reclamo nei miei confronti.»

«Un movente ce l'avrebbe», disse la Havers. «Che succede se qualcuno coglie sul fatto un professore universitario con le mani infilate nelle mutandine di qualche bella bambina?»

«Mi pare che Thorsson, su questo punto, sia stato abbastanza chiaro. O perlomeno immagino pensi di essere messo al bando. O nel migliore dei casi ignorato. Indipendentemente da quelle che possono essere le sue concezioni politiche, da un punto di vista etico l'università è un ambiente conservatore. E gli accademici non tollererebbero che uno di loro, un professore, si trovasse invischiato in qualche scandalo con una studentessa del college. Soprattutto una con cui si vedeva di frequente perché ne seguiva gli studi.»

«Ma per quale motivo Thorsson dovrebbe preoccuparsi di quello che pensano di lui? Crede davvero che senta il bisogno di frequentare i suoi colleghi?»

«Per quello che riguarda la vita sociale, magari non sente il bisogno di frequentarli, Havers. Magari non ne ha nemmeno voglia. Ma per motivi inerenti alla sua professione, volente o nolente finisce per vedere di continuo i suoi colleghi, ha contatti frequenti con loro, e se questi decidessero di snobbarlo e di tagliare i ponti, si vedrebbe annullata qualsiasi speranza di un'eventuale promozione. È senza dubbio il caso di tutti i professori anziani, eppure non credo di sbagliare dicendo che Thorsson sta camminando su un filo di rasoio molto più sottile di quello degli altri per avere successo e fare carriera.»

«E perché?»

«Uno studioso di Shakespeare che non è nemmeno inglese? Qui a Cambridge? Oserei dire che deve aver lottato con tutte le sue forze per arrivare dove è adesso.»

«Quindi potrebbe scoprire che deve lottare ancor più duramente per conservarsi il posto che si è conquistato.»

«Esatto. Non ha importanza il disprezzo superficiale che può provare Thorsson per Cambridge; non riesco a credere che voglia correre simili rischi e mettere in pericolo la propria posizione. È abbastanza giovane per aver già messo gli occhi sulle possibilità di ottenere un'eventuale cattedra, di diventare anche lui un professore associato! Ma, naturalmente, tutto sarebbe perduto se avesse una relazione segreta con uno degli studenti.»

La Havers versò un po' di zucchero nel caffè e addentò con aria pensierosa una fetta di pane tostato. Seduti a tre tavoli con le gambe di acciaio inossidabile nell'arioso spaccio del college, sette studenti stavano curvi sullo spuntino di metà mattina, il sole che entrava copioso dai finestroni che occupavano tutta la parete. La presenza dei due agenti non pareva suscitasse in loro il minimo interesse.

«Aveva anche l'opportunità di ucciderla», fece rilevare la Havers a Lynley.

«Se non teniamo conto che ha affermato di non sapere che Elena usciva ad allenarsi ogni mattina.»

«Io credo che potremmo anche non tenerne conto, ispettore. Provi un po' a guardare tutte le volte, segnate sul calendario, in cui si sarebbe incontrata con Thorsson. Vuole che non abbia mai, nemmeno in un'occasione, fatto riferimento alla squadra di atletica? Che non abbia mai accennato al fatto di uscire a correre al mattino? Queste sono sciocchezze belle e buone.»

Lynley fece una smorfia, perché il suo caffè era amarissimo. E sembrava l'avessero fatto bollire troppo, era denso... una specie di brodaglia, insomma. Aggiunse altro zucchero e si fece prestare il cucchiaino dal sergente.

«Se ci fosse stata un'indagine in corso, non crede che il suo massimo desiderio sarebbe stato dare un taglio netto alla faccenda? Non le sembra logico?» continuò la Havers. «Visto che Elena Weaver aveva minacciato di metterlo nei guai, cosa poteva impedire a un'altra decina di tenere e dolci fanciulle di fare la stessa cosa?»

«Sempre che queste tenere e dolci fanciulle esistano davvero! Sempre che lui sia colpevole di qualcosa. Può anche darsi che Elena l'abbia accusato di molestie sessuali, sergente, ma non dimentichiamo che un'accusa del genere rimane da provare.»

«E ormai è impossibile, giusto?» ribatté la Havers, puntandogli contro il dito in maniera significativa e arricciando il labbro superiore. «Ma si accorge di quello che sta facendo? Non mi dica che vuole prendere una posizione maschilista, vero? Il povero Lenny Thorsson sarebbe stato accusato ingiustamente di insidiare qualche ragazza solo perché l'ha respinta quando lei ha cercato di persuaderlo a togliersi i calzoni? O perlomeno a tirare giù la cerniera?»

«Io non prendo nessuna posizione, Havers. Sto solo raccogliendo i fatti. E il più pregnante è che Elena Weaver lo aveva già denunciato e, di conseguenza, era in corso un'indagine nei suoi confronti. Provi a esaminare questo elemento razionalmente. Ce l'ha scritto a caratteri cubitali in fronte che aveva un movente per ucciderla. Magari parla come un cretino, ma non mi ha dato l'impressione di esserlo. Era più che logico che si rendesse conto che lo avremmo messo subito al primo posto nell'elenco delle persone sospette. Di conseguenza, se è stato lui ad ammazzarla, immagino che abbia anche provveduto a dotarsi di un alibi a prova di bomba, non le sembra?»

«No, niente affatto.» La donna gli agitò contro la fetta di pane che stava mangiando. Una delle uvette le cadde nella tazza di caffè che aveva davanti, ma lei non ci badò e proseguì: «Io lo trovo abbastanza intelligente da capire che avremmo fatto proprio questo genere di discorsi. Sapeva benissimo quello che avremmo detto, cioè che lui è uno stimato professore di Cambridge, che non è uno stupido, che non avrebbe mai ammazzato Elena Weaver per poi consegnarsi su un piatto d'argento alla polizia, non le pare? Ma ci guardi, per favore. Stiamo facendo esattamente il suo gioco». Addentò il pane e ne staccò un grosso boccone, che poi masticò energicamente.

Lynley fu costretto ad ammettere che le insinuazioni della Havers non mancavano di una certa logica, per quanto contorta. Eppure, non gli piaceva affatto il tono concitato con cui le aveva elencate. Una reazione così energica lasciava sempre sospettare una mancanza di obiettività, che era la rovina di qualsiasi indagine poliziesca seria ed efficace. Si era accorto di cadere lui stesso nell'errore fin troppo spesso per passarci sopra con indifferenza quando la sua partner faceva altrettanto.

Sapeva bene quale fosse l'origine di tanta rabbia. Ma farlo capire alla collega sarebbe stato come dare alle parole di Thorsson un'importanza che non meritavano. Perciò decise di cambiare strategia.

«È impossibile che Thorsson ignorasse l'esistenza del Ceephone nella camera di Elena. Inoltre, stando a quanto ha detto Miranda, Elena era già uscita quando Justine ha ricevuto la chiamata. Se Thorsson fosse già stato altre volte nella sua camera – e lui, questo, lo ha ammesso – probabilmente sapeva anche come usare quell'apparecchio. E di conseguenza avrebbe potuto chiamare lui i Weaver.»

«Adesso sì che comincia a dire qualcosa di interessante», osservò la Havers.

«Ma a meno che gli esperti di medicina legale dell'équipe di Sheehan non ci forniscano valide prove a carico di Thorsson, a meno che non riusciamo a scoprire qual è stata l'arma usata per assalire e colpire la ragazza prima che fosse strangolata, e a meno che non troviamo il modo di ricollegarla a Thorsson, purtroppo non abbiamo in mano niente all'infuori dell'evidente antipatia che proviamo nei suoi confronti.»

«E di quella ne abbiamo in abbondanza.»

«Anzi, a palate.» Spinse da parte la tazza del caffè. «Quello che ci occorre è un testimone, Havers.»

«Dell'omicidio?»

«Di qualcosa. Di qualunque cosa.» Si alzò. «Andiamo dalla donna che ha rinvenuto il cadavere. Se non altro, riusciremo a scoprire cosa meditava di dipingere nella nebbia.»

La Havers finì il caffè d'un fiato e con un tovagliolino di carta si ripulì le mani dalle briciole unte. Poi si avviò verso la porta, infilandosi maldestramente il cappotto e trascinando le due sciarpe sul pavimento. Lynley non aprì più bocca fino a quando si ritrovarono sulla terrazza davanti alla North Court. E anche allora scelse con cura le parole.

«Havers, a proposito di quello che Thorsson le ha detto...»

Lei lo guardò con aria assente. «Cioè?»

Lynley si accorse di avere la nuca imperlata di sudore. Di solito non rifletteva sul fatto che lavorava con una donna. Ma in quel momento, non aveva potuto evitare di farlo. «Nella sua camera, Havers. Quel...» Cercò un eufemismo. «Be', l'allusione bovina...»

«Mah, non ricordo...» Sotto la folta frangia, la Havers corrugò perplessa la fronte. «Oh, si riferisce a quando mi ha dato della vacca?»

«Ehm... sì.» Già mentre le rispondeva, Lynley si stava domandando come diavolo sarebbe riuscito a inventarsi qualcosa di appropriato per rabbonirla e darle magari conforto per la sua sensibilità offesa. Ma non era il caso di preoccuparsi.

La donna ridacchiò. «Non ci pensi più, ispettore. È il colmo dei colmi che un asino mi abbia dato della vacca, non trova?»

7

« E questo cosa sarebbe, Christian? » domandò Lady Helen. In mano teneva un pezzo del grande puzzle in legno di mogano, quercia, pino e betulla disposto sul pavimento in mezzo a loro. Rappresentava una cartina a tinte pastello degli Stati Uniti, che la zia Iris, la sorella maggiore di Lady Helen, aveva mandato ai gemelli dall'America quando avevano compiuto quattro anni. In effetti, il puzzle rifletteva soprattutto i suoi gusti e non tanto l'affetto che provava per i nipotini. « La qualità dura nel tempo, Helen. Non dimenticarlo », avrebbe osservato nel solito tono pratico, come se si aspettasse che Christian e Perdita giocassero con i loro balocchi fino in età avanzata.

Dei colori vivaci avrebbero certamente attirato i bambini molto di più. E li avrebbero anche fatti stare buoni più a lungo. Comunque, dopo qualche falsa partenza, Lady Helen era riuscita a trasformare il puzzle in un gioco nel quale Christian si impegnava con l'ardore del neofita, mentre sua sorella stava a guardarlo. Perdita si era rannicchiata comodamente contro il fianco di Lady Helen, aveva allungato le gambette davanti a sé, una scarpina con la punta rovinata rivolta a nord-est e l'altra a nord-ovest.

« La Cafilornia! » annunciò trionfante Christian dopo aver passato un minuto buono a studiare la sagoma del pezzetto di legno che la zia gli stava mostrando. Pestò i piedi per terra e proruppe in un gridolino di gioia. Con gli stati dalla forma più strana aveva sempre successo. Oklahoma, Texas, Florida, Utah: fin qui, nessun problema. Il Wyoming, il Colorado e il North Dakota, invece, erano clamorosi inviti a fare i capricci.

« Bravissimo. E la sua capitale è...? »

« New York! »

Lady Helen rise. « Sacramento, stupidino. »

« Sacramento! »

« Perfetto. Adesso mettila al suo posto. Sai dove va? »

Dopo un vano tentativo di inserire il pezzetto di legno nel posto della Florida, Christian lo fece scivolare fino alla costa opposta. «Un altro, zietta Leen», disse. «Voglio indovinarne un altro.»

Allora scelse la tessera più piccola e gliela mostrò. Molto saggiamente, Christian scrutò la carta geografica con gli occhi socchiusi e puntò un ditino nel posto vuoto a est del Connecticut.

«Qui», annunciò.

«Sì. Ma sai come si chiama questo stato?»

«Qui! Qui!»

«Ti sei bloccato, tesoro?»

«Zietta Leen! Qui!»

Di fianco a Lady Helen, Perdita si riebbe. «Rooodailan», bisbigliò.

«Ah, già! Road Island!» strillò Christian. E poi, con un ululato di trionfo, si precipitò ad afferrare il pezzo che la zia teneva fra le dita.

«E la capitale?» Lady Helen gli impedì di prenderlo. «Su, da bravo! Ieri la sapevi.»

«Oceano Tlantico!» tuonò lui.

La donna sorrise. «Be', quasi.»

Christian le strappò il pezzo di mano e cercò di inserirlo nel puzzle, ma era capovolto. Quando si accorse che non entrava, lo girò, poi scansò la sorellina che si era protesa verso di lui per aiutarlo. «Sono capace di farlo da solo, Perdy», le disse. Infine, al terzo goffo tentativo con le dita sporche, riuscì a raddrizzarlo e a incastrarlo fra gli altri.

«Ancora», insisté.

Ma prima che Lady Helen potesse accontentarlo, la porta di casa si spalancò ed entrò Harry Rodger. Diede una rapida occhiata in salotto, indugiando sulla neonata che scalciava e farfugliava, sdraiata sul pavimento, vicino a Perdita, su una pesante trapunta imbottita.

«Ciao a tutti», disse, togliendosi il soprabito. «Neanche un bacio per papà?»

Strillando di gioia, Christian attraversò come un fulmine la stanza e si aggrappò frenetico alle gambe del padre. Perdita, invece, non si mosse.

Rodger lo prese in braccio, gli coprì la guancia di baci sonori e poi lo posò a terra. Fece finta di fargli il solletico e gli domandò: «Sei stato cattivo, Chris? Sei stato un bambino cattivo?» Intanto lui strillava di gioia. Lady Helen si accorse che Perdita le si avvicinava sempre più e notò che aveva cominciato a succhiarsi il pollice, gli occhi fissi sulla neonata; con le altre dita si massaggiava meccanicamente il palmo della mano.

«Stiamo facendo un puzzle», spiegò Christian a suo padre. «Zietta Leen e io.»

«E Perdita? Non ti aiuta anche lei?»

«No. Perdita non vuole giocare. Ma la zia Leen e io, sì. Vieni a vedere.» Christian prese suo padre per mano, cercando di trascinarlo nel salotto.

Quando il cognato la raggiunse, Lady Helen si sforzò di non provare né rabbia né avversione. La sera prima non era tornato a casa, e non si era neanche degnato di telefonare. Ciò bastava a far scomparire anche quel briciolo di simpatia e di comprensione che avrebbe potuto provare guardandolo, poiché era evidente che soffrisse, sia nel corpo sia nello spirito: non stava affatto bene. Aveva gli occhi gialli, la barba lunga e ispida, le labbra screpolate per il freddo. Non dormiva a casa sua, ma non sembrava nemmeno che dormisse in qualche altro posto.

«Cafilornia», disse Christian e puntò il dito sul puzzle. «Vedi, papà. Nevada. Puta.»

«Non Puta, Utah», lo corresse Harry Rodger e poi, rivolto a Lady Helen, aggiunse: «Allora, come vanno le cose qui?»

In quel momento, la donna era consapevole della presenza dei bambini, soprattutto di Perdita, che tremava, stretta a lei. E si rese conto anche che aveva una gran voglia di prendersela con il cognato e di coprirlo di insulti. Invece si limitò a dire: «Bene, Harry, che piacere vederti».

Lui reagì con un sorriso incerto. «Ho capito, me ne vado.» Diede un colpetto affettuoso sulla testa di Christian e se la squagliò in cucina.

Christian iniziò subito a piagnucolare, e Lady Helen si accorse che stava per esplodere, tanto era il suo livore. «Va tutto bene, Christian», disse. «Vediamo di pensare un po' al vostro pranzo. Vuoi rimanere un momento qui con Perdita e la sorellina? Fa' vedere a Perdita come si mette insieme il puzzle.»

«Io voglio papà!» cominciò a strillare il bambino.

Lady Helen sospirò. Ormai lo sapeva, e fin troppo bene! Rovesciò il puzzle e fece precipitare tutti i pezzi sul pavimento, poi disse: «Guarda, Chris», ma lui cominciò a buttarli nel caminetto, uno dopo l'altro. Affondarono nella cenere sotto la grata, sollevando nuvolette di polvere e facendo rotolare qualche tizzone spento sul tappeto. Gli strilli del bambino aumentarono d'intensità.

Rodger fece capolino: «Per l'amor di Dio, Helen. Non puoi farlo star zitto?»

Lady Helen scattò. Balzò in piedi con una mossa fulminea, attraversò il salotto a lunghi passi concitati e spinse in cucina il cognato, che fino a quel momento era rimasto sulla soglia. Poi chiuse la porta, zittendo così gli strilli e i lamenti di Christian. Se anche Rodger rimase stupito da quell'improvvisa veemenza, non lo diede a vedere. Si accontentò di tornare verso il ripiano sul quale era ammucchiata la posta di due giorni che doveva essere smistata. Prese in mano una lettera, la alzò in controluce, la scrutò con gli occhi socchiusi, la mise da parte e ne prese un'altra.

«Si può sapere che cosa sta succedendo, Harry?» gli domandò Helen.

Lui le lanciò una rapida occhiata prima di tornare a dedicarsi alla posta. «Ma di che diavolo stai parlando?»

«Di te, sto parlando. E di mia sorella. A proposito, è di sopra. Magari vuoi passare a salutarla prima di correre al college. Perché mi sembra di capire che hai tutte le intenzioni di farlo, vero? Chissà perché ho la sensazione che non ti tratterrai molto.»

«Ho una lezione alle due.»

«E dopo?»

«Stasera sono invitato a un ricevimento. Sai, Helen, stai cominciando ad avere lo stesso tono deprimente di tua sorella Pen.»

Lady Helen gli si avvicinò con passo deciso, con un gesto brusco gli tolse di mano il fascio di lettere e le scaraventò sul mobiletto. «Come osi?» gli disse. «Piccolo verme egocentrico. Credi che siamo tutti qui unicamente a soddisfare i tuoi comodi?»

«Bel colpo, Helen», rispose Penelope sulla soglia. «Io non ne sarei stata capace.» Rimase ferma dov'era, una mano appoggiata al muro e l'altra stretta intorno allo scollo della vestaglia. Due macchie umide all'altezza dei seni gonfi e dolenti avevano trasformato il colore della stoffa da rosa pallido a viola scuro. Gli occhi di Rodger si posarono proprio lì, prima di spostarsi rapidamente altrove. «Non ti piace quello che vedi?» gli domandò Penelope. « È troppo reale per te, Harry? Non è quello che volevi? »

Rodger tornò alle sue lettere. « Non cominciare, Pen. »

Lei proruppe in una risata tremula. « Non sono stata io a cominciare tutto questo. Correggimi se sbaglio, ma sei stato tu. Non è vero quello che dico? Quanti giorni, quante notti a parlare, a insistere. 'Sono un dono, Pen, il dono che facciamo al mondo. Ma se uno di loro dovesse morire...' Eri tu, o mi sbaglio? »

« E non vuoi che me ne dimentichi, vero? Sono sei mesi che ti stai prendendo la tua vendetta. D'accordo, va bene. Fa' pure. Non posso impedirtelo. Però posso decidere di non rimanere qui a farmi insultare. »

Penelope rise di nuovo, stavolta con minor vigore. Si appoggiò allo sportello del frigorifero. Si portò una mano ai capelli che le pendevano unti e senza vita lungo il collo. « Mi fai ridere, Harry. Se vuoi qualche altro insulto, accomodati. Oh, ma lo hai già fatto, vero? Innumerevoli volte. »

« Adesso non cominceremo a... »

« A parlarne? E perché? Perché c'è qui mia sorella e non vuoi che lei sappia? Perché i bambini giocano nell'altra camera? Perché, se urlo troppo forte, i vicini potrebbero accorgersene? »

Harry sbatté con violenza le lettere sul ripiano, e qualche busta scivolò via. « Non darmi la colpa anche di questo. Sei stata tu a decidere. »

« Perché non mi davi tregua. Non mi sentivo nemmeno più una donna. Non volevi nemmeno toccarmi se non acconsentivo a... »

« No! » gridò Harry. « Maledizione, Pen. Avresti potuto dire no. »

« Ero come una scrofa, vero? Per soddisfare i bisogni del maschio in fregola. »

« Questo non è esatto, perché le scrofe si crogiolano nel fango, non nell'autocommiserazione. »

« Basta! » disse Lady Helen.

In salotto, Christian strillava, e ai suoi urli fece eco il fievole gemito della neonata. Qualcosa colpì la parete con un violento tonfo: probabilmente il bambino aveva lanciato il puzzle in un impeto di rabbia.

« Guarda un po' quello che stai facendo a loro », le disse Harry Rodger. « Guarda, guarda bene, con attenzione. » Si avviò alla porta.

«E cosa stai facendo tu, invece?» La voce di Penelope si levò acuta e stridula. «Il padre modello, il marito modello, il professore modello, il santo modello. Scappi via, come al solito? Vai a covare la tua vendetta? 'Sono sei mesi che lei non me la dà, e adesso troverò il modo di fargliela pagare, adesso che è debole e malata e posso scoparla ben bene, è il momento migliore per dimostrarle che è una nullità.' È questo che pensi?»

Lui si voltò di scatto. «Ne ho abbastanza di te. È venuto il momento di decidere quello che vuoi, invece di continuare a tormentarmi in eterno per quello che hai.» E prima che Pen facesse in tempo a rispondere, se ne andò. Un momento dopo, la porta di casa si richiuse con un tonfo. Gli ululati di Christian aumentarono. La neonata piagnucolava. Quasi per reazione, sulla vestaglia di Penelope apparvero altre macchie umide, e lei scoppiò in lacrime.

«Io non la voglio, questa vita!»

Lady Helen si accorse di provare un impeto di compassione. Le salirono le lacrime agli occhi. Mai come in quel momento si era sentita incapace di trovare qualcosa da dire che potesse offrire conforto.

Per la prima volta comprendeva i lunghi silenzi di sua sorella, le sue attese alla finestra e i taciti pianti. Quello che non riusciva a comprendere era cosa aveva portato Penelope fino a questo punto. La sua era una specie di resa, così estranea al suo carattere che si scoprì impaurita all'idea di approfondirne i motivi.

Si avvicinò a Penelope e la prese tra le braccia.

Lei si irrigidì. «No! Non toccarmi. Sto gocciolando dappertutto. È la bambina...»

Lady Helen continuò a stringerla. Tentò invano di formulare una domanda, chiedendosi da dove cominciare e come fare per nascondere la collera crescente. E poiché andava in più direzioni, era un'impresa ardua.

Prima di tutto si accorse di provare rabbia nei confronti di Harry e del suo egocentrismo, che lo aveva spinto in modo addirittura ossessivo a concepire un altro figlio, come se fosse soltanto una dimostrazione di virilità paterna e non un individuo con le proprie esigenze. Poi era furiosa anche con la sorella, perché aveva ceduto a quel senso del dovere innato nelle donne fin dall'antichità, un dovere ben preciso, secondo cui l'unica cosa che poteva dare un senso, un significato, alla propria esistenza era avere un ventre funzionante.

La decisione iniziale di avere figli, presa certamente con gioia e senso di responsabilità da Penelope e dal marito, si era rivelata una rovina per sua sorella. Infatti, rinunciando alla carriera per dedicarsi ai gemelli, con il passare del tempo si era trasformata in una creatura dipendente dal proprio uomo, in una donna persuasa di dovergli rimanere aggrappata. Così, quando lui le aveva chiesto un altro figlio, aveva acconsentito senza fiatare. Aveva fatto il suo dovere. Dopotutto, c'era forse un mezzo migliore per tenersi il marito di dargli tutto ciò che desiderava?

Che nulla di tutto ciò fosse necessario, ma nascesse unicamente dall'incapacità o mancanza di volontà di sua sorella di sfidare la limitativa definizione di femminilità a cui aveva deciso di adeguarsi, contribuiva soltanto a rendere ancora più insostenibile la sua situazione. Infatti, tutto sommato Penelope era abbastanza saggia da capire che stava accettando di vivere una vita in cui non credeva, e proprio questo, senza dubbio, era il motivo dell'infelicità che provava. Le parole di suo marito, prima di andarsene, le avevano fatto capire che doveva prendere una decisione. Ma fino a quando Penelope non avesse imparato a definire da zero la propria posizione, sarebbero sempre state le circostanze esterne a decidere per lei.

Adesso le singhiozzava contro la spalla. Lady Helen continuò a tenerla stretta a sé, cercando di sussurrarle parole di conforto.

«Non ce la faccio», diceva Penelope tra le lacrime. «Mi sento soffocare. Non sono niente. Non ho una mia identità. Sono soltanto una macchina per fare figli.»

Sei una madre, invece, pensò Lady Helen, mentre nella camera accanto Christian continuava a strillare.

Era mezzogiorno quando Lynley e la Havers si fermarono sulla tortuosa strada principale del paesino di Grantchester, un mucchietto di case e pub, più una chiesa con la canonica, separato da Cambridge soltanto dai campi di rugby dell'università e da una lunga striscia di terreno agricolo, delimitato da una siepe di biancospino che stava cominciando ad appassire, lasciato incolto durante l'inverno. L'indirizzo sul rapporto della polizia era indiscutibilmente vago: *Sarah Gordon, La Scuola, Grantchester.* Ma una volta raggiunto quel pugno di case, Lynley si rese conto che non gli servivano ulteriori informazioni. Infatti, fra due file di cottage con il tetto di paglia e il pub Red Lion, spiccava una costruzione in mattoni color nocciola, con decori in legno intarsiato di un bel rosso acceso e una serie di lucernari incassati in un tetto di tegole spioventi. A uno dei pilastri ai lati del viale d'accesso era appesa una targa, su cui, in bronzo, c'era scritto: LA SCUOLA.

« Niente male come residenza », fu il commento della Havers, mentre apriva a spallate la portiera. « Proprio quella che lei definirebbe un'amorevole opera di ristrutturazione di un edificio storico, limitata agli elementi essenziali. Ho sempre detestato questa ansia per la conservazione. A ogni modo, chi è questa Sarah Gordon? »

« Un'artista, ma non so bene cosa faccia. Adesso lo scopriremo. »

Al posto della porta, c'erano quattro pannelli di vetro, attraverso i quali si intravedevano alte pareti bianche, una parte di divano e il paralume di vetro azzurro di una lampada a stelo, arcuata, in ottone. Quando richiusero le portiere dell'auto e cominciarono a risalire il viale che conduceva all'ingresso, dietro il vetro comparve un cane e cominciò ad abbaiare come un forsennato.

Adesso l'entrata era sul retro della costruzione, sotto un basso corridoio coperto che la collegava al garage. Mentre si avvicinavano, venne ad aprire la porta una donna snella con indosso un paio di jeans scoloriti, un ampio camice di lana color avorio e un asciugamano rosa, avvolto sulla testa come un turbante. Con una mano lo teneva ben saldo e con l'altra cercava di trattenere il cane al collare, un bastardino dal pelo arruffato e le orecchie sbilenche, una dritta e l'altra penzoloni, e un ciuffo beige che gli scendeva fin sugli occhi.

« Non abbiate paura, non morde », disse la donna, mentre il cane cercava di divincolarsi e di liberarsi dalla presa. « Il fatto è che gli piace avere ospiti. Su, Fiamma, seduto », esclamò, un comando gentile, che l'animale ignorò con allegra indifferenza, scodinzolando frenetico. Sembrava che sorridesse.

Lynley tirò fuori il tesserino e presentò prima se stesso e poi la collega. « È lei Sarah Gordon? » le chiese. « Vorremmo parlarle di ieri mattina. »

A questa richiesta, sembrò che gli occhi neri della donna diventassero ancora più scuri, ma fu solo questione di un attimo, magari era solo un effetto ottico perché si era ritirata nell'ombra proiettata dal tetto sporgente. «Non so cos'altro posso aggiungere, ispettore. Ho già detto alla polizia tutto quello che sapevo.»

«Sì, lo so. Ho letto il rapporto. Ma a volte è meglio parlare direttamente con le persone. Se non le spiace.»

«Certamente. Prego, entrate.» Indietreggiò, e Fiamma si lanciò verso Lynley per salutarlo festoso, piantandogli sulle cosce due zampe enormi, che sembravano guantoni da boxe. «No! Fiamma, smettila!» esclamò Sarah, trattenendolo. Poi lo prese in braccio e, da tanto si divincolava e scodinzolava, le ci vollero tutte e due le braccia per trasportarlo nella stanza che avevano già intravisto dalla strada. Infine lo sistemò in una cesta accanto al camino. «Sta' buono qui», gli disse e gli diede una pacca sulla testa per rabbonirlo. L'animale guardò smanioso prima Lynley, poi la Havers e infine la sua padrona. Quando si rese conto che sarebbero rimasti lì con lui, emise un altro latrato di felicità e si accucciò con il muso sulle zampe.

Sarah andò al caminetto, dove stava bruciando un mucchio di ciocchi che sembravano buttati a casaccio e in posizione instabile. La legna crepitava e scoppiettava a mano a mano che le fiamme raggiungevano le piccole cavità piene di resina. Aggiunse dell'altra legna, poi si voltò verso di loro.

«Ma in origine questa era davvero una scuola?» le domandò Lynley.

Lei sembrò meravigliata. Evidentemente si aspettava che affrontasse subito l'argomento che gli interessava, cioè il fatto che avesse rinvenuto il cadavere di Elena Weaver la mattina precedente. Tuttavia, si guardò intorno con un sorriso e rispose: «Sì, era la scuola del paese. Quando l'ho comprata, era un rudere».

«È stata lei a ristrutturarla?»

«Ho cercato di risistemare un pezzo per volta, quando me lo potevo permettere e ne avevo il tempo. Ormai i lavori sono finiti, salvo il giardino interno. Questo...» e indicò con la mano il locale nel quale si trovavano, «è stato l'ultimo. È un po' diverso da ciò che ci si potrebbe aspettare di trovare in una casa moderna, suppongo. Ecco perché mi piace.»

Mentre la Havers cominciava a togliersi la prima delle sciarpe che aveva al collo, Lynley si guardò intorno. In effetti quel locale era un piacere inaspettato per gli occhi, pieno di litografie e quadri a olio alle pareti. Ritraevano gente comune: bambini, adolescenti, vecchi che giocavano a carte, un'anziana che guardava fuori dalla finestra. Composizioni al contempo realistiche e simboliche, dalle tonalità pure, luminose, genuine.

Considerato poi il pavimento in legno di quercia sbiancato e il divano color farina d'avena, l'effetto complessivo di quella stanza ricca di opere d'arte avrebbe dovuto evocare l'atmosfera di un museo. Invece, come per addolcirne l'aspetto poco invitante, Sarah Gordon aveva drappeggiato un plaid di mohair rosso sulla spalliera del divano e coperto il pavimento con un tappeto a strisce variopinte di tessuto intrecciato. E come non fosse stato sufficiente a far capire che quella era una stanza «vissuta», proprio davanti al focolare c'erano una copia del *Guardian* aperta e vicino alla porta un album da disegno e un cavalletto. Inoltre l'aria – ecco il particolare che la differenziava da un museo più di tutto il resto – era impregnata dell'aroma intenso e inconfondibile della cioccolata calda, che saliva da un bricco di spessa maiolica verde posato sul mobile del bar a un'estremità del locale. Accanto a esso, una tazza. Da entrambi si levavano volute di vapore.

Notando lo sguardo di Lynley, Sarah Gordon disse: «È cioccolata calda. Per me è un efficace antidepressivo. E dopo quanto successo ieri, ne ho proprio bisogno. Posso offrirvene un po'?»

Lynley scosse la testa. «Lei, sergente?»

La Havers esitò e andò a sedersi sul divano, dove lasciò cadere le sciarpe, si liberò del cappotto e tirò fuori il block-notes che doveva essersi impigliato con chissà cos'altro nella borsa a tracolla. Da dietro le tende scostate di una finestra, si materializzò un enorme gatto rosso, che la raggiunse con un agile balzo, le si sdraiò in grembo e cominciò a giocherellare con le zampe.

Dopo essere andata a riprendere la propria tazza di cioccolata calda, Sarah si precipitò a salvarla. «Oh, mi scusi», disse, infilandosi il gatto sotto un braccio, poi si sedette anche lei sul divano, all'estremità opposta, dando le spalle alla luce. Affondò la mano libera nel folto pelo del felino, mentre l'altra, nel portare la tazza alle labbra, tremava visibilmente. Poi parlò, come se sentisse il bisogno di scusarsi per il suo turbamento.

«Non avevo mai visto un cadavere. Be', non è del tutto vero.

Ho visto qualcuno nella bara, ma dopo che era stato ripulito, lavato e truccato da quelli delle pompe funebri. Suppongo che l'unico modo per sopportare la morte – non è vero? – è darle la parvenza di uno stato di vita solo in piccola parte alterato. Ma stavolta... Quanto vorrei dimenticare di averla vista, eppure si direbbe che quell'immagine mi sia rimasta impressa come un marchio a fuoco nel cervello.» Si toccò l'asciugamano che aveva in testa. «Da ieri mattina ho già fatto cinque docce e mi sono lavata i capelli tre volte. Per quale motivo mi comporto così?»

Lynley prese posto nella poltrona di fronte al divano. Ma non si preoccupò di cercare una risposta a quella domanda. Ognuno reagiva di fronte a un diretto e improvviso contatto con una morte violenta in base alla propria personalità. Aveva conosciuto giovani colleghi che non si lavavano fino a quando un caso non era stato risolto, altri che non mangiavano, altri ancora che non riuscivano a dormire. E mentre loro nella stragrande maggioranza, col tempo, diventavano immuni alla morte, in quanto finivano per considerare le indagini su un delitto un lavoro come tanti, un profano la vedeva sotto una luce diversa. Lo prendeva come un affronto personale, una specie di insulto deliberato. A nessuno piaceva vedersi ricordare all'improvviso la cruda e desolante realtà, cioè che la vita era transitoria.

«Mi parli di ieri mattina», le disse.

Sarah posò la tazza su un tavolino e affondò anche l'altra mano nel pelo del gatto. Non sembrò un gesto di affetto, quanto un modo di aggrapparsi a qualcosa per ricavarne sostegno o conforto. Con la tipica sensibilità dei felini, il gatto diede l'impressione di capirlo, poiché appiattì le orecchie ed emise un sordo brontolio, ma Sarah lo ignorò e anzi cominciò a coccolarlo. La bestiola tentò di sfuggirle, balzando verso il pavimento, ma lei gli disse: «Seta, sta' buono», e tentò di trattenerlo fino a quando, dopo uno stridulo miagolio e una soffiata, non riuscì a scivolarle via dal grembo con uno scatto imprevisto. Sarah parve sconvolta, e lo seguì con lo sguardo avviarsi verso il camino, dove, dimostrando la più completa indifferenza per quell'aperta diserzione, si sistemò comodamente sul giornale e cominciò a lavarsi il muso.

«Ah, i gatti!» esclamò la Havers in tono fin troppo eloquente. «Sono esattamente come gli uomini, né più né meno.»

Sembrò che Sarah meditasse seriamente su questo commento.

Era rimasta seduta come se avesse ancora il gatto in grembo, lievemente protesa in avanti, le mani sulle cosce. Come per proteggersi. « Ieri mattina... » iniziò.

« Se vuole », chiarì Lynley.

Lei gli snocciolò i fatti rapidamente, aggiungendo molto poco a quello che l'ispettore aveva già letto nel rapporto della polizia. Poiché non riusciva a dormire, si era svegliata alle cinque e un quarto. Si era vestita e aveva mangiato una scodella di fiocchi d'avena. E aveva letto il giornale del giorno prima quasi per intero. Poi aveva frugato tra la sua attrezzatura da pittrice e aveva raccolto il necessario. Era arrivata a Fen Causeway poco prima delle sette e si era trasferita sull'isolotto per ritrarre il Crusoe's Bridge. Lì aveva trovato il cadavere.

« Ci sono inciampata », disse. « Io... oh, se ci penso è orribile. Solo adesso mi rendo conto che avrei dovuto provare il desiderio di aiutarla, vedere se era ancora viva. Invece non l'ho fatto. »

« Dove si trovava esattamente? »

« In fondo a un piccolo spiazzo, verso l'estremità sud dell'isolotto. »

« Ha notato subito il cadavere? »

Sarah afferrò la tazza di cioccolata e la tenne stretta fra le mani. « No. Ero andata lì per fare qualche schizzo e abbozzare un quadro, ero concentrata. Sa, non riuscivo più a lavorare... No, voglio essere sincera una volta tanto: non producevo più niente degno di nota da parecchi mesi. Non mi sentivo all'altezza, ero quasi paralizzata... E cominciavo a nutrire, in segreto, una paura pazzesca di averlo già perso. »

« Che cosa, scusi? »

« Il talento, ispettore. O se vuole la creatività. La passione. L'ispirazione. Quello che preferisce. Col tempo, a poco a poco avevo finito per credere di non avere più niente di tutto questo. Così, già qualche settimana fa, avevo deciso che era inutile temporeggiare. Ero determinata a dare un taglio netto con tutta questa smania di realizzare mille progetti per la casa – in fondo, avevo una gran paura del fallimento – e di riprendere il mio lavoro. E ho scelto proprio ieri per cominciare. » Sembrò che intuisse quale sarebbe stata la domanda successiva di Lynley, e preferì rispondere subito: « In realtà, è stata una scelta puramente arbitraria. Sentivo che, se me la fossi segnata sul calendario, sarebbe stato come prendere un impegno con me stessa. Pensavo che, scegliendo la data in anticipo, avrei potuto ricominciare senza ulteriori false partenze. Per me era importante».

Lynley tornò a guardarsi intorno ed esaminò la stanza con maggiore attenzione, soffermandosi sulla collezione di litografie e oli. Non poté fare a meno di confrontarli con gli acquarelli che aveva visto in casa di Anthony Weaver. I suoi erano ben fatti, eseguiti con cura, in linea con la tradizione. Qui, invece, si coglieva una sfida continua, nel disegno come nel colore.

«Questi li ha fatti lei», osservò, e le sue parole furono una semplice affermazione, non una domanda, poiché era evidente che ogni dipinto era stato realizzato dalla stessa mano capace.

Sarah indicò una parete con la tazza. «Sì, sono tutti miei, certo. Non sono recenti, ma li ho fatti io.»

Lynley si crogiolò per un attimo, gratificato, al pensiero che non avrebbe potuto trovare un testimone potenziale migliore di lei. Gli artisti sono ottimi osservatori, altrimenti non saprebbero creare. Se ci fosse stato qualcosa da vedere sull'isolotto, un oggetto, un'ombra, a Sarah Gordon non sarebbe sfuggito. Protendendosi leggermente in avanti, disse: «Mi racconti ciò che ricorda dell'isolotto».

Sarah abbassò gli occhi sulla cioccolata, come se ci vedesse riprodotta la scena. «Ecco, sì... C'era nebbia, moltissima umidità. Le foglie degli alberi gocciolavano addirittura. Le baracche del piccolo cantiere nautico erano chiuse. Il ponticello era stato riverniciato di fresco. Ricordo di averlo osservato perché rifletteva la luce in un modo particolare. E poi c'era...» Esitò, pensierosa. «Vicino al cancelletto, il terreno era molto fangoso e il fango era... come pestato in lungo e in largo. Anzi, sarebbe più giusto dire che c'erano dei solchi.»

«Come se vi avessero trascinato un corpo e i tacchi delle scarpe avessero strisciato sul terreno?»

«Suppongo di sì. E poi c'era un mucchietto di immondizia, per terra, vicino a un ramo caduto. E...» Alzò gli occhi. «Se non sbaglio, mi sembra di aver visto anche i resti di un fuoco.»

«Sempre vicino a quel ramo?»

«Davanti al ramo, sì.»

«E che genere di immondizia?»

«Per la maggior parte erano pacchetti di sigarette. Qualche

giornale. Una bottiglia di vino. Un sacchetto... Sì, un sacchetto arancione con scritto *Peter Dominic*. Me lo ricordo per via della scritta. È possibile che qualcuno sia rimasto lì per un po' di tempo in attesa della ragazza? »

Lynley non fece caso alla domanda e disse: « Qualcos'altro? »

« Dall'isolotto si vedevano le luci che si irradiavano dalla cupola di Peterhouse. »

« Non ha sentito niente? »

« I soliti rumori. Uccelli. Un cane, credo, chissà dove, nella palude. Tutto mi è sembrato assolutamente normale. Salvo che la nebbia era molto fitta, ma questo glielo avranno già detto senz'altro. »

« Nessun rumore provenire dal fiume? »

« Una barca, per esempio? Qualcuno che si allontanava remando? No. Mi spiace. » Curvò appena le spalle. « Vorrei poterle dire di più. Mi sento così egoista. Quando ero sull'isolotto, non facevo che pensare al mio abbozzo. Anzi, a dire la verità, ci penso spesso anche ora. Che brutto modo di comportarsi... »

« Non è un po' insolito andare a disegnare con quella nebbia? » le fece notare la Havers. Fino a quel momento aveva preso appunti rapidamente, ma adesso alzò gli occhi, rivelando il suo dubbio principale fin da quando erano entrati in casa della donna: che razza di pittrice andrebbe mai a lavorare con quel tempaccio?

Sarah non lo negò. « Era più che insolito! Una sorta di pazzia, piuttosto. E qualsiasi cosa fossi riuscita a creare, sarebbe stata diversa dal resto del mio lavoro, le pare? »

In questo c'era un fondo di verità. Oltre all'uso di colori caldi, vivaci, netti, solari, le immagini di Sarah Gordon erano tutte nette, dal gruppo di bambini pakistani seduti sul gradino consunto della porta di una miserabile casupola con l'intonaco scrostato, a una donna nuda sdraiata sotto un ombrello giallo. Nessuno rivelava la vaporosa assenza di linee ben definite oppure la completa mancanza di toni di colore a cui faceva istintivamente pensare uno schizzo eseguito nella nebbia mattutina. E per di più, fra tutti i suoi lavori, non c'era nemmeno un paesaggio.

« Stava forse cercando di cambiare stile? » le domandò Lynley.

« Intende come Van Gogh, che è passato dai *Mangiatori di patate* ai *Girasoli*? » Sarah si alzò, si avvicinò al mobile del bar e si versò dell'altra cioccolata calda. Dalle rispettive posizioni, Fiamma e Seta alzarono di scatto la testa, subito all'erta di fronte alla vaga possibilità di vedersi offrire qualcosa di succulento. La donna si avvicinò al cane, gli si accucciò accanto e gli accarezzò il muso. Lui sbatté piano la coda sul pavimento, dimostrando di apprezzare quel gesto, e poi tornò a posarsi sulle zampe. Sarah Gordon si mise a sedere per terra, vicino alla sua cesta, a gambe incrociate, di fronte ai due poliziotti.

«Ero disposta a tentare... sì, il tutto per tutto, praticamente», continuò. «Non so se potete comprendere cosa si prova quando si è quasi convinti di aver perduto l'abilità e la volontà di creare. Sì...» confermò come se si aspettasse di non trovarli d'accordo con lei, «la volontà, perché dipingere è un atto di volontà. È più di quello che si può definire il richiamo di qualche Musa di comodo. Piuttosto è prendere la decisione di offrire al giudizio degli altri una particella minuscola di quello che è il proprio essere segreto, l'elemento più essenziale e fondamentale della propria anima. Da artista, mi sono sempre ripetuta che a me non interessava come sarebbe stata valutata la mia opera. Mi dicevo che l'atto creativo in sé – e non come viene accolto, o ciò che si poteva fare del prodotto finito – aveva un'importanza primaria, assoluta. Invece a un certo punto ho smesso di crederci. E quando non si crede più che l'atto creativo in se stesso valga di più del giudizio della critica, si resta paralizzati, come è successo a me.»

«Mi vengono in mente Ruskin e Whistler, se ben ricordo la loro storia», osservò Lynley.

Per qualche motivo, a questa allusione Sarah sussultò. «Ah, sì. Il critico e la sua vittima. Ma Whistler, se non altro, aveva avuto il suo momento di gloria, vero? Beato lui.» Passò in rassegna le sue composizioni artistiche, lentamente, come se avesse l'assoluta necessità di convincersi di esserne l'autrice. «Avevo perso la passione, e senza quella ti ritrovi in mano soltanto la materia, il mezzo. Pittura, tela, argilla, cera, pietra. È solo la passione che dà loro vita, altrimenti sono oggetti senz'anima. Oh, si può sempre dipingere o disegnare o scolpire qualcosa, comunque. La gente lo fa, di continuo. Ma quello che si disegna o dipinge o scolpisce senza passione diventa soltanto un esercizio di tecnica, e niente più. Non è l'espressione di sé. Ed è proprio questo che io volevo ritrovare: la disposizione, la volontà di essere vulnerabile, il potere di sentire, l'abilità di rischiare. Se ciò significava un cambio di stile, una sostituzione della materia con cui lavorare, ero più che disposta. Ero disposta a provare qualsiasi cosa.»

«E ha funzionato?»

Sarah si curvò sul cane e sfregò la guancia sulla sua testa. Lontano, in un'altra stanza, il telefono cominciò a suonare e la segreteria entrò in funzione. Un attimo dopo giunsero sommessi i toni bassi di una voce maschile, ma il messaggio, a quella distanza, arrivò confuso e indistinto. La donna diede l'impressione di non badare all'identità di chi la stava chiamando e alla telefonata in sé. «Non ho avuto la possibilità di scoprirlo», rispose. «Ho fatto parecchi schizzi preliminari in un punto preciso dell'isolotto. E quando mi sono accorta che non mi soddisfacevano – erano orribili, in tutta franchezza – mi sono spostata e ho inciampato nel cadavere.»

«Che cosa ricorda?»

«Soltanto che, facendo qualche passo indietro, mi sono resa conto di aver urtato qualcosa. In un primo momento ho pensato fosse un ramo, e l'ho scostato con un calcio; poi ho visto che era un braccio.»

«Non aveva notato il corpo?» Era la Havers che voleva un chiarimento.

«La ragazza era coperta di foglie. E la mia attenzione era tutta concentrata sul ponticello. Non guardavo nemmeno dove mettevo i piedi.»

«In quale direzione ha spostato il braccio con il piede?» le domandò Lynley. «Verso la ragazza? Oppure lo ha allontanato?»

«No, verso la ragazza.»

«E non l'ha più toccata?»

«Dio, no. Ma avrei dovuto farlo, vero? Forse era ancora viva. Avrei dovuto toccarla. Avrei dovuto controllare. Invece non l'ho fatto. Ho vomitato. E poi sono scappata via.»

«In che direzione? Da dove era venuta?»

«No, passando per Coe Fen.»

«Nella nebbia?» domandò Lynley. «Non è tornata da dove era arrivata?»

Nel punto in cui il camice era sbottonato, il petto e il collo di Sarah avvamparono. «Ero appena inciampata nel cadavere di una ragazza, ispettore. Non ero particolarmente lucida in quel momento, dunque non avrei potuto fare niente di logico. Ho attraversato di corsa il ponticello e mi sono fiondata lungo Coe Fen. Lì c'è un sentiero che sbuca vicino alla facoltà di ingegneria, dove avevo lasciato la mia auto.»

«E così è salita in macchina e ha raggiunto il commissariato di polizia?»

«No, ho continuato a correre per Lensfield Road e poi attraverso Parker's Piece. Non è molto distante.»

«Avrebbe potuto fare quel tragitto in macchina.»

«Sì, ha ragione.» Non cercò di difendersi in alcun modo. Si mise a fissare il quadro dei bambini pakistani. Fiamma si agitò lievemente sotto la sua mano, lasciandosi sfuggire un rumoroso sospiro. E lei, riscuotendosi, aggiunse: «Mi sentivo confusa, non riuscivo a pensare lucidamente. Ero già nervosa per il semplice fatto che mi ero decisa ad andare sull'isolotto per fare uno schizzo. Per fare uno schizzo, capisce? Per fare qualcosa che non ero più stata capace di fare per mesi e mesi. E quello era tutto per me. Così, quando ho scoperto il cadavere, non ho più riflettuto. Avrei dovuto controllare se la ragazza era ancora viva. Avrei dovuto cercare di aiutarla. Avrei dovuto tenermi sul sentiero lastricato. Avrei dovuto salire in macchina e guidare fino al commissariato di polizia. Lo so, avei dovuto fare un sacco di cose. Non ho scusanti, se non che sono stata colta dal panico. E mi creda, mi sento già abbastanza infelice e miserabile per questo!»

«Alla facoltà di ingegneria c'erano le luci accese?»

Lei si voltò a guardarlo, anche se i suoi occhi non riuscivano a metterlo a fuoco. Per un attimo diede l'impressione di voler ricordare un quadro preciso di ciò che era accaduto. «Le luci? Credo di sì, ma non ne sono sicura.»

«Come mai ha scelto proprio l'isolotto? Perché non ha pensato di rimanere qui a Grantchester per disegnare? Soprattutto vedendo quel nebbione!»

Il rossore si accentuò. E quasi se ne fosse accorta solo in quel momento, Sarah si portò una mano al colletto del camice e cominciò a giocherellare con la stoffa, fino a quando si decise ad abbottonarlo. «Non so come spiegarglielo, le ripeto che avevo scelto quel giorno, avevo già pianificato di andare sull'isolotto, e fare qualcosa di diverso da quelli che erano i miei piani mi sembrava un po' come ammettere la sconfitta e scappare. Non volevo farlo, non me la sentivo. Può sembrare patetico. Un comportamento ostinato e ossessivo, ma mi sentivo così.» Si alzò. «Venite con me», disse. «Del resto, c'è soltanto un modo perché possiate capire fino in fondo.»

Lasciandosi dietro la tazza di cioccolata e le sue bestiole, li precedette verso il retro della casa, dove spalancò una porta socchiusa e li fece entrare nel suo studio. Era un ampio locale luminoso con quattro lucernari rettangolari. Lynley si fermò un attimo prima di entrare e passò in rassegna tutto quanto conteneva, per cercare di capire in che modo e fino a che punto potesse servire da tacita conferma a quanto Sarah Gordon aveva detto fino a quel momento.

Alle pareti erano appesi enormi schizzi a carboncino – un torso umano, un braccio privo del corpo, due nudi allacciati, un viso maschile di tre quarti –, tutti studi preliminari che un artista esegue prima di affrontare un nuovo lavoro. Ma invece di servire da bozzetti, sotto di essi erano appoggiati almeno una ventina di quadri incompleti, una serie di progetti iniziati e poi scartati. Su un largo tavolo da lavoro era ammucchiata una massa di oggetti, gli strumenti di un artista: lattine da caffè piene di pennelli asciutti e puliti, simili a fiori di pelo di cammello; boccette di trementina, olio di semi di lino e coppale; una scatola di pastelli intatti; cinque o sei tubetti di colore, sui quali era stata incollata un'etichetta scritta a mano. C'era da aspettarsi che fosse un vero e proprio caos, con grumi di colore sul tavolo e boccettine e barattoli imbrattati da impronte di dita sudice, e tubetti dai quali colava un po' di colore. Invece tutto era sistemato con la stessa accuratezza e la stessa precisione di un museo, di quelli dedicati a un celebre autore.

Nell'aria non si avvertiva odore di pittura né di trementina. E sul pavimento non c'erano schizzi e disegni ammucchiati qua e là, in disordine, a dare l'impressione del fervore e dell'ispirazione e del rifiuto, altrettanto rapido e frettoloso, da parte dell'artista. Nessun quadro finito era in attesa di quella mano di smalto che l'avrebbe completato. Si intuiva soltanto che qualcuno entrava regolarmente in quel locale per pulirlo, perché il pavimento di legno di quercia sbiancato era lucido come se fosse stato sottovetro, e non si vedeva nemmeno la più piccola macchia di sporco o la minima traccia di polvere. Si notavano soltanto i segni dell'abbandono, e ovunque. Un solo cavalletto, proprio sotto uno dei lucernari, reggeva una tela coperta da uno straccio macchiato di pittura, e sembrava che non fosse stato toccato da chissà quanto tempo.

« Una volta questo era il centro del mio mondo », disse Sarah Gordon con semplicità, in tono rassegnato. « Lo capisce, ispettore? Volevo che tornasse a esserlo. »

Lynley si accorse che il sergente Havers si era spostata verso una delle pareti dove, al di sopra di un piano di lavoro, era stata sistemata una serie di scaffali stracolmi. C'erano cartoni di contenitori per le diapositive, album e blocchi da disegno con gli angoli stropicciati, scatole intatte di pastelli, un grosso rotolo di tele e una varietà di strumenti che andavano dalle spatole per la tavolozza a un paio di pinze per tendere la tela. Il piano di lavoro era coperto da una spessa lastra di cristallo con la superficie scabra e ruvida, che toccò guardinga con la punta delle dita, mentre sul suo viso appariva un'espressione interrogativa.

« Serve per macinare i colori », le spiegò Sarah Gordon. « Avevo l'abitudine di prepararmeli da sola. »

« Dunque lei è una purista », osservò Lynley.

E Sarah Gordon sorrise, con la stessa rassegnazione di prima. « Quando ho cominciato a dipingere – e bisogna andare indietro nel tempo di parecchi anni – il mio più grande desiderio era possedere ogni parte della mia opera. Volevo *essere* i miei quadri. Segavo e lucidavo personalmente il legno necessario a formare il riquadro di sostegno sul quale tendere le tele. Ecco fino a che punto intendevo essere pura! »

« E ha perduto quella purezza? »

« Alla lunga il successo corrode e rovina ogni cosa. »

« E lei il successo l'ha avuto. » Lynley si avvicinò alla parete alla quale erano appesi quei grandi disegni a carboncino, uno sull'altro. E cominciò a frugarci in mezzo. Un braccio, una mano, la linea di una mandibola, un volto. Quasi quasi gli veniva in mente la collezione reale di tutti gli studi di Leonardo da Vinci. Non c'era dubbio, Sarah Gordon aveva un grandissimo talento.

« In un certo senso, sì. Ho avuto successo. Ma questo, per me, ha sempre significato molto meno, comunque, della pace dello spirito. E, in conclusione, era proprio la pace dello spirito che stavo cercando ieri mattina. »

« E trovare Elena Weaver glielo ha impedito », osservò il sergente Havers.

Mentre Lynley stava esaminando i suoi disegni, Sarah si era avvicinata al cavalletto coperto fermandosi davanti a esso. Aveva alzato una mano per riaggiustarne quella specie di sudario di lino – forse con la speranza di impedire ai due visitatori di controllare fino a che punto la qualità della sua opera si fosse deteriorata – ma si fermò e disse, senza guardare nella loro direzione: «Elena Weaver?» La sua voce per un attimo sembrò stranamente incerta.

«La ragazza morta», disse Lynley. «Elena Weaver. La conosceva?»

Si voltò a guardarli. Mosse le labbra senza profferire alcun suono. E, dopo un attimo, bisbigliò: «Non posso crederci».

«Signorina Gordon?»

«Suo padre, Anthony Weaver, lo conosco.» A tentoni cercò l'alto sgabello di fianco al cavalletto e vi sedette. «Oh, mio Dio», aggiunse. «Povero Tony.» E come in risposta a una domanda che nessuno aveva ancora formulato, indicò con un ampio gesto il locale intorno a sé. «Era uno dei miei studenti. Fino agli inizi della primavera scorsa, quando ha cominciato a muoversi per ottenere la cattedra Penford.»

«Studenti?»»

«Sì, per un certo numero di anni ho dato lezioni di pittura qui, a casa mia. Adesso non lo faccio più, ma Tony... il professor Weaver veniva spesso, quasi sempre. Gli davo anche lezioni individuali. Sì, lo conoscevo. E per un certo periodo di tempo siamo stati anche molto intimi.» Le salirono le lacrime agli occhi, e sbatté le palpebre per ricacciarle indietro.

«Conosceva anche sua figlia?»

«In un certo senso, sì. Ci siamo viste parecchie volte, agli inizi del primo trimestre dell'anno scorso. La accompagnava qui da me perché mi facesse da modella.»

«Ma ieri non l'ha riconosciuta?»

«E come avrei potuto? Se non l'ho nemmeno vista in faccia.» Chinò il capo, sollevò rapida una mano e se la passò sugli occhi. «Questa cosa lo distruggerà. Era tutto per lui. Non gli avete ancora parlato? E come...? Ma certo che gli avete già parlato, cosa sto dicendo?» Sollevò la testa. «Sta bene?»

«Non è facile per nessuno accettare la morte di una figlia.»

«Ma Elena era più di una figlia per lui. Ripeteva sempre che era la sua speranza di redenzione.» Si guardò intorno; a poco a poco il suo viso assumeva un'espressione sempre più intensa di autodisprezzo. «E io ero qui – oh, povera piccola Sarah – a chiedermi se sarei mai stata capace di ricominciare a dipingere, se sarei mai riuscita a creare un'altra opera d'arte, se... E per tutto questo tempo Tony... Come si fa a essere più egoisti di così?»

«Non mi sembra che lei sia da criticare se sta cercando di riportare la sua carriera sulla strada giusta.»

Era il più razionale dei desideri, rifletté. Intanto meditava sulle opere che aveva visto appese nel soggiorno di Sarah. Una pittura limpida, dallo stile pulito. Chissà perché ci si aspettava qualcosa del genere in una litografia, ma sembrava straordinario che si riuscisse a raggiungere una tale purezza di linea e di dettaglio anche dipingendo a olio. Ogni immagine – un bambino che giocava con un cane, un venditore di castagne, stanco, che si riscaldava appoggiato al braciere, simile a un tamburo di metallo, un ciclista che pedalava furiosamente sotto la pioggia – indicava sicurezza e decisione in ogni pennellata. Cosa si doveva provare, si domandò Lynley, pensando di aver perduto l'abilità di produrre opere di un livello così eccellente? Come si faceva a interpretare il desiderio di riconquistare tale abilità come un atto di egoismo?

Gli sembrava strano che Sarah Gordon potesse pensarla così e, mentre li riconduceva verso la parte anteriore della casa, cominciò ad accorgersi di provare un vago senso di inquietudine riguardo a lei, la stessa inquietudine che aveva provato di fronte alla reazione di Anthony Weaver per la morte della figlia. C'era qualcosa in quella donna, nel suo comportamento e nelle sue parole, che lo costringeva a una pausa di riflessione. Non avrebbe saputo dire in modo preciso ciò che non lo convinceva del tutto, almeno a livello inconscio, eppure intuiva che c'era qualcosa, quasi una sensazione di déjà-vu. E un attimo dopo, fu Sarah stessa a dargli la risposta che cercava.

Mentre apriva la porta per farli uscire, Fiamma spiccò un salto fuori dalla sua cesta, cominciò ad abbaiare e si fiondò per il corridoio, smanioso di andar fuori a correre. Sarah si allungò e lo afferrò per il collare. E mentre compiva quel gesto, l'asciugamano le cadde dalla testa e folti riccioli umidi, di un intenso color caffè, le scivolarono giù per le spalle.

Lynley rimase a fissare quell'immagine con gli occhi sbarrati. Erano i capelli e il profilo che lo avevano colpito, ma soprattutto i capelli. Si trattava della donna che aveva visto la sera prima alla Ivy Court.

Un attimo dopo aver chiuso a chiave la porta, Sarah si avviò verso il bagno. Senza fiato, superò di corsa il soggiorno e la cucina. Fece appena in tempo a raggiungere la tazza del bagno. Vomitò. Le pareva di sentirsi torcere lo stomaco come prima, quando quella cioccolata dolce e calda, adesso acida, le aveva scottato la gola. E quando tentò di respirare, le risalì fin nel naso. Tossì, provò un nuovo conato e vomitò ancora. Intanto un sudore gelido le copriva la fronte. Le sembrò che il pavimento sprofondasse e le pareti ondeggiassero. Di colpo, chiuse gli occhi, stringendo con forza le palpebre.

Alle sue spalle sentì un sommesso guaito di solidarietà. Poi qualcosa che le toccava una gamba. Infine una testa pelosa le si posò su una delle braccia protese, e un alito caldo le salì verso la guancia.

«Non preoccuparti, Fiamma», gli disse. «Sto bene. Non preoccuparti. Hai portato anche Seta con te?»

Sarah ridacchiò al pensiero di un eventuale cambiamento improvviso nella personalità di Seta. Come assomigliavano alle persone, i gatti! La pietà e la comprensione non erano certo il loro forte. I cani, invece, erano differenti.

Allungò alla cieca una mano in direzione del bastardino e si voltò verso di lui. Sentì i colpi della coda contro il muro. Il cane le leccò il naso. Rimase colpita dal pensiero che a Fiamma non importava chi lei fosse, che cosa avesse fatto o cercato di creare, nemmeno se fosse riuscita a dare un singolo, duraturo contributo alla vita. A Fiamma non importava che lei non sarebbe riuscita mai più ad avvicinare un pennello a una tela. In questo c'era una grande consolazione. Voleva approfittarne. Si sforzò di convincersi che non sarebbe mai più stata costretta a fare qualcosa.

Anche l'ultimo conato di vomito cessò. Per quanto non completamente, le si calmò lo stomaco. Si alzò, andò al lavabo a sciacquarsi la bocca e, alzando la testa, colse la propria immagine riflessa nello specchio.

Si portò una mano alla faccia, si tracciò la linea della fronte, delle rughe incipienti che dal naso scendevano agli angoli della bocca, la matrice di quelle altre, piccole e sottili, che assomigliavano un po' a cicatrici, appena al di sotto della mandibola. Aveva solo trentanove anni, ma ne dimostrava cinquanta, come minimo. E quel che era peggio, se ne sentiva sessanta. Diede le spalle a quella immagine.

In cucina, si fece scorrere l'acqua sui polsi fino a quando li sentì ghiacciati. Poi bevve dal rubinetto, si deterse il viso e se lo asciugò con uno strofinaccio giallo. Pensò se fosse il caso di lavarsi i denti o cercare di dormire un poco, ma le parve che fosse troppo faticoso salire le scale fino alla sua camera e ancor più fastidioso spalmare il dentifricio su uno spazzolino e passarselo tutt'intorno alla bocca. Invece tornò in salotto, dove il fuoco continuava ad ardere e Seta era sempre placidamente accovacciato di fronte a esso, contento, soddisfatto, concentrato solo su se stesso. Fiamma la seguì, accomodandosi di nuovo nella sua cesta, dalla quale rimase a osservarla gettare altra legna sul fuoco. Sarah si accorse che, sotto quel pelo folto e ispido, aveva raggrinzito la pelle del muso, assumendo quella che lei considerava un'espressione di perplessità e di preoccupazione; le pupille sembravano due brillanti grezzi.

« Sto bene », lo rassicurò. « Sul serio. È vero. »

Ma il cane non sembrò convinto. In fondo, sapeva la verità, perché ne era stato testimone per la massima parte, e lei gli aveva raccontato il resto, quindi saltò fuori dalla cesta, le girò intorno ben quattro volte e si strusciò nella sua coperta, nascondendosi fra le pieghe del tessuto. Chiuse le palpebre all'istante.

« Bravo », gli disse. « Cerca di dormire un po'. » E fu grata che almeno lui ci riuscisse.

Per distrarsi dall'insonnia e da ciò che le impediva di dormire, andò alla finestra. Sembrava che a ogni passo con cui si allontanava dal focolare, la temperatura nella stanza scendesse di dieci gradi. E pur sapendo che non era possibile, si strinse le braccia intorno al corpo. Guardò fuori.

L'automobile era ancora lì. Metallizzata, la forma snella e allungata, luccicava lievemente al sole. Per la seconda volta si domandò se quei due fossero davvero della polizia. In un primo momento, quando aveva aperto la porta per farli entrare, si era convinta che fossero venuti a chiederle di vedere i suoi quadri. Una cosa, questa, che non succedeva da un sacco di tempo, e comunque mai senza un appuntamento. Eppure le era sembrata l'unica spiegazione possibile per la comparsa di due estranei a bordo di una Bentley. Erano una coppia male assortita: l'uomo era alto, di una bellezza piuttosto raffinata, molto ben vestito, e si capiva dalla voce che aveva studiato in una scuola privata d'alto livello; la donna, invece, era tracagnotta, scialba e bruttina, un corpo che pareva messo insieme a casaccio, più o meno come se lo sentiva lei, e l'accento tradiva umili origini. Per qualche minuto ancora, dopo che avevano dichiarato esplicitamente chi fossero, Sarah aveva continuato a considerarli marito e moglie. Così, era più facile conversare con loro.

Ma qualsiasi fosse stata la sua versione dei fatti, non le avevano creduto. Lo aveva letto in faccia a entrambi. E poteva forse biasimarli per questo? Per quale motivo avrebbero dovuto credere che una persona come lei si fosse precipitata attraverso Coe Fen nella nebbia invece di tornare indietro, e il più in fretta possibile, dalla stessa parte dalla quale era arrivata? Per quale motivo chiunque avesse appena scoperto un cadavere sarebbe dovuto passare, correndo all'impazzata, di fianco alla propria automobile e continuare fino al commissariato di polizia invece di mettersi al volante? Non aveva un senso logico, lo sapeva fin troppo bene. E anche loro.

Ecco perché la Bentley era ancora parcheggiata di fronte a casa sua. I due poliziotti, però, non si vedevano. Probabilmente stavano interrogando i vicini per avere una conferma della sua versione dei fatti.

«Non pensarci, Sarah.»

Si impose di staccarsi dalla finestra e tornò nello studio. Su un tavolo vicino alla porta c'era la segreteria telefonica, su cui lampeggiava una piccola luce rossa intermittente: aveva un messaggio. La fissò per un momento con gli occhi sgranati, poi si ricordò che aveva sentito suonare il telefono mentre stava parlando con la polizia. Premette il pulsante.

«Sarah, tesoro, devo assolutamente vederti. So di non avere il diritto di chiedertelo. Non mi hai perdonato. Non lo merito. Non lo meriterò mai. Ma ho bisogno di vederti. Ho bisogno di parlarti. Sei l'unica che mi capisce davvero, che mi conosce, che ha la compassione e la tenerezza che...» L'uomo cominciò a piangere. «Sono rimasto con la macchina parcheggiata di fronte a casa tua domenica, quasi tutta la sera. Ti vedevo dalla finestra. E io...

sono venuto, ma non ho avuto il coraggio di arrivare fino alla porta. E adesso... Sarah. Ti prego. Elena è stata assassinata. Ti prego, accetta di vedermi. Per favore. Telefonami al college. Lascia un messaggio. Farò qualsiasi cosa. Ti supplico, accetta di vedermi. Te ne prego in ginocchio. Ho bisogno di te, Sarah.»

Inebetita, rimase in ascolto fino a quando la registrazione cessò e l'apparecchio si spense da solo. Cerca di provare qualcosa, si disse. Ma il suo cuore rimase muto. Si portò il dorso della mano alla bocca. Ve lo schiacciò contro e lo morse con forza. E poi lo morse di nuovo, una seconda e una terza volta e una quarta, fino a quando le arrivò in bocca il vago sapore salato del suo sangue e non più quello del gesso e della lozione per la pelle. Si costrinse a far affiorare nella sua mente un ricordo. Uno qualsiasi, non aveva importanza quale. Doveva semplicemente servire come barriera per impedire che quei pensieri che sapeva di non avere il coraggio di affrontare le si affollassero nel cervello.

Douglas Hampson, il suo fratellastro diciassettenne. Voleva che la notasse. Che le parlasse. Lo voleva, e basta. Quella baracca polverosa, che puzzava di muffa, in fondo al giardino dei genitori a King's Lynn, dove perfino l'odore salmastro del mare non riusciva a soffocare quello del letame, del terriccio umido intorno alle radici di una pianta, del concime. Ma a loro due importava? Lei aveva l'angoscioso bisogno di ricevere approvazione e affetto dagli altri. Lui era smanioso di farlo, perché aveva diciassette anni e, se fosse tornato a scuola senza essersi scopato una ragazza e poterne parlare con i compagni, se ne sarebbe vergognato da morire.

Avevano scelto una giornata in cui il sole batteva spietato sulle strade, sui marciapiedi, e soprattutto sul vecchio tetto di lamiera della baracca. L'aveva baciata con la lingua e, mentre lei si chiedeva se quello era fare l'amore, perché aveva soltanto dodici anni e ignorava del tutto ciò che gli uomini e le donne facevano con quelle parti dei loro corpi così diverse l'una dall'altra; prima le aveva tolto i calzoncini e, poi, sbrigativo, le aveva fatto scivolare giù le mutandine dalle gambe, mentre ansimava per tutto il tempo come un cane che ha appena finito di fare una corsa pazza.

Tutto era finito in fretta. Lui ce l'aveva già duro, moriva dalla voglia, ma lei non era neanche pronta, così non aveva provato il benché minimo piacere, ricordava soltanto il sangue, un senso di soffocamento e un dolore lacerante. Al momento dell'orgasmo, Douglas aveva soffocato una specie di gemito.

Subito dopo si era rialzato, ripulendosi con le sue mutandine prima di lanciargliele. Poi si era tirato su la lampo dei jeans e aveva detto: « In questo posto c'è puzza di merda. Non resisto, devo uscire subito ». E se n'era andato.

Non aveva risposto alle sue lettere. E aveva reagito soltanto con un prolungato mutismo alle sue telefonate a scuola quando, in lacrime, lo annoiava con le sue dichiarazioni d'amore. Naturalmente, non era affatto innamorata di lui, ma si era convinta di esserlo, perché, in caso contrario, nient'altro avrebbe potuto farle accettare quella distratta e noncurante invasione del proprio corpo che aveva subito senza protestare in un pomeriggio d'estate.

Adesso, nello studio, Sarah si allontanò dalla segreteria telefonica. Come barriera, non avrebbe potuto scegliere niente di meglio che riesumare Douglas Hampson dall'abisso delle memorie. Lui adesso la desiderava. A quarantaquattro anni, dopo essere stato sposato per venti, faceva l'assicuratore e stava avviandosi abbastanza in fretta alla classica crisi di mezza età. E adesso la desiderava.

Su, dai, Sarah, le avrebbe detto quando si fossero incontrati per il pranzo, come facevano spesso. Non posso stare qui seduto a guardarti e fingere che non ti desidero. Su, dai. Facciamolo.

Siamo amici, gli avrebbe risposto lei. Sei mio fratello, Doug.

Oh, che vada a farsi fottere la storia del fratello. Quella volta non la pensavi così.

E allora lei gli avrebbe sorriso teneramente, perché adesso gli era affezionata, e avrebbe cercato di non spiegargli quanto gli era costata *quella volta.*

Ma il ricordo di Douglas non era abbastanza. A dispetto delle sue intenzioni, attraversò lo studio avvicinandosi al cavalletto coperto e scrutò con attenzione il ritratto che aveva cominciato tantissimi mesi prima e che aveva intenzione di trasformare in una specie di compagno per quell'altro. Nella sua idea, doveva essere un regalo di Natale per lui. E ancora non sapeva che non ci sarebbe stato alcun Natale per loro.

Era proteso un po' in avanti, come era abituata a vederlo spesso, un gomito su un ginocchio, gli occhiali che gli penzolavano dalle dita. Il viso era illuminato da quell'entusiasmo che lo trasformava sempre, ogni volta che si metteva a parlare di arte. Teneva la testa inclinata da un lato, e pareva colto nell'atto di mettere in discussione un dettaglio prezioso della composizione; aveva l'aria infantile e felice, quella di un uomo che per la prima volta sa di vivere intensamente la propria vita.

Non indossava il classico completo a tre pezzi, ma un camice da lavoro macchiato qua e là di pittura, con il colletto rialzato a metà e un polsino scucito. E come succedeva spesso quando lei gli andava vicino, per esaminare più attentamente il modo in cui la luce gli illuminava i capelli, lui si era allungato e l'aveva presa e attirata a sé, ridendo per le sue proteste che, tutto sommato, non erano poi nemmeno tanto convinte, mentre la stringeva fra le braccia. La bocca sul collo di lei, le mani sul suo seno... Si spogliarono, il quadro era là, dimenticato. E il modo in cui l'aveva guardata, esaltando la bellezza del suo corpo, con gli occhi negli occhi in ogni momento dell'atto che stavano compiendo. E la sua voce e quel sussurro: « Oddio, *mio caro amore...* »

Sarah si sforzò di lottare contro l'intensità dei ricordi, cercando di determinare il valore del dipinto come pura e semplice opera d'arte. Meditò di terminarlo, accarezzò l'idea di una mostra, cercò un mezzo per stendere i colori sulla tela e dar loro un significato che andasse oltre quello che poteva essere soltanto un accurato esercizio tecnico da principiante. Dopotutto, non le sarebbe stato difficile riuscirci. Era una pittrice, sì o no?

Si protese verso il cavalletto. Le tremavano le mani. Le tirò indietro, stringendole forte, a pugno.

Ma pur cercando di impegnare il proprio cervello con altri pensieri, il corpo continuava a tradirla. A dispetto di tutto, non sembrava disposto a rinnegare ciò che aveva fatto.

Riguardò la segreteria telefonica, riascoltò la voce e la supplica di lui.

Ma le mani continuavano a tremarle. E pareva che le gambe non riuscissero più a sorreggerla.

Quanto al cervello, poi, fu costretto ad accettare ciò che il corpo gli stava rivelando. Ci sono cose ben peggiori che scoprire un cadavere.

8

Lynley aveva appena iniziato il suo tortino di carne, quando il sergente Havers entrò nel pub. Fuori, la temperatura aveva cominciato a scendere e si stava alzando il vento, quindi la donna aveva preso tutte le precauzioni del caso, avvolgendosi per ben tre volte una delle sciarpe intorno alla testa e coprendosi bocca e naso con l'altra. Sembrava un bandito arrivato dall'Islanda.

Si soffermò all'ingresso, passando in rassegna la gran folla di avventori chiassosi dell'ora di pranzo seduti sotto la collezione di zappe, falci e forconi antichi che decoravano le pareti del locale. Quando vide Lynley, lo salutò con un cenno del capo e si diresse verso il bancone dove, dopo essersi tolta sciarpe e cappotto, ordinò e si accese una sigaretta. Poi, con un'acqua tonica in una mano e un pacchetto di patatine fritte all'aceto nell'altra, si fece strada fra i tavoli e lo raggiunse nell'angolo. La sigaretta, quasi consumata, le penzolava tra le labbra.

Lasciò cadere i vestiti accanto a lui, sulla panca, e si accasciò sulla sedia che gli stava di fronte. Poi lanciò un'occhiata di irritazione alla cassa dello stereo, che si trovava proprio sopra di loro e da cui, in quel momento, usciva *Killing Me Softly* di Roberta Flack a un volume insopportabile. La Havers non amava quei viaggi musicali a ritroso nel tempo.

Tra il baccano prodotto dalla musica, dalla gente che parlava e dal tintinnio di piatti e bicchieri, Lynley osservò: « È meglio dei Guns and Roses, non trova? »

« Be', di poco », ribatté lei. E con i denti aprì il pacchetto di patatine fritte e trascorse alcuni minuti a ruminare, mentre il fumo della sigaretta si levava in lente volute verso la faccia di Lynley.

Lui la guardò con espressione eloquente. « Sergente... »

La Havers aggrottò le sopracciglia. « Quanto vorrei che ricominciasse a fumare! Andremmo molto più d'accordo se si decidesse a farlo. »

«E io che ci vedevo marciare felicemente sottobraccio verso la pensione!

«Alla pensione ci arriviamo, ma felicemente... non saprei.» Spostò il portacenere da un lato, e il fumo cominciò a fluttuare in direzione di una donna con i capelli blu e sei vistosi peli sul mento. Dal tavolo che divideva con un corgi asmatico e senza una zampa e un signore in condizioni appena migliori, incenerì la Havers guardandola da sopra il bordo del suo bicchiere di bitter col gin.

«E allora?» le domandò Lynley.

Si tolse un pezzettino di tabacco dalla punta della lingua. «La versione dei fatti data dalla Gordon concorda pienamente con quella di due vicini. La donna che abita nella casa accanto...» Frugò nella borsa in cerca del block-notes e lo aprì di scatto «Ah, sì... una certa signora Stamford – la moglie di *Hugo* Stamford, ha insistito nel ripetermi, e me lo ha sillabato forse perché aveva paura che io fossi una mezza analfabeta – l'ha vista caricare la macchina più o meno verso le sette di ieri mattina. E pare che avesse una gran fretta, ha detto la signora Stamford. E doveva anche essere preoccupata per qualche motivo perché, quando è uscita a ritirare la bottiglia del latte, l'ha salutata a gran voce, ma Sarah non l'ha nemmeno sentita. Poi...» Girò il blocco per leggere quello che ci aveva scritto di sbieco. «C'è un tale Norman Davies che abita proprio sull'altro lato della strada. Anche lui l'ha vista passare a tutta birra in automobile intorno alle sette. Se ne ricorda perché il suo collie stava facendo i suoi bisogni sul marciapiede invece che per strada, dunque era agitatissimo. Non voleva che Sarah sospettasse che se ne infischiava di tutto e di tutti e permetteva al signor Jeffries – questo sarebbe il nome del cane – di sporcare il marciapiede. E poi ha cominciato a criticarla, ed è andato avanti un bel pezzo, tanto per cominciare perché aveva tirato fuori la macchina. Non le faceva bene, ha cercato di dirmi in tutti i modi. Bisogna che ricominci a camminare. È stata sempre una gran camminatrice. Cos'era successo a quella ragazza? Come mai adesso andava in auto? A proposito, la sua Bentley non gli piace granché. Ha fatto un mezzo sogghigno e poi ha osservato che di sicuro il proprietario era uno di quelli che costringono il nostro paese a servirsi dei pozzi di petrolio in mano agli arabi, dimenticandosi che esistono anche quelli del mare del Nord. Un chiacchierone che non le dico! Mi considero fortunata a essere riuscita a squagliarmela prima dell'ora del tè.»

Lynley fece un cenno di assenso, ma non rispose. «Cos'è successo?» gli domandò la collega.

«Havers, non sono sicuro.»

Non aggiunse altro, e nel frattempo una ragazzina vestita come una delle lattaie di *Tess dei d'Ubervilles*, serviva il pranzo al sergente Havers – merluzzo, piselli e patate fritte innaffiate di aceto – che le chiese, squadrandola: «Ma tu non dovresti essere a scuola?»

«Dimostro meno della mia età», rispose lei. Sulla narice destra portava un orecchino con un immenso granato.

La Havers grugnì. «Sarà...» disse, e si avventò sul pesce. La cameriera si dileguò, facendo svolazzare gonna e sottoveste, e la Havers riprese, riferendosi all'ultimo commento del suo capo: «Non mi piace affatto sentirle dire così, ispettore. Ho la sensazione che lei si sia fissato su Sarah Gordon». Alzò gli occhi da quello che aveva nel piatto, come se pendesse dalle sue labbra per avere una risposta. E vedendo che taceva, aggiunse: «Suppongo che la colpa sia tutta di quella storia su santa Cecilia. Dal momento che ha scoperto che la Gordon è un'artista, ha stabilito che è stata lei, inconsciamente, a dare al cadavere quella posizione».

«No. Non si tratta di questo.»

«E allora, di che cosa?»

«Sono sicuro di averla vista ieri sera al St Stephen's College. E non riesco a spiegarmene la ragione.»

La Havers posò la forchetta. Bevve qualche sorso di acqua tonica e si ripulì le labbra, sfregandole energicamente con un tovagliolino di carta. «Oh, questa sì che è una notiziola interessante. E dov'era?»

Lynley le descrisse la donna che era emersa dalle ombre del cimitero mentre guardava fuori dalla finestra della sua camera. «Non sono riuscito a vederla bene», dovette confessare. «Ma i capelli sono gli stessi. E anche il profilo. Sarei pronto a giurarlo.»

«E cosa vuole che sia venuta a fare da quelle parti? La sua camera, ispettore, non è per niente vicino a quella di Elena Weaver, vero?»

«No. La Ivy Court è riservata ai professori. Per la maggior parte lì hanno il loro studio, sbrigano il loro lavoro e convocano gli allievi di cui sono supervisori.»

«In tal caso, perché mai avrebbe...?»

«Il mio sospetto è che anche l'alloggio di Anthony Weaver sia lì, Havers.»

«E con questo?»

«In quel caso – e mi riprometto di controllarlo nel pomeriggio – secondo me era andata a cercarlo.»

La Havers infilzò con la forchetta una generosa porzione di patatine fritte e di piselli, se la infilò in bocca e, prima di rispondere, cominciò a masticare con aria pensierosa. «Ma in questo momento, ispettore, non stiamo facendo quel che si definisce un salto quantico? Cioè, non stiamo saltando direttamente dalla A alla Z, quando ancora non sappiamo niente delle ventiquattro lettere in mezzo?»

«Chi altri sarebbe andata a cercare?»

«Non potrebbe trattarsi di qualsiasi altra persona del college? E meglio ancora, come escludere la possibilità che non si trattase di Sarah Gordon, ma di un'altra donna con i capelli neri? Per quanto ne sa, se non fosse passata sotto quel lampione, poteva essere Lennart Thorsson. Il colore dei capelli non sarà quello giusto, però ne ha a sufficienza non per una, ma addirittura per due donne!»

«Ma quella persona non voleva essere vista, si capiva chiaramente. E anche se si fosse trattato di Thorsson, per quale motivo avrebbe dovuto cercare di nascondersi e fare tutto in modo così furtivo?»

«E la Gordon, allora?» Barbara Havers tornò a concentrarsi sul pesce che aveva nel piatto. Ne mise in bocca un pezzo, lo masticò e poi puntò la forchetta in direzione di Lynley. «E va bene, voglio darle il beneficio del dubbio, proverò ad accontentarla. Voglio stare al suo gioco. Ammettiamo pure che lo studio di Anthony Weaver sia lì, da quelle parti. E che Sarah Gordon sia andata a trovarlo. Ha detto che era stato suo studente, quindi sappiamo che lo conosceva. E lo chiamava Tony, quindi possiamo anche aggiungere che lo conosceva bene. Del resto, lo ha ammesso lei stessa. Ma arrivati a questo punto, che cosa abbiamo in mano? Sarah Gordon che va a offrire a un suo ex studente, a un amico, qualche parola di conforto per la morte della figlia.» Posò la forchetta sul bordo del piatto e gli propose subito un'alternativa a quelle che erano state le sue stesse argomentazioni. «Peccato non sapesse che gli era morta la figlia. Né che il cadavere da lei stessa scoperto fosse quello di Elena Weaver fino a quando non glielo abbiamo detto noi stamattina.»

«E anche se avesse saputo chi era la vittima e, per qualche motivo, ci avesse mentito, se voleva fare le condoglianze a Weaver, perché non è andata a cercarlo a casa?»

La Havers infilzò con la forchetta una patatina fritta impregnata di aceto.

«E va bene. Proviamo a cambiare la storia. Forse Sarah Gordon e Anthony – anzi, *Tony* – Weaver andavano a letto insieme regolarmente. Sono cose che succedono, lo sa anche lei. La passione per l'arte li ha condotti a una passione d'altro genere. Il lunedì sera avevano combinato di vedersi, ecco il motivo di quel comportamento così furtivo e misterioso. Lei non sapeva che la ragazza uccisa sull'isolotto era Elena Weaver, e quindi lo ha raggiunto per farsi la solita scopata. Tutto considerato, è abbastanza probabile che Weaver non abbia avuto la presenza di spirito per telefonarle e annullare l'appuntamento, così è salita da lui, nel suo alloggio – sempre che sia lì – e si è accorta che non c'era.»

«Ma se avevano combinato di vedersi, non sarebbe stato logico che lo avesse aspettato almeno qualche minuto? E, cosa ancora più importante, possibile che non avesse una copia della chiave per entrare?»

«Come fa a sapere che non ce l'aveva?»

«Perché è entrata e uscita in meno di cinque minuti, sergente. Anzi, direi che, al massimo, sono stati due minuti, non di più. E secondo lei aveva il tempo di aprire la porta con la sua chiave, aspettare per un po' l'amante e poi andarsene? Inoltre, mi vuole dire perché, tanto per cominciare, dovevano proprio trovarsi nel suo alloggio presso l'università? Lui stesso ha dichiarato che ci va spesso a lavorare anche un suo specializzando. E a parte questo, fa parte della rosa ristrettissima dei candidati a una prestigiosa cattedra di storia, e non riesco a pensare coma possa correre il rischio di mettere in pericolo quella nomina combinando incontri amorosi con una donna che non è sua moglie proprio all'interno del college. Di fronte a situazioni di questo genere, le commissioni incaricate di selezionare i candidati sono sempre un po' pignole e di mentalità ristretta. Se si tratta davvero di una storia d'amore, per quale motivo Weaver non poteva andare lui a trovarla a Grantchester?»

«Che cosa mi sta dicendo, ispettore?»

Lynley mise da parte il piatto che aveva davanti. «Quante volte è capitato che, a scoprire il cadavere, sia stato proprio l'assassino che cercava di confondere le idee e di nascondere le proprie tracce? Spesso, vero?»

«Tanto quanto si scopre che l'assassino è uno di famiglia, più o meno.» La Havers infilzò un altro pezzo di pesce con la forchetta, vi aggiunse un paio di patatine fritte e scrutò il suo capo con astuzia. «Forse sarebbe meglio se mi spiegasse con esattezza dove vuole andare a parare! Perché i suoi vicini di casa ci hanno appena fornito le prove che Sarah Gordon è esente da qualsiasi sospetto, nonostante quello che possa dire lei. Inoltre, se ho capito in quale direzione vuole condurre le indagini, comincio a provare uno strano senso di disagio. Non so se mi spiego.»

Sì, Lynley aveva capito. E la Havers aveva tutti i motivi per mettere in dubbio la sua obiettività. Cercò di giustificare i suoi sospetti nei confronti della pittrice. «Sarah Gordon trova il cadavere. La sera stessa si presenta nella stanza di Weaver all'università. È una coincidenza che non mi piace affatto.»

«Quale coincidenza? E perché dev'essere proprio una coincidenza? Magari è andata a cercare Weaver per altri motivi. Magari voleva convincerlo a riprendere le lezioni, perché l'arte è tutto per lei. Chissà, forse voleva che diventasse tutto anche per lui.»

«Perché nascondersi, allora?»

«Questo lo dice lei, ispettore! Vista la nebbia, magari cercava solo di trovare un po' di calduccio.» La Havers appallottolò il sacchetto delle patatine fritte e cominciò a rigirarselo sul palmo della mano. Aveva l'aria preoccupata e, nello stesso tempo, si capiva che cercava con ogni mezzo di non darlo a vedere. «Secondo me, ha preso una decisione frettolosa», azzardò. «E mi domando perché. Ascolti, anch'io oggi ho osservato Sarah Gordon con attenzione. È bruna, esile, attraente. E mi ha ricordato qualcuno. Mi domando se anche lei ha pensato la stessa cosa.»

«Havers...»

«Ispettore, mi ascolti. Esamini i fatti. Sappiamo che Elena è uscita a correre alle sei e un quarto. Ce l'ha detto la matrigna e ce lo ha confermato il portiere. Sarah ha dichiarato di essere uscita di casa intorno alle sette, e i vicini l'hanno confermato. Il rapporto della polizia ci dice che si è presentata al commissariato per denunciare la scoperta del cadavere alle sette e venti. E allora, per favore, ripensi a ciò che sta insinuando, vuole? Prima di tutto, e chissà per quale motivo, benché abbia lasciato lo St Stephen's alle sei e un quarto, Elena Weaver ci ha messo ben tre quarti d'ora per coprire la distanza fra il college e il Fen Causeway – cosa sarà in tutto, meno di un chilometro e mezzo? Secondo, quando è arrivata lì, per motivi ignoti, Sarah Gordon le ha fracassato la faccia con un oggetto del quale è riuscita a liberarsi, poi l'ha strangolata e infine ne ha coperto il cadavere di foglie, ha vomitato e infine si è precipitata al commissariato per sviare le indagini. E tutto in poco più di un quarto d'ora. E non ci siamo nemmeno chiesti *perché*. Perché avrebbe dovuto ucciderla? Quale accidenti poteva essere il movente? E dire che è lei a farmi sempre un sacco di storie sul movente, i mezzi e l'occasione, ispettore! A questo punto, provi un po' a spiegarmi che c'entra Sarah Gordon con tutto questo.»

No, Lynley non avrebbe saputo farlo. Come non poteva dimostrare che quanto accaduto fosse un'improbabile coincidenza a conferma di un'inequivocabile colpevolezza. Infatti, tutto ciò che Sarah Gordon aveva raccontato sul perché era andata sull'isolotto, aveva un fondo di verità. E poi, considerato l'alto livello delle sue opere, sembrava comprensibile che fosse dedita anima e corpo alla propria professione. Di fronte a una situazione del genere, Lynley si impose di meditare seriamente sulle domande azzeccate che gli aveva posto il sergente Havers.

Avrebbe voluto ribattere che la somiglianza fra Sarah Gordon e Helen Clyde era solo superficiale: avevano entrambe i capelli e gli occhi scuri e le pelle chiara, ed erano snelle. Ma non poteva negare di essere stato attirato da lei anche per altre affinità: il modo di parlare sincero e diretto, la disponibilità a esaminare se stessa, l'impegno a una continua evoluzione della propria personalità, la capacità di stare da sola. Eppure, dietro a tutto questo c'era un senso di paura, di vulnerabilità. Non voleva credere che i suoi problemi con Helen sfociassero ancora una volta in una specie di miopia professionale in cui procedeva ostinato, non per scaricare le colpe sull'uomo di turno con cui Helen andava a letto, ma per concentrarsi su una persona sospetta verso la quale si sentiva inconsciamente attirato per motivi che non avevano nulla a che vedere con il caso di cui si stava occupando, mentre al contempo ignorava tutti i segnali che gli indicavano di percorrere un'altra strada. Comunque, fu costretto ad ammettere che le osservazioni del sergente Havers sull'arco di tempo in cui il delitto era stato commesso annullavano qualsiasi sospetto nei confronti di Sarah Gordon.

Sospirò, sfregandosi gli occhi. E si domandò se era proprio lei la donna che aveva visto. Pochi minuti prima di accostarsi alla finestra stava pensando a Helen. Non poteva averla trasportata con la propria immaginazione dai Bulstrode Gardens alla Ivy Court?»

La Havers si mise a frugare nella borsa e tirò fuori un pacchetto di Players, che poi buttò sul tavolo. Invece di accendersene una, lo guardò dritto in faccia.

«Il candidato più probabile è Thorsson», concluse. E quando Lynley fece per parlare, lo zittì: «La prego, mi ascolti, ispettore. Lei sta dicendo che il movente di Thorsson è fin troppo chiaro. Benissimo. In tal caso, provi ad applicare la stessa obiezione a Sarah Gordon. La sua presenza sulla scena del delitto, ampiamente confessata, è fin troppo ovvia. Ma se proprio vogliamo puntare su uno di loro, magari anche solo per il momento, io scelgo l'uomo. Voleva Elena, ma lei lo ha respinto e denunciato. E allora mi vuole spiegare perché lei, invece, punta tutto sulla Gordon?»

«Non è così. O perlomeno non proprio. Non mi torna la coincidenza dei suoi rapporti con Weaver, però.»

«Benissimo, come vuole. Intanto io proporrei di tenere d'occhio Thorsson almeno fintanto che non abbiamo un buon motivo per non farlo. Cioè, potremmo verificarne gli spostamenti con i vicini di casa e vedere se qualcuno l'ha notato sgattaiolare via al mattino presto. O rientrare, che è la stessa cosa. Poi vediamo se l'autopsia ci offre qualche altro appiglio. E cosa ci dice quell'indirizzo di Seymour Street.»

Era una rigorosa indagine poliziesca, e rivelava l'esperienza della Havers. «D'accordo», le rispose Lynley.

«Ah, si arrende così, senza discutere? E perché?»

«Se ne occupi di persona.»

«E lei, invece?»

«Io voglio vedere se Weaver ha una stanza al St Stephen's.»

«Ispettore...»

Lynley prese una sigaretta dal pacchetto, gliela offrì e le accese un fiammifero. « Si chiama compromesso, sergente », le disse. « Su, fumi. »

Quando spalancò il cancello in ferro battuto all'entrata sud della Ivy Court, Lynley si accorse che una coppia di sposi e i loro invitati stavano posando per i fotografi in mezzo alle tombe dell'antico cimitero della St Stephen's Church. Era un gruppetto curioso: la sposa era di un candore spettrale, anche in faccia, e aveva in testa una specie di ramo di ligustro; la madrina era avvolta in un mantello rosso sangue e il testimone dello sposo assomigliava a uno spazzacamino. Soltanto lo sposo indossava un tradizionalissimo tight, ma fugava ogni preoccupazione di eccessivo conformismo bevendo champagne da uno stivale da cavallerizzo che, a quel che sembrava, aveva sfilato a uno degli invitati. Il vento sferzava gli abiti dei convenuti, facendoli svolazzare senza pietà, ma il gioco dei colori – bianco, rosso, nero e grigio – sullo sfondo del viscido verde lichene delle antiche lastre tombali in ardesia aveva un suo fascino suggestivo.

Evidentemente non doveva essere sfuggito neppure al fotografo, il quale, scattando una foto dopo l'altra, continuava a gridare: « Fermo, Nick. Sì, brava, rimani così come sei, Flora. Benone. Sì. Perfetto ».

Flora, pensò Lynley con un sorriso. Non c'era da meravigliarsi che avesse un cespuglio fiorito in testa.

Si insinuò dietro un mucchio di biciclette cadute l'una sull'altra e attraversò il cortile, dirigendosi verso la porta dentro cui aveva visto scomparire quella donna, la sera prima. Seminascosta da un groviglio di tralci d'edera, una targa, ancora chiara e leggibile perché scritta a mano, era appesa al muro proprio sotto una luce. Vi si leggevano tre nomi. Lynley si sentì inondare da una breve e improvvisa sensazione di trionfo, quella che si prova ogni volta che il nostro intuito trova conferma nei fatti. Il primo nome era quello di Anthony Weaver.

Quanto agli altri, ne riconobbe uno soltanto. *A. Jenn* doveva essere lo specializzando di Weaver.

E in effetti fu proprio Adam Jenn che trovò nello studio di Weaver quando salì le scale fino al primo piano. Dalla porta socchiusa si intravedeva una specie di piccolo vestibolo buio e triangolare, da cui si aprivano un minuscolo cucinino, una camera da letto più ampia e lo studio vero e proprio. Lynley udì un suono di voci provenire dallo studio – un uomo che faceva domande e una donna che rispondeva sommessa – quindi colse l'occasione per dare una rapida occhiata alle altre due camere.

A destra, entrando, il cucinino era ben attrezzato con un fornello, un frigorifero e tutta una serie di armadi e armadietti con le antine di vetro che occupavano una parete intera e contenevano pentole e vasellame, oltre a vari utensili da cucina. Frigorifero e fornello a parte, sembrava tutto nuovo di zecca, dal forno luccicante a microonde, alle tazze, ai piatti e ai piattini. I muri erano stati dipinti di recente, e l'aria odorava di fresco, come di borotalco; subito rintracciò la fonte di quel profumo in un deodorante da interni appeso a un gancio dietro la porta.

Era intrigato dalla perfezione di quel cucinino, così in contrasto con quello che immaginava essere l'ambiente in cui Anthony Weaver lavorava, considerate le condizioni del suo studio a casa. Incuriosito, pensò di controllare se il professore avesse lasciato il proprio marchio in qualche altro posto, e accese la luce della camera da letto, situata proprio di fronte alla porta d'ingresso, soffermandosi sulla soglia a esaminarla.

Sopra il rivestimento in legno color fungo di bosco, le pareti erano tappezzate con una carta da parati color crema a sottili righe marrone. Qua e là erano appesi disegni incorniciati – un fagiano impallinato, scene di caccia alla volpe, un cervo inseguito dai cani, tutti firmati *Weaver*, nient'altro – mentre dal soffitto candido un lampadario di ottone pentagonale illuminava un letto a una piazza e, accanto a esso, un tavolino a tre gambe che reggeva una lampada da lettura e una doppia cornice a libro aperta. Lynley la prese. Da un lato gli sorrideva Elena Weaver, dall'altro Justine; la prima era un'istantanea che aveva colto di sorpresa la figlia di Weaver mentre giocava allegra con un cucciolo di setter irlandese, la seconda un ritratto ufficiale della moglie, da studio fotografico, i lunghi capelli accuratamente arricciati, che le lasciavano libero il viso e le ricadevano sulle spalle, e un sorriso a labbra appena socchiuse, come se volesse nascondere i denti. Lynley rimise le due fotografie al loro posto e si guardò intorno, riflettendo. A quanto pareva, la mano che aveva provveduto ad attrezzare il cucinino con gli utensili cromati e i servizi in porcellana color avorio doveva essere la stessa che si era anche dedicata ad arredare la camera da letto. D'impulso, sollevò un lembo del copriletto marrone e verde, e scoprì che sotto di esso c'erano soltanto un materasso nudo e un guanciale senza federa. Una rivelazione, questa, per nulla sorprendente. Uscì dalla stanza. In quello stesso momento, la porta dello studio si spalancò e si trovò faccia a faccia con i due giovani che poco prima aveva sentito discutere a bassa voce. Vedendo Lynley, il ragazzo, le cui ampie spalle erano evidenziate dalla toga accademica, afferrò la compagna per un braccio e l'attirò a sé, con fare protettivo.

«Posso esserle utile?» Le parole erano abbastanza cortesi, ma il tono glaciale veicolava un messaggio diverso, così come il suo viso, che passò subito dall'espressione serena e rilassata che accompagna una chiacchierata amichevole alla tensione aggressiva che indica sospetto.

Lynley lanciò un'occhiata alla ragazza, che si stringeva un quaderno al petto con forza. Ciocche di capelli biondo vivo le uscivano da sotto il berretto di maglia, che teneva calcato basso sulla fronte e, in tal modo, le nascondeva le sopracciglia ma accentuava il colore degli occhi che erano viola e, in quel momento, molto spaventati.

La loro era stata una reazione normale, e pure ammirevole, date le circostanze. Una studentessa del college era stata brutalmente assassinata. Logico, quindi, che gli estranei non fossero bene accolti né tollerati. Lynley tirò fuori il distintivo e si presentò.

«Adam Jenn?» chiese.

Il giovane annuì e poi, rivolgendosi alla ragazza, aggiunse: «Ci vediamo la settimana prossima, Joyce. Ma prima di scrivere la prossima relazione devi continuare a leggere. L'elenco dei libri ce l'hai, il cervello pure. Non essere pigra, okay?» Quindi sorrise, come se volesse mitigare l'impatto di quell'ultimo commento negativo, ma sembrò un gesto quasi meccanico, un semplice e rapido movimento delle labbra, che non riuscì a addolcire l'espressione cauta e guardinga degli occhi color nocciola.

«Grazie, Adam», rispose Joyce in quel tono di voce sommesso e ansimante che sembra sempre sottintendere un invito illecito. Lo salutò sorridendo e pochi istanti più tardi la sentirono scendere rumorosamente la scala di legno. Ma fu solo quando la porta a pianterreno si aprì e si richiuse, segno che la ragazza se n'era andata definitivamente, che Adam Jenn invitò Lynley nello studio di Weaver.

« Il professore non c'è », disse. « Sempre che cercasse lui. »

Lynley non rispose subito, ma si avvicinò lentamente a una delle finestre che, come quella – l'unica – in camera sua, nello stesso edificio, era incassata in uno degli elaborati frontoni in stile olandese e si affacciava sulla Ivy Court. Tuttavia, nel vano della finestra qui non c'era uno scrittoio, bensì due comode poltrone sfondate che si fronteggiavano ad angolo, separate da un tavolo di legno sbeccato, sul quale giaceva una copia di un libro intitolato *Edoardo III: il culto della cavalleria.* L'autore era Anthony Weaver.

« È strepitoso. » L'affermazione di Adam Jenn suonò come una difesa. « In questo paese, come medioevalista non lo batte nessuno. »

Lynley inforcò gli occhiali, aprì il volume e sfogliò alcune di quelle pagine fitte. Quasi per caso, si soffermò su un paragrafo: « Ma fu proprio in forza della considerazione delle donne quali beni immobili, soggette, come tali, ai giochi politici di padri e fratelli, che in quest'epoca si raffinò l'arte della diplomazia, al di là di qualsiasi volgare interesse transitorio ». Poiché non leggeva manuali universitari da anni ormai, Lynley sorrise divertito. Aveva dimenticato la tendenza degli accademici di enunciare le proprie solenni affermazioni con una pomposità così marchiana.

Lesse la dedica – *Alla mia amatissima Elena* – e richiuse la copertina di scatto, poi si tolse gli occhiali.

« Lei è lo specializzando del professor Weaver, vero? » gli chiese.

« Sì. » Adam Jenn spostò il proprio peso da un piede all'altro. Sotto l'ampia toga nera portava una camicia bianca e un paio di jeans freschi di bucato, che sembravano stirati con grande cura, perché avevano la piega ancora perfetta. Si infilò le mani strette a pugno nelle tasche posteriori, e aspettò in silenzio, ritto in piedi, accanto a un tavolo ovale sul quale erano sparpagliati tre libri aperti e una serie di relazioni scritte a mano.

« E come mai ha deciso di continuare i suoi studi con il professor Weaver? » Lynley si tolse il soprabito e lo stese sullo schienale di una delle poltrone sfondate.

«Una volta tanto, ho avuto un piccolo colpo di fortuna», rispose Adam.

Era una risposta curiosa, anzi, una non risposta. Lynley alzò un sopracciglio. Adam intuì subito cosa volesse dire quel gesto, e continuò.

«Prima di laurearmi, avevo letto due dei suoi libri e frequentato le sue lezioni. Quando è entrato nella rosa dei candidati per la cattedra Penford di storia, all'inizio del secondo trimestre, l'anno scorso, sono venuto a chiedergli se era disposto a seguirmi nel mio futuro lavoro di ricerca. Avere il titolare della cattedra Penford come relatore...» Si guardò intorno, come se l'arredamento e gli oggetti accatastati alla rinfusa bastassero a fornire una spiegazione adeguata dell'importanza che rivestiva Weaver nella sua vita. «Meglio di così non si può», si decise a concludere.

«In tal caso, non è un po' rischioso legarsi così presto al professor Weaver? E se non ottenesse la nomina?»

«Per quello che mi riguarda, è un rischio che valeva la pena di correre. Una volta ottenuta la cattedra, sarà letteralmente inondato di richieste da parte di studenti che vogliono proseguire con la specializzazione. Così io mi sono portato avanti.»

«A sentirla, mi sembra relativamente sicuro delle sue scelte. Mi pare di capire, però, che in realtà queste cariche vengano distribuite soprattutto seguendo specifici giochi politici. Un cambio di rotta dentro l'università, e un candidato può considerarsi finito.»

«Anche questo è abbastanza vero. I candidati camminano sul filo del rasoio. Prova ad alienarti qualcuno della commissione o a offendere qualche pezzo grosso, e sei tagliato fuori. Ma se non scegliessero lui, sarebbero un branco di imbecilli. Come le dicevo, è il miglior medioevalista del nostro paese; non troveranno mai nessuno che possa competere.»

«Devo concludere che il professor Weaver non potrebbe mai alienarsi né offendere qualcuno...»

Adam Jenn scoppiò in una risata quasi infantile. «Chi, lui?»

«Capisco. E per quando è prevista la decisione finale?»

«Questa è la cosa più strana.» Adam scosse la testa, nel tentativo di scostarsi dalla fronte una folta ciocca di capelli biondo-rossiccio. «Doveva essere già presa nel luglio scorso, ma la commissione non ha fatto che rimandare il termine ultimo; poi si sono messi a rivoltare tutti i candidati come un calzino, quasi fossero alla ricerca del solito scheletro nel solito armadio! Che imbecilli... »

« Forse ci vanno cauti. Da quanto mi è stato detto, credo di aver capito che quella cattedra costituisca un ambitissimo avanzamento di carriera. »

« È la cattedra di storia per eccellenza, qui a Cambridge. Il posto spetta al migliore. » Intanto, lungo gli zigomi di Adam si erano disegnate due sottili strisce scarlatte. Indubbiamente, in un lontano futuro, quando Weaver si fosse ritirato, si immaginava già al suo posto ad occupare quella cattedra.

Lynley si accostò al tavolo, osservando distratto le relazioni sparpagliate. « Mi è stato detto che divide questo studio con il professor Weaver. »

« Sì, ci vengo per qualche ora quasi ogni giorno. E gli studenti li ricevo qui. »

« Da molto tempo? »

« Dall'inizio del trimestre. »

Lynley annuì. « È un ambiente simpatico e accogliente, molto più bello di quello che ricordo io quando andavo all'università. »

Adam si guardò intorno ed esaminò lo studio, caratterizzato da un singolare disordine – oggetti, mobili, mucchi di libri e di relazioni degli studenti. Se avesse dovuto dare una propria valutazione, quella stanza era tutto fuorché accogliente. Poi, però, sembrò collegare il commento di Lynley alla sua comparsa di pochi minuti prima. E girò la testa verso la porta. « Oh, lei allude di certo al cucinino e alla camera da letto. È stata la moglie del professore a sistemare tutto, la primavera scorsa. »

« In previsione della cattedra? Cos'è, un professore che ottiene un simile avanzamento di carriera ha bisogno di un alloggio dignitoso? »

Adam ridacchiò con un velo di tristezza. « Più o meno, sì, qualcosa del genere. Però qui non è riuscita a imporsi su tutta la linea. Il professor Weaver non glielo ha permesso. » Aggiunse queste ultime parole come per spiegare la differenza fra lo studio e gli altri locali del piccolo appartamento. « Lo sa anche lei come vanno queste cose, no? » concluse, con un tono blandamente sardonico e uno spirito di cameratismo il cui messaggio era chiaro: le donne hanno certi grilli per la testa che vanno tollerati, mentre gli uomini hanno una pazienza da santi.

Che Justine Weaver non avesse avuto carta bianca anche nello studio, era evidente. Infatti, anche se non assomigliava affatto al disordinato rifugio di Weaver sul retro di casa sua, le affinità non potevano essere ignorate. Anche qui lo stesso caos generale, la stessa profusione di libri, la stessa atmosfera piena di vita che possedeva anche la stanza in Adams Road.

Bastava guardarsi intorno per avere la conferma che fosse in corso qualche progetto accademico. Al centro, un imponente scrittoio in legno di pino che ospitava cose di ogni genere, da un computer a un fascio di cartellette nere rilegate. Il tavolo ovale in mezzo alla stanza fungeva da zona riunioni, mentre il vano sotto il frontone della finestra costituiva piuttosto un angolino adatto alla lettura e allo studio. E infatti, in aggiunta al treppiedi sul quale era in bella mostra l'opera di Weaver, sotto la finestra, a poca distanza da entrambe le poltrone, c'era una piccola teca che conteneva altri libri. Perfino il caminetto elettrico, con le sue mattonelle color cannella, aveva uno scopo ben preciso oltre a riscaldare l'ambiente, in quanto sulla mensola sopra di esso si trovavano, ben visibili, più di una decina di buste allineate l'una accanto all'altra, tutte indirizzate ad Anthony Weaver. All'estremità della fitta raccolta di lettere, quasi come un fermalibro, spiccava solitario un cartoncino, e Lynley lo prese: era uno di quei biglietti d'auguri di compleanno spiritosi, con scritto *Papà* sopra alle solite formule e firmato *Elena* a grandi lettere.

Lynley lo rimise a posto e si voltò verso Adam Jenn, il quale era rimasto immobile vicino al tavolo con una mano in tasca e l'altra stretta allo schienale di una delle seggiole. « La conosceva? »

Adam scostò la sedia dal tavolo. Lynley lo raggiunse e scostò due relazioni e una tazza di tè freddo, sul quale galleggiava una sottile patina disgustosa, per non trovarseli proprio davanti.

Adam si fece cupo in volto. « Sì, la conoscevo. »

« Lei era qui, nello studio, quando Elena ha telefonato a suo padre domenica sera? »

Gli occhi dello studente si volsero d'istinto verso il Ceephone, che si trovava su un piccolo scrittoio in quercia accanto al camino. « Non ha telefonato da qui. O se l'ha fatto, è successo dopo che io me n'ero già andato. »

« Il che, più precisamente, sarebbe stato alle...? »

« Intorno alle sette e mezzo. » Adam si guardò l'orologio quasi per averne la certezza. « Dovevo trovarmi con tre compagni allo University Centre alle otto, e prima sono passato un momento da casa. »

« *Casa?* »

« Sì, io abito vicino alla Little St Mary's. Quindi saranno state più o meno le sette e mezzo, magari anche un pochino più tardi... Forse le otto meno un quarto. »

« Il professore era ancora qui quando lei se ne è andato? »

« Chi, Weaver? No, non si è visto domenica sera. Aveva fatto un salto nel primo pomeriggio, ma poi è andato a casa per cena e non è più tornato. »

« Capisco. »

Lynley rifletté su questa informazione, domandandosi per quale motivo Weaver avesse mentito sui propri spostamenti la sera prima della morte di sua figlia. Evidentemente Adam intuì che, per qualche motivo, questo dettaglio era importante nel quadro delle indagini, perché continuò.

« Potrebbe essere passato di qui anche più tardi, però. Per correttezza, non posso affermare per certo che non sia tornato in serata. Anzi, forse è tornato e non ci siamo incontrati, magari proprio per un pelo. Ormai sono circa due mesi che sta lavorando a un saggio – il ruolo dei monasteri nell'economia medioevale – e non è escluso che possa aver voluto continuare un po' nelle ricerche. Gran parte dei documenti è in latino. Sono difficili da leggere. Ci vuole un mucchio di tempo per interpretare esattamente quello che dicono i testi antichi, sa? Suppongo che sia venuto qui per questo anche domenica sera, perché lo fa di continuo. Si preoccupa sempre di avere ben chiari anche i più piccoli dettagli. Vuole che tutto sia perfetto. Quindi, se c'è qualcosa che non gli sembra a posto, non si può escludere che venga a fare un salto qui, così, senza preavviso. Io non potevo saperlo, né lui avrebbe potuto dirmelo. »

All'infuori di qualche personaggio shakespeariano, Lynley non ricordava di aver mai sentito nessuno blaterare tanto. « Quindi, di solito, se per caso aveva intenzione di tornare al college, non la avvisava? »

« Ecco, mi lasci pensare... » Il giovane corrugò le sopracciglia, anche se a Lynley non sfuggì che, dal modo in cui si teneva le mani appoggiate con forza, nervosamente, contro le cosce, aveva già la risposta.

«Lei ha un'ottima opinione del professor Weaver, vero?» gli domandò. *Quel tanto che basta a coprirlo*, avrebbe voluto aggiungere, ma Adam Jenn doveva aver intuito subito quale fosse l'accusa implicita nella domanda di Lynley.

«È un grand'uomo. È onesto. Ha un'integrità di carattere di gran lunga superiore a quella di altri accademici come lui, qui al St Stephen's College o in qualsiasi altro college.» Adam indicò le buste allineate sulla mensola del camino. «Quelle sono arrivate ieri pomeriggio, da quando è corsa voce di quello che era successo a... be', di quello che era successo. La gente gli vuole bene. Prova affetto per lui. Non puoi essere un bastardo, se tante persone ti vogliono bene!»

«Elena voleva bene a suo padre?»

Lo sguardo di Adam si spostò subito verso il cartoncino di auguri per il compleanno. «Certo. Come tutti. Perché il professore si interessa alla vita delle altre persone, è sempre disponibile se qualcuno ha un problema. Con il professor Weaver ci si può parlare. E lui è molto franco e leale con tutti. Sincero.»

«Ed Elena?»

«Era preoccupato per lei. Le dedicava molto tempo. La incoraggiava. Esaminava i suoi scritti, l'aiutava negli studi e discuteva con lei di quello che avrebbe voluto fare nella vita.»

«Per lui era importante che Elena avesse successo.»

«Capisco a che cosa sta pensando», disse Adam. «Una figlia brillante rimanda un padre brillante. Ma no, lui non è così. Non è che dedicasse tempo solo a lei, perché era sua figlia, faceva così con tutti. Con me, per esempio... Mi ha aiutato a trovare una stanza. Mi ha offerto di seguire degli studenti. Ho fatto domanda per una borsa di studio post-laurea da ricercatore, e mi sta aiutando anche in questo. E quando ho qualche problema che riguarda il mio lavoro, è sempre qui. Non ho mai avuto la sensazione di portargli via del tempo. Non sa quanto sia preziosa questa qualità in una persona! Diciamo che qui a Cambridge è rara.»

Non era tanto il panegirico di Weaver che Lynley trovava interessante. Che Adam Jenn ammirasse incondizionatamente l'uomo a cui si era affidato perché lo consigliasse e aiutasse negli studi di specializzazione, era ragionevole. Ma ciò che sottintendevano le parole di Adam Jenn era molto più significativo: fino a questo momento aveva eluso qualsiasi domanda che riguardasse Elena. Anzi, era riuscito perfino a non pronunciare il suo nome.

Da fuori, giunsero le fievoli risate degli sposi e degli invitati alle nozze, che si trovavano ancora nel cimitero. Qualcuno gridò: « Devi darci un bacio! » E qualcun altro aggiunse: « Ti piacerebbe, eh? » E poi all'improvviso il rumore nitido e secco di un oggetto di vetro che andava in frantumi, probabilmente una bottiglia di champagne.

« È chiaro che lei è molto legato al professor Weaver. »

« Infatti. »

« Come un figlio. »

Sul viso di Adam, il rossore si accentuò. Ma la sua espressione sembrava compiaciuta.

« Come un fratello per Elena. »

Adam fece scorrere rapidamente il pollice lungo il bordo del tavolo. Poi alzò la mano e si accarezzò la mandibola.

« Forse non proprio come un fratello », disse Lynley. « Dopotutto, era una ragazza attraente. Vi sarete visti molto spesso, no? Qui nello studio. E anche a casa Weaver. E senza dubbio anche nella sala professori. Oppure a un ricevimento. E anche nella camera di Elena. »

« Non ci sono mai entrato », disse Adam. « Andavo solo a prenderla. Tutto qui. »

« Se non sbaglio, uscivate insieme. »

« Di tanto in tanto andavamo a vedere qualche film straniero al cinema Arts. E a cena. Oppure si passava una giornata in campagna. »

« Già. »

« Non è quello che pensa lei. Non lo facevo perché avrei voluto... insomma, mi spiego meglio, non avrei potuto... oh, accidenti! »

« Era stato il professor Weaver a chiederle di uscire con Elena? »

« Se proprio vuole saperlo, sì. Secondo lui saremmo andati d'amore e d'accordo, dati i nostri caratteri. »

« Ed era vero? »

« No! » Per un attimo sembrò che in tutta la stanza riecheggiasse la veemenza con cui aveva pronunciato il netto rifiuto. E come se intuisse di dover smorzare l'intensità della risposta, Adam aggiunse: « Ascolti, per lei io ero una specie di accompagnatore che prestava volentieri i propri servigi. Non c'è mai stato niente di più».

«Ma Elena era d'accordo?»

Adam cominciò a raccogliere le relazioni sparpagliate sul tavolo. «Io ho troppo da fare. Devo seguire gli studenti. I miei studi. In questo momento della mia vita non ho tempo per le donne. Quando uno meno se l'aspetta, creano complicazioni, e sono una distrazione che non posso permettermi. Io ho ore e ore di ricerche da svolgere ogni giorno. Ho relazioni da leggere. Ho riunioni a cui partecipare.»

«Deve essere stato difficile spiegarlo al professore!»

Adam sospirò, poi accavallò le gambe e cominciò a giocherellare con le stringhe delle scarpe da ginnastica. «Mi ha invitato a casa sua il secondo weekend del trimestre. Voleva che la conoscessi. Che cosa potevo dire? Mi aveva accettato come specializzando. Era così ben disposto nei miei confronti, voleva aiutarmi! Come facevo a non ricambiare?»

«In che modo?»

«Lui non voleva che Elena frequentasse un tizio. Io sarei dovuto essere l'ostacolo fra loro. Studia al Queen's.»

«Gareth Randolph.»

«Proprio lui. Lo aveva conosciuto l'anno scorso tramite l'ASNU. Ma al professore non garbava molto che si vedessero. Suppongo avesse la speranza che Elena magari... mi capisce, no?»

«Imparasse ad amare lei?»

Scavallò la gamba. «In ogni caso, Elena non provava niente di particolare per questo Gareth. E me lo aveva detto chiaro e tondo. Cioè, erano compagni di studi, e lei lo trovava simpatico, ma tutto qui. Niente di straordinario. Comunque sapeva benissimo di cosa si preoccupava suo padre.»

«Cioè?»

«Che finisse per... ecco... sposare...»

«Un sordo», concluse Lynley. «Il che, tutto sommato, non sarebbe stata poi una circostanza tanto insolita visto che lo era anche lei.»

Adam tirò indietro la poltrona e si alzò. Si avvicinò alla finestra e si mise a fissare il cortile. «È complicato», disse piano, rivolto al vetro. «Non credo che riuscirò a spiegarle com'è fatto il professore. E anche se ci riuscissi, non cambierebbe le cose. Qualsiasi cosa le dicessi, farebbe una pessima impressione. Lo mostrerebbe sotto una veste che non è la sua. E non avrebbe niente a che fare con quello che è successo a Elena.»

«Ma anche se così fosse, il professor Weaver non può permettersi di dare una cattiva impressione, giusto? Non può proprio, non quando c'è di mezzo la possibilità di ottenere la cattedra Penford.»

«Non si tratta di questo.»

«In tal caso, se anche lei si decidesse a parlarmene, non può far male a nessuno.»

Adam proruppe in un rauca risata. «È facile dirlo. A lei interessa soltanto trovare un assassino e tornarsene a Londra. Non le fa nessuna differenza se, durante le indagini, o in seguito, la vita di qualcuno è distrutta.»

La polizia come le Erinni, un'accusa che aveva già sentito altre volte. E pur riconoscendo che, almeno in parte, era vero – perché la mano della giustizia doveva necessariamente essere disinteressata, altrimenti la società sarebbe andata in pezzi –, di fronte alla comodità di una tale insinuazione si concesse qualche istante di amaro divertimento. Spinta sull'orlo dell'abisso della verità, la gente si aggrappa sempre con tenacia alla stessa forma di rifiuto: proteggo qualcuno nascondendo la verità, lo proteggo dalla sofferenza, dal dolore, dalla realtà, dal sospetto. Sempre una variazione sull'identico tema, nel quale il rifiuto viene spacciato per afflato morale e nobiltà d'animo.

«Qui non si tratta di un omicidio avvenuto nel nulla, Adam», ribatté. «La morte di Elena tocca chiunque la conoscesse, nessuno escluso. Alcune vite sono già state distrutte, questo provoca un omicidio. E se non lo sapeva, è meglio che se lo metta bene in testa.»

Il giovane deglutì a fatica. E Lynley, pur trovandosi all'estremità opposta della stanza, se ne accorse.

«Elena prendeva tutto per gioco», si decise a dire. «Sì, per gioco.»

«Più precisamente, cosa?»

«Che il padre fosse preoccupato per un eventuale matrimonio con Gareth Randoph. Che non volesse vederla frequentare tanto gli altri studenti sordi. Ma soprattutto, che lui... Credo che la vera risposta sia un'altra: il professore le voleva un bene dell'anima e moriva dalla voglia di vederla ricambiare questo suo affetto immenso. Per lei, invece, era un gioco. Era fatta così.»

«Come descriverebbe il rapporto tra padre e figlia?» gli domandò Lynley, ben sapendo che sarebbe stato molto difficile che Adam Jenn si azzardasse a dire qualcosa per tradire il suo mentore.

Adam si guardò le unghie e poi cominciò a staccare le pellicine con il pollice. «Gli pareva di non fare mai abbastanza per Elena. Voleva essere coinvolto nella sua vita. Invece sembrava sempre che...» Si infilò di nuovo le mani in tasca. «Non so come spiegarlo.»

A Lynley tornò in mente la descrizione che Weaver gli aveva dato della figlia. E la reazione di Justine Weaver. «Non sincero?»

«Era come se sentisse il dovere di continuare a riversare su Elena amore e dedizione. Come se dovesse continuare a dimostrarle quanto lei fosse importante in modo che, un giorno, Elena se ne convincesse.»

«Secondo me, è abbastanza logico che le dedicasse tante premure, dato che era sorda. Per di più, era appena arrivata in un ambiente nuovo. È comprensibile che volesse vederla avere successo negli studi. Per se stessa. E anche per lui.»

«Capisco a cosa vuole alludere. Batte di nuovo sul chiodo della cattedra. Ma c'era ben altro, molto di più. Andava al di là dello studio e del fatto che fosse sorda. Sono convinto che credesse di doverle dimostrare qualcosa, ma non ho mai capito perché! Era così concentrato su quello, che non la vedeva. Non del tutto. Non completamente.»

La descrizione calzava a pennello, considerate le angosce tormentose di Weaver, la sera prima. Era la classica situazione che si veniva a creare dopo un divorzio. Un genitore intrappolato senza speranze in un matrimonio desolante spesso si trova preso fra le sue esigenze e quelle dei figli. Se rimane dov'è solo per loro, raccoglie ampi consensi da parte della società, ma il suo io ne esce logorato. Eppure, se dà un taglio netto al matrimonio solo per assecondare le proprie esigenze, a soffrirne sono i figli. Una situazione del genere richiede un abile equilibrio fra queste esigenze così disparate, di modo che, anche se un matrimonio finisce, gli ex partner possano costruirsi una vita più produttiva e i figli non subire danni irreparabili.

Era un ideale utopistico, pensò Lynley, assolutamente irrealizzabile, perché, ogni volta che un matrimonio si scioglieva, c'erano sempre di mezzo i sentimenti. Anche quando le persone si comportavano nell'unico modo possibile per salvare la propria pace spirituale, era in quell'esigenza di pace che il senso di colpa affondava il suo seme più virulento. Quasi tutti – e lui stesso ammetteva di far parte del gruppo – davano credito alla condanna sociale, si facevano guidare dal senso di colpa, vivevano sotto l'influsso di una tradizione giudaico-cristiana che insegnava a non avere alcun diritto alla felicità o a qualsiasi altra cosa che non fosse una vita in cui la considerazione di sé era secondaria rispetto alla più completa dedizione agli altri. E generalmente veniva ignorato che, come conseguenza, uomini e donne finissero per vivere un'esistenza di tacita disperazione. Infatti, fintanto che queste persone dedicavano la loro vita al prossimo, ottenevano l'approvazione di chi, vittima della stessa tacita disperazione, si comportava allo stesso modo.

La situazione di Anthony Weaver era peggiore. Per conquistarsi la pace spirituale – che non era un suo diritto acquisito come la società gli aveva fatto capire in modo inequivocabile – aveva dato un taglio netto al matrimonio, ma aveva scoperto che il senso di colpa conseguente a un divorzio veniva esacerbato non solo dal fatto che, nel tentativo di sottrarsi a tanta infelicità, aveva abbandonato una figlia che gli voleva bene e dipendeva da lui, ma che la figlia in questione era addirittura disabile. E quale società gli avrebbe mai perdonato una cosa del genere? Indipendentemente da quanto poteva fare, ormai doveva considerarsi uno sconfitto. Se avesse cercato di salvare il suo matrimonio, dedicando l'intera esistenza alla figlia, magari si sarebbe sentito più giusto e virtuoso degli altri e avrebbe provato una certa soddisfazione per avere compiuto il proprio dovere, ma sarebbe stato condannato a una dignitosa infelicità. Scegliendo di ritrovare la propria pace spirituale, aveva dato campo libero al senso di colpa, il cui seme era stato piantato proprio in ciò che lui stesso e la società consideravano un capriccio ignobile ed egoistico.

A volerla esaminare con maggiore attenzione, il senso di colpa era sempre il movente principale di tante forme di devozione. Lynley si domandò se, per caso, non fosse anche alla base dell'assoluta dedizione di Weaver per la figlia. In cuor suo, Weaver sapeva di aver commesso un peccato. Nei confronti della moglie, di

Elena, della società stessa. E dal suo peccato erano scaturiti quindici anni di senso di colpa. Evidentemente dare prova di sé alla figlia, spianarle tutte le strade possibili, facilitarle le cose, conquistare il suo affetto erano state le uniche forme di espiazione che aveva saputo trovare. Lynley provò una pietà infinita al pensiero dell'immane fatica che faceva Weaver per essere accettato per ciò che era già, cioè un padre. E si domandò se avesse mai trovato il coraggio, e il tempo, di domandare a Elena se quegli eccessi, se quel tormento dello spirito servissero a ottenerne il perdono.

«Non credo che il professore l'abbia mai realmente conosciuta per quello che era», ammise Adam.

Lynley si stava domandando se Weaver avesse mai realmente conosciuto se stesso. Si alzò. «A che ora se ne è andato di qui, ieri sera, dopo che il professor Weaver le ha telefonato?»

«Erano appena passate le nove.»

«Ha chiuso la porta a chiave?»

«Naturalmente.»

«Come domenica sera? La chiude sempre a chiave?»

«Sì.» Adam gli indicò con un cenno del capo lo scrittoio in legno di pino e tutta l'attrezzatura – il computer, due stampanti, floppy disk e cartellette varie. «Quella roba vale un patrimonio. La porta dello studio ha la doppia serratura.»

«E le altre?»

«Il cucinino e la camera da letto no, invece quella all'ingresso sì.»

«Le è mai capitato di servirsi del Ceephone per mettersi in contatto con Elena? Oppure con il professore, a casa sua?»

«Di tanto in tanto.»

«Sapeva che Elena, al mattino presto, usciva a correre?»

«Sì, con la signora Weaver.» Adam fece una smorfia. «Il professor Weaver non voleva che ci andasse da sola. Lei ne avrebbe fatto volentieri a meno, ma si portavano anche il cane, dunque la situazione era più tollerabile. Adorava quel cane. E anche correre.»

«Sì», rispose Lynley con aria pensierosa. «Come tanti altri.»

Poi lo salutò con un cenno del capo e uscì. Fuori della porta, sugli scalini, erano sedute due ragazze con le ginocchia al petto e la testa vicina sul libro aperto. Quando passò, non alzarono nemmeno gli occhi, ma smisero di parlare bruscamente e ricominciarono solo quando ebbe raggiunto il pianerottolo. Sentì la voce di

Adam Jenn che le chiamava: « Katherine, Keelie, venite », e s'inoltrò nel rigido pomeriggio autunnale.

Rivolse lo sguardo al cimitero, in fondo alla Ivy Court, e ripensò al colloquio con Adam Jenn, alla sua posizione scomoda, imprigionato a quel modo fra il padre e la figlia, e soprattutto al significato di quel violento « No! » quando gli aveva domandato se lui ed Elena andavano d'accordo. Comunque, ne sapeva meno di prima sul motivo della visita di Sarah Gordon alla Ivy Court.

Tirò fuori l'orologio dal taschino e gli diede un'occhiata. Erano da poco passate le due. La Havers sarebbe stata ancora impegnata per un po' con la polizia di Cambridge. Aveva il tempo sufficiente per fare una scappata a Crusoe's Island. Se non altro, avrebbe trovato almeno uno straccio di informazione. Andò a cambiarsi.

9

Anthony Weaver fissò la discreta targhetta sulla scrivania – *P.L. Beck, Direttore* – e si sentì travolgere da un impeto di ingenua e sciocca gratitudine. L'ufficio più importante della società di pompe funebri non aveva quasi niente di funereo, almeno per quel tanto che il buon gusto consentiva, e benché le calde tonalità autunnali e l'arredamento comodo e accogliente non mutassero il motivo della sua visita, se non altro non sottolineavano il senso di immutabilità della morte di sua figlia con sobrie e cupe decorazioni, musica d'organo registrata e lugubri impiegati vestiti di nero.

Vicino a lui, Glyn sedeva con le mani strette a pugno posate in grembo, i piedi saldamente appoggiati al pavimento, l'uno accanto all'altro, la testa e le spalle rigide. Non lo guardava.

Dietro sua insistenza, per tutta la mattina, l'aveva accompagnata al commissariato di polizia dove, a dispetto di quello che aveva cercato di spiegarle invano, si aspettava di trovare il corpo di Elena e di poterlo vedere. Quando le avevano spiegato che il corpo doveva essere sottoposto a un'autopsia, aveva chiesto con insistenza che le consentissero di assistervi. E, quando con un'occhiata di supplica inorridita in direzione di Anthony, la giovane poliziotta alla reception le aveva risposto con dolcezza, e scusandosi in mille modi, che non era possibile, che non potevano dare il permesso, che in ogni caso l'autopsia non sarebbe stata eseguita lì ma in tutt'altro posto e che comunque i parenti... «Io sono sua madre!» aveva gridato Glyn. «È mia figlia. Voglio vederla!»

La polizia di Cambridge non era fatta da gente dura e insensibile. Si erano affrettati ad accompagnarla in una sala riunioni dove una giovane segretaria si era presa cura di lei e aveva cercato di offrirle dell'acqua minerale, che Glyn aveva rifiutato. Un'altra segretaria le aveva portato una tazza di tè. Un agente del traffico le aveva dato un'aspirina. E mentre si cominciavano a fare telefonate frenetiche alla ricerca dello psicologo della polizia e del responsabile delle pubbliche relazioni, Glyn aveva continuato a insistere che voleva vedere Elena. Lo aveva gridato con voce stridula e tesa. Aveva un'espressione contratta in viso. E quando aveva capito che non sarebbe riuscita a ottenere ciò che voleva, aveva cominciato a urlare.

Lì presente, Anthony aveva provato soltanto un senso crescente di vergogna. Nei confronti di Glyn, perché stava facendo una scenata umiliante in pubblico. Nei confronti di se stesso, perché si vergognava di lei. Così, alla fine, gli si era rivoltata contro e lo aveva quasi aggredito, accusandolo di essere troppo egocentrico per riuscire a identificare il corpo della propria figlia... Dunque come facevano a sapere che fosse proprio Elena la ragazza trovata morta se non consentivano a sua madre di identificarla, lei, che l'aveva partorita, che le voleva bene, che l'aveva cresciuta da sola, sì, mi avete sentito bene, *da sola*, bastardi che non siete altro, lui non ha mai più avuto niente a che fare con Elena da quando aveva cinque anni perché aveva ottenuto quello che voleva, quella libertà alla quale teneva tanto e così adesso dovete lasciarmela vedere DOVETE LASCIARMELA VEDERE...

Sono di pietra, aveva pensato lui. Niente di quello che dice Glyn può toccarmi. E anche se questa stoica determinazione a rimanere impassibile bastò per impedirgli di ribattere e di restituire il colpo, non fu sufficiente a proibire alla sua mente, sulla quale ormai non aveva più alcun controllo, di tornare indietro nel tempo, di setacciare la memoria nel tentativo di ricordare – e di capire, ovvio – per quale ragione avesse sposato una donna simile.

Se ci fosse stato qualcosa in più del sesso: un interesse reciproco, forse, un'esperienza condivisa, lo stesso ambiente, una meta, un ideale. In quel caso, avrebbero potuto avere una speranza di sopravvivenza. Invece si erano conosciuti per caso a una festa in una casa elegante vicino a Trumpington Road, dove una trentina di laureati che avevano lavorato sodo per l'elezione al Parlamento dal nuovo deputato locale, erano stati invitati a festeggiarne la vittoria. Anthony, che non aveva impegni per la serata e non sapeva cosa fare, c'era andato con un amico. Glyn Westhompson anche. L'indifferenza di entrambi per le macchinazioni esoteriche della politica di Cambridge aveva fornito le basi per un'iniziale illusione di reciprocità. E il troppo champagne aveva provveduto a far scattare l'attrazione fisica. Quando le aveva proposto di continuare a brindare in terrazza, per ammirare il chiaro di luna che tingeva d'argento gli alberi del giardino, la sua intenzione era di sbaciucchiarsela un po', sfruttare l'occasione propizia per accarezzarle il seno prorompente che intravedeva sotto la stoffa leggera e trasparente della camicetta e magari insinuarle una mano fra le cosce. Ma la terrazza era buia e la notte addirittura calda, e la reazione di Glyn non era stata quella che si aspettava. Era rimasto sbalordito da come aveva risposto al bacio. La sua bocca avida gli aveva succhiato bramosamente la lingua e, mentre con una mano si sbottonava la camicetta e si slacciava il reggiseno, con l'altra gli si era insinuata addirittura dentro i calzoni. Con una serie di lunghi gemiti gli aveva fatto capire di essere eccitata e pronta. Gli si era messa a cavalcioni, facendo roteare i fianchi.

A quel punto lui non era più riuscito a pensare in maniera lucida e consapevole, ma aveva avvertito soltanto un bisogno indomabile di essere dentro di lei, di sentirsi risucchiato da quel corpo umido, caldo e morbido, di provare un senso di liberazione e di sollievo.

Non si erano detti una sola parola. Come punto di appoggio si erano serviti della balaustra in pietra. L'aveva issata lì sopra e le aveva aperto le gambe. Poi l'aveva penetrata, con foga, ansimando per lo sforzo di raggiungere l'orgasmo prima che arrivasse qualcuno a sorprenderli, mentre lei gli mordeva il collo e gemeva e gli infilava le dita fra i capelli, strappandoglieli. Era stata l'unica volta in cui Anthony poteva dire di avere scopato, non di aver fatto l'amore. E quando tutto era finito, si era accorto di non ricordare nemmeno come si chiamasse lei.

Cinque, forse sette, studenti uscirono in terrazza prima che lui e Glyn si separassero. Qualcuno esclamò: « Ooops! » e qualcun altro aggiunse: « Posso partecipare? »; poi erano scoppiati tutti a ridere ed erano scesi in giardino. E più di qualsiasi altra cosa, era stata la vergogna che lo aveva spinto a stringere Glyn fra le braccia, a baciarla e a mormorarle con voce roca: « Perché non ce ne andiamo di qui, cosa ne dici? » Infatti, in un certo senso, andarsene via insieme a lei nobilitava quell'atto, e trasformava i loro due corpi grondanti di sudore, unicamente intenti ad accoppiarsi, senza anima né intelletto, in qualcosa di più.

L'aveva accompagnato nella casetta scomoda in Hope Street, che Weaver divideva con tre amici. Vi aveva passato una notte e poi un'altra, a rotolarsi avanti e indietro con lui sul sottile materasso che fungeva da letto, a divorare in fretta e furia uno spuntino quando le veniva fame, a fumare sigarette francesi e bere gin inglese, e ogni volta tornava in camera da letto scalpicciando i piedi scalzi e lo reclamava per sé. A poco a poco, nel giro di una quindicina di giorni, si era addirittura trasferita da lui, portando prima solo qualche vestito, poi un libro, poi una lampada – solo per il momento, eh... Di amore, non avevano mai parlato. Né mai si erano innamorati. E si erano ritrovati sposati quasi per caso. Tutto sommato, il matrimonio era la forma più nobile di pubblico riconoscimento che lui potesse dare a un atto sessuale compiuto con spensierata noncuranza con una sconosciuta.

La porta dell'ufficio delle pompe funebri si aprì. E un uomo – presumibilmente P.L. Beck – entrò. Come l'ambiente che li circondava, anche il suo abbigliamento rispecchiava l'attenzione con cui si voleva evitare di porre l'accento sulla morte. Indossava un elegante blazer blu e un paio di calzoni grigio chiaro. Al collo, una cravatta annodata alla perfezione.

«Il professor Weaver?» gli domandò. E poi, girandosi bruscamente, chiese a Glyn: «E la signora Weaver?» Bene o male, si era documentato, evitando così di alludere a un possibile legame fra loro che andasse oltre lo stesso cognome. E invece di offrire condoglianze di comodo per la morte di una ragazza che non conosceva, preferì dire subito: «Ero stato avvertito dalla polizia del vostro arrivo. E vorrei che si potesse risolvere tutto quanto nel modo più rapido possibile. Posso offrirvi qualcosa? Caffè? Tè?»

«Per me, niente», rispose Anthony. Glyn rimase in silenzio.

Il signor Beck non aspettò la sua risposta. Prese posto a sedere e disse: «A quanto ho capito, il corpo è ancora presso la polizia. Quindi non si può escludere che passi qualche giorno prima che ce la consegnino. Sono stati avvertiti di questo, vero?»

«No. Ci hanno soltanto detto che stanno eseguendo l'autopsia.»

«Già.» Con aria pensierosa, unì i polpastrelli e appoggiò i gomiti sul piano della scrivania. «Generalmente ci vuole qualche giorno per fare tutte le analisi. Studiano gli organi e i tessuti, e poi ci vogliono i referti tossicologici. In caso di morte improvvisa, la procedura è abbastanza rapida, soprattutto se la...» Esitò, lanciando un rapido sguardo ansioso in direzione di Glyn «... Se il defunto, dicevo, era in una casa di cura. Ma in questo caso...»

« Sì, ce ne rendiamo conto », disse Anthony.

« Un omicidio », intervenne Glyn. Staccò gli occhi dalla parete e fissò il signor Beck, benché il suo corpo non si muovesse, neppure impercettibilmente. « Lei voleva alludere a un omicidio. Lo dica, allora, non tenti di girare intorno alla verità. Elena non è 'il defunto'. È la vittima. E si è trattato di omicidio. Non mi sono ancora abituata all'idea, ma se me lo sento ripetere abbastanza spesso sono sicura che mi verrà naturale. Mia figlia è stata assassinata. »

Il signor Beck guardò Anthony, forse con la speranza che fosse lui a rispondere a quell'implicita invettiva, oppure solo che offrisse qualche parola di consolazione o andasse in soccorso della sua ex consorte. Vedendo che, invece, stava in silenzio, si affrettò a rispondere: « Dovete farmi sapere quando e dove si terrà la cerimonia funebre e dove verrà seppellita vostra figlia. Se volete, qui abbiamo una cappella molto graziosa. Naturalmente mi rendo conto che è difficile per entrambi, ma dovete anche dirmi se desiderate che la salma venga esposta per poterle tributare l'ultimo saluto... »

« Esposta? In pubblico, vuole dire? » Al solo pensiero che sua figlia venisse messa in mostra per i curiosi, Anthony si sentì accapponare la pelle. « No, certo che no. Lei non è... »

« Io sono d'accordo, invece. » Anthony si accorse che le unghie di Glyn erano diventate completamente bianche, tanta era la pressione con cui la donna le stava premendo contro il palmo delle mani.

« È impossibile che tu voglia una cosa del genere. Non hai visto com'è ridotta. »

« Per favore, non dirmi quello che voglio o non voglio. Ho detto che devo vederla, e lo farò. Anzi, voglio che tutti la vedano. »

« Possiamo intervenire con qualche ritocco », propose il signor Beck. « Con una specie di mastice facciale, e il trucco, certo. Nessuno si accorgerà che è stata... »

Glyn scattò in avanti. E il signor Beck, come per un istinto di autoconservazione, trasalì. « Lei non mi sta ascoltando. Io voglio che tutti se ne accorgano. Voglio che tutti sappiano. »

Anthony avrebbe voluto domandare: « E cosa credi di ottenere così? » ma sapeva già la risposta. Glyn aveva affidato Elena a lui, e adesso voleva che il mondo intero vedesse che aveva fallito. Per quindici anni sua figlia era vissuta con lei in uno dei quartieri peggiori di Londra, dominati dalla violenza e dai teppisti, ed Elena aveva rimediato solo un dente rotto, l'unico segno delle difficoltà che aveva dovuto affrontare, una zuffa per aggiudicarsi l'interesse e l'affetto di uno studentello del quinto anno delle superiori, la faccia sfigurata dall'acne, che un giorno aveva preferito passare con lei l'ora di intervallo invece di trovarsi con la sua ragazza. E loro due non avevano mai considerato quel dente scheggiato come una carenza di cure, sia pur modestissima. Anzi, per entrambe – madre e figlia – era stato un punto di onore per Elena, una dichiarazione di uguaglianza. Infatti, benché le tre ragazze con le quali si era pestata selvaggiamente non fossero sorde come lei, ben presto si erano rivelate avversarie di pochissimo conto per Elena, che, trovatasi sotto assedio, per difendersi si era servita di una cassetta di patatine novelle e di due cestelli del latte sottratti a un ortolano nei paraggi.

Quindici anni a Londra, e solo un dente scheggiato. Quindici mesi a Cambridge, ed era morta barbaramente.

Anthony non se la sentì di controbattere. «Non ha per caso qualche opuscolo illustrativo da darci?» chiese. «Così possiamo decidere meglio...»

Il signor Beck adesso sembrava fin troppo ansioso di rendersi utile. «Certamente», disse, e aprì in fretta un cassetto della scrivania. Estrasse un fascicolo rilegato con la copertina in plastica rossiccia, sulla quale erano stampate in color oro le diciture *Beck & Figli* e, più sotto, *Pompe Funebri*, e glielo passò.

Anthony lo aprì. Erano fotografie formato venti per venticinque inserite in buste di plastica. Cominciò a scorrerle, guardandole senza vederle, leggendo senza capire. I tipi di legno per la bara li conosceva: mogano e quercia. I termini tecnici li conosceva: resistenza naturale alla corrosione, guarnizione di gomma, imbottiture interne di crêpe, rivestimento in bitume, coperchio a tenuta stagna. Sentiva appena il signor Beck descrivere con voce sommessa i rispettivi vantaggi del rame o di una lastra d'acciaio da due millimetri, l'inclinazione e lo spessore dei materassini, il punto in cui era stato sistemato un cardine. E gli sentì anche dire: «Le bare Uniseal sono le migliori in assoluto. Il meccanismo che le chiude ermeticamente, in aggiunta alla guarnizione, sigilla la parte superiore, mentre la saldatura continua garantisce lo stesso per quella inferiore. Così, il corpo è più protetto dall'attacco di...» Esitò, per delicatezza. Gli si leggeva chiaro in faccia che era indeciso. Vermi, insetti, umidità, muffa: qual era il modo migliore di dirlo? «All'attacco degli elementi, ecco.»

Anthony cominciò a non distinguere più nitidamente le parole sul fascicolo. «Avete qui le bare?» sentì Glyn domandare.

«Soltanto qualcuna. Di solito la gente sceglie in base all'opuscolo. E, date le circostanze, la prego, non si senta in dovere di...»

«Vorrei vederle.»

Gli occhi del signor Beck ebbero un guizzo in direzione di Anthony. Sembrava che aspettasse un cenno di protesta, uno qualunque, ma invano, allora rispose: «Certo. Da questa parte», e li precedette fuori dall'ufficio.

Anthony seguì la sua ex moglie e il direttore delle pompe funebri. Voleva insistere perché la decisione fosse presa al sicuro, nell'ufficio del signor Beck, dove le fotografie avrebbero consentito a entrambi di respingere ancora per un po' quella realtà definitiva. Ma si rendeva conto che, se avesse preso ancora le distanze dalla sepoltura di Elena, ciò sarebbe stato interpretato come un'ulteriore prova di inadeguatezza. E del resto la morte di Elena non era già servita a denunciarne l'inutilità come padre, sottolineando per l'ennesima volta la validità dell'opinione di Glyn, peraltro già espressa da anni, secondo cui l'unico contributo che aveva dato alla vita della loro figlia era stato quell'unico spermatozoo?

«Eccoci qui.» Il signor Beck spalancò una massiccia porta in quercia a doppio battente. «Vi lascio soli.»

«Non sarà necessario», disse Glyn.

«Ma vorrete certo discutere...»

«No.» E, passandogli davanti, si inoltrò nella sala. Non c'erano decorazioni né arredi, solo alcune bare allineate lungo le pareti color perla, il coperchio sollevato in modo da rivelare l'imbottitura interna in velluto, raso e crêpe, la cassa appoggiata su piedistalli trasparenti.

Anthony si impose di seguire Glyn dall'una all'altra. Ciascuna aveva la stessa etichetta con il prezzo, sistemata con molta discrezione, la stessa garanzia di durata, lo stesso rivestimento di tessuto interno adorno di ruche, lo stesso guanciale in tinta, lo stesso panno ripiegato sul coperchio. E ciascuna aveva un nome: Azzurro Napoli, Pioppo Windsor, Quercia d'autunno, Bronzo veneziano.

Ciascuna aveva un particolare che la distingueva dalle altre, un motivo a conchiglie, una serie di colonnine alle estremità, una delicata lavorazione dentro il coperchio. Sforzandosi di avanzare lungo le bare, Anthony cercò di non immaginarsi come sarebbe stata Elena dentro una di esse, i capelli chiari distesi sul guanciale come fili di seta.

Glyn si fermò davanti a una semplice cassa grigia con l'interno imbottito di raso, altrettanto sobrio. La indicò, tamburellando sul legno. Come se quel gesto fosse un ordine, il signor Beck si affrettò a raggiungerli. Arricciò le labbra. Intanto si toccava il mento con la punta delle dita.

« E questo cos'è? » gli chiese Glyn. *Superficie esterna non protettiva*, diceva un cartoncino sul coperchio. Costava duecento sterline.

« Legno pressato. » Il signor Beck, con gesti nervosi, si riaggiustò la cravatta e si affrettò a continuare. « Questo è legno pressato sotto un rivestimento di flanella, l'interno è di raso, tutte cose che vanno benissimo, salvo che la superficie esterna non ha alcuna protezione aggiuntiva e, in tutta franchezza, considerando il clima, non mi sentirei a posto con la coscienza a raccomandare proprio a voi, signori Weaver, questo tipo di cassa. Lo teniamo per i casi in cui ci sia qualche difficoltà... ehm... ecco... qualche difficoltà economica. Non posso pensare che vogliate vedere vostra figlia... » Lasciò che fosse quell'incertezza a completare il pensiero.

« Naturalmente », cominciò Anthony, ma Glyn lo interruppe. « Va bene questa. »

Per un momento Anthony non fece nient'altro che fissare con gli occhi sgranati la sua ex moglie, poi trovò la forza di ribattere: « Non penserai che la seppellisca qui dentro, spero ».

« Non me ne importa niente di quello che vuoi tu », ribatté Glyn con voce alta e squillante. « Io non ho abbastanza soldi per... »

« Pago io. »

Lei lo guardò in faccia per la prima volta da quando erano entrati. « Con i soldi di tua moglie? Non credo proprio. »

« Questo non ha niente a che vedere con Justine. »

Il signor Beck si allontanò. Raddrizzò l'etichetta del prezzo sul coperchio di una cassa. « Vi lascio un momento per parlare », disse.

« Non ce n'è bisogno. » Glyn aprì la voluminosa borsetta nera e cominciò a rovistare. Si sentì il tintinnio di un mazzo di chiavi.

Un portacipria si aprì con uno scatto secco. Una penna a sfera scivolò fuori e cadde sul pavimento. « Accetta un assegno, vero? Ci fosse qualche problema, può sempre telefonare alla mia banca di Londra per una eventuale garanzia. Sono loro cliente da anni, quindi... »

« Glyn. Non lo permetterò. »

Lei si voltò di scatto e urtò la cassa con il fianco, facendola oscillare sul piedistallo. Si sentì un lieve stridore. Il coperchio si richiuse con un tonfo sordo. « Cosa, Anthony? » gli domandò. « Non hai nessun diritto. »

« Stiamo parlando di mia figlia. »

Il signor Beck cominciò a spostarsi lentamente verso la porta.

« Rimanga dov'è. » Intanto le guance di Glyn, per la collera, stavano cominciando a chiazzarsi di rosso. « Te ne sei andato, e hai piantato in asso nostra figlia, Anthony. Vediamo di non dimenticarlo. Volevi la tua carriera. Vediamo di non dimenticarlo. Volevi correr dietro alle altre donne. Non dimentichiamocelo. E hai ottenuto quello che volevi. Tutto. Dalla prima cosa all'ultima. Adesso non hai più alcun diritto. » Con il libretto degli assegni stretto in mano, si chinò per raccogliere la penna dal pavimento. E cominciò a scrivere, servendosi, come punto d'appoggio, del coperchio della cassa in legno pressato.

Le tremava la mano. Anthony cercò di afferrare il libretto d'assegni, e intanto diceva: « Glyn, ti prego. Per l'amor di Dio ».

« No », rispose lei. « Sarò io a pagare, Anthony. Non voglio i tuoi soldi. Non puoi comprarmi. »

« Non sto cercando di comprarti. Voglio semplicemente che Elena... »

« Non pronunciare il suo nome! Non pronunciarlo! »

Il signor Beck disse: « Io vi lascio » e, senza aspettare l'immediato « No! » della donna, si affrettò ad abbandonare la sala.

Glyn continuò a scrivere. Stringeva la penna come se fosse stata un'arma. « Ha detto duecento sterline, vero? »

« Non farlo », insisté Anthony. « Non trasformare anche questo nell'ennesima battaglia tra noi. »

« E metterà il vestito azzurro che la mamma le ha regalato al suo ultimo compleanno. »

« Non possiamo seppellirla come se fosse una poveretta. Non te lo permetterò. Non posso. »

Glyn staccò l'assegno. « Dov'è andato a cacciarsi quel tizio? » disse. « Ecco qua i suoi soldi. Andiamocene. » E si avviò verso la porta.

Anthony cercò di afferrarla per un braccio.

Lei si divincolò, scostandosi. « Bastardo che non sei altro! » sibilò. « Bastardo! Chi l'ha cresciuta, eh? Chi ha passato anni e anni cercando di insegnarle a parlare almeno un pochino? Chi l'ha aiutata a fare i compiti, le ha asciugato le lacrime, le ha lavato i vestiti ed è stata sveglia, vicino al suo letto, per assisterla di notte quando si sentiva male e piangeva? Non tu, bastardo che non sei altro. E nemmeno tua moglie, fredda e insensibile come la regina delle nevi. Si tratta di mia figlia, Anthony. *Mia* figlia. Mia. E la seppellirò come mi pare e piace. Perché, diversamente da te, io non smanio di ottenere un incarico importante, e quindi me ne infischio di quello che possono pensare gli altri. »

Anthony la osservò con un'improvvisa e curiosa obiettività, e si rese conto che non trovava in lei nemmeno la più piccola traccia di dolore. Non trovò la completa dedizione di una madre per la sua creatura, nulla che rivelasse l'immensità della sua perdita. « Questo non ha niente a che vedere con la sepoltura di Elena », rispose in tono pacato, perché ormai, sia pure lentamente, aveva capito tutto. « È con me che te la prendi. Che continui a essere ai ferri corti. Non riesco nemmeno a capire se sei addolorata perché è morta, e fino a che punto. »

« Come osi? » mormorò lei.

« Hai versato qualche lacrima, Glyn? Provi dolore o disperazione? Sei capace di sentire qualcosa oltre al bisogno di sfruttare la sua morte per un'ulteriore piccola vendetta nei miei confronti? E come stupirsene? In fondo, è per questo che l'hai usata, e per gran parte della sua vita. »

Non si accorse dello schiaffo. Glyn lo colpì violentemente con la mano destra in piena faccia, facendogli cadere gli occhiali.

« Schifoso pezzo di... » e alzò il braccio per colpirlo di nuovo.

Lui la prese per un polso. « Sono anni che aspettavi di farlo. Mi spiace soltanto che non sia presente il pubblico che desideravi. » La allontanò da sé con forza, e lei andò a sbattere contro la cassa grigia. Ma non aveva dato ancora fondo a tutte le sue energie.

« Non parlarmi di dolore », ribatté livida. « Non azzardarti mai... *mai*... a parlare a me di dolore. »

Poi gli voltò le spalle, allargando le braccia sul coperchio della cassa come se volesse abbracciarla. E cominciò a piangere.

« Io non ho più nulla. Elena se n'è andata. E non posso riaverla. Non posso trovarla in nessun posto. E non posso... non potrò mai più... » Con le dita di una mano, strinse la flanella che rivestiva la cassa. « Tu, invece, puoi. Tu puoi ancora, Anthony. E io voglio che tu muoia. »

Per quanto furioso, Anthony si accorse che improvvisamente dentro di sé cresceva una specie di inorridita pietà. Dopo gli anni di rancore, dopo quanto appena successo alle pompe funebri, non avrebbe creduto possibile provare ancora qualcosa per lei all'infuori del puro e semplice odio. Invece, in quelle parole – *Tu puoi* – colse l'immensità e il motivo della disperazione della sua ex moglie. Glyn aveva quarantasei anni. E non avrebbe potuto avere mai più un altro figlio.

Non importava che l'idea di mettere al mondo un altro figlio perché prendesse il posto di Elena fosse addirittura inconcepibile, che lui avesse perduto la propria ragione di vita nel preciso momento in cui aveva posato gli occhi sul cadavere della figlia. Avrebbe trascorso il resto dei suoi anni a impegnarsi sempre più nella carriera accademica in modo da non avere nemmeno un momento libero in cui correre il rischio di ricordare quel viso sfigurato e il segno del cordino intorno al collo. Ma questo, tutto sommato, era irrilevante. Indipendentemente dallo strazio terribile e dall'angoscia che provava in quel momento, lui poteva ancora avere un altro figlio. Gli restava ancora questa scelta. A Glyn, invece, no. E il suo dolore era doppio, proprio perché doveva arrendersi a un dato di fatto irreversibile, l'età.

Fece un passo verso di lei, le posò una mano sulle spalle tremanti. « Glyn, sono... »

« Non toccarmi! » Si divincolò per allontanarsi il più possibile da lui, perse l'equilibrio e cadde su un ginocchio. La leggera flanella che copriva la cassa si lacerò. Il legno, sotto di essa, era sottile e fragile.

Con il cuore che gli batteva all'impazzata nel petto e nelle orecchie, Lynley si arrestò barcollando. In lontananza intravedeva già il Fen Causeway. Si frugò nella tasca alla ricerca dell'orologio. Senza fiato, lo aprì e controllò il tempo. Sette minuti.

Scosse il capo, quasi piegato in due dalla fatica, con le mani appoggiate alle ginocchia e il respiro affannoso come se avesse un enfisema mai diagnosticato. Poco più di un chilometro e mezzo di corsa e si sentiva letteralmente distrutto. Ecco il prezzo da pagare per avere fumato sigarette per sedici anni. Dieci mesi di astinenza non erano stati sufficienti a riscattarlo.

Avanzò lungo il ponticello di legno che collegava le due sponde del fiume, fra Robinson Crusoe's Island e Sheep's Green. Si appoggiò alla balaustra di metallo, buttò indietro la testa e si riempì i polmoni d'aria, come se si fosse salvato a stento dall'annegare. Il sudore gli imperlava il viso, aveva il maglione fradicio. Che esperienza magnifica era correre...

Con una specie di grugnito, si voltò e appoggiò i gomiti sulla balaustra, lasciando penzolare la testa mentre riprendeva fiato. Sette minuti, pensò, e neanche un chilometro e mezzo. Elena avrebbe compiuto lo stesso percorso in meno di cinque.

Su questo non c'erano dubbi. Si allenava giornalmente con la matrigna. Era una mezzofondista. Correva con la squadra di atletica di Cambridge. Se quanto segnato sul calendario forniva indicazioni valide, aveva cominciato a correre con il club dell'università almeno a partire dal gennaio precedente, forse anche prima. Certo, poteva aver tenuto un ritmo diverso, dipendeva da quanto aveva deciso di correre quella mattina. Però non riusciva proprio a immaginare come avrebbe potuto impiegare più di dieci minuti per raggiungere l'isolotto, indipendentemente dal percorso. Stando così le cose, e a meno che non si fosse fermata in un punto imprecisato lungo la strada, avrebbe dovuto raggiungere il luogo dove era stata uccisa non più tardi delle sei e venticinque.

Lynley aveva ripreso a respirare in modo lento e regolare, così rialzò la testa. Anche senza la nebbia che, il giorno prima, era calata fitta su gran parte della regione, dovette ammettere che era il luogo ideale per compiere un delitto. Salici, ontani e faggi – nessuno di essi era ancora del tutto spoglio – creavano una barriera impenetrabile che proteggeva e nascondeva l'isolotto non solo dalla strada asfaltata, che faceva un'ampia curva all'altezza dell'estremità sud prima di raggiungere il centro della città, ma anche dal sentiero che si snodava a meno di tre metri dal fiume – che

Sheehan aveva definito una specie di fossato. Chiunque avesse voluto commettere un crimine, qui avrebbe avuto come vantaggio un isolamento pressoché assoluto. E benché di tanto in tanto qualcuno passasse sul ponte che da Coe Fen raggiungeva l'isolotto e proseguisse poi fino al sentiero, o qualche ciclista attraversasse lo Sheep's Green o costeggiasse il fiume, nel buio quasi notturno delle sei e mezzo di una gelida mattina di novembre, l'assassino poteva sentirsi quasi sicuro di non essere sorpreso da nessun testimone mentre massacrava e strangolava Elena Weaver. Alle sei e mezzo del mattino, con ogni probabilità, non ci sarebbe stato nessuno in quella zona, salvo la sua matrigna, la cui presenza era stata eliminata grazie a una semplicissima telefonata con il Ceephone. Evidentemente era stato qualcuno che presumeva di conoscere Justine abbastanza bene da avere la sicurezza che, se ne avesse avuto l'opportunità, non sarebbe uscita a correre da sola, la mattina dopo.

Lei era uscita a correre comunque, ma l'assassino aveva avuto un grosso colpo di fortuna, perché aveva scelto una strada diversa. Sempre che di fortuna si trattasse, chiaro.

Lynley si staccò dalla balaustra, si raddrizzò e si diresse verso l'isolotto. Il cancelletto che dava accesso all'estremità nord era spalancato, così entrò e vide una baracca, accanto alla quale erano ammucchiate sul fianco delle barche; contro le porte verdi erano appoggiate tre biciclette. Dentro, infagottati in pesanti maglioni per difendersi dal freddo, tre uomini stavano esaminando una falla in una delle imbarcazioni. Le lampade al neon che correvano lungo il soffitto davano una tonalità giallastra alla loro pelle. L'aria era pregna dell'odore della vernice impermeabile che proveniva da un banco di lavoro sul quale, in mezzo all'incredibile varietà di oggetti ammassati, c'erano due latte da cinque litri ciascuna, aperte e con i pennelli appoggiati sopra, di traverso. L'odore si diffondeva anche da due altri barchini, appena rimessi a nuovo, appoggiati su cavalletti in attesa che asciugassero.

« Certo che sono proprio una manica di idioti », stava dicendo uno dei tre uomini. « Ma l'avete visto come l'hanno sfondato? Se ne fregano, ecco la verità. Quelli lì non c'hanno manco un briciolo di rispetto. »

Un altro alzò gli occhi. Lynley notò che era giovane, non doveva avere più di vent'anni. Aveva il viso segnato dall'acne e i capelli lunghi, e all'orecchio sfoggiava uno scintillante zircone. « Serve qualcosa, amico? » domandò.

Gli altri due smisero di lavorare. Erano di mezza età e avevano l'aria stanca. Uno scrutò Lynley dalla testa ai piedi, quanto bastava per registrarne l'abbigliamento improvvisato da fondista: tweed marrone, lana blu, pelle bianca. L'altro si spostò verso l'estremità opposta della baracca, dove mise in funzione una levigatrice elettrica e cominciò ad aggredire energicamente la fiancata di una canoa.

Avendo notato che non era ancora stato consentito ufficialmente il libero accesso all'estremità sud dell'isolotto poiché, come scena del crimine, era recintata con il nastro adesivo, Lynley si meravigliò che Sheehan non fosse intervenuto da quella parte. Ma il motivo lo scoprì quasi subito, perché il più giovane dei tre disse: « Nessuno può impedirci di venire qui soltanto perché qualche troia ci ha lasciato le penne ».

« Piantala, Derek », lo riprese il più vecchio. « Si stanno occupando di un omicidio, non di una damigella in difficoltà. »

Derek scosse la testa in un gesto di derisione, tirò fuori una sigaretta dai jeans e l'accese con un fiammifero da cucina, che poi scaraventò per terra con sublime indifferenza per il fatto che, nelle vicinanze, ci fossero barattoli di vernice a iosa.

Dopo aver mostrato loro il tesserino, Lynley cominciò a chiedere ai due uomini se conoscevano la ragazza morta. Sapevano soltanto che era una studentessa dell'università, gli risposero. Non avevano ulteriori informazioni da dargli, oltre a quelle che la polizia aveva fornito a loro quando, la mattina del giorno prima, erano arrivati al cantiere. Sapevano soltanto che il corpo di una studentessa era stato trovato all'estremità sud dell'isolotto con la faccia massacrata e il cordino della felpa intorno al collo. Ma Lynley voleva sapere se la polizia aveva perquisito anche l'estremità nord.

« Hanno cacciato il naso dappertutto, certo », replicò Derek. « Avevano già aperto il cancello ed erano entrati prima ancora che arrivassimo. E Ned è rimasto tutto il giorno con le balle girate. » Poi, a causa del suono stridulo della levigatrice che arrivava dal fondo della baracca, si mise a gridare: « Vero che ti sono girate le balle, amico? »

A quanto pareva, Ned non lo sentì. Era completamente assorbito dal suo lavoro.

«Ma non avete notato niente di strano?» domandò Lynley.

Derek buttò fuori il fumo della sigaretta e lo risucchiò dal naso. Ridacchiò, evidentemente soddisfatto per l'effetto ottenuto. «Cioè, oltre a una ventina che strisciavano dentro e fuori i cespugli cercando di dare la colpa a gente come noi?»

«In che senso?» gli domandò Lynley.

«È sempre la solita menata! Hanno fatto fuori una puttana di qualche college. I piedipiatti stanno cercando di incolpare uno del posto, perché se a quei parrucconi imbecilli dell'università non piace il vero colpevole, qui scoppia il finimondo. Provi a domandare un po' al nostro Bill.»

Ma non sembrò che Bill fosse particolarmente desideroso di manifestare la propria opinione sull'argomento. Era indaffarato, andò al banco di lavoro a prendere un seghetto e cominciò a trafficare con un pezzetto di legno infilato in un'antica morsa rossa.

«Suo figlio lavora nel giornale locale», riprese Derek. «Si stava occupando di un tizio che, almeno così sembra, la primavera scorsa si è suicidato. Ma all'università non piaceva l'andazzo che stava prendendo la storia, così hanno fatto di tutto per chiudergli il becco. Ecco come funziona da queste parti, caro mio.» Derek indicò il centro della città con un pollice sudicio. «L'università vuole che noi del posto righiamo dritto, ma alle loro regole.»

«Ma questo conflitto fra città e università non è vecchio come il cucù?» domandò Lynley.

Finalmente Bill si decise a parlare. «Dipende dalla persona a cui lo chiede.»

«Già», aggiunse Derek. «Se prova a parlare con quei ricconi che abitano più giù, lungo il fiume, ti dicono che ormai sono cose morte e sepolte. Per quelli là va sempre tutto a meraviglia, fino a quando non gli capita di sbatterci il muso. Invece, quando hai a che fare con gente come noi, è un po' diverso, non le sembra?»

Lynley rifletté a lungo su quelle parole mentre tornava indietro all'estremità sud dell'isolotto. Si chinò per passare sotto la linea di demarcazione fissata dalla polizia per evitare l'accesso al pubblico. Negli ultimi anni, quante volte aveva sentito la stessa storia, esposta con zelo quasi religioso? Non esisteva più una divisione in classi. Invece veniva sempre riaffermata, pur con le migliori intenzioni e sinceramente, da chi, a causa della propria carriera, delle origini e del conto in banca, era cieco di fronte alla vita reale. Solo chi non aveva una carriera brillante né un albero genealogico che affondava le proprie radici in profondità nel suolo britannico, e non aveva accesso al denaro e nemmeno poteva sperare di mettere da parte qualche sterlina prendendola dalla paga settimanale, era in grado di riconoscere l'insidia di una società stratificata, quando essa stessa proclamava che le classi sociali non esistevano più, nonostante si etichettasse una persona anche solo dall'accento.

Molto probabilmente l'università sarebbe stata la prima a rinnegare l'esistenza di qualsiasi barriera tra accademici e gente del posto. E per quale motivo non avrebbero dovuto rinnegarla? Del resto, capita di rado, forse mai, che chi costruisce i bastioni di una fortezza poi si senta soffocare dalla loro presenza.

Eppure, malgrado tutto ciò, gli riusciva difficile attribuire la morte di Elena Weaver a una scontro sociale come quello. E se un abitante del posto fosse stato coinvolto nell'omicidio, il suo istinto gli avrebbe detto che, evidentemente, l'autore del crimine doveva avere un rapporto molto intimo con lei. Ma da quanto era riuscito a scoprire almeno fino a quel momento, nessuno degli abitanti della città la conosceva. Pertanto, era sicuro che, se avesse seguito quella pista, sarebbe finito in un vicolo cieco.

Si incamminò sulle assi che la polizia di Cambridge aveva sistemato su tutto l'isolotto, dal cancelletto in ferro battuto fino al luogo del delitto. Tutto ciò che poteva costituire un eventuale indizio era stato raccolto e trasportato altrove dalla Scientifica. Rimaneva soltanto qualche traccia appena visibile di un piccolo falò, più o meno circolare, di fronte a un ramo d'albero imputridito, su cui andò a sedersi.

A prescindere dai contrasti che potevano esserci all'interno dell'arena politica della Scientifica di Cambridge, gli agenti avevano fatto bene il loro lavoro. La cenere del fuocherello era stata setacciata e, a quanto pareva, una parte di essa era stata raccolta.

Nei pressi del ramo imputridito, notò l'impronta lasciata nel terriccio umido da una bottiglia, e gli venne subito in mente l'elenco di oggetti che Sarah Gordon aveva detto di aver visto lì in giro. Cominciò a riflettere proprio su questo punto, cercando di dipingersi un assassino tanto furbo e intelligente da usare una bottiglia di vino ancora chiusa, svuotarla poi nel fiume, lavarla dentro e fuori e buttarla per terra, in modo che potesse integrarsi con i rifiuti che deturpavano la zona in abbondanza. Sporcata di fango, avrebbe dato l'impressione di essere lì da settimane. La condensa all'interno si poteva attribuire all'umidità. Piena di vino, si adattava molto bene alla descrizione, benché ancora parziale, di quella che poteva essere l'arma usata per massacrare il viso della ragazza. Ma, in questo caso, come diavolo avrebbe fatto la polizia a risalire all'origine e al proprietario di una bottiglia di vino in una città nella quale gli studenti avevano sempre una buona scorta di alcolici, addirittura nella propria camera?

A fatica si alzò e raggiunse la piccola radura dove era stato nascosto il corpo. Ormai non era rimasto più nulla del mucchio di foglie che, la mattina del giorno prima, aveva camuffato un'uccisione. Nonostante ogni pianta fosse stata esaminata da gente abituata a scoprire la verità, erba del cucco, edera, ortiche e fragole selvatiche erano rimaste intatte. Lynley si accostò al fiume e rimase a contemplare la vasta estensione di terreno paludoso che costituiva Coe Fen, lungo la cui estremità più lontana si stagliava il complesso degli edifici beige di Peterhouse. Li osservò con attenzione e trovò conferma al fatto che da lì poteva vederli chiaramente e che, a quella distanza, in modo particolare la cupola di uno di essi, avrebbero irradiato una luminosità ben visibile con qualsiasi tipo di nebbia, salvo forse la più impenetrabile. E, intanto, fu costretto anche ad ammettere che stava appurando la veridicità della versione dei fatti di Sarah Gordon. Perché lo facesse, non lo sapeva.

Si girò, lasciandosi il fiume alle spalle, e colse nell'aria il fetore acido, inequivocabile, del vomito umano, anche se solo un soffio, come quello di una malattia che lo avesse appena sfiorato. Ne rintracciò l'origine a riva, una chiazza semirappresa di materia liquida e viscida bruno-verdastra. Era grumosa e puzzolente, piena di tracce di zampe e beccate di uccelli. Chinandosi a esaminarla, gli parve di sentire nelle orecchie il laconico commento del sergente Havers: «I vicini di casa hanno confermato la versione della Gordon e quindi l'hanno completamente discolpata, ispettore. La sua storia quadra, però niente le impedisce di domandarle che cosa ha mangiato a colazione e di portare questa robaccia alla Scientifica per una delle solite analisi».

Forse, si disse, adesso era proprio questo il suo problema nei confronti di Sarah Gordon. Ogni dettaglio del suo racconto quadrava alla perfezione. Non c'era un solo errore, una svista o un punto debole a cui appigliarsi.

«E perché dovrebbe?» gli avrebbe chiesto la Havers. «Trovare punti deboli è il suo lavoro, ispettore. E quando non se ne trovano, bisogna continuare a cercarli.»

Fu quello che decise di fare, dunque seguì a ritroso il percorso di assi e lasciò l'isolotto. Si incamminò su per il pendio e raggiunse il sentiero che conduceva al ponte collegato al marciapiede sulla strada asfaltata da un cancelletto. Proprio di fronte, sul lato opposto, ce n'era un altro più o meno simile, così andò a vedere dove portava.

Si rese conto che chiunque fosse uscito a fare jogging al mattino, se arrivava dal St Stephen's, una volta raggiunto il Fen Causeway si sarebbe trovato davanti ben tre possibilità di scelta. Svoltare a sinistra e passare di fronte alla facoltà di ingegneria in direzione di Parker's Piece e la stazione di polizia di Cambridge. Svoltare a destra e procedere verso Newnham Road e, volendo allungare la corsa, fino a Barton. Oppure – e gli sovvenne solo allora – poteva attraversare la strada, superare il secondo cancelletto e proseguire verso sud, lungo il fiume. Chiunque fosse stato a uccidere la ragazza, non solo doveva conoscere bene il suo solito percorso, ma anche le varie alternative a disposizione. E sapeva che l'unica possibilità di raggiungerla e bloccarla, senza possibilità di errore, era soltanto lì, a Crusoe's Island. Intanto il freddo cominciava a insinuarglisi sotto i vestiti; decise di prendere la via del ritorno, stavolta procedendo a un'andatura più lenta, con il puro e semplice intento di non raffreddarsi ulteriormente. Mentre imboccava l'ultima svolta dal Senate House Passage, dove la Senate House e i muri esterni del Gonville and Caius College trasformavano quella specie di corridoio in una galleria dove soffiava un vento gelido, scorse la Havers uscire dall'imponente ingresso del St Stephen's; gli sembrò rimpicciolita, quasi schiacciata dalle torrette e dalle sculture araldiche di animali fantastici che sorreggevano lo stemma del fondatore.

La donna lo scrutò con aria impenetrabile. «Cos'è, è in incognito, ispettore?»

La raggiunse. «Non sono in piena armonia con l'ambiente che mi circonda?»

«Come mimetizzazione, mi sembra valga pochino.»

«La sua sincerità mi annienta.» Poi le spiegò cosa aveva fatto, senza badare all'espressione della donna, che aveva alzato un sopracciglio e abbozzato un lieve sogghigno, quando aveva alluso al vomito che confermava la versione dei fatti di Sarah Gordon. « Secondo me, Elena ha coperto quel percorso in meno di cinque minuti, Havers. Ma se la sua intenzione era di allungare la corsa, è probabile che abbia optato per un'andatura più lenta. Di conseguenza, ci avrà messo al massimo dieci minuti », concluse.

La Havers annuì. Poi, girando gli occhi in direzione del King's College e aguzzando la vista lungo il viottolo, aggiunse: « Se il portiere l'ha vista davvero quando è uscita verso le sei e un quarto... »

« Io penso che su questo non ci siano dubbi. »

« ... In tal caso, dovrebbe essere arrivata all'isolotto parecchio in anticipo rispetto a Sarah Gordon. Lei cosa ne dice? È d'accordo? »

« A meno che non si sia fermata in qualche posto lungo il percorso. »

« E dove? »

« Adam Jenn dice di abitare vicino alla Little St Mary's, quindi a meno di un isolato di distanza da una parte del percorso di Elena. »

« Sta forse insinuando che potrebbe essersi fermata da lui a bere una tazza di tè? »

« Forse. Oppure no. Ma se Adam l'avesse cercata ieri mattina, non penso che avrebbe avuto molta difficoltà a rintracciarla, non le sembra? »

Poi tagliarono per la Ivy Court, si fecero strada fra le innumerevoli file di onnipresenti biciclette e si diressero verso la scala O. « Ho bisogno di una doccia », disse Lynley.

« Faccia pure. Basta che non mi chieda di lavarle la schiena. »

Dopo aver fatto la doccia, Lynley la trovò seduta alla scrivania, intenta a esaminare gli appunti che lui aveva preso la sera prima. Si era messa comoda, come se fosse stata a casa propria, e aveva sparpagliato le sue cose per tutta la stanza: una sciarpa sul letto, un'altra drappeggiata sulla spalliera della poltrona, il cappotto sul pavimento. Dalla borsa a tracolla aperta sulla scrivania fuoriuscivano in disordine matite, un libretto di assegni, un pettine di plastica senza qualche dente e una spilletta arancio vivo con la scritta *Chicken Little was right.* Da qualche parte nella stessa ala dell'edificio era riuscita a trovare un cucinino ben rifornito, e aveva preparato il tè. Ne stava versando un po' in una tazza con il bordo dorato.

«Vedo che ha tirato fuori il suo miglior servizio di porcellana», fece Lynley, asciugandosi i capelli con una salvietta.

Lei tamburellò il dito contro la tazza, ma ne uscì un suono niente affatto armonico. «Plastica», disse. «Pensa che le sue labbra potranno sopportare un simile insulto?»

«Affronteranno eroicamente questa esperienza.»

«Bene.» Riempì una tazza anche per lui. «C'era perfino il latte, ma ci galleggiavano sopra alcuni strani grumi bianchi, così l'ho lasciato alla scienza.» Buttò un paio di zollette di zucchero, mescolò il tutto con una delle sue matite e gliela porse. «Le spiacerebbe infilarsi una camicia, ispettore? Ha certi pettorali... Alla vista di un torace maschile, ho sempre la tendenza a perdere la testa.»

Lui la accontentò e finì di vestirsi, dato che aveva già cominciato nel bagno gelido in fondo al corridoio. Poi, con la tazza di tè fra le mani, si diresse verso la poltrona su cui prese posto per infilarsi le scarpe.

«Dunque, che cosa abbiamo?» le domandò.

La donna accantonò il quaderno degli appunti e si girò, in modo da averlo di fronte, quindi accavallò le gambe. Lynley le vide per la prima volta i calzini. Erano rossi.

«Ci sono alcune fibre sotto entrambe le ascelle della felpa», cominciò a spiegargli. «Cotone, poliestere e rayon.»

«Potrebbero venire da un capo qualsiasi del suo armadio.»

«Giusto. Sì. Infatti lo stanno cercando.»

«Quindi brancoliamo nel buio.»

«No. Non esattamente.» Lynley si accorse che la collega cercava di trattenere un sorriso soddisfatto. «Le fibre erano nere.»

«Ah.»

«Già. La mia ipotesi è che l'assassino l'abbia trascinata sull'isolotto prendendola da sotto le ascelle, lasciando così quelle fibre.»

Lynley non abboccò a quell'indizio di un'eventuale colpevolezza. «E per quanto riguarda l'arma del delitto? Quelli della Scientifica sono riusciti a capire cos'è stato usato per colpirla?»

«La descrizione è sempre la stessa. Si tratta di qualcosa di liscio e pesante, che non ha lasciato alcuna traccia sul cadavere. L'unica novità rispetto a prima è che adesso non è più il classico corpo contundente. Depennati gli aggettivi, stanno lavorando come matti alla ricerca di qualche altra definizione utile. Sheehan parlava addirittura di convocare qualche altro esperto per un ulteriore esame del cadavere perché, a quanto sembra, i suoi due anatomopatologi sono incapaci di raggiungere una conclusione ben definita – figuriamoci un accordo – su qualsiasi cosa.»

«Sì, mi aveva fatto capire che la Scientifica avrebbe potuto causare qualche difficoltà», confermò Lynley. Meditò sull'arma e sul luogo del delitto, e disse: «Un oggetto di legno sembrerebbe una soluzione possibile, cosa ne dice, Havers?»

Come al solito, la collega intuì subito a cosa voleva alludere. «Sta parlando di un remo, per caso? Oppure di una pagaia?»

«Sì, più o meno.»

«In tal caso dovremmo avere qualche indizio che ce lo confermi. Una scheggia, un minuscolo pezzettino di vernice...»

«Invece non hanno niente?»

«Zero.»

«È un bel casino.»

«Appunto. Insomma, se vogliamo basare il caso sulle prove, siamo in alto mare. Su altri fronti, però, abbiamo delle buone notizie. Anzi, ottime.» Tirò fuori dalla borsa diversi fogli ripiegati. «Mentre ero lì, Sheehan ha esaminato i risultati dell'autopsia. Non avremo tracce dell'arma, però abbiamo un movente.»

«Lo sta dicendo da quando abbiamo fatto la conoscenza di Lennart Thorsson.»

«Ma questo è meglio di una denuncia per molestie sessuali, ispettore. Da qui non c'è via di scampo. Provi ad accusarlo di questo, ed è un uomo finito. Non se la caverà.»

«Questo, cosa?»

Gli consegnò il rapporto. «Elena Weaver era incinta.»

10

« Che fosse incinta, naturalmente, ripropone il problema di quel contraccettivo mai usato, non le pare? » continuò la Havers.

Lynley andò a prendere gli occhiali che erano nella tasca della giacca, tornò alla sua poltrona e si mise a leggere il rapporto. Al momento della morte, la ragazza era incinta di otto settimane. Essendo il 14 novembre, calcolando a ritroso si arrivava pressappoco alla terza settimana di settembre, prima che ricominciassero i corsi. Si domandò se Elena fosse già arrivata in città.

« E non appena gliene ho accennato », disse la Havers, « Sheehan si è messo a blaterare per dieci minuti buoni. »

Lynley si riebbe all'improvviso. « Come? »

« La gravidanza, ispettore. »

« Be', e allora? »

La donna scivolò sulla poltrona e, con aria indignata, gli domandò: « Ma... mi sta ascoltando? »

« Stavo facendo qualche calcolo. Quando è rimasta incinta, era a Londra o già a Cambridge? » Poi decise di accantonare momentaneamente quel problema. « E qual era il punto che Sheehan voleva farle rilevare? »

« Da come parlava, mi sembrava di essere tornata all'Ottocento! D'altra parte, lui stesso mi ha spiegato che ci si prospetta una situazione all'antica, e con la A maiuscola per di più. Non solo, ma la sua ipotesi non è proprio niente male, ispettore. » Poi, servendosi di una matita per sottolinearne ciascun punto e dandosi delle pacche sul ginocchio, riprese: « Sheehan ha insinuato che Elena avesse una relazione con uno dei professori anziani del college e che fosse rimasta incinta. Lei voleva sposarsi, lui fare carriera. Il professore sapeva che, se fosse girata la voce che aveva messo nei guai una studentessa, sarebbe stato rovinato e non avrebbe mai più avuto alcuna promozione. Lei lo ha minacciato di spifferare tutto, illudendosi che fosse sufficiente a farlo cedere. Invece le cose non sono andate come pensava e il professore in questione l'ha ammazzata».

«Insomma, gira che ti rigira, lei torna sempre su Lennart Thorsson, vero?»

«Tutto quadra, ispettore. E quell'indirizzo di Seymour Street che la ragazza aveva scritto sul suo calendario? Sono andata a fare un piccolo controllo...»

«E...?»

«È una clinica. Secondo un medico dello staff, che si è dichiarato prontissimo 'ad aiutare la polizia nelle indagini', Elena ci era andata mercoledì pomeriggio per un test di gravidanza. E noi sappiamo che Thorsson è andato a trovarla giovedì sera. Era finito, ispettore. Ma c'è dell'altro.»

«Cosa?»

«Quelle famose pillole anticoncezionali. La data sulla confezione era del febbraio scorso, però non ne aveva presa neanche una. Ispettore, io sono convinta che Elena volesse rimanere incinta.» Bevve un sorso di tè. «Il classico modo di incastrare un uomo.»

Lynley stava scrutando accigliato il rapporto; poi si tolse gli occhiali e pulì le lenti servendosi del bordo di una delle sciarpe della Havers. «Non vedo come possa esserci una relazione tra le due cose. Magari lei aveva semplicemente smesso di prendere la pillola perché non aveva alcun motivo di farlo – non stava con nessuno, cioè. E quando le si è presentata l'occasione, non era preparata.»

«Sciocchezze», ribatté la Havers. «Nella maggioranza dei casi, le donne sanno in anticipo se andranno a letto con un uomo. Anzi, in genere lo sanno nel preciso momento in cui fanno la sua conoscenza.»

«Però non sanno se verranno violentate oppure no, vero?»

«Va bene, glielo concedo. In ogni caso, deve arrendersi all'evidenza; d'ora in poi, Thorsson va tenuto d'occhio anche per questa seconda eventualità.»

«Indubbiamente. Ma non è l'unico, Havers. E forse non è nemmeno in testa all'elenco dei sospettati.»

Bussarono due volte alla porta. Quando Lynley gridò di entrare, il portiere di giorno del St Stephen's fece capolino. «Un messaggio per lei», disse, porgendogli un foglietto ripiegato. «Ho pensato che la cosa migliore fosse portarglielo direttamente.»

«Grazie.» Lynley si alzò.

Il portiere ritirò il braccio. « No, non è per lei, ispettore », precisò. « È per il sergente. »

La Havers lo prese e gli fece un cenno di ringraziamento. Il portiere si ritirò. Lynley osservò attentamente la Havers mentre leggeva il foglietto. Le si disegnò sul volto un'espressione avvilita, poi lo appallottolò e tornò verso la scrivania.

« Secondo me, per oggi abbiamo fatto tutto quello che potevamo, Havers », si affrettò a dirle Lynley in tono disinvolto. Tirò fuori l'orologio dal taschino. « Sono già le... Dio mio, guardi l'ora! Sono già le tre e mezzo passate. Forse sarebbe meglio se cominciasse a pensare a... »

La donna lasciò cadere la testa sul petto. Lynley la osservò trafficare nella borsa. Non ebbe cuore di continuare a fingere. Dopotutto, non erano impiegati di banca. E non lavoravano seguendo l'orario degli impiegati.

« Non funziona », disse la Havers. Scaraventò il foglietto nel cestino della carta straccia. « Vorrei che qualcuno mi dicesse perché non c'è mai un accidenti di niente che funziona come dovrebbe. »

« Vada a casa », disse Lynley. « Pensi a sua madre. Me la caverò da solo. »

« C'è troppo da fare per una persona sola. Non è giusto. »

« Sarà, ma il mio è un ordine. Se ne torni a casa, Barbara. Può farcela ad arrivare per le cinque. E torni qui domani mattina. »

« Prima voglio fare un controllo su Thorsson. »

« Non è necessario. Tanto, di sicuro non va in nessun posto! »

« A ogni modo, il controllo lo faccio comunque. » Prese la borsa e raccolse il cappotto dal pavimento. Quando si voltò verso di lui, Lynley notò che aveva il naso e le guance paonazzi.

« Barbara », le disse, « a volte la cosa più giusta da fare è anche la più ovvia. Lo sa, vero? »

« È proprio questo il punto », replicò lei.

« Mio marito non è in casa, ispettore. Lui e Glyn sono andati all'agenzia di pompe funebri a prendere gli accordi per il funerale. »

« Credo che possa darmi lei l'informazione di cui ho bisogno », le rispose Lynley.

Justine Weaver guardò il viale d'accesso alla villa, dove le luci del pomeriggio, spegnendosi, baluginavano ancora sul fianco destro della Bentley. Con le sopracciglia aggrottate, la donna pareva cercasse di decidere come comportarsi. Incrociò le braccia, stringendo con forza le maniche del blazer in gabardine che indossava. Poteva sembrare un gesto per riscaldarsi, ma non si allontanò nemmeno di un passo dalla porta in modo da mettersi al riparo dal vento.

«Non credo. Le ho già detto tutto quello che sapevo a proposito di domenica sera e di lunedì mattina.»

«Ma non tutto quello che sa su Elena.»

Gli occhi di Justine si staccarono dall'automobile e tornarono a posarsi su di lui. Lynley notò che erano di un azzurro intenso come il convolvolo, e non avevano alcun bisogno di essere accentuati o fatti risaltare da un abbigliamento adeguato. Per quanto la sua presenza a casa a quell'ora lasciasse pensare che non era andata in ufficio, Justine era vestita più o meno con la stessa formalità della sera prima – un blazer color talpa, una camicetta abbottonata fino alla gola di una stoffa stampata con un lieve motivo di foglioline e un paio di pantaloni a sigaretta di lana. Aveva tirato indietro i capelli con un pettinino.

«Credo che lei dovrebbe parlare con Anthony, ispettore», gli disse.

Lynley sorrise. «Di sicuro.»

Fuori, sulla strada, al ripetuto tintinnio del campanello di una bicicletta rispose un clacson. Più vicino, tre frosoni si alzarono in volo dal tetto, formando un grande arco, e scesero in picchiata emettendo il loro tipico richiamo – *zik, zik, zik* – come una conversazione fatta di una singola, ripetitiva parola. Saltellarono lungo il viale becchettando fra la ghiaia e poi, insieme, volarono via veloci. Justine li seguì fino a un cipresso sul limitare del prato. «Entri», gli disse infine, e si allontanò dalla porta.

Gli prese il soprabito e lo appese con cura al pomello del pilastro in fondo alla scala, poi lo precedette nel salotto dove si erano già seduti la sera prima. Ma stavolta non gli domandò se gradiva qualcosa da bere, invece si diresse verso il tavolino di vetro appoggiato alla parete e ritoccò appena la composizione di tulipani in seta. Poi si voltò a guardarlo, tenendo le mani giunte davanti a sé. In quell'ambiente, vestita com'era, assumendo quelle pose, sembrava un'indossatrice. Lynley si domandò che cosa ci voleva per farle perdere il controllo.

«Quest'anno Elena quando è arrivata esattamente a Cambridge?»

«Il trimestre è cominciato la prima settimana di ottobre.»

«Questo lo so. Mi stavo chiedendo se, per caso, non fosse venuta qui prima, magari per stare un po' con voi. Immagino fosse necessario qualche giorno per sistemarsi nel college e ambientarsi. E suo padre, probabilmente, avrà voluto esserle di aiuto.»

La mano destra di Justine cominciò a risalire piano lungo il braccio sinistro, poi si fermò appena sotto il gomito; conficcò l'unghia del pollice nella stoffa e cominciò a farla girare su se stessa. «Dev'essere arrivata più o meno verso la metà di settembre, perché abbiamo organizzato un ricevimento per qualcuno della facoltà di storia il giorno 13, e lei era qui. Me lo ricordo. Devo dare un'occhiata alla mia agenda? Le occorre sapere la data precisa?»

«Stava qui con voi?»

«Sì, anche se Elena non stava mai ferma in un posto troppo a lungo. Era sempre in movimento, entrava e usciva. Le piaceva essere attiva.»

«Anche tutta la notte?»

Adesso la mano di Justine era arrivata alla spalla, poi si era soffermata sotto il colletto della camicetta, come una specie di sostegno per il collo. «Questa è una domanda strana. Si può sapere con esattezza perché me lo chiede?»

«Elena era incinta di otto settimane quando è morta.»

Il viso della donna fu scosso da un fugace fremito, quasi più emotivo che fisico. Ma prima che Lynley potesse interpretarlo in qualche modo, Justine aveva già abbassato gli occhi. La mano, però, era rimasta contro la gola.

«Lei lo sapeva?»

Justine alzò la testa. «No. Ma non mi sorprende.»

«Perché? Elena frequentava qualcuno? Lei ne era al corrente?»

Lo sguardo di Justine si spostò da Lynley al vano della porta del salotto, come se si aspettasse di trovarci l'amante di Elena.

«Signora Weaver», continuò Lynley, «in questo preciso momento stiamo prendendo in esame tutti i possibili moventi per l'omicidio della sua figliastra. Nel caso sapesse qualcosa, le sarei molto grato se me ne parlasse.»

«Questo dovrebbe farlo Anthony, non io.»

«Perché?»

«Perché io ero la sua matrigna, appunto.» Tornò a guardarlo con freddezza. «Capisce, vero? Non ho quel genere di diritti che crede lei.»

«Per esempio di parlar male della defunta?»

«Se vuole.»

«Elena non le era simpatica. Questo è abbastanza evidente. Ma tutto considerato, non si può certo dire che sia una novità. Sono sicuro che è solo una delle milioni di donne che non provano né affetto né interesse per i figli dell'uomo che hanno sposato in seconde nozze.»

«Figli che, in genere, non vengono assassinati, ispettore.»

«La segreta speranza di una matrigna trasformata in realtà?» Intuì la risposta nel fatto che, d'istinto, si allontanò da lui già mentre glielo chiedeva. E aggiunse, con voce sommessa: «Non è un crimine, signora Weaver. E lei non è la prima persona che vede realizzarsi il suo più bieco desiderio oltre ogni più rosea aspettativa».

Justine si allontanò dal tavolino e si diresse verso il divano, dove prese posto senza appoggiarsi allo schienale né sprofondare fra i cuscini, ma rimase appollaiata sul bordo con le mani in grembo e la schiena dritta come un fuso. «La prego, si accomodi, ispettore Lynley», gli disse. E quando lui andò a sedersi nella poltrona di pelle di fronte al divano, lei continuò: «E va bene. Sapevo che Elena era...» Sembrò cercare un eufemismo appropriato. «Be', era attiva.»

«Attiva sessualmente?» E quando la donna annuì, stringendo le labbra come se volesse stendere meglio il rossetto color salmone, Lynley continuò: «È stata Elena a dirglielo?»

«Era chiaro. Lo sentivo. Quando aveva un rapporto sessuale, non sempre dopo si prendeva la briga di lavarsi, ed è un odore abbastanza caratteristico, non le pare?»

«E non ha pensato di darle qualche consiglio? Suo marito non gliene ha parlato?»

«Per la sua igiene personale?» Justine si mostrò divertita, pur mantenendo il solito distacco. «Credo che Anthony preferisse fingere di non accorgersi di ciò che il suo naso gli rivelava.»

«E lei?»

«Ho cercato di parlargliene parecchie volte. In principio credevo non si rendesse bene conto che doveva prendersi cura di se stessa. E pensavo anche che, magari, sarebbe stato saggio cercare di sapere se prendeva qualche precauzione per non rimanere incinta. In tutta franchezza, non ho mai avuto l'impressione che lei e Glyn si fossero mai scambiate le tipiche confidenze fra madre e figlia.»

«Ed Elena non aveva nessuna voglia di parlare con lei, o sbaglio?»

«Al contrario, mi parlava eccome. Anzi, sembrava piuttosto divertita da quello che mi era sembrato giusto dirle. Mi informò che prendeva la pillola da quando aveva quattordici anni, cioè da quando aveva cominciato a farsi qualche 'scopata' – testuali parole, ispettore – con il padre di una delle sue compagne di scuola. Che fosse vero o no, non ne ho la minima idea. Quanto alla sua igiene personale, Elena non era una sprovveduta. Se non si lavava, lo faceva di proposito. Voleva far sapere alla gente che aveva dei rapporti sessuali. E, credo, soprattutto a suo padre.»

«Che cosa glielo fa pensare?»

«Ecco, a volte, quando rientrava molto tardi e noi eravamo ancora alzati, cominciava a fargli un sacco di moine, ad abbracciarlo, ad accostare la guancia a quella di lui, a sfregarglisi contro, e intanto puzzava di...» Le dita di Justine cercarono istintivamente la fede nuziale.

«Cosa stava cercando di fare? Di eccitarlo?»

«È quello che ho creduto anch'io in un primo momento. E chi non lo avrebbe pensato, visto il modo in cui gli si strofinava addosso? Ma poi ho cominciato a pensare che Elena stesse semplicemente cercando di costringere suo padre a rendersi conto che era una persona normale.»

Curiosa, come espressione. «Un atto di sfida, dunque?»

«No. Per niente. Un atto di accondiscendenza.» Probabilmente Justine lesse sul viso di Lynley la domanda successiva, e infatti gli rispose subito: «'Io mi comporto da persona normale, papà. Lo vedi che sono normale? Vado alle feste, bevo e mi porto regolarmente a letto gli uomini. Non è questo che volevi? Non desideravi una figlia normale?'»

Lynley si rese conto che le parole di Justine non facevano che confermare il quadro già tratteggiatogli da Terence Cuff la sera prima, sia pure indirettamente, quando gli aveva descritto il rapporto tra Anthony Weaver e sua figlia. «Lo so, il professor Weaver non voleva che sua figlia parlasse coi segni», commentò Lynley. «Ma quanto al resto...»

«Ispettore, lui non voleva che Elena fosse sorda. E, se è per questo, non lo voleva neanche Glyn.»

«Elena lo sapeva?»

«E come avrebbe potuto non saperlo? Avevano passato tutta la vita cercando di trasformarla in una donna normale, benché non ci fossero speranze.»

«Perché era sorda.»

«Sì.» Per la prima volta, Justine cambiò posizione. Si protese lievemente in avanti come per sottolineare il concetto che stava esprimendo. «Sorda... non vuol dire... normale... ispettore.» Attese qualche istante prima di continuare, come se volesse prima soppesarne la reazione. E in effetti lui si sentì travolgere all'improvviso da un senso di avversione che provava sempre quando qualcuno faceva un commento xenofobo, omofobico o razzista.

«Lo vede?» continuò Justine. «Anche lei, come suo padre e sua madre, vuole renderla una persona normale. Anzi, addirittura vuole definirla normale, e condannare me perché ho avuto l'audacia di insinuare che chi è sordo non può essere normale. Glielo leggo in faccia, lei pensa il contrario. Proprio come Anthony. Quindi, in fin dei conti, lei non se la sente di giudicarlo perché ha sempre desiderato descrivere sua figlia così come ha appena fatto lei?»

Queste parole nascondevano un'intuizione lucida e fredda. Lynley si domandò quanto tempo e quanta riflessione avesse dedicato Justine Weaver al problema, per riuscire a delinearlo in modo tanto distaccato e a darne un giudizio tanto accurato. «Ma Elena poteva giudicarlo, invece.»

«Ed è proprio quello che faceva.»

«Adam Jenn mi ha detto che lui ed Elena si vedevano di tanto in tanto su richiesta di suo marito.»

Justine ritornò alla posizione originaria, impettita, rigida. «Anthony nutriva qualche vaga speranza che Elena potesse provare un certo attaccamento per Adam.»

«Dunque potrebbe essere stato lui a metterla incinta?»

«Non credo. Adam l'ha conosciuta soltanto nel settembre scorso, a quel ricevimento della facoltà di storia a cui accennavo prima.»

«Ma se lei è rimasta incinta quasi subito dopo...»

Justine accantonò quest'idea alzando rapidamente una mano dal grembo, come per impedirgli di pronunciare altre parole. «Andava a letto con gli uomini fin dal dicembre dell'anno precedente. E molto prima di conoscere Adam.» Ancora una volta sembrò in grado di anticipare la domanda successiva: «Lei si starà domandando come faccio a saperlo con tanta sicurezza».

«In fondo, è passato quasi un anno.»

«Era venuta a mostrarci il vestito che si era comprata per il ballo di Natale. E si è spogliata per provarlo.»

«E non si era lavata.»

«No.»

«Chi l'ha accompagnata a quel ballo?»

«Gareth Randolph.»

Il ragazzo sordo. Lynley rifletté sul fatto che il nome di Gareth Randolph stava diventando una specie di costante tra le mille informazioni raccolte. Meditò sul modo in cui Elena Weaver avrebbe potuto servirsi di lui, usandolo come strumento per la sua vendetta. Se si comportava così per umiliare il padre e il suo desiderio che lei fosse normale, che fosse una donna come tutte le altre, quale modo migliore se non rinfacciargli quel desiderio, metterlo di fronte alla realizzazione di esso, dimostrandogli che era rimasta incinta? In fondo, così gli avrebbe dato quello che lui desiderava tanto, cioè una figlia normale con esigenze normali e sentimenti normali, con un corpo che funzionava in modo normale.

E nello stesso tempo anche lei avrebbe ottenuto quello a cui aspirava, l'occasione, cioè, di rendergli la pariglia scegliendo come padre del suo bambino un uomo sordo. Pensandoci bene, così il cerchio perfetto della vendetta si sarebbe chiuso. Lynley si limitò a domandarsi se Elena fosse stata realmente tortuosa e ambigua fino a questo punto, oppure se la sua matrigna non volesse sfruttare la questione della gravidanza per darne un'immagine che potesse servire ai propri fini.

«A partire da gennaio», le disse, «di tanto in tanto sul suo calendario Elena aveva disegnato un pesciolino. Significa qualcosa di particolare per lei?»

«Un pesce?»

«Sì, un disegnino a matita simile al simbolo del cristianesimo.

Compare parecchie volte a settimana. Anche la sera prima che morisse. »

« Un pesce? »

« Sì, gliel'ho detto. Un pesciolino. »

« Non so cosa potrebbe significare. »

« Magari un'associazione a cui apparteneva? Una persona con cui si incontrava? »

« A sentire lei, ispettore, la vita di Elena si sta trasformando a poco a poco in un romanzo di spionaggio. »

« Eppure sembrerebbe qualcosa di clandestino, non è d'accordo? »

« Perché? »

« Altrimenti perché non scrivere a chiare lettere ciò che quel pesciolino rappresentava? »

« Forse era troppo lungo. Forse era più facile disegnare il pesciolino. Non può significare niente di importante. E poi, per quale motivo avrebbe dovuto preoccuparsi che qualcuno vedesse ciò che disegnava sul suo calendario? Probabilmente era una specie di segno stenografico, di cui si serviva per ricordarsi qualcosa. Magari un colloquio con qualche professore. »

« Oppure un appuntamento. »

« Considerato che Elena non faceva mistero della propria attività sessuale, ispettore, non riesco a credere che sentisse il bisogno di camuffare un appuntamento galante, soprattutto sul suo calendario. »

« Forse ci era costretta. Forse voleva semplicemente che suo padre sapesse *cosa* stava facendo, e non *con chi* lo faceva. Non c'è dubbio che lui l'avesse visto in camera sua, quel calendario, e più di una volta, e quindi forse Elena non voleva che leggesse un certo nome. » Lynley aspettò la risposta di Justine, ma vedendo che taceva, proseguì: « Nella scrivania di Elena abbiamo trovato una confezione di pillole contraccettive, ma non le prendeva da febbraio. Saprebbe spiegarmene il motivo? »

« È chiaro ed evidente, temo. Voleva rimanere incinta. Ma questo non mi meraviglia affatto. In fondo, era la cosa più normale da fare. Amare un uomo, cioè. Volere un bambino da lui. »

« Lei e suo marito non avete figli, signora Weaver? »

Quel brusco cambio di argomento, che pure si collegava logicamente alle affermazioni appena fatte, sembrò sconcertarla.

Schiuse le labbra per un attimo. Rivolse lo sguardo alla fotografia delle nozze sul tavolino, poi diede l'impressione di raddrizzare la schiena e assumere una posizione ancora più impettita di prima, ma questo forse era la conseguenza del profondo respiro che prese prima di rispondere in tono pacato e inespressivo: « No, non abbiamo figli ».

Lynley attese di vedere se avrebbe aggiunto qualcos'altro, poiché sapeva per esperienza che spesso, in passato, il silenzio si era rivelato ben più efficace delle domande più mirate per spingere qualcuno a confessare. Il tempo passava. Fuori della finestra del salotto, un'improvvisa folata di vento scagliò una manciata di foglie di acero contro il vetro. Per un attimo sembrarono una vorticosa nuvola color zafferano.

« C'è dell'altro? » domandò Justine, passandosi lentamente una mano lungo la piega perfetta dei pantaloni. Era un gesto eloquente, con cui dichiarava la propria vittoria, sia pure momentanea, in quel breve scontro fra le loro due volontà.

Lynley ammise la sconfitta e si alzò. « No, al momento no », rispose.

Justine lo accompagnò alla porta d'ingresso e lo aiutò a infilarsi il soprabito. Lynley si accorse che aveva la stessa espressione di quando l'aveva fatto entrare in casa. Avrebbe voluto provare stupore e ammirazione per la sua grandissima capacità di controllarsi, invece si scoprì a chiedersi se davvero riusciva a dominare qualsiasi sentimento rivelatore, oppure se non ne provava affatto. E infine, si disse, era per verificare questa seconda eventualità che le avrebbe fatto un'ultima domanda, non tanto per il desiderio di turbare in qualche modo la compostezza e l'autocontrollo di una persona che pareva così invulnerabile. « A trovare il corpo di Elena ieri mattina è stata un'artista che vive a Grantchester. Una certa Sarah Gordon. La conosce? »

Di scatto, Justine si chinò a raccogliere l'esile gambo di una foglia abbandonata sul parquet e a malapena visibile. Poi sfregò col dito il punto in cui l'aveva trovata. Ci ripassò tre o quattro volte, come se la superficie di legno fosse stata danneggiata da quello stelo minuscolo. Poi, soddisfatta, si raddrizzò.

« No », disse. E lo guardò fisso negli occhi. « Non conosco nessuna Sarah Gordon. » Aveva recitato abilmente la sua parte. Un vero pezzo di bravura.

Lynley annuì, aprì la porta e si incamminò per il viale. Da dietro l'angolo della casa sbucò un setter irlandese che corse verso di loro a lunghi balzi eleganti, con una palla da tennis sudicia in bocca. Superò la Bentley e balzò in mezzo al prato, in una specie di allegra e festosa gara di corsa con se stesso; lo percorse in lungo e in largo, poi superò con un balzo un tavolo di ferro battuto, verniciato di bianco, e attraverò come un razzo il vialetto, fermandosi di colpo, estasiato, ai piedi di Lynley. Aprì la bocca lentamente e lasciò cadere la palla, scodinzolando speranzoso, il corpo scosso da un fremito, al punto che il pelo morbido e setoso gli si increspò, come tante canne tremule sfiorate dal vento. Lynley prese la palla e la scagliò oltre il cipresso. Con un latrato di felicità, il cane si precipitò a rincorrerla. E di nuovo percorse a folle velocità tutto il bordo del prato, oltrepassò il tavolino in ferro battuto e si accucciò ai piedi di Lynley. *Dai, ancora*, dicevano i suoi occhi, *ancora, tiramela ancora.*

« Elena veniva sempre a giocare con lui nel tardo pomeriggio », disse Justine. « La sta aspettando. Non sa che se ne è andata. »

« Adam mi ha detto che portavate il cane a correre con voi al mattino », fece Lynley. « Lo ha portato anche ieri, quando è uscita a correre da sola? »

« No, era un fastidio. Avrebbe tentato di andare verso il fiume, ma io non ne avevo alcuna voglia, tantomeno di mettermi a litigare con lui. »

Lynley sfregò la testa del setter con le nocche della mano. Appena smise, il cane si servì del naso per costringerlo a rimettere la mano nella posizione più appropriata per accarezzarlo ancora. Lynley sorrise.

« Come si chiama? »

« Elena lo chiamava Townee. »*

Justine non ebbe alcuna reazione fino al momento in cui rientrò in cucina. E non se ne rese conto nemmeno allora, finché non vide la propria mano stringersi con forza attorno al bicchiere d'acqua che reggeva, come se fosse stata colta tutto d'un tratto da un colpo apoplettico. Si avvicinò al lavandino, aprì il rubinetto e lasciò scorrere l'acqua, poi ci mise sotto il bicchiere.

* Tradizionalmente, il termine indica gli abitanti della città di Cambridge, per distinguerli da professori e studenti universitari. (*N.d.T.*)

Le pareva che ogni litigio e discussione, ogni supplica, ogni attimo di vuoto negli ultimi anni si fosse concentrato, chissà come, in quella frase: « Lei e suo marito non avete figli ».

D'altra parte, lei stessa l'aveva servita all'ispettore su un piatto d'argento quando aveva detto: « In fondo, era la cosa più normale da fare. Amare un uomo, cioè. Volere un bambino da lui ».

Ma non qui, non adesso, non in questa casa, non con quest'uomo.

Lasciando scorrere l'acqua, si portò il bicchiere alle labbra e si sforzò di bere. Lo riempì una seconda volta e di nuovo si sforzò di inghiottire tutta quell'acqua. E ancora. Soltanto allora chiuse il rubinetto e, alzando gli occhi dal lavandino, guardò dalla finestra della cucina il giardino interno, dove due cutrettole grigie zampettavano sul bordo della vaschetta d'acqua per gli uccelli, mentre un bel colombaccio grasso le osservava dal tetto spiovente del capanno degli attrezzi.

Per qualche tempo aveva nutrito in segreto la speranza di riuscire a eccitarlo a tal punto da fargli perdere il controllo dal desiderio di possederla. Aveva perfino cominciato a leggere libri che consigliavano di essere civettuola e divertente, di sorprenderlo impreparato, di trasformarsi nella puttana delle sue fantasie, di sensibilizzare il proprio corpo in modo da capire meglio il suo e imparare quali fossero le sue zone erogene, di domandare, aspettarsi, esigere un orgasmo, di variare posizioni, luoghi, tempi e circostanze, di essere distaccata, di essere passionale, di essere onesta, di essere sottomessa. Queste letture e questi consigli avevano ottenuto soltanto lo scopo di lasciarla sbalordita e meravigliata. Ma non l'avevano cambiata. Come non avevano alterato il fatto che niente di niente – sospiri, gemiti, stimoli o persuasioni che fossero – serviva a trattenere Anthony dallo staccarsi da lei al momento cruciale, frugare a tentoni nel cassetto, aprire frettolosamente la confezione dei profilattici e infilarsi quell'avvilente millimetro di protezione di gomma, la punizione per averlo minacciato, nel pieno di una discussione tanto futile quanto vergognosa, di smettere di prendere la pillola senza che lui lo sapesse.

Anthony aveva già avuto una figlia, non ne voleva altri. Non se la sentiva di tradire di nuovo Elena. Se n'era andato, l'aveva abbandonata e non aveva nessuna intenzione di avvalorare quell'implicito rifiuto mettendo al mondo un'altra creatura che Elena avrebbe potuto considerare come una sostituta di se stessa oppure come una persona pronta a entrare in competizione con lei per l'amore paterno. Né tantomeno avrebbe voluto correre il rischio che Elena pensasse che stava cercando di soddisfare i propri desideri, provando a mettere al mondo un figlio dall'udito perfetto.

Ne avevano parlato prima di sposarsi. Lui era stato molto schietto e sincero fin dal principio, le aveva fatto capire che mettere al mondo figli era fuori discussione, soprattutto tenendo conto della propria età e delle proprie responsabilità nei confronti di Elena. A quell'epoca lei aveva venticinque anni, e solo da tre aveva iniziato una carriera in cui era decisa a ottenere grandi successi, dunque l'idea di un figlio era sembrata remota. Tutta la sua attenzione era concentrata sul mondo dell'editoria e sulle proprie aspirazioni a raggiungere una posizione di prestigio. Ma i dieci anni trascorsi da allora le avevano portato un buon successo professionale – adesso, a trentacinque, era direttrice editoriale di una casa editrice di tutto rispetto – e anche la consapevolezza della propria immutabile mortalità e l'esigenza di lasciare qualcosa creato da lei, e non da qualcun altro.

Ogni mese veniva scandito dall'arrivo del ciclo mestruale. Ogni ovulo veniva trascinato via dal flusso di sangue. Ogni fremito di piacere di suo marito segnava l'ennesima possibilità di vita che andava sprecata.

Elena, invece, era rimasta incinta.

Justine provò una gran voglia di mettersi a urlare. Una gran voglia di piangere. Una gran voglia di tirar fuori dall'armadio quello stupendo servizio di porcellana, ricevuto come dono di nozze, e di scaraventarne ogni pezzo contro il muro. Provò una gran voglia di rovesciare mobili, di mandare in pezzi cornici di quadri e di sfondare il vetro delle finestre a pugni. Invece abbassò lo sguardo sul bicchiere che stringeva ancora in mano e lo posò con cura e precisione nel lavello immacolato.

Ripensò a tutte le volte in cui aveva osservato Anthony che scrutava sua figlia. Gli si disegnava in faccia un'espressione ardente di amore cieco e smisurato. Eppure, anche se era stata costretta ad affrontare tutto ciò, era riuscita comunque a imporsi autocontrollo e disciplina, a mordersi la lingua invece di denunciare la verità e correre il rischio che Anthony arrivasse alla conclusione che lei non condivideva il suo stesso amore per Elena. Elena. Le impetuose e contraddittorie correnti di vita che l'avevano pervasa – l'indomita e violenta energia, il cervello attento, curioso, l'umorismo, il carattere esuberante, la collera cupa e terribile. E sempre, in sottofondo, il bisogno appassionato di essere accettata senza equivoci, che, però, era in continuo conflitto con il suo desiderio di vendetta.

Era riuscita a realizzarlo. Justine si domandò con quali aspettative Elena si fosse pregustata il momento in cui avrebbe confidato al padre la notizia della gravidanza e preteso che pagasse lo scotto – oltre ogni sua ragionevole previsione – per un peccato commesso in buona fede ma comunque rivelatore, cioè desiderarla uguale in tutto e per tutto a qualsiasi altra persona. Dal potenziale imbarazzo del padre, Elena ne sarebbe uscita trionfante. E lei stessa di sicuro provava una sensazione di trionfo all'idea di essere al corrente di qualcosa che avrebbe distrutto per sempre qualsiasi illusione Anthony poteva essersi fatta sulla sua figliola. Sì, a conti fatti, era inequivocabilmente felice che Elena fosse morta.

Si staccò dal lavello e passò in sala da pranzo, poi tornò nel salone. La casa era avvolta dal silenzio; si sentiva soltanto il fruscio del vento, fuori, che si insinuava fra i rami crepitanti di un vecchio liquidambar. All'improvviso si sentì gelata, si premette il palmo della mano contro la fronte e poi contro le guance, domandandosi se, per caso, non si fosse presa un malanno. Poi andò a sedersi sul divano, con le mani giunte in grembo, e contemplò il mucchio simmetrico e ordinato di braci artificiali nel caminetto.

«Le daremo una casa», aveva detto Anthony subito dopo aver saputo che Elena avrebbe continuato i suoi studi a Cambridge. «Le daremo tutto il nostro affetto. Non c'è niente di più importante di questo, Justine.»

E per la prima volta dal momento in cui aveva ricevuto la telefonata sconnessa e sconvolta di Anthony in ufficio, il giorno prima, Justine pensò a quali effetti avrebbe avuto sul suo matrimonio la morte di Elena. Quante volte, infatti, Anthony aveva parlato dell'importanza di fornirle un alloggio sicuro e stabile fuori dal college? Quante volte aveva portato la longevità decennale del loro matrimonio come un esempio lampante di quel tipo di devozione, lealtà, amore rigeneratore che tutte le coppie cercano ma soltanto poche trovano, descrivendolo come un'isola di tranquillità in cui sua figlia si sarebbe potuta rifugiare e dove avrebbe trovato sostegno e appoggio per affrontare le sfide e i conflitti della sua esistenza?

« Siamo entrambi dei Gemelli », aveva detto Anthony. « E dunque è un po' come se fossimo gemelli anche noi, Justine. Tu e io, noi due contro il mondo. E lei questo lo capirà. Lo vedrà. E le darà conforto. »

Elena avrebbe potuto crogiolarsi e maturare nella luce radiosa del loro amore coniugale. E, a contatto con un matrimonio solido, felice, pieno di amore e completo, avrebbe potuto affrontare meglio la sua condizione di donna.

Quello era stato il progetto, il sogno di Anthony. E aggrapparvisi, nonostante gli ostacoli e le contrarietà, aveva consentito a entrambi di camuffare la realtà, di continuare a vivere nella menzogna.

Justine spostò lo sguardo dal caminetto alla fotografia del giorno delle sue nozze. Erano seduti – cos'era, una specie di panchina? Anthony le stava dietro, aveva i capelli più lunghi e i baffi corti, curati, come voleva la tradizione, e gli occhiali con la stessa montatura di metallo. Fissavano tutti e due intensamente la macchina fotografica, abbozzando un mezzo sorriso, come se dimostrare troppa felicità potesse smentire la serietà dei loro intenti. In fondo, è un impegno gravoso dimostrare quanto un matrimonio possa essere perfetto. Ma nella fotografia i loro corpi non si sfioravano nemmeno. Anthony non la stringeva a sé. Le mani non si protendevano a coprire le sue. Era un po' come se il fotografo che li aveva fatti mettere in posa avesse intuito una verità della quale loro medesimi non erano nemmeno consapevoli, come se la fotografia non potesse mentire.

Per la prima volta Justine intuì quali possibilità le si sarebbero prospettate se non si fosse messa in azione, per quanto non le piacesse farlo.

Quando uscì, Townee stava ancora giocando in giardino. E piuttosto di perdere tempo a rinchiuderlo dietro casa o in garage, lo chiamò, aprì la portiera dell'automobile e lo fece salire, senza badare all'impronta fangosa che aveva lasciato sul sedile del passeggero. Non era il momento di preoccuparsi per una sciocchezza simile.

Mise in moto l'auto, che si avviò con il rombo di un motore perfettamente registrato. Imboccò il viale a marcia indietro, poi svoltò in Adams Road e puntò verso la città. Come tutti gli uomini, anche lui era un abitudinario. E quindi avrebbe certo terminato la sua giornata nelle vicinanze di Midsummer Common.

Gli ultimi sprazzi di sole al tramonto filtravano a raggiera da dietro le nuvole, lanciando nel cielo lame di luce color albicocca e riflettendo sulla strada le ombre irregolari degli alberi come fossero merletti. Seduto accanto a lei, alla vista di siepi e automobili che gli sfrecciavano ai lati, Townee si mise ad abbaiare in segno di approvazione. Spostando il peso del corpo dalla zampa anteriore destra a quella sinistra, si mise a guaire eccitato. Ormai era chiaro, pensava che stessero giocando.

E, in fondo, sempre di un gioco si trattava, sia pure particolare, pensò Justine. Ma per quanto tutti i giocatori fossero già schierati, non c'erano regole. E soltanto il più abile opportunista fra loro sarebbe stato capace di trasformare gli orrori di quelle ultime trenta ore in una vittoria più duratura del dolore.

Lungo la sponda nord del fiume Cam erano allineate le rimesse per le barche dei vari college. Guardavano a sud, oltre il corso d'acqua, verso la distesa erbosa di Midsummer Common dove, all'ombra della sera che calava sempre più in fretta, una ragazza stava strigliando uno dei due cavalli presenti, i capelli biondi che le scendevano sulle spalle come una cascata da sotto un cappello alla cowboy, gli stivali inzaccherati da vistosi spruzzi di fango sui lati. L'animale scrollava la testa e faceva ondeggiare la coda, lottando contro i suoi sforzi, ma lei sapeva come tenerlo a bada.

L'aperta campagna faceva sembrare il vento non solo più forte ma anche più freddo. E quando Justine scese dall'auto, agganciando il guinzaglio al collare di Townee, tre pezzi di carta arancione le volteggiarono davanti alla faccia come uccelli in volo. Con la mano li scostò. Uno di essi ricadde sul cofano della sua Peugeot. E allora vide il ritratto di Elena.

Era uno di quei fogli ciclostilati che l'ASNU aveva distribuito dappertutto nella speranza di ottenere informazioni sul delitto. Ne riuscì ad acchiappare uno prima che il vento lo sospingesse lontano, e se lo cacciò nella tasca della giacca. Poi si avviò in direzione del fiume.

A quell'ora del giorno, nessuna delle squadre di canottaggio faceva allenamento. Di solito preferivano la mattina. Però le rimesse delle barche erano ancora aperte, una fila di eleganti facciate dietro le quali c'erano solo vuoti locali. All'interno, alcuni canottieri – uomini e donne – concludevano la loro giornata nello stesso, identico modo in cui l'avevano cominciata, cioè discutendo della stagione delle gare che si avvicinava con la fine del secondo trimestre. L'attenzione di tutti, ormai, era concentrata nei preparativi per quella competizione. Fiducia e speranze non erano ancora state stroncate dalla vista improvvisa di un otto che passava volando come se fosse l'aria, e non l'acqua, l'elemento contro il quale i rematori dovevano impegnare tutte le loro forze.

Justine e Townee seguirono la lenta curva del fiume. Il cane teneva il guinzaglio teso al massimo, e pareva smanioso di approfondire la conoscenza di quattro anatre selvatiche che, vedendolo, si allontanarono dalla sponda. Townee cominciò a saltare e ad abbaiare, ma Justine, avvolgendosi più saldamente il guinzaglio intorno alla mano, gli diede un brusco strattone.

« Comportati bene », gli disse. « Non siamo qui per correre. »

Eppure, com'era naturale, il cane non poteva saperlo. Dopotutto, all'acqua ci era abituato.

Un po' più avanti rispetto a dove si trovavano, un canottiere solitario stava tornando a riva, avanzando contro il vento e la corrente. Justine si immaginò di sentirne addirittura il respiro, perché, perfino a quella distanza e nonostante la luce sempre più fievole, le pareva di vedere il velo di sudore che gli copriva il viso, di distinguere chiaramente l'affannoso sussulto del petto. Si incamminò verso la sponda del fiume.

Accostando l'imbarcazione alla riva, l'uomo non alzò subito gli occhi, ma rimase curvo sui remi, la testa tra le mani. I capelli, che in cima alla testa cominciavano già a diradarsi ma tutt'intorno apparivano folti e ricci, erano umidi, incollati al cranio come la delicata peluria di un neonato. Justine si domandò da quanto tempo remasse e se fosse almeno riuscito a placare o mitigare le sensazioni che doveva aver provato alla notizia della morte di Elena, qualsiasi fossero. Che l'avesse saputo, era chiaro. Justine lo capì anche solo guardandolo. Benché fosse abituato ad allenarsi ogni giorno, di certo non sarebbe stato lì al crepuscolo, in mezzo al vento, con quel freddo pungente, se non avesse sentito la necessità di purificare i propri sentimenti compiendo uno sforzo fisico.

Sentendo i latrati di Townee, che voleva continuare la passeggiata, l'uomo alzò gli occhi. Per un attimo, non disse nulla. Anche

Justine tacque. L'unico suono udibile era il pesticciare del cane che graffiava il sentiero con le unghie, lo starnazzare allarmato delle anatre selvatiche che sentivano ancora la vicinanza dell'animale e il frastuono assordante di una musica rock che proveniva da una delle rimesse per le barche. Gli U2, pensò Justine; conosceva la canzone, ma non si ricordava il titolo.

Lui scese dalla canoa e rimase immobile sulla sponda. Benché fosse irrilevante, Justine si rese conto di aver dimenticato che era così basso, forse lei stessa – che era alta, più o meno, un metro e sessantotto – lo superava di almeno cinque centimetri.

«Non sapevo cos'altro fare», le disse, indicando la canoa.

«Potevi andare a casa.»

Lui proruppe in una risata soffocata, quasi muta. E non era la risposta divertita a una battuta spiritosa, ma una conferma. Sfiorò con la punta delle dita la testa di Townee. «Si direbbe che stia bene. È in perfetta salute. Lei sapeva come prendersene cura.»

Justine si cacciò una mano in tasca e tirò fuori il ciclostile che il vento le aveva soffiato addosso. Glielo consegnò. «L'hai visto?»

Lui lo lesse. Accarezzò le parole scritte in nero e poi il ritratto di Elena.

«Sì, l'ho visto», rispose. «È così che l'ho scoperto. Nessuno mi ha telefonato. Non sapevo niente. L'ho visto nella sala professori quando ci sono andato stamattina, verso le dieci, a prendere un caffè. E poi...» Poi guardò al di là del fiume, verso Midsummer Common, dove la ragazza di prima stava conducendo il cavallo in direzione di Fort St George. «Non sapevo che cosa fare.»

«Eri a casa domenica sera, Victor?»

Lui scosse la testa, senza guardarla.

«Era con te?»

«Per un po'.»

«E poi?»

«È tornata al St Stephen's. Io sono rimasto a casa mia.» Finalmente si decise a guardarla. «Come hai saputo di noi? È stata lei a dirtelo?»

«Il settembre scorso, hai fatto l'amore con Elena durante il ricevimento, Victor.»

«Oddio...»

«Nel bagno del piano di sopra.»

«È stata lei a seguirmi, poi è entrata e...» Si passò la mano sulla mandibola. Sembrava che non si fosse nemmeno rasato, i peli ispidi della barba erano folti, come lividi sulla pelle.

«Vi siete spogliati completamente?»

«Cristo santo, Justine!»

«Allora?»

«No. Ci siamo appoggiati al muro. L'ho sollevata da terra. È stata lei a volerlo fare così.»

«Capisco.»

«E va bene, anch'io volevo farlo così, contro il muro.»

«Ti ha detto che era incinta?»

«Sì.»

«E?»

«E, cosa?»

«Cosa avevi intenzione di fare?»

Victor stava guardando il fiume, poi tornò a guardare la donna. «Volevo sposarla», le disse.

Non era la risposta che si aspettava di sentire, anche se, più ci pensava, meno la sorprendeva. In ogni caso, però, restava sempre un piccolo problema.

«Victor», aggiunse, «dov'era tua moglie domenica sera? Che cosa stava facendo Rowena mentre tu te la spassavi con Elena?»

11

Lynley provò un vago sollievo quando trovò Gareth Randolph negli uffici dell'ASNU. In un primo momento lo aveva cercato nella sua camera al Queen's College, ma di lì lo avevano indirizzato alla Fenners, la palestra principale dell'università in cui si praticava ogni genere di sport e dove la squadra di boxe si allenava due ore al giorno. Tuttavia, nella più piccola delle due sale, dove venne subito assalito da quel miscuglio pungente di odori che facevano quasi bruciare gli occhi – sudore, cuoio bagnato, nastro adesivo, gesso e tute da ginnastica sporche –, Lynley aveva interrogato un peso massimo con le spalle grandi come un carro armato, che aveva puntato il pugno – più o meno un quarto di bue – in direzione dell'uscita, rispondendogli che il «gallo» – evidentemente un'allusione al fatto che Gareth fosse un peso gallo – se ne stava seduto davanti ai telefoni all'ASNU nella speranza di ricevere una chiamata a proposito della ragazza uccisa.

«Era la sua donna», gli spiegò il peso massimo. «L'ha presa molto male.» E, come un ariete inferocito, cominciò a tempestare di pugni il sacco che penzolava dal soffitto, scaricando a ogni colpo la potenza delle sue spalle massicce con tale impeto che quasi sembrava di sentir tremare il pavimento.

Lynley si domandò se Gareth Randolph fosse un pugile altrettanto possente nella sua categoria, e ci rifletté su mentre usciva dalla palestra per avviarsi verso l'ASNU. Anthony Weaver si era lasciato sfuggire delle accuse su quel ragazzo, sia pur non comprovate, e adesso, in tutta onestà, non poteva fingere di non trovare una connessione con il rapporto che la Havers si era fatta consegnare dalla polizia di Cambridge: qualsiasi fosse stato il corpo contundente con cui Elena era stata massacrata, si trattava di un oggetto che non aveva lasciato tracce.

La sede dell'ASNU era situata nel seminterrato della biblioteca di Peterhouse, a poca distanza dallo University Graduate Center, in fondo a Little St Mary's Lane, a poco più di due isolati dal Queen's

College dove abitava Gareth Randolph. Gli uffici dell'associazione si trovavano in fondo a un corridoio con il soffitto basso, illuminato da lampade sferiche. Vi si poteva accedere passando dalla Lubbock Room, che si trovava al pianterreno della biblioteca, oppure direttamente dalla strada sul retro dell'edificio, a nemmeno cinquanta metri dal ponticello pedonale di Mill Lane, che Elena Weaver doveva avere di certo percorso la mattina in cui era morta. Sulla porta a vetri dell'associazione c'era scritto *Associazione Studentesca Non Udenti dell'Università di Cambridge*. Appena sotto, la sigla ASNU, meno formale, era stampata sopra il disegno di due mani incrociate con le dita tese e il palmo rivolto all'infuori.

Lynley aveva già riflettuto a lungo su come avrebbe fatto a comunicare con Gareth Randolph. Aveva anche pensato all'eventualità di telefonare al sovrintendente Sheehan e chiedergli se per caso non aveva un interprete di fiducia, del quale la polizia di Cambridge si serviva in casi del genere. In vita sua, non gli era mai capitato di interrogare una persona sorda e, da quanto gli era sembrato di capire in quelle ultime ventiquattro ore, Gareth Randolph non leggeva le labbra con la stessa facilità di Elena Weaver, né tantomeno riusciva a parlare come lei.

Tuttavia, appena entrato negli uffici, si rese conto che il problema non si poneva. Infatti, vide una ragazza con gli occhiali e le caviglie sottili, i capelli raccolti in due trecce e una penna infilata dietro un orecchio, che stava chiacchierando con una donna seduta dietro una scrivania sulla quale erano ammucchiati opuscoli, libri e carte di ogni genere. La ragazza parlava, rideva e si spiegava anche a gesti. Non solo, ma sentendo la porta aprirsi, si voltò nella sua direzione. Ecco trovato l'interprete, pensò Lynley.

« Gareth Randolph? » disse la donna dietro la scrivania in risposta alla sua domanda, dopo aver osservato il distintivo. « È in sala riunioni. Bernadette, ti spiace...? » E poi, a Lynley: « Devo presumere che lei non conosca il linguaggio dei segni, ispettore ».

« No, infatti. »

Bernadette si sistemò meglio la matita dietro l'orecchio, ridacchiò un attimo, vagamente impacciata per quel momentaneo sfoggio di vanità, e poi gli disse: « Bene. Venga con me, ispettore. Vediamo cosa si può fare ».

Ripercorsero a ritroso la stessa strada dalla quale era venuto, poi imboccarono un breve corridoio, sul soffitto del quale correva un certo numero di tubi dipinti di bianco. « Gareth è rimasto qui quasi tutto il giorno », gli spiegò Bernadette. « Non sta molto bene. »

« Per via del delitto? »

« Aveva un debole per Elena. Lo sapevano tutti. »

« E lei? Conosceva Elena? »

« Solo di vista. Loro... » e con un ampio movimento del braccio gli indicò l'ambiente in cui si trovavano, e presumibilmente, anche l'ASNU stessa, « ... loro, dicevo, a volte preferiscono avere un interprete che li accompagni alle lezioni, più che altro per essere sicuri di non perdersi niente della spiegazione. A proposito, di lavoro io faccio l'interprete. Così guadagno qualche soldo in più per arrivare alla fine del trimestre. Nello stesso tempo, mi capita di assistere a parecchie lezioni interessanti. La settimana scorsa, per esempio, c'è stata una conferenza speciale su Stephen Hawking. Le assicuro che è stato un lavoraccio parlare a segni di astrofisica e roba del genere. Un po' come una lingua straniera. »

« Lo immagino. »

« L'aula era così silenziosa, che sembrava fossero tutti lì ad aspettare un'apparizione divina. E quando la lezione è finita, si sono alzati tutti in piedi e hanno applaudito... » Si sfregò un lato del naso con il dito indice. « Anche quell'Hawking è un tipo piuttosto speciale. Le giuro che mi è venuta una gran voglia di piangere. »

Lynley sorrise, la ragazza gli era simpatica. « Non ha mai fatto da interprete per Elena Weaver? »

« A lei non serviva. E non credo nemmeno che le piacesse l'idea. »

« Preferiva far credere alla gente che ci sentiva? »

« No, fino a questo punto, no », rispose Bernadette. « Credo che fosse molto fiera di saper leggere le labbra. Ed è una cosa difficile da imparare, specialmente se uno è nato sordo. I miei genitori – sono sordi entrambi – più di qualche frase tipo: 'Tre sterline, prego' e 'Grazie', non capivano. Elena, invece, era straordinaria. »

« Aveva legami molto stretti con l'ASNU? »

Bernadette arricciò il naso con aria pensierosa. « Confesso che non glielo saprei dire. Però lo chieda a Gareth. È qui dentro. »

Lo precedette in una sala riunioni all'incirca grande quanto una delle aule in cui si tenevano le lezioni accademiche. E conteneva ben poco oltre a un ampio tavolo rettangolare coperto da un panno verde, a cui era seduto un ragazzo, curvo su un quaderno. Sulla fronte spaziosa e sugli occhi gli ricadevano ciocche di capelli spettinati dello stesso colore della paglia secca. Mentre scriveva, di tanto in tanto si interrompeva per mordicchiarsi le unghie della mano sinistra.

« Aspetti un momento », disse Bernadette e, dalla porta, cominciò ad accendere e spegnere le luci.

Gareth Randolph sollevò gli occhi e si alzò piano, raccogliendo dal tavolo un mucchio disordinato di fazzolettini di carta usati e appallottolandoli nella mano stretta a pugno. Era alto, Lynley lo notò subito, con la carnagione chiara, sulla quale spiccavano ben visibili le cicatrici ancora violacee dell'acne giovanile. Era vestito come tutti gli altri studenti: un paio di jeans e una felpa, sulla quale, sopra due mani disposte in un modo che Lynley non riconobbe, c'era stampata la scritta *E tu di che segno sei?* Il ragazzo non disse nulla fino a quando non fu Bernadette a parlare. E anche allora, senza mai distogliere lo sguardo da Lynley, abbozzò un gesto poco cortese, al punto che Bernadette fu costretta a ripetere quanto aveva già detto.

« Questo è l'ispettore Lynley di New Scotland Yard. » Le sue mani si mossero al di sotto del viso come pallidi uccelli veloci. « È venuto a parlarti di Elena Weaver. »

Gli occhi del ragazzo tornarono a posarsi su Lynley. Lo scrutò dalla testa ai piedi. Poi replicò, facendo volteggiare le mani in modo rapido e deciso, mentre Bernadette si lanciava in una specie di interpretazione simultanea. « Non qui. »

« Bene », rispose Lynley. « Gli dica che possiamo andare dove preferisce. »

Bernadette si affrettò a tradurre. « Si rivolga direttamente a Gareth, ispettore, non a me », precisò. « Altrimenti è un po' impersonale ».

Gareth capì e sorrise. Le rispose con gesti lenti e fluidi, e lei si mise a ridere.

« Che cosa ha detto? »

« 'Ciao, Bernie. Ti faremo diventare sorda onoraria'. »

Gareth li precedette fuori della sala riunioni e imboccò di nuovo lo stesso corridoio di prima fino a un ufficio senza finestre surriscaldato da un termosifone asmatico. Il locale non era molto grande, anzi, praticamente era occupato quasi per intero da una scrivania, una serie di scaffali di metallo per i libri appoggiati alle pareti, tre sedie di plastica e un tavolo di legno di betulla sul quale si trovava un Ceephone identico a quelli che Lynley aveva già visto altrove.

Bastò fare la prima domanda perché Lynley si rendesse subito conto che in quell'interrogatorio il più svantaggiato sarebbe stato proprio lui. Poiché Gareth fissava le mani di Bernadette, avrebbe avuto scarsissime opportunità di cogliere nei suoi occhi un'espressione rivelatrice, sia pure fugace. Anzi, nel caso una delle domande l'avesse imbarazzato o colto di sorpresa, l'avrebbe dissimulato. Inoltre non avrebbe potuto cogliere nemmeno una particolare inflessione nel tono della voce, per dare enfasi a qualcosa o farla passare inosservata. Dalla sua, invece, Gareth aveva il vantaggio del silenzio che delimitava il proprio mondo. E Lynley si domandò se l'avrebbe sfruttato, e in che modo.

« Ho sentito parlare moltissimo dei suoi rapporti con Elena Weaver », attaccò. « A quanto sembra, è stato il professor Cuff del St Stephen's a farvi conoscere. »

« Per il bene di Elena, sì », replicò Gareth, anche stavolta con gesti decisi, una specie di *staccato* silenzioso. « Per aiutarla. Magari per salvarla. »

« Tramite l'ASNU? »

« Elena non era sorda. Ecco il problema. Sarebbe potuta esserlo, ma *loro* non glielo avrebbero consentito. »

Lynley aggrottò le sopracciglia. « Si vuole spiegare meglio? Tutti dicevano... »

Gareth si accigliò e afferrò un pezzo di carta. Con un pennarello verde vi scarabocchiò sopra due parole, *Sordo* e *sordo*, poi tracciò tre righe ben visibili sotto la S maiuscola e lo diede all'ispettore.

Bernadette cominciò a parlare, ma le sue mani includevano anche Gareth nella conversazione. « Quello che vuol dire, ispettore, è che Elena era sorda, ma con la s minuscola. In effetti era disabile. Gareth, invece, e gli altri come lui sono sordi con la S maiuscola. »

« La S maiuscola sta per 'Speciale'? » domandò Lynley, pensando che un'affermazione del genere non faceva che confermare in pieno ciò che Justine Weaver gli aveva detto quello stesso giorno.

« Speciale, certo », gli risposero le mani di Gareth. « E come potrebbe essere altrimenti? Viviamo senza i suoni, ma c'è dell'altro. Essere Sordi con la S maiuscola è una forma di cultura. Essere sordi con la s minuscola, invece, è una forma di disabilità. Elena era sorda con la s minuscola. »

Lynley indicò la prima delle due parole. « E lei invece desiderava che Elena fosse Sorda con la S maiuscola? »

« Perché, lei non preferirebbe vedere un amico correre invece di strisciare? »

« Non sono sicuro di aver colto il significato esatto dell'analogia... »

Gareth spinse indietro la sedia, le cui gambe scricchiolarono stridule sul pavimento di linoleum. Si avvicinò allo scaffale e prese due grossi album rilegati in pelle. Li lasciò cadere con un tonfo sulla scrivania. Lynley notò che sulla copertina di ciascuno di essi, di sbieco, era stampata la sigla ASNU e l'indicazione dell'anno.

« Questo vuol dire essere Sordi con la S maiuscola », disse Gareth e tornò al proprio posto.

Lynley aprì uno degli album a caso. Sembrava contenesse la documentazione delle attività a cui avevano partecipato l'anno precedente gli studenti sordi. Ogni trimestre aveva la sua pagina. C'erano testi scritti e fotografie. La varietà di eventi era impressionante, dalle partite di football americano – alcuni studenti si disponevano lungo i lati del campo e, suonando un grosso tamburo, davano indicazioni ai giocatori mediante un codice di vibrazioni – a balli organizzati con l'aiuto di potentissimi altoparlanti, che diffondevano il ritmo della musica sempre sfruttando le vibrazioni, a picnic e a incontri vari, in cui decine di mani si muovevano al contempo. Bernadette, che stava guardando le fotografie da sopra la spalla di Lynley, gli spiegò: « Si dice 'fare il mulino a vento', ispettore ».

« Cosa? »

« Quando tutti comunicano a gesti e le mani si muovono a quel modo. Come mulini a vento, appunto. »

Lynley continuò a sfogliare l'album. Vide tre squadre di canottaggio, le cui vogate erano orchestrate da timonieri armati di bandierine rosse; un complesso composto da una decina di studenti che suonavano strumenti a percussione e, per tenere il ritmo, si servivano di un metronomo gigantesco; ragazzi e ragazze sorridenti, in maschera, pronti a organizzare un corteo con striscioni e stendardi; un gruppo di danzatori di flamenco, un altro di ginnasti. E in ogni fotografia, i ragazzi che partecipavano a ciascuna attività erano circondati da altri che facevano il tifo per loro, che li incitavano e le loro mani parlavano il linguaggio della normalità. Lynley restituì l'album.

« Perbacco! Siete un gruppo straordinario », gli disse.

« Non siamo solo un gruppo. È uno stile di vita. » Gareth andò a riporre gli album. « Essere sordi è una forma di cultura. »

« Elena desiderava essere Sorda con la S maiuscola? »

« Non sapeva nemmeno che cosa volesse dire, fino a quando non è venuta da noi, all'ASNU. A lei avevano insegnato a pensare che sordo volesse dire disabile. »

« Veramente non è l'impressione che ne ho ricevuto io », disse Lynley. « Da quanto sono riuscito a capire, suo padre e sua madre hanno fatto l'impossibile per consentirle di trovare un proprio spazio in un mondo di udenti. Le hanno insegnato a leggere le labbra. Le hanno insegnato a parlare. A me sembra che la disabilità fosse l'ultimo dei loro pensieri. »

A Gareth vibrarono le narici. E tentò di mormorare un'imprecazione, in tono gutturale, accompagnando quei borbottii con cenni delle mani accentuati.

« Trovare un proprio spazio in un mondo di udenti è un concetto assurdo. L'unica soluzione è quella di portare il mondo degli udenti *a noi.* Costringerli a vederci come persone valide quanto loro, cioè. Il padre di Elena, invece, voleva che lei giocasse a fare la ragazza normale. Che leggesse le labbra come una brava bambina. Che parlasse come una brava bambina. »

« Non può metterlo in croce per questo! In fondo, noi viviamo in un mondo di udenti. »

« Parli per sé. Noi ce la caviamo bene anche senza sentire. E non proviamo invidia. Potrà anche non crederci, perché lei si considera speciale invece che semplicemente diverso. »

Ecco di nuovo, e sia pure solo con una minima variazione, il tema introdotto da Justine Weaver. I sordi non sono normali. Ma in tal caso, nemmeno chi non lo è, e per buona parte del tempo.

Gareth continuò: « Noi – l'ASNU – siamo la sua gente. Noi capiamo. Noi diamo conforto. Ma lui non voleva. Non voleva che ci conoscesse ».

«Lui chi, il padre di Elena?»

«Voleva far credere a tutti che Elena fosse in grado di udire.»

«E lei? Qual era la sua opinione in proposito?»

«Come crede che potrebbe sentirsi una persona, se gli altri volessero farla giocare a essere ciò che non è, a recitare una parte che non è la sua?»

Lynley gli ripeté la domanda di poco prima. «Ma lei desiderava essere Sorda, con la S maiuscola?»

«Non sapeva...»

«Mi rendo conto che, almeno in un primo momento, non poteva sapere che cosa significasse, che non avesse i mezzi per comprendere questa cultura. Ma dopo, intendo, voleva davvero essere Sorda con la S maiuscola?»

«Sì, col tempo avrebbe imparato a volerlo.»

Era una risposta significativa. Una volta ottenute tutte le informazioni del caso, Elena non aveva abbracciato la loro causa. «Quindi Elena ha preso contatti con l'ASNU e si è messa a frequentarvi unicamente dietro insistenza del dottor Cuff. Perché era l'unico modo di evitare l'espulsione dall'università.»

«In principio sì, il motivo è stato quello. Ma poi ha cominciato a venire alle riunioni, alle feste da ballo. A poco a poco aveva fatto anche amicizia con qualcuno del gruppo.»

«Con lei, per esempio?»

Gareth aprì di scatto il cassetto centrale della scrivania; tirò fuori un pacchetto di chewing gum e ne scartò uno. Bernadette si allungò verso di lui nel tentativo di richiamarne l'attenzione, ma Lynley la trattenne. «Fra un minuto alzerà di nuovo gli occhi», le disse. Gareth, invece, si prese il proprio tempo, anche se Lynley si andava persuadendo che, molto probabilmente, era più difficile per il ragazzo tenere gli occhi fissi sulla gomma da masticare e togliere l'involucro d'argento di quanto non fosse per lui tacere e aspettare. Quando finalmente Gareth alzò la testa, Lynley disse: «Elena Weaver era incinta di due mesi».

Bernadette si schiarì la gola. «Santo cielo!» esclamò. «Mi scusi», disse poi, e si affrettò a tradurre l'informazione.

Gli occhi di Gareth si posarono prima su Lynley e poi sulla porta chiusa dell'ufficio, alle sue spalle. Cominciò a masticare il chewing gum con deliberata lentezza, o almeno così sembrava. L'aroma zuccherino della Juicy Fruit si diffuse a folate nell'aria.

E quando rispose, le sue mani si mossero lente come le mascelle. «Non lo sapevo.»

«Come, non era il suo amante?»

Gareth fece segno di no con la testa.

«A dar retta alla sua matrigna, Elena aveva cominciato a frequentare regolarmente qualcuno nel dicembre dell'anno scorso. E lei stessa lo aveva segnato sul calendario con una specie di simbolo, un disegno preciso, un pesciolino. Non era lei? Se non sbaglio, vi eravate conosciuti più o meno allora, vero?»

«La vedevo. La frequentavo. Come desiderava il dottor Cuff. Ma non ero il suo amante.»

«Un tipo, alla Fenners, ha detto che Elena era la sua donna.»

Gareth prese un altro chewing gum, lo scartò, lo arrotolò e se la mise in bocca.

«L'amava?»

Ancora una volta, gli occhi di Gareth si abbassarono. Lynley pensò a quel malloppo di fazzolettini di carta fradici nella sala riunioni. E guardò di nuovo la faccia pallida del ragazzo. «Non si piange disperatamente la morte di una persona che non si ama, Gareth», gli disse, anche se adesso l'attenzione del ragazzo non era concentrata sulle mani di Bernadette.

«Lui voleva sposarla, ispettore. Lo so, perché una volta me lo ha confidato. Ma...» intervenne Bernadette.

Gareth, che forse aveva intuito cosa stava dicendo l'amica, alzò gli occhi di scatto e prese a muovere le mani come un forsennato.

«Gli stavo solo dicendo la verità», precisò Bernadette. «Gli ho spiegato che volevi sposarla. Lui sa che le volevi bene, Gareth. È così palese...»

«Appunto, le volevo bene. Una volta.» Adesso Gareth si batteva le mani contro il petto – più che gesti, erano pugni. «Era finita.»

«Come, finita?»

«Non le piacevo.»

«Questa, a dir la verità, non è una risposta.»

«Le piaceva qualcun altro.»

«Chi?»

«Non lo so. E non mi interessa. Credevo che fossimo come una cosa sola, invece no. Ecco la verità.»

«E quando Elena gliel'ha fatto capire, glielo ha detto chiaro e tondo? Di recente, Gareth?»

Adesso sembrava imbronciato. « Non me ne ricordo. »

« Domenica sera? Era questo il motivo della vostra discussione? »

« Oh, poveri noi », mormorò Bernadette, anche se, impegnata a collaborare con Lynley, continuava a parlare a segni.

« Non sapevo che fosse incinta. Non me lo aveva detto. »

« Invece di quell'altro, dell'uomo che amava, le aveva parlato. E lo ha fatto domenica sera, vero? »

« Oh, ispettore », si intromise Bernadette, « non mi dirà che è realmente convinto che Gareth c'entri qualcosa con...? »

Gareth si protese in avanti e le afferrò le mani. Poi, a scatti, abbozzò qualche segno.

« Cosa sta dicendo? »

« Non vuole che lo difenda. Dice che non ce n'è motivo. »

« Lei studia ingegneria, vero? » domandò Lynley. Gareth fece segno di sì con la testa. « E il laboratorio d'ingegneria si trova dalla parte di Fen Causeway, giusto? » riprese. « Era al corrente del fatto che al mattino, mentre correva, Elena passava da lì? Non l'ha mai vista? Non l'ha mai accompagnata? »

« Lei vuole convincersi che l'ho uccisa perché mi aveva respinto », fu la risposta del ragazzo. « È sicuro che fossi geloso. Ha calcolato che ho ucciso Elena perché dava a qualcun altro quello che a me non voleva dare. »

« Mi sembra un movente piuttosto valido, non le pare? »

Bernadette si lasciò sfuggire una specie di fievole grugnito di protesta.

« Può darsi che a ucciderla sia stato il tizio che l'aveva messa incinta », fece Gareth. « Magari non le piaceva tanto quanto lui piaceva a lei. »

« Ma non sa chi è? »

Gareth fece segno di no con la testa, di nuovo. E Lynley ebbe la netta impressione che non dicesse la verità. Eppure, al momento, non avrebbe saputo trovare un motivo per cui Gareth Randolph dovesse mentire sull'identità dell'uomo che aveva messo incinta Elena, soprattutto se era sinceramente persuaso che potesse essere stato lui a ucciderla. A meno che non avesse intenzione di risolvere la faccenda affrontando direttamente quell'individuo nel momento in cui gli fosse sembrato più opportuno e alle proprie condizioni. E considerato che era un bravo pugile e faceva parte della squadra universitaria di Cambridge, se avesse voluto cogliere l'altro di sorpresa, sarebbe stato certamente avvantaggiato.

Ma già mentre ci rifletteva, Lynley si rese conto che c'era anche un altro motivo logico per cui Gareth avrebbe potuto decidere di non collaborare con la polizia. Se, come probabile, dopo la morte di Elena provava al contempo dolore e un sottile godimento, cos'altro c'era di meglio per prolungare tale piacere che ritardare la consegna del colpevole alla giustizia? Quante volte un amante respinto aveva finito per convincersi che un atto di violenza commesso da qualcun altro fosse né più né meno ciò che la persona amata si meritava?

Lynley si alzò e salutò il ragazzo con un cenno del capo. « Grazie per avermi dedicato il suo tempo », disse, e si avviò alla porta.

Ma su di essa vide una cosa che, entrando, non aveva potuto notare. Vi era appeso un calendario sul quale, in un colpo solo, si poteva avere una panoramica completa di tutti i mesi dell'anno. Dunque non era stato per evitare il suo sguardo che gli occhi di Gareth Randolph si erano spostati verso la porta quando Lynley l'aveva informato della gravidanza di Elena Weaver.

Si era dimenticato delle campane. Suonavano anche a Oxford, all'epoca in cui ci studiava lui, ma, chissà come, con il passare degli anni aveva cancellato completamente quel ricordo dalla memoria. Adesso, mentre usciva dalla biblioteca di Peterhouse e tornava verso il St Stephen's College, lo squillante richiamo dei fedeli ai Vespri costituiva una specie di sottofondo sonoro – come un'antifona – che dalle cappelle dei college si diffondeva per tutta la città. Quei rintocchi erano uno dei suoni più gioiosi dell'esistenza, pensò. E si scoprì a rimpiangere di avere dedicato tanto tempo a studiare la mentalità di un criminale, dimenticandosi così del puro e autentico piacere che davano le campane di una chiesa in una giornata di vento autunnale.

Passando senza fretta davanti all'antico cimitero della Little St Mary's Church, abbandonato e invaso dalle erbacce, quel suono era l'unica cosa di cui avesse realmente coscienza. Poi svoltò in Trumpington Street, dove il tintinnio dei campanelli e lo schiocco metallico del cambio arrugginito delle biciclette si confondeva con il sordo clangore del traffico della sera.

«Vai avanti, Jack», gridò un giovanotto a un ciclista che stava uscendo dall'ingresso di una drogheria proprio mentre passava Lynley. «Ti raggiungiamo all'Anchor, d'accordo?»

«Okay.» La risposta si udì appena, portata via dal vento.

Tre ragazze immerse in un'accanita discussione su «quello stronzo di Robert», lo superarono. Poi arrivò una donna di mezza età con i tacchi alti, che battevano ritmicamente sul marciapiede mentre spingeva una carrozzina con dentro un bambino in lacrime. Infine fu la volta di una figura di sesso incerto, vestita di nero, che avanzava barcollando, mentre dalle pieghe del voluminoso cappotto e delle sciarpe che le svolazzavano intorno al collo si levavano le note malinconiche di *Swing Low, Sweet Chariot*, suonate sull'armonica.

In mezzo a tutto ciò, Lynley continuava a sentire Bernadette che dava voce ai gesti concitati di Gareth: «E non proviamo invidia. Potrà anche non crederci, perché lei si considera speciale invece che semplicemente diverso».

Si domandò se fosse stata quella la differenza cruciale fra Gareth Randolph ed Elena Weaver. *Noi non proviamo invidia.* Perché, proprio a seguito degli sforzi dei suoi genitori, senz'altro animati dalle migliori (ma forse discutibili e poco accorte) intenzioni, a Elena era stato insegnato che, in ogni momento della sua vita, doveva ricordarsi di avere una carenza. Le mancava qualcosa. Le era stato insegnato a desiderare di volere qualcosa che non aveva. E quindi come aveva potuto illudersi Gareth di conquistarla e di farla partecipare a uno stile di vita e a una cultura che, fin dalla nascita, le era stato insegnato a rifiutare?

Si domandò come fossero i rapporti fra loro. Gareth si dedicava con passione a quelli come lui e cercava di far diventare così anche Elena. Lei, invece, si limitava a seguire le direttive del preside. Aveva solo finto di provare interesse per l'ASNU? Aveva solo finto di esserne entusiasta? Ma in quel caso, se aveva addirittura provato disprezzo, che effetto avrebbe potuto sortire sul ragazzo a cui era stato affidato l'incarico, non certo desiderato, di indirizzarla e guidarla in un ambiente tanto diverso ed estraneo da ciò che lei aveva sempre conosciuto?

E si domandò che genere di rimprovero o di critica si dovesse muovere nei confronti dei Weaver per gli sforzi con cui si erano dedicati alla figlia. Infatti, pur tenendo conto del modo in cui avevano apparentemente cercato di trasformare la realtà della vita che viveva Elena in una fantasia distorta, in fin dei conti non le avevano forse dato proprio quello che Gareth non aveva mai conosciuto di persona? Non le avevano forse dato una forma particolare di udito? E allora, se Elena si muoveva con relativa sicurezza in un mondo a cui Gareth, invece, si sentiva estraneo, come aveva potuto lui innamorarsi di una persona che non condivideva né la sua cultura né i suoi sogni?

Lynley si soffermò davanti all'imponente ingresso del King's College, adorno di una moltitudine di pinnacoli e di cuspidi. Dall'alloggio del portiere filtrava una vivida luce. Rimase a fissare, senza vederla, quella marea di biciclette appoggiate qua e là. Un ragazzo stava scarabocchiando un avviso su una lavagna sotto il cancello d'ingresso, mentre un gruppo rumoroso di accademici avvolti nella tradizionale toga nera attraversava il prato a passo rapido, diretto verso la cappella, con l'andatura e la spocchia che sembravano una caratteristica di tutti i professori universitari, i quali potevano godere dell'ambito privilegio di calpestare l'erba. Tese l'orecchio all'eco continua delle campane, mentre quelle della Great St Mary's, sull'altro lato di King's Parade, levavano il loro invito sonoro e insistente alla preghiera. Ogni nota riecheggiava limpida nel vuoto e nella solitudine di Market Hill, oltre la chiesa. Pareva che il suono rimbalzasse contro i muri di ogni edificio e poi fosse nuovamente scagliato nel buio della sera. Mentre ascoltava, Lynley rifletteva. Capiva che, da un punto di vista rigorosamente intellettuale, sarebbe forse riuscito ad arrivare al nocciolo della morte di Elena Weaver. Ma mentre nell'aria della sera quel suono di campane continuava ad aumentare d'intensità, si chiese se, liberatosi da qualsiasi preconcetto, sarebbe stato capace di fare altrettanto con la sua vita.

Infatti, stava scaricando sul caso che gli avevano affidato tutti i preconcetti tipici di chi ci sentiva bene. E a dire il vero non sapeva come liberarsene – nemmeno se fosse il caso di farlo – per arrivare alla verità dietro l'uccisione di Elena. Sapeva, però, che solo dopo avere compreso come Elena vedeva se stessa sarebbe potuto passare oltre e comprendere anche che genere di rapporti avesse con gli altri. Accantonando per il momento qualsiasi precedente riflessione su Crusoe's Island, sembrava proprio che la soluzione del caso fosse da ricercare lì. All'estremità più lontana del lato nord della

Front Court, mentre la porta sud della King's College Chapel si apriva piano, un rombo di luce ambrata si allargò lentamente sul prato. Ne uscì un lieve suono di musica d'organo, che si dissolse nel vento. Lynley fu scosso da un brivido, si alzò il bavero del soprabito e decise di unirsi al resto dei fedeli per assistere ai Vespri. Forse nella cappella si era raccolto un centinaio di persone. In quel momento il coro stava sfilando lungo la navata, sotto la stupenda transenna fiorentina in cima alla quale gli angeli levavano alte le loro trombe di ottone, preceduto dai portatori della croce e dell'incenso che inondava l'aria gelida con il suo forte aroma dolciastro e intenso. Anche i coristi, come la congregazione dei fedeli, parevano schiacciati dalla grandiosità mozzafiato dell'interno della cappella con il soffitto dalle volte a ventaglio, che svettava altissimo con un'intricata lavorazione a traforo interrotta regolarmente dal simbolo dei Beaufort – la saracinesca – e da quello dei Tudor – la rosa. Era di una bellezza al contempo austera e sfrenata, simile al gioioso volo di un uccello in un cielo invernale.

Lynley andò a scegliersi un posto in fondo al presbiterio, dal quale avrebbe potuto meditare, sia pure a distanza, sull'*Adorazione dei Magi*, la tela di Rubens che serviva da dossale alla cappella, appena illuminata sopra l'altare maggiore. Nel quadro, uno dei Magi si sporgeva in avanti, con la mano protesa a toccare il Bambin Gesù, mentre la Beata Vergine glielo presentava, quasi con la serena fiducia di chi sa che non gli verrà fatto del male. Eppure, già in quel momento doveva sapere che cosa gli avrebbe riservato il futuro. Doveva aver avuto un presagio della perdita che sarebbe stata costretta ad affrontare.

La voce solista di un soprano – un ragazzino talmente piccolo e magro che la cotta gli sfiorava quasi il pavimento – si levò a cantare le prime sette note del *Kyrie Eleison*, e Lynley alzò gli occhi verso l'immensa vetrata sopra il dipinto. Il chiaro di luna filtrava e andava a posarsi come un'eterea corona, dandogli un tocco di azzurro cupo, sporcato appena di bianco sul bordo esterno. Benché sapesse che la vetrata raffigurava una crocifissione, l'unica parte di essa a cui il chiaro di luna dava una parvenza di vita era il volto di un personaggio – soldato, apostolo, credente o apostata che fosse –, la bocca trasformata nell'oscuro grido di un sentimento in eterno sconosciuto.

Vita e morte, comunicava la cappella. Alfa e omega. Lynley si trovava imprigionato fra quei due estremi, a cui stava cercando di dare un senso. Mentre il coro sfilava verso l'uscita, al termine della funzione, e i fedeli si alzavano per accodarsi, Lynley si accorse che fra questi c'era anche Terence Cuff. Seduto all'estremità più lontana del coro, stava dedicando tutta la sua attenzione al quadro di Rubens, le mani infilate nelle tasche di un soprabito grigio, appena più scuro dei suoi capelli. Scorgendolo di profilo, Lynley rimase colpito ancora una volta da tanto autocontrollo. Sul suo viso non appariva nemmeno la più piccola traccia di angoscia, né lasciava trasparire le pressioni a cui doveva essere sottoposto, vista la posizione che occupava.

Quando si voltò per allontanarsi dall'altare, vedendo che Lynley lo stava osservando, Cuff non mostrò alcuna sorpresa. Si limitò a rivolgergli un cenno di saluto, uscì dal banco e lo raggiunse nei pressi della parete divisoria del presbiterio. E, prima di parlare, si guardò intorno.

« Torno sempre qui al King's, almeno un paio di volte al mese, come una specie di figliol prodigo », iniziò. « E confesso che qui non riesco mai a sentirmi come un peccatore che si affida alle mani di un Dio incollerito. Forse un trasgressore di poco conto, mai un vero e proprio miscredente, una canaglia. Del resto, in tutta onestà, quale Dio sarebbe capace di rimanere arrabbiato quando si viene a chiedere il suo perdono circondati da tanta magnificenza architettonica? »

« E lei ha bisogno di chiedere perdono? »

Cuff ridacchiò. « Ho scoperto che è sempre rischioso ammettere le proprie malefatte alla presenza di un poliziotto, ispettore. »

Cuff si soffermò davanti al vassoio in ottone per le offerte, vicino alla porta, e vi lasciò cadere una moneta da una sterlina, che tintinnò sonora in mezzo a un assortimento di pezzi da dieci e da cinquanta pence, poi lasciarono insieme la cappella. Si trovarono all'aria aperta, di sera.

« Di tanto in tanto, quando sento il bisogno di andarmene da St Stephen's, questo posto è l'ideale », continuò Cuff, mentre si avviavano senza fretta verso il Senate House Passage e Trinity Lane, girando intorno all'estremità ovest della cappella. « Ho iniziato la mia carriera qui, al King's. »

« Ci ha insegnato? »

« Mmm... Sì. Adesso mi serve in parte come rifugio e in parte come casa», rispose Cuff, e fece un gesto in direzione delle guglie e delle cuspidi della cappella, che si innalzavano come ombre scolpite contro il cielo notturno. «Così dovrebbero essere tutte le chiese, ispettore. Dopo gli architetti gotici, nessuno ha mai compreso altrettanto bene come si fa a infiammare i sentimenti servendosi della pura e semplice pietra. Si direbbe che una materia del genere, in sé e per sé, annulli ogni possibilità di provare qualcosa alla vista della costruzione finita. Invece no.»

Lynley prese spunto dalla prima considerazione del suo interlocutore per fargli una domanda: «Che genere di rifugio serve al preside di un college?»

Cuff sorrise. Con quella luce fioca, sembrava molto più giovane di quanto non gli fosse apparso il giorno prima, nella sua biblioteca. «Dalle macchinazioni politiche, dal conflitto delle personalità. Dalle manovre per ottenere una certa posizione.»

«Da tutto ciò che implica la scelta del professore a cui concedere la cattedra Penford, insomma...»

«Da tutto ciò che comporta l'esistenza di un'affollata comunità di studiosi che hanno una reputazione da salvaguardare.»

«A questo proposito, mi pare che il suo gruppo si dia un gran daffare.»

«Sì. Il St Stephen's è fortunato in questo.»

«E del gruppo fa parte anche Lennart Thorsson?»

Cuff si fermò e si voltò verso Lynley. Il vento gli arruffava i capelli e si avventava contro la sciarpa grigio fumo che portava penzoloni intorno al collo, facendola svolazzare. Inclinò la testa in segno di ammirazione. «Ha fatto indagini anche in questo senso, vedo.»

Proseguirono, superando la facciata posteriore dell'antica facoltà di giurisprudenza. Nella viuzza risuonò l'eco dei loro passi. All'entrata della Trinity Hall, un ragazzo e una ragazza erano assorti in una discussione animata – lei appoggiata contro il muro, con la testa buttata all'indietro e le lacrime che le luccicavano sulle guance, mentre lui parlava in fretta, in tono stizzito, e le teneva una mano vicino alla testa e l'altra sulla spalla.

«Tu non capisci», gli stava dicendo la ragazza. «Non cerchi mai di capire. Ormai mi sono convinta che non vuoi più neanche capire. Vuoi soltanto...»

« Perché non la pianti, Beth? A sentirti, si direbbe che mi infilo nelle tue mutandine ogni sera. »

Mentre Lynley e Cuff passavano, la ragazza si voltò di scatto e si portò una mano alla faccia. « A conti fatti, si riduce sempre tutto a un rapporto di dare e avere », osservò Cuff a mezza voce. « Io ho cinquantacinque anni, eppure continuo a domandarmene il perché ancora adesso. »

« Secondo me, alla base di tutto questo ci sono le raccomandazioni con cui sono cresciute le donne », ribatté Lynley. « 'Proteggiti dagli uomini. Vogliono una cosa sola, e quando l'hanno ottenuta, se la squagliano. Non cedere, non dargli nemmeno tanto così! Non fidarti di loro. Anzi, meglio ancora, non fidarti di nessuno.' »

« Lei direbbe certe cose a sua figlia? »

« Non lo so », rispose Lynley. « Non ce l'ho, una figlia. Eppure mi piace pensare che le direi soltanto di guardare nel proprio cuore. Purtroppo, però, quando si tocca questo argomento, mi faccio prendere dal romanticismo. »

« Una strana predisposizione, considerando la professione che fa. »

« Già, vero? » Un'automobile si stava avvicinando lentamente, segnalando con la freccia l'intenzione di svoltare per Garret Hostel Lane, così Lynley colse l'opportunità per allungare uno sguardo di sottecchi a Cuff nel preciso momento in cui il cono di luce dei fari lo illuminava in pieno viso. « Il sesso è un'arma pericolosa in un ambiente come questo », aggiunse. « Per chiunque la maneggi. Perché non mi ha parlato delle accuse che Elena Weaver aveva mosso nei confronti di Lennart Thorsson? »

« Non mi era sembrato necessario. »

« Ah, no? »

« Una ragazza è morta. Non mi sembrava fosse di alcuna utilità sollevare una questione che, fino a questo momento, non è stata ancora provata e che sarebbe servita soltanto a rovinare la reputazione di uno dei nostri docenti. Per Thorsson è già stato abbastanza difficile raggiungere la posizione che si è guadagnato qui a Cambridge. »

« Perché è svedese? »

« Un'università non è immune agli episodi di xenofobia, ispettore. Anzi, oserei dire che un esperto di studi shakespeariani con il passaporto inglese non avrebbe certo dovuto lottare e superare tutti gli ostacoli che ha dovuto affrontare Thorsson in questi ultimi dieci anni per dimostrare la propria bravura e il proprio valore. Pur tenendo conto del fatto che, tanto per cominciare, ha sempre studiato qui, anche per ottenere la specializzazione dopo la laurea.»

«D'accordo, professor Cuff, ma tenendo conto che stiamo indagando su un delitto...»

«Mi ascolti, la prego. Non ho una particolare simpatia per Thorsson. Ho sempre avuto la sensazione che, sotto sotto, fosse un puttaniere, e non ho mai avuto né il tempo né la voglia da dedicare a certa gente. Però come studioso di Shakespeare è abile e capace, anche se un po' donchisciottesco, ammettiamolo pure, e ha davanti a sé un brillantissimo futuro. Infangare il suo nome in seguito a un'accusa che, al punto in cui siamo, non può più essere provata, mi è sembrato – e mi sembra tuttora – un'impresa inutile e senza senso.»

Cuff si infilò le mani nelle tasche del soprabito con un gesto concitato e si fermò davanti all'ingresso del St Stephen's. Due studenti gli passarono di fianco, camminando in fretta, e gli rivolsero un rapido saluto, al quale lui rispose solo con un cenno del capo. Poi continuò a parlare, a voce bassa, con il viso in ombra e le spalle girate verso la portineria del college.

«E non solo. Prendiamo in considerazione il professor Weaver. Se tirassi fuori questa storia e facessi svolgere un'indagine in piena regola, pensa forse che Thorsson non trascinerebbe Elena nel fango pur di salvare se stesso? Con una carriera a rischio, non pensa a che razza di frottole racconterebbe su un presunto tentativo della ragazza di sedurlo? Direbbe, per esempio, che andava da lui vestita in modo provocante. Parlerebbe di come si sedeva, di ciò che diceva e di come lo diceva. Sosterrebbe che aveva fatto di tutto per convincerlo ad andare a letto con lei. E cosa pensa che proverebbe Weaver, senza nemmeno avere Elena lì presente a perorare la propria causa, ispettore? Già l'ha perduta. Vogliamo anche distruggere il ricordo che può avere di lei? A che scopo?»

«Forse sarebbe più saggio domandarsi a cosa servirebbe mettere tutto a tacere. Presumo che le piacerebbe vedere assegnata la cattedra Penford a uno dei professori del St Stephen's.»

Cuff incrociò il suo sguardo. «Non è una bella cosa da dirsi.»

«Nemmeno un delitto è una bella cosa da farsi, professor Cuff. E lei, tutto sommato, non può negare che, se scoppiasse uno scandalo attorno a Elena, la commissione preferirebbe scegliere il candidato in tutt'altra direzione. In fondo, sarebbe la scelta più facile.»

«Non si tratta di compiere la scelta più facile, ma di trovare il candidato migliore.»

«E su cosa si baserebbe la loro decisione?»

«Di sicuro non sul comportamento dei figli dei candidati, per quanto disdicevole possa essere.»

In base alla scelta di quell'aggettivo, Lynley tirò le sue conclusioni. «Quindi lei non crede affatto che Thorsson l'abbia molestata. Piuttosto, è convinto che la ragazza abbia imbastito questa balla perché Thorsson l'ha respinta quando lei ha tentato di sedurlo.»

«Non sto dicendo questo, solo che non c'è niente su cui indagare. Abbiamo solo la parola di Thorsson contro quella della ragazza, che però ormai non può più difendersi.»

«Aveva parlato con Thorsson di queste accuse prima che Elena morisse?»

«Naturalmente. E lui ha negato tutto.»

«Di cosa lo accusava, con esattezza?»

«Di aver cercato di convincerla ad andare a letto con lui, di averle fatto avance inequivocabili, toccandole i seni e le cosce e le natiche, di aver cercato di coinvolgerla in una serie di discussioni riguardanti la propria vita sessuale in genere e una donna con la quale era stato fidanzato a suo tempo, nonché delle difficoltà che incontravano durante il rapporto, perché il suo membro, quando era in erezione, diventava enorme.»

Lynley alzò un sopracciglio. «Sulle prime, mi sembra una storia troppo fantasiosa da inventare per una ragazza tanto giovane, non trova?»

«Al giorno d'oggi, proprio per niente. Ma non fa nessuna differenza, perché non esistono prove per le accuse. A meno che qualche altra ragazza ne avesse sporte di analoghe, non c'era niente che potessi fare, salvo parlargli senza peli sulla lingua e metterlo in guardia, come ho fatto.»

«Dunque lei non ha considerato l'accusa di molestie sessuali come un possibile movente del delitto? Perché se ci fossero state altre ragazze disposte a farsi avanti, non appena corsa voce che Elena aveva sporto denuncia nei suoi confronti, Thorsson si sarebbe trovato ancora più nei guai.»

«Sempre che queste altre ragazze esistano, ispettore. Ma Thorsson ormai insegna alla facoltà di inglese qui al St Stephen's da ben dieci anni, e il suo nome non è mai stato associato al benché minimo scandalo. Perché è venuto fuori tutto questo così all'improvviso? E perché proprio con Elena, che aveva già dimostrato di essere abbastanza nei guai per conto proprio, al punto di vedersi costretta ad accettare di sottoporsi a una serie di regole ben precise solo per evitare di essere allontanata dall'università?»

«Elena è stata uccisa, dottor Cuff.»

«Non da Thorsson.»

«Certo che mi sembra abbastanza sicuro di questo fatto.»

«Già.»

«La ragazza era incinta di otto settimane. E lo sapeva. A quanto pare, lo ha scoperto il giorno prima che Thorsson andasse a trovarla nella sua camera. Può dare una spiegazione anche a questo?»

Cuff curvò le spalle impercettibilmente. Si passò la mano sulle tempie. «Dio mio», disse. «Della gravidanza non sapevo niente, ispettore.»

«Se lo avesse saputo, mi avrebbe accennato a quelle accuse per molestia sessuale? Oppure avrebbe continuato a proteggerlo?»

«Io sto proteggendo tutti e tre. Elena, suo padre e Thorsson.»

«Ma non ammette anche lei che, adesso, abbiamo chiarito, trovandone conferma, il movente che Thorsson poteva avere per ucciderla?»

«Se il padre del bambino è lui.»

«Ma lei non ci crede, giusto?»

Cuff lasciò ricadere la mano. «Forse non voglio crederci. Forse voglio vedere etica e morale dove ormai non esistono più, non lo so...»

Superarono la portineria all'entrata del St Stephen's, da cui il custode osservava e controllava il viavai delle persone che vivevano nel college. Si fermarono un istante. Era già di servizio il portiere di notte. In un locale dietro il banco che delimitava il suo spazio di lavoro, la televisione trasmetteva un telefilm poliziesco americano, pieno di sparatorie e corpi che crollavano al suolo al rallentatore, con un sottofondo ritmato di chitarra elettrica. Poi un lungo e lento primo piano della faccia del protagonista, che, sbucando dal polverone, dopo aver dato uno sguardo a quella carneficina, ne denunciava in tono dolente la necessità, considerata la vita che faceva lui, sempre al servizio della giustizia, con nobiltà ed eroismo. E il finale in dissolvenza, fino alla settimana successiva, quando, in nome della giustizia e dell'intrattenimento, si sarebbero ammucchiati altri cadaveri.

« C'è un messaggio per lei », disse Cuff, tornando dalle caselle della posta, e glielo consegnò. Lynley aprì il foglietto e lo lesse.

« È del mio sergente. » Alzò gli occhi a guardarlo. « La vicina di Lennart Thorsson ieri mattina lo ha visto davanti a casa sua appena prima delle sette. »

« Non mi sembra un crimine. Con ogni probabilità è uscito per andare al lavoro un po' in anticipo. »

« No, professor Cuff. Mentre la vicina spalancava le tende della sua camera da letto, Thorsson è arrivato a bordo della sua automobile, che ha parcheggiato lungo il marciapiede. Rientrava dopo aver trascorso la notte fuori. Chissà dove. »

12

Rosalyn Simpson salì l'ultima rampa di scale che portavano in camera sua, al Queen's College, e per l'ennesima volta maledì quella scelta, quando il suo nome era stato estratto come secondo al momento dell'assegnazione delle camere, il trimestre precedente. Le sue imprecazioni non avevano niente a che vedere con la fatica, per quanto sapeva benissimo che chiunque, con un minimo di buon senso, avrebbe scelto un alloggio al pianterreno, oppure un po' più vicino al bagno. Lei, invece, aveva preferito il sottotetto a forma di L con i muri spioventi, molto adatti a un'esposizione di grande effetto dei suoi arazzi indiani, il pavimento di quercia scricchiolante, deturpato qua e là da qualche grossa fessura nel legno, e la stanzetta in più, in realtà una specie di ampio armadio a muro, in cui, al lavabo già in dotazione, lei e suo padre erano riusciti a infilare a viva forza il letto. In aggiunta, aveva il vantaggio di possedere una serie di angoli e nicchie nella parete dove aveva messo di tutto – dai vasi di piante ai libri –, un vasto solaio proprio sotto la gronda, che in realtà le serviva come sgabuzzino e nel quale a volte si infilava carponi quando provava il desiderio di scomparire dal mondo (in genere, succedeva una volta al giorno), e una botola nel soffitto che dava accesso a un corridoio dal quale si poteva raggiungere la camera di Melinda Powell.

Quest'ultima caratteristica, in origine, le era sembrata il vantaggio maggiore, un modo quanto mai vittoriano di essere vicina a Melinda e vederla il più spesso possibile senza che nessuno intuisse qual era l'esatta natura dei loro rapporti e che, al momento, Rosalyn aveva preferito tenere per sé. Quindi la botola e il piccolo corridoio erano stati la ragione principale per cui aveva scelto proprio quella camera. Oltre a placare Melinda, le permetteva di stare in pace. Adesso, invece, non era del tutto sicura che fosse stata la decisione giusta, come non era sicura di Melinda e nemmeno del loro amore.

Si sentiva oppressa. Tanto per cominciare, dal peso dello zaino che portava in spalla oltre al « pacchetto di buone cose per te, mia cara » che sua madre, con le lacrime agli occhi e le labbra tremanti, aveva insistito per farle prendere prima che se ne andasse. « Avevamo tanti sogni per te, Ros », le aveva detto, in un tono tale che era impossibile non capire fino a che punto la notizia datale da Rosalyn – nata da una promessa fatta con troppa spensieratezza a Melinda per il suo compleanno – l'avesse addolorata.

« È solo una fase », aveva commentato suo padre più di una volta durante quelle trentadue estenuanti ore che avevano passato insieme. E glielo aveva ripetuto mentre se ne stava andando, ma stavolta rivolgendosi alla moglie: « I sogni non scappano, accidenti! Questa è soltanto una fase ».

Rosalyn non aveva fatto niente per disilluderli. Perfino lei desiderava – e con tutto il cuore, anche – che si trattasse soltanto di una fase, e quindi non cercò nemmeno di spiegare che stava passando un periodo speciale, in cui viveva un po' da bohémienne, anche se ormai durava da quando aveva compiuto quindici anni. Ma non prese neanche in considerazione l'eventualità di spiegarlo ai genitori, perché, tanto per cominciare, il solo fatto di tirare in ballo quell'argomento aveva consumato tutto il suo coraggio e le sue energie. Quanto a difendersi e a ribattere che sarebbe stato molto improbabile che questa fase perdesse di significato e si concludesse presto, poi, era più di quanto si sentisse disposta ad ammettere.

Si sistemò lo zaino, sentì il pacchetto di sua madre conficcato nella scapola sinistra e cercò di scrollarsi dalle spalle il peso ben più schiacciante, e detestabile, della colpa. Le sembrava che le si avvinghiasse intorno al collo e alle spalle, come un'enorme piovra piena di tentacoli che emergevano da ogni parte della sua vita. La Chiesa le diceva che era peccato. L'educazione le diceva che era sbagliato. Da bambina, ne aveva parlato con le amiche sottovoce, fra risatine convulse, ma aveva rabbrividito al solo pensiero. Le sue stesse aspettative avevano sempre previsto un uomo, il matrimonio e una famiglia. Eppure continuava a vivere sfidando le convenzioni.

In generale, l'unica soluzione che aveva trovato per se stessa era tirare avanti così, un giorno dopo l'altro, occupando il tempo con cose che la distraessero, concentrando la propria attenzione sulle lezioni, sugli incontri con i professori, sulle questioni di ordine pratico, ma senza mai dedicare nemmeno un pensiero a quello che il futuro aveva in serbo per lei. Oppure, se per caso le succedeva di pensarci, cercava di farlo, partendo dalla sua infanzia, quando l'unico sogno che aveva era andare in India a insegnare, a fare del bene e a vivere solo per il prossimo.

Quel sogno, però, aveva perso tutta la sua lucida chiarezza quel pomeriggio di cinque anni prima, quando la prof di biologia delle superiori l'aveva invitata a prendere il tè da lei e, insieme alla torta, agli scone, alla panna densa e grumosa e alla marmellata di fragole, le aveva offerto la seduzione – conturbante, fosca, splendida e misteriosa. Per un po', sul letto di quel cottage vicino al Tamigi, Rosalyn si era sentita pulsare il sangue nelle vene, travolta dalle forze contraddittorie del terrore e dell'estasi. Ma mentre la professoressa, fra mormorii e baci, esplorava il suo corpo e lo accarezzava, presto la paura aveva ceduto all'eccitazione che, a sua volta, l'aveva preparata a piaceri di squisita raffinatezza. Per un po' era rimasta incerta fra il dolore e il piacere, e, quando finalmente si era lasciata andare a quest'ultimo, aveva scoperto di essere impreparata all'intensità della gioia che lo accompagnava.

Da quel momento in poi, nessun uomo aveva più avuto un ruolo nella sua vita, nella sua intimità. E nessun uomo era mai stato devoto, affezionato e premuroso come Melinda. Così, in fondo, quando le aveva chiesto di raccontare tutto ai genitori, presentando la situazione con orgoglio invece di dissimularla ipocritamente, paralizzata dalla paura, le era sembrata abbastanza ragionevole.

« Lesbica », aveva detto Melinda, pronunciando ogni sillaba con una cura particolare. « Lesbica, non lebbrosa. »

E una notte, a letto insieme, le braccia di Melinda che la stringevano e le sue dita affusolate, stupende, abilissime che la facevano fremere da capo a piedi di un desiderio sempre crescente, glielo aveva promesso. Adesso aveva appena finito di trascorrere quelle trentadue ore a casa, a Oxford, affrontandone le conseguenze. E si sentiva esausta.

All'ultimo piano, si fermò di fronte alla porta della propria camera, frugando nella tasca dei jeans alla ricerca della chiave. Al college era l'ora della cena (aveva saltato il pasto precedente) e, dopo aver riflettuto solo per un attimo sull'eventualità di infilarsi la toga e di unirsi alle altre, accantonò subito quell'idea. Non si sentiva dell'umore più adatto per vedere o parlare con qualcuno.

Fu soprattutto per questo motivo che, quando spalancò la porta, si sentì ulteriormente depressa. Melinda le stava venendo incontro. Aveva l'aria riposata, era incantevole, e i suoi folti capelli color terra di Siena, appena lavati, le incorniciavano il viso in una massa ondulata di riccioli naturali. Rosalyn notò subito che non era vestita come al solito – gonna al polpaccio, stivali, un maglione e una sciarpa. Stavolta era tutta in bianco: pantaloni di lana, maglione con il cappuccio e una specie di lungo spolverino trasparente che le sfiorava le caviglie. Pareva si fosse preparata per andare a una festa. Anzi, aveva addirittura un inquietante aspetto nuziale.

«Sei tornata», disse, accostandosi a Rosalyn e afferrandola per la mano mentre le sfiorava la guancia con un bacio. «Com'è andata? A tua madre è venuto un ictus? Tuo padre è stato trasportato d'urgenza all'ospedale con le mani strette contro il petto? Si sono messi a strillare 'Omosessuale!' oppure si sono accontentati di darti della pervertita? Su, dai, racconta. Com'è andata?»

Rosalyn si fece scivolare lo zaino giù dalle spalle e lo lasciò cadere di schianto sul pavimento. Si accorse che le faceva male la testa, il sangue le pulsava alle tempie e non riusciva a ricordare quando era cominciato quel malessere. «Mah, è andata», rispose.

«Tutto qui? Niente bizze o capricci? Niente accuse tipo: 'Come hai potuto fare una cosa del genere alla tua famiglia'? Nessuna amarezza? Nessuno ti ha domandato che cosa pensi che diranno la nonna e le zie?»

Rosalyn cercò di cancellare dalla propria mente il ricordo della faccia di sua madre e dell'espressione perplessa e confusa che le aveva imbruttito i lineamenti. Come avrebbe anche voluto dimenticare la tristezza negli occhi di suo padre. Ma più di tutto sentiva una strana ansia di annullare il senso di colpa che aveva provato accorgendosi di come i suoi genitori facevano di tutto per non rivelare i loro veri sentimenti e la loro opinione in proposito, ottenendo unicamente lo scopo di farla sentire molto peggio di prima.

«E io che pensavo ti avrebbero fatto una di quelle scenate...» stava dicendo Melinda con un sorrisino di intesa. «Fiumi di lacrime, i tuoi che si strappano i capelli e digrignano i denti, le critiche prevedibili come i rimproveri, per non parlare delle profezie di dannazione e fiamme infernali. La tipica reazione borghese. Povero tesoro, ti hanno coperta di insulti?»

Rosalyn lo sapeva, Melinda aveva rivelato alla propria famiglia di essere omosessuale a diciassette anni, dando l'annuncio in un tono molto prosaico – « Prendere o lasciare, se vi va bene è così altrimenti fa lo stesso » – così tipico in lei, durante la cena di Natale, fra il crepitio dei petardi e l'arrivo in tavola del pudding. Rosalyn le aveva sentito raccontare questa storia fin troppe volte: « Oh, a proposito: se c'è qualcuno a cui, per caso, la notizia può interessare, sono gay ». Non si era scomposto nessuno. D'altra parte la sua famiglia era fatta così, quindi non riusciva nemmeno a immaginare che cosa volesse dire essere la figlia unica di due genitori che, fra tutte le altre cose, avevano anche sognato un genero, dei nipotini, affinché la loro discendenza, già così esigua e fragile, si prolungasse ancora un po'.

« Come si è comportata tua mamma? Ha toccato tutti gli argomenti possibili e immaginabili per farti sentire in colpa? Probabilmente, sì; e spero te lo aspettassi. Ti avevo anche detto come dovevi risponderle se cominciava a battere sul chiodo del classico: 'E a noi, non hai pensato?' L'avevo fatto, vero? Ma se tu sei stata capace di risponderle nel modo giusto, di sicuro lei avrà... »

« Confesso di non avere la minima voglia di parlarne, Mel », rispose Rosalyn. Si mise in ginocchio sul pavimento, aprì la lampo dello zaino e cominciò a svuotarlo. Quanto al pacchetto di leccornie, lo mise da parte.

« Allora devo concludere che l'hanno presa proprio male, vero? Eppure ti avevo detto di farmi venire con te. Perché non me lo hai permesso? Ti assicuro che avrei tenuto testa sia a tuo padre sia a tua madre, e avrei detto quello che pensavo. » Le si accoccolò vicino. Esalava un odore di fresco e di pulito. « Però non... Ros, non hanno adoperato le maniere forti, vero? Oddio, tuo padre non ti ha per caso... *picchiata*? »

« No, naturalmente. Senti, non ho voglia di parlarne e basta. Ci siamo capite? Non c'è altro. »

Melinda si sedette sui talloni e si portò una folta ciocca di capelli dietro un orecchio. « Ti dispiace di averglielo detto, vero? » le chiese. « Me ne sono accorta subito. »

« Niente affatto. »

« E invece sì. Era necessario, ma tu continuavi a illuderti di poterlo evitare per sempre. Continuavi a sperare che loro, a un certo momento, avrebbero semplicemente finito per pensare che eri diventata una vecchia zitella, vero? Non volevi prendere una posizione. Non volevi uscire allo scoperto.»

«Non è vero.»

«O magari speravi di poter guarire. Svegliarti una mattina e... urrà, sono tornata normale! Butto giù Melinda dal letto e faccio posto a un uomo. Così mammina e paparino non avrebbero mai saputo niente.»

Rosalyn alzò gli occhi. Non le sfuggì il bagliore in quelli di Melinda, il rossore sulle guance. Quando si accorgeva che una persona così intelligente e bella come lei poteva anche sentirsi tanto spaventata e insicura, rimaneva sempre sbalordita. «Io non ho nessuna intenzione di lasciarti, Mel», la rassicurò.

«Ma ti piacerebbe un uomo, vero?» ribatté l'altra. «Se potessi averne uno, se potessi tornare a essere come tutte le altre, ti piacerebbe. Anzi, sarebbe meglio. Non è così?»

«E per te non è lo stesso?» le domandò Rosalyn. Si sentiva tremendamente stanca.

Melinda scoppiò in una risata stridula e forsennata. «Gli uomini servono a una cosa sola, e ormai non abbiamo più bisogno di loro nemmeno per quello. Basta trovare un donatore e possiamo inseminarci da sole, a casa, nel cesso. Sono cose che si fanno, sai? L'ho letto non so dove; ancora qualche secolo, e si potrà produrre lo sperma in laboratorio, poi gli uomini, così come li conosciamo adesso, saranno una razza estinta.»

Rosalyn sapeva che, quando Melinda si sentiva incombere addosso lo spettro dell'abbandono, era più saggio tacere. Ma era stanca. Era scoraggiata. Era reduce da una vera e propria maratona di colpevolezza, un incontro-scontro con i genitori, a cui si era sottoposta più che altro per far piacere alla sua amante, e adesso si sentiva come la maggior parte delle persone quando, sotto determinate pressioni, sono costrette a comportarsi in un modo che, altrimenti, eviterebbero accuratamente: cioè, risentita. Perciò ribatté, ben sapendo di sbagliare: «Io non odio gli uomini, Melinda. Non li ho mai odiati. Sei tu invece che li odi, è un problema che riguarda te, non me».

«Certo, gli uomini sono il massimo, vero? Amici veri, gente sulla quale si può sempre contare, dal primo all'ultimo.» Melissa si alzò e andò alla scrivania di Rosalyn, poi prese un foglio arancione vivo e lo sventolò, dicendo: «Oggi hanno letteralmente sommerso l'università di questi. Ne ho tenuto da parte uno per te. Ecco di che cosa sono fatti gli uomini, Ros. Dai un'occhiata qui, visto che ti piacciono tanto».

«Cos'è?»

«Guarda, ti ho detto.»

Rosalyn si alzò lentamente e, massaggiandosi le spalle dove le bretelle dello zaino avevano lasciato un solco doloroso, le tolse di mano il pezzo di carta. Si accorse subito che era un ciclostile, poi notò il nome scritto in grande e a caratteri neri sotto una fotografia sfocata: *Elena Weaver*. E poi un'altra parola: *Assassinata*. Sentì un brivido gelido scenderle lungo la schiena. «Melinda, cosa significa?»

«Ecco cosa succedeva qui, intanto che tu, mammina e paparino litigavate a Oxford.»

Come inebetita, Rosalyn si lasciò cadere sulla vecchia poltrona a dondolo, stringendo il foglio tra le mani. Intanto fissava con gli occhi sbarrati la fotografia, quel viso così familiare, le labbra sorridenti, il dente scheggiato, la massa ondulata di capelli. Elena Weaver. La sua rivale più pericolosa, perché correva divinamente.

«Fa parte anche lei del club di atletica», disse. «Melinda, io la conosco. Sono stata nella sua camera. Ho...»

«La conoscevi, vuoi dire.» Melinda le strappò bruscamente di mano il foglio e lo appallottolò, scaraventandolo nel cestino della carta straccia.

«Non buttarlo via! Fammi vedere! Cos'è successo?»

«Ieri mattina presto stava correndo lungo il fiume, e qualcuno l'ha beccata vicino all'isolotto.»

«Vicino a Crusoe's Island?» Rosalyn si accorse che il cuore le batteva più in fretta, le faceva male il petto. «Mel, ma è dove...» Un ricordo le tornò in mente all'improvviso, affiorando con forza dall'inconscio, come un'ombra che diventa materia, come il frammento di una melodia. Lentamente, aspettando di esserne più sicura, aggiunse: «Melinda, devo telefonare alla polizia».

E lei, dimenticandosi completamente del modo in cui si era illusa di poter sfruttare quell'informazione su Elena Weaver, impallidì. Lo capì subito. «L'isolotto. È dove andavi a correre anche tu, non è vero? Sì, proprio lungo il fiume. Come lei, Elena. Rosalyn, prometti che non andrai mai più ad allenarti da quella parte. Devi giurarmelo, Ros. Ti prego.»

Ma Rosalyn stava già prendendo la borsa da terra. « Vieni con me », le disse.

Melinda non si mosse. All'improvviso sembrò intuire che cosa ci fosse dietro quell'intenzione manifestata da Rosalyn di parlare con la polizia. « No! » gridò. « Ros, se hai visto qualcosa... se sai qualcosa... Ascoltami, non puoi farlo. Ros, se qualcuno venisse a saperlo... se qualcuno si rendesse conto che hai visto qualcosa... Ti prego. Bisogna pensare alle conseguenze. E seriamente, anche. Perché se hai visto qualcuno, significa che questo 'qualcuno' probabilmente ha visto te. »

Rosalyn era già sulla porta e si stava tirando su la lampo della giacca. « Rosalyn, ti prego! Pensiamoci bene! » le gridò ancora Melinda.

« Non c'è niente da pensare », rispose Rosalyn, e aprì la porta. « Se vuoi, rimani pure qui. Non ci metterò molto. »

« Ma dove stai andando? Che cosa vuoi fare? Rosalyn! » Melinda le corse dietro, agitatissima.

Dopo essere andato a cercare Lennart Thorsson nel suo alloggio del St Stephen's, invano, Lynley salì in macchina e raggiunse la vera abitazione del professore dalle parti di Fulbourn Road. Scoprì subito che non era in una zona adeguata all'immagine di marxista, di 'cattivo ragazzo', che Thorsson amava dare di sé, poiché la linda costruzione in mattoni con un elegante tetto di tegole rosse faceva parte di un quartiere residenziale relativamente nuovo che si trovava in un luogo dal nome poetico di Ashwood Court, Corte dei frassini. In passato quell'area doveva essere stata destinata a terreno agricolo, ma adesso era occupata all'incirca da una ventina di case più o meno simili, disseminate qua e là. Ognuna possedeva un ampio prato sul davanti, un giardino interno cintato da un muro sul retro e un esile alberello piantato di recente nella speranza di trasformare la zona in un quartiere all'altezza dei nomi scelti dalla società immobiliare che l'aveva costruito: Maple Close, Oak Lane, Paulownia Court...*

* Strada privata degli aceri, Sentiero della quercia, Corte della paulonia. (*N.d.T.*)

Chissà perché, Lynley si era aspettato che Thorsson abitasse in una località più in linea con la sua filosofia politica, magari in una di quelle case a schiera non lontano dalla stazione ferroviaria, oppure in un buio appartamentino sopra un negozio, in piena città. Non immaginava certo di trovarlo in un'area residenziale borghese, dove le strade e i viali d'accesso alle villette pullulavano di Metro e di Fiesta e i marciapiedi erano ingombri di giocattoli e tricicli.

L'abitazione di Thorsson, all'estremità ovest di un cul-de-sac, era identica a quella dei vicini, con cui faceva angolo, in modo che chiunque, guardando fuori da una delle finestre della facciata principale, sia del pianterreno sia dei piani superiori, avrebbe avuto un'ampia e libera visuale dei movimenti di Thorsson. Di conseguenza, chiunque si fosse affacciato anche solo per pochi attimi, difficilmente avrebbe potuto sbagliarsi e pensare che l'uomo stesse uscendo invece che rientrando. Quindi, non c'erano dubbi che Thorsson stesse tornando a casa di fretta alle sette del mattino.

Nella porzione di casa che si poteva vedere dalla strada, le luci erano spente. Lynley, comunque, provò a controllare se c'era qualcuno suonando ripetutamente il campanello. Quel suono scatenò una serie di echi cavernosi dietro la porta chiusa, come se nella casa non ci fossero né mobili né tappeti che lo assorbissero. Fece qualche passo indietro e alzò gli occhi verso il piano superiore alla ricerca di qualche segno di vita. Niente.

Risalì in auto e rimase dentro seduto per un momento, pensando a Lennart Thorsson, osservando il quartiere e riflettendo sul carattere di quell'individuo. E le sue riflessioni si orientarono su quelle giovani menti che lo ascoltavano dare la propria interpretazione di Shakespeare, utilizzando versi di quattrocento anni prima per promuovere una tendenza politica che appariva ormai come il mezzo più comodo per nascondere la sua incredibile vanità. Era affascinante scegliere una parte della letteratura, conosciuta come le preghiere che si dicono da bambini, sceglierne con cura brani e scene e dare loro un'interpretazione che, a volerla esaminare bene da vicino, era potenzialmente più miope e gretta delle altre che cercava di confutare. Ciononostante, il modo in cui Thorsson presentava le cose era intrigante, inutile negarlo. Lynley se n'era accorto già nel breve tempo che aveva trascorso ad ascoltarlo in fondo all'aula in cui faceva lezione alla facoltà di inglese. Il suo impegno era tangibile, la sua intelligenza irrefutabile e il suo modo di fare dissidente quel tanto che bastava a incoraggiare una solidarietà che, altrimenti, non ci sarebbe stata. Infatti, chi, in giovane età, sarebbe stato capace di resistere alla tentazione di entrare in confidenza con un ribelle?

Ma in tal caso, fino a che punto era inverosimile che Elena Weaver, dopo aver tentato di sedurre Thorsson e vedendosi respinta, avesse inventato di sana pianta la storia delle molestie per vendicarsi? Oppure fino a che punto era impossibile che Thorsson avesse deciso di proposito di avere una relazione con Elena Weaver, per poi scoprire che non era una facile, quanto piuttosto una donna che aveva in mente di intrappolarlo?

Lynley si mise a fissare la casa, come se attendesse di trovare le risposte ai suoi quesiti, pur sapendo già che, in ultima analisi, tutto si riduceva a un solo fatto: Elena Weaver era sorda. E a un solo oggetto: il Ceephone.

Thorsson era stato nella sua camera. Sapeva del Ceephone. Gli rimaneva solo da telefonare a Justine Weaver in modo da impedirle di andare all'appuntamento con Elena quella mattina. Sempre che Thorsson sapesse dell'abitudine della ragazza di andare a correre con la matrigna. Sempre che, in realtà, sapesse come usare quel modem, tanto per cominciare. E sempre che, invece, non fosse stata un'altra persona a fare quella chiamata. Sempre che, in conclusione, quella telefonata fosse stata fatta davvero.

Lynley mise in moto la Bentley e partì, percorrendo piano le strade del quartiere residenziale e cominciando a riflettere sull'antipatia quasi istantanea che era nata fra il sergente Havers e Lennart Thorsson. In genere, la collega non prendeva cantonate quando si trattava di misurare l'ipocrisia nel prossimo, perché il suo istinto la consigliava bene; però non si poteva dire che fosse xenofoba. Non aveva dovuto vedere la casa di Thorsson in quel quartiere borghese in periferia per riconoscere la portata della sua falsità. E quelle battute su Shakespeare, qualche ora prima, lo avevano fatto capire. Del resto Lynley la conosceva abbastanza bene e sapeva che, dopo aver avuto la conferma che Thorsson non si trovava in casa nelle prime ore del mattino del giorno precedente, sarebbe stata ansiosa di snocciolargli la solita formula dei diritti come imputato, e inchiodarlo a uno dei muri del locale che Sheehan usava per gli interrogatori, non appena fosse rientrata a Cambridge l'indomani mattina. Sarebbe andata così – questo imponeva una solida indagine poliziesca, arrivati a quel punto – a meno che lui non avesse scoperto qualcos'altro nel frattempo.

Benché tutti gli elementi raccolti indicassero inequivocabilmente Thorsson come sospettato numero uno, Lynley si sentiva sconfitto proprio dalla precisione schiacciante con cui ogni tessera del mosaico andava a posto. L'esperienza gli aveva insegnato che spesso un delitto era qualcosa di semplice e chiaro, che si poteva risolvere in quattro e quattr'otto, e che la persona più logica da sospettare era effettivamente il colpevole. Però sapeva anche che, in qualche caso, la morte nasceva dagli angoli più bui e oscuri dell'anima, e aveva moventi ben più complicati e tortuosi di quello che lasciassero pensare inizialmente indizi e prove. E mentre ripassava a mente i fatti e le sfaccettature di questo caso specifico, a tratti sfuggenti, a tratti nitidi e a fuoco, cominciò a meditare anche sulle altre possibilità, dalla prima all'ultima, ben più torbide e cupe di quella che si presentava come la soluzione più logica – cioè, la pura e semplice necessità di liquidare una ragazza perché era incinta.

Gareth Randolph, il quale era al corrente del fatto che Elena avesse un amante, eppure la amava lo stesso, e da sempre. Gareth Randolph aveva un Ceephone nel suo ufficio all'ASNU. Justine Weaver, che gli descriveva la vita sessuale di Elena. Justine Weaver aveva un Ceephone, ma non dei figli. Adam Jenn, che frequentava Elena dietro richiesta del padre di lei, il proprio futuro strettamente legato alla promozione di Weaver. Adam Jenn aveva un Ceephone nello studio del suo mentore, a Ivy Court. Ce n'erano di cose strane a proposito di quello studio, soprattutto la brevissima visita che Sarah Gordon vi aveva fatto la sera di lunedì.

Svoltò in direzione ovest e cominciò a rientrare in città, rendendosi conto che, seppur le rivelazioni di quella giornata suggerissero il contrario, il suo pensiero continuava a tornare a Sarah Gordon. No, la pittrice non lo convinceva.

« E sa benissimo il perché », avrebbe obiettato la Havers. « Lei sa benissimo il motivo per cui quella donna continua a tornarle in mente con sempre maggiore insistenza. Sa benissimo chi le ricorda. »

No, non poteva negarlo. Come non poteva evitare di confessare a se stesso che, a fine giornata, quando era stravolto, correva il rischio di perdere quella disciplina che gli consentiva di stare concentrato sul lavoro. A fine giornata, cadeva facile preda di qualsiasi cosa o di chiunque gli ricordasse Helen. Ormai gli capitava da quasi un anno. E Sarah Gordon era slanciata e snella, e poi era bruna, sensibile, intelligente, appassionata. Eppure, si disse, queste caratteristiche, che si ritrovavano anche in Helen, non erano l'unico motivo per cui continuava a tornare a lei con il pensiero, perfino in un momento nel quale il movente e l'opportunità gli parevano già i due elementi che si potevano incollare come un'etichetta addosso a Lennart Thorsson, senza difficoltà.

Ma esistevano anche altri motivi per non eliminare Sarah Gordon. Forse non erano stringenti come quelli che scaricavano ogni colpa su Thorsson, ma c'erano, e continuavano ad assillarlo.

« Veramente è lei che vuole convincersene a tutti costi », gli avrebbe detto il suo sergente. « È lei che sta cercando di mettere insieme un'ipotesi dal niente. »

Eppure lui non ne era altrettanto convinto. Gli piacevano poco le coincidenze nel pieno delle indagini su un delitto e – malgrado le proteste della Havers, secondo cui era vero il contrario – non riusciva a non considerare la presenza di Sarah Gordon sulla scena del crimine e, successivamente, la sua apparizione alla Ivy Court, come una coincidenza.

Inoltre c'era dell'altro: non riusciva a togliersi dalla testa che la pittrice conoscesse Weaver. Era stato un suo studente – anzi, uno studente privato. E lo aveva chiamato Tony.

« Va bene, e con questo? Andavano a letto insieme », avrebbe continuato la Havers. « Lo fanno cinque notti la settimana. Lo fanno in tutte le posizioni conosciute e magari anche in qualcun'altra di loro invenzione. E con questo, ispettore? »

« Lui mira a ottenere la cattedra Penford, Havers. »

« Ah », avrebbe gongolato la Havers. « Mi faccia capire bene. Anthony Weaver ha smesso di scoparsi Sarah Gordon – naturalmente non sappiamo se la scopava – perché aveva paura di essere scoperto e, di conseguenza, di vedersi soffiare la famosa cattedra. Così Sarah Gordon gli ha ammazzato la figlia. Non Weaver, che probabilmente se lo meriterebbe, visto che è un babbeo infelice, viscido e senza spina dorsale, ma sua figlia. Fantastico. E quando l'avrebbe ammazzata? Come ha commesso il delitto? Non era nemmeno sull'isolotto fino alle sette del mattino, e a quell'ora la ragazza era già morta. Morta, ispettore, ammazzata, fatta fuori.

Kaputt, uccisa. Dunque per quale motivo sta pensando a Sarah Gordon? Provi un po' a dirmelo, la prego, perché tutta questa faccenda mi sta facendo diventare nervosa. Ci siamo già passati, io e lei. »

Intanto, però, non riusciva a trovare una risposta che la Havers potesse giudicare accettabile. Gli avrebbe obiettato che, a quel punto, qualsiasi indagine su Sarah Gordon sarebbe stata, nella realtà o nella fantasia, una rincorsa verso Helen. Non avrebbe accettato la sua curiosità di fondo nei confronti della pittrice, e nemmeno avrebbe fatto concessioni al senso di inquietudine e di disagio che provava per quelle famose coincidenze.

D'altra parte, al momento, la collega non era lì a criticare quella linea di condotta. Lui adesso voleva saperne di più su Sarah Gordon, e sapeva dove trovare la persona che gli avrebbe fornito tutte le informazioni necessarie. In Bulstrode Gardens.

« Troppo comodo, ispettore », avrebbe ghignato la Havers.

Comunque, lui svoltò a destra e imboccò Hills Road, liberandosi così del fantasma del suo sergente.

Arrivò davanti alla casa che erano le otto e mezzo. In sala c'era la luce accesa, che filtrava attraverso le tende come un merletto e andava a depositarsi sul viale semicircolare. Qui si rifletteva sul metallo argentato di un piccolo furgone giocattolo rovesciato su un fianco, al quale mancava una ruota. Lynley lo raccolse e suonò il campanello.

Rispetto al giorno precedente, non gli risposero gli energici strilli di quelle vocine infantili. Ci fu solo qualche attimo di silenzio, durante il quale Lynley sentì il rombo del traffico che passava su Madingley Road e avvertì l'odore acre delle foglie che qualcuno stava bruciando nelle vicinanze. Poi la porta si aprì.

« Tommy. »

Che cosa curiosa, pensò. Da quanti anni lo salutava, lo accoglieva in quel modo, limitandosi a pronunciare il suo nome? Come mai, prima, non si era mai fermato un momento a valutare quanto fosse diventato prezioso e importante per lui – pur trattandosi di qualcosa di superficiale e di sciocco – anche solo ascoltare la cadenza della sua voce mentre lo pronunciava?

Le consegnò il giocattolo. Intanto si accorse che al furgoncino non solo mancava una ruota, ma aveva anche una grossa ammaccatura sul cofano, come se qualcuno vi si fosse accanito contro con una pietra o un martello. « Era sul viale. »

Helen lo prese. « È di Christian. Purtroppo mi sto accorgendo che non fa molti progressi nella cura delle proprie cose. » Indietreggiò dalla porta. « Entra. »

Lynley si tolse il soprabito, stavolta senza che lei lo invitasse a farlo, e lo appese a un attaccapanni in rattan che si trovava subito a sinistra della porta d'ingresso. Poi si voltò verso Helen: indossava un maglione grigio azzurro – macchiato in tre punti di salsa di pomodoro, o almeno così sembrava – e, sotto, una camicetta color cenere. Non le sfuggì che se n'era accorto.

« Sempre Christian. Non sta facendo progressi neanche per quel che riguarda lo stare a tavola. » Sorrise, stanca. « Per fortuna, non fa complimenti ipocriti alla cuoca. Tanto è risaputo che in cucina sono una frana. »

« Sei esausta, Helen », le disse Lynley. Si accorse che una delle sue mani si era alzata, come guidata da una volontà propria, e, per un attimo, le sfiorò una guancia col dorso delle dita. La pelle era fresca e liscia, come la superficie quieta di acque limpide e dolci. I suoi occhi scuri lo fissavano. Al collo una vena le pulsava, rapida. « Helen », iniziò, e provò quella sensazione improvvisa di struggimento che accompagnava sempre un atto semplice e innocuo come pronunciare il suo nome.

Helen si scostò e, avviandosi verso il salotto, disse: « Ormai il peggio è passato. Sono a letto. Hai mangiato, Tommy? »

Lynley si accorse di avere ancora una mano alzata, come per accarezzarla, e la lasciò ricadere lentamente lungo il fianco, sentendosi più che mai come un adolescente che, per amore, ha perso la testa. « No », rispose. « Non so perché, ma l'idea di cenare non mi è neanche passata per il cervello. »

« Posso prepararti qualcosa? » Abbassò in fretta gli occhi sul maglione. « Niente spaghetti, però. Anche se non mi sembra di ricordare che tu abbia mai scaraventato le pietanze addosso alla cuoca. »

« Non di recente, perlomeno. »

« Abbiamo un po' di insalata di pollo, ed è avanzato del prosciutto cotto. Ah, c'è anche del salmone in scatola, se ti va. »

« No, grazie. Non ho fame. »

Helen si era fermata vicino al camino, dove un mucchio di giocattoli dei bambini era accatastato contro il muro. Un puzzle in legno raffigurante gli Stati Uniti si trovava in cima al resto, in precario equilibrio. E sembrava proprio che qualcuno avesse staccato con un morso l'estremità meridionale della Florida. Lynley spostò lo sguardo dal puzzle a Helen, e notò i segni della stanchezza sul suo viso, sotto gli occhi.

«Vieni con me, Helen, stai con me, stai con me», avrebbe voluto dirle, invece si limitò a dirle: «Devo parlare con Pen».

«Pen?» Lady Helen lo guardò sbalordita.

«È importante. È sveglia?»

«Credo di sì, certo. Ma...» Lanciò un'occhiata guardinga verso la porta e le scale. «Non saprei, Tommy. È stata una brutta giornata. I bambini. Un litigio con Harry.»

«Lui non è in casa?»

«No, neanche stasera.» Raccolse il pezzetto del puzzle che rappresentava la Florida, controllò il danno, poi lo buttò insieme agli altri. «È un macello. Loro sono un macello. Non so come aiutarla. Non riesco a immaginare cosa potrei dirle. Ha avuto una bambina che non desiderava. Ha una vita che non sopporta. Ha dei figli che hanno bisogno di lei e un marito che fa di tutto per punirla perché l'ha punito. In confronto alla sua, la mia vita è così facile, lineare. Cosa posso dirle che non suoni meschino, cieco, e completamente inutile?»

«Soltanto che le vuoi bene.»

«No, non è abbastanza. L'amore non basta. E tu lo sai.»

«È l'unica cosa che conta, se vai al sodo. È l'unica cosa vera.»

«La fai semplice, tu.»

«Non credo. Se l'amore fosse una cosa semplice, non ci troveremmo in questo pasticcio, ti pare? Non ce ne importerebbe niente di affidare la nostra vita e i nostri sogni alle cure di un altro essere umano. Ce ne infischieremmo di essere vulnerabili. Non metteremmo a nudo le nostre debolezze. Non rischieremmo emozioni. E Dio sa se ci azzarderemmo a fare un salto nel buio, affidandoci unicamente alla fede. Non ci arrenderemmo mai. Ci aggrapperemmo mani e piedi alla nostra capacità di autocontrollo. Perché, Helen, se perdiamo il controllo anche per un istante, solo il cielo sa che vuoto può trovarsi al di là.»

«Quando Pen e Harry si sono sposati...»

Lui si sentì frustrato. «Non stiamo parlando di loro. E lo sai bene, accidenti!»

Si guardarono negli occhi. Erano alle due estremità opposte della stanza, ma lo spazio che li separava sembrava un abisso. Eppure Lynley volle provare comunque a rivolgerle la parola, cercando di oltrepassare la voragine per ristabilire il contatto con lei, anche se intuiva l'inutilità di pronunciare parole che, come ben sapeva, non avevano il potere di tramutarsi in azioni concrete, eppure le pronunciava ugualmente, perché sentiva il bisogno esasperato di farlo, dimenticando cautela, dignità e orgoglio.

«Ti amo», disse. «Ed è come morire.»

Anche se aveva gli occhi lucidi, Helen era tesa, il corpo contratto da capo a piedi. Sapeva che non avrebbe pianto.

«Smettila di aver paura», aggiunse. «Ti prego. Ti chiedo soltanto questo.»

Lei non rispose, ma non distolse lo sguardo, e nemmeno tentò di andarsene. Proprio per questo, Lynley sentì riaccendersi la speranza.

«Perché?» le chiese. «Non vorresti dirmi almeno questo?»

«Stiamo bene così dove siamo, come siamo.» Aveva la voce bassa. «Perché non ti basta?»

«Perché non è possibile, Helen. Qui non si tratta di amicizia. Non siamo due vecchi amici. E nemmeno due compagni di scuola.»

«Una volta sì.»

«Appunto, una volta. Ma non possiamo più tornare indietro. O perlomeno io non ci riesco. E lo sa Dio se ci ho provato! Ti amo. Ti desidero.»

Helen deglutì. Una lacrima, una sola, le scese da un occhio e le scivolò sulla guancia, ma si affrettò a levarla con le dita. Di fronte a quella vista, Lynley si sentì straziare.

«Ho sempre creduto che dovesse essere un'immensa gioia. Ma qualsiasi cosa sia, non dovrebbe essere così.»

«Mi spiace», disse Helen.

«Spiace di più a me.» Staccò gli occhi da lei. Alle sue spalle, sulla mensola del camino, c'era una fotografia di sua sorella e della sua famiglia. Marito, moglie, due bambini, lo scopo della vita raggiunto. «Comunque, sono venuto per vedere Pen», riprese.

Lei annuì. «Vado a chiamarla.»

Quando uscì dalla stanza, Lynley si avvicinò alla finestra, ma le tende erano state tirate. Non c'era niente da vedere. Rimase a fissare il motivo floreale del chintz che gli si confondeva rapido davanti agli occhi.

Vattene, si disse in tono concitato. Dai un taglio netto, come se fosse un'operazione chirurgica, e per sempre, vattene.

Ma non poteva. La grande ironia dell'amore, se ne rendeva conto, era che sbucava dal nulla, non aveva una logica, poteva sempre essere rinnegato o ignorato, ma se si tentava di sfuggirgli, in ultima analisi si pagava sempre lo scotto, con una moneta che scaturiva dallo spirito, dall'anima. Già aveva assistito all'evoluzione del ciclo dell'amore e del rifiuto in altre vite, generalmente di puttanieri e di uomini fissati con la carriera. Ma in quei casi, il cuore era stato risparmiato, dunque non avevano sofferto. E perché sarebbe dovuto essere altrimenti? Al puttaniere di turno interessava soltanto la conquista del momento. L'uomo in carriera cercava soltanto la gloria che poteva procurargli la professione. Nessuno dei due era contagiato dall'amore o dal dolore. E poi proseguivano entrambi per la loro strada, senza nemmeno guardarsi indietro.

Per sua sfortuna – se così poteva chiamarsi – non era della stessa pasta. Invece delle conquiste sessuali o del successo professionale, lui provava solo il desiderio di avere un legame, un rapporto, un impegno. Di avere Helen.

Le sentì sulle scale – voci sommesse, passi lenti – e si voltò verso la porta del salotto. Da quanto gli aveva detto Helen, aveva già capito che sua sorella non stava bene, ma ciononostante rimase turbato e sconvolto quando se la trovò davanti. Aveva un'espressione impassibile in viso quando lei entrò, ma forse furono gli occhi a tradirlo, perché Penelope fece un debole sorriso, come se avesse trovato la conferma di qualcosa che già sapeva, e si passò le dita prive di anelli fra le ciocche di capelli pesanti e opachi.

«Non sono certo in splendida forma», gli disse.

«Grazie per avere accettato di vedermi.»

Di nuovo quel debole sorriso. Venne avanti a passo lento e strascicato, accanto a Lady Helen. Con cautela, piano, prese posto su una poltrona di vimini a dondolo e si avvolse nella vestaglia rosa pallido, chiudendosela all'altezza del collo.

« Possiamo offrirti qualcosa? » gli domandò. « Un whisky? Del brandy? »

Lui fece segno di no con la testa. Lady Helen scelse l'estremità più lontana del divano e si sedette sul bordo – il più vicino possibile alla poltrona a dondolo –, protesa in avanti, gli occhi sulla sorella, le mani tese come per offrirle un sostegno. Lynley si sistemò nella poltrona con l'alto schienale ricurvo proprio di fronte a Pen. E cercò di raccogliere i pensieri, senza soffermarsi sui cambiamenti che erano avvenuti in lei, sul loro significato e sul fatto che avessero toccato le corde della paura di Helen. Occhiaie profonde, pelle a chiazze punteggiata di foruncoli, a macchie, un taglio all'angolo della bocca. Capelli sudici, corpo non lavato.

« Helen mi ha detto che sei a Cambridge per un'indagine » riprese.

Le raccontò del delitto in due parole. E mentre parlava, Pen si dondolava avanti e indietro. Il cigolio della poltrona a dondolo era una compagnia piacevole. « Sarah Gordon mi incuriosisce », concluse Tommy. « Pensavo che forse avresti potuto raccontarmi qualcosa di lei. Ne hai mai sentito parlare, Pen? »

Lei annuì. Le sue dita giocherellavano con la cintura della vestaglia. « Oh, certo. E da parecchi anni. La notizia del suo trasferimento a Grantchester aveva fatto sensazione, e tutti i giornali locali ne avevano parlato ampiamente. »

« E quando è stato? »

« Sei anni fa, più o meno. »

« Ne sei sicura? »

« Sì. Perché è successo... » Di nuovo quel sorriso spento, poi un'alzata di spalle. « ... prima dei bambini; a quell'epoca lavoravo al Fitzwilliam. Restauravo quadri. Il museo aveva organizzato un grande ricevimento per lei. E una mostra delle sue opere. Ci sono andata con Harry, e l'abbiamo conosciuta. Be', conosciuta... Sembrava di essere al cospetto della regina, anche se era piuttosto la sensazione che volevano dare soprattutto il direttore e i curatori del museo. A quanto ricordo, lei si è dimostrata un tipo abbastanza semplice e senza pretese. Cordiale, disponibile. Niente affatto il genere di donna che mi aspettavo di incontrare, se si considera tutto quello che avevo letto e sentito sul suo conto. »

« È un'artista così importante? »

« Sì, certo. Realizza opere a sfondo sociale, per questo attira sempre un notevole interesse da parte della stampa. All'epoca in cui l'ho conosciuta io, aveva ricevuto un importante titolo onorifico, non mi ricordo più quale. Aveva fatto un ritratto della regina che aveva ricevuto elogi dalla critica – anzi, qualcuno l'aveva definito addirittura 'la coscienza della nazione', o qualche altra assurdità del genere. Aveva già esposto diverse volte, e sempre con grande successo, alla Royal Academy. A quell'epoca veniva corteggiata da tutti, come una rivelazione in campo artistico.»

«Interessante», osservò Lynley, «perché non è proprio quella che si definirebbe una pittrice moderna, vero? Verrebbe da credere che, per essere amati nel mondo dell'arte e considerati alla stregua di un beniamino del pubblico, sia necessario avventurarsi con successo in qualche nuovo territorio. Invece io ho visto i suoi lavori, e non mi sembra che abbia scelto una strada del genere.»

«Cioè, vuoi dire che non dipinge lattine di minestra come qualcun altro?» Pen sorrise. «Oppure non si spara in un piede, gira un documentario dell'avvenimento e poi lo chiama arte?»

«Se vogliamo estremizzare, suppongo di sì.»

«In realtà, Tommy, è molto più importante possedere uno stile che sappia far colpo sulla fantasia emotiva di critici e collezionisti, piuttosto che adeguarsi a quelle che sono le mode o le manie del momento. Come i quadri sul Carnevale di Venezia dipinti da Jurgen Gorg. O le primissime tele fantasiose di Peter Max. Oppure l'arte surrealistica di Salvador Dalí. Se un artista ha uno stile personale, in tal caso possiamo dire che procede, che avanza su una determinata strada. E se quello stile si guadagna l'approvazione internazionale, allora la sua carriera è fatta.»

«E sarebbe successo anche alla Gordon?»

«Direi che è andata proprio così, sì. Il suo è uno stile che si distingue. È limpido, chiaro, pulito. A dar retta a quella specie di macchina per le pubbliche relazioni che ha orchestrato il suo lancio nel mondo artistico, anni fa, i pigmenti se li macina lei stessa, come un moderno Botticelli – o perlomeno, c'è stato un periodo in cui lo faceva –, ed è per questo che i suoi colori a olio sono stupendi.»

«Si è definita una specie di purista, in passato.»

«Sì, è sempre stato un tratto caratteristico della sua personalità. Come l'isolamento. Grantchester, non Londra. È il mondo ad andare da lei, non viceversa.»

«Non hai mai lavorato sulle sue tele mentre eri al museo?»

«Che bisogno c'era? La sua opera è recente, Tommy, non ha bisogno di restauro.»

«Però le hai viste. Ti sono familiari.»

«Sì, certo. Perché?»

«C'è la sua arte alla base di tutto questo, Tommy?» domandò Lady Helen.

Lynley rivolse la propria attenzione al tappeto marrone sudicio che copriva parzialmente il pavimento. «Non lo so. Mi ha raccontato che ormai da mesi non riesce più a far niente. Ha detto che teme di aver perso la passione per creare. Aveva stabilito di riprendere a dipingere o a disegnare, qualcosa del genere, proprio il giorno del delitto. Mi ha dato l'impressione che ci fosse qualcosa di superstizioso in tutto questo. Dipingere in un determinato giorno e in un determinato luogo, o rinunciare per sempre. È possibile, Pen, che qualcuno sia disposto a rinunciare a creare – anzi, che abbia perso, chissà come, questa capacità – al punto di trovare così immane lo sforzo di ricominciare, da costringersi a collegarlo a fattori esterni, come il luogo, il soggetto e l'ora?»

Penelope si mosse sulla poltrona. «Ma come fai a essere così ingenuo? Naturale che è possibile. C'è gente che è impazzita perché era convinta di aver perso la capacità di creare. Qualcuno si è ucciso per questo.»

Lynley rialzò la testa, e si accorse che Lady Helen lo osservava. Ascoltando le ultime parole di Penelope, erano giunti tutti e due alla stessa conclusione. «Oppure ha ammazzato qualcuno?» domandò Lady Helen.

«Qualcuno che costituiva un ostacolo alla loro creatività, per esempio?» fece Lynley.

«Camille e Rodin?» disse Penelope. «Non c'è dubbio che quei due si sono uccisi a vicenda, vero? Perlomeno in senso metaforico.»

«Ma come avrebbe potuto quella studentessa diventare un ostacolo per le capacità creative di Sarah Gordon?» domandò Lady Helen. «Si conoscevano?»

Lynley ripensò alla Ivy Court, al fatto che Sarah Gordon chiamasse Weaver 'Tony', e ripassò mentalmente ogni supposizione che, con la Havers, avevano fatto per spiegare la presenza della donna proprio laggiù la sera del giorno prima.

«Forse l'ostacolo non era la ragazza, ma suo padre», rispose. Ma già mentre pronunciava queste parole, si accorse di poter elencare senza difficoltà tutte le argomentazioni in disaccordo con una conclusione del genere. La telefonata a Justine Weaver, gli allenamenti di Elena, il problema delle tempistiche, l'arma usata per maciullarle la faccia e poi fatta sparire. I punti cardine erano il movente, il mezzo e l'opportunità: impossibile ricollegarne anche solo uno a Sarah Gordon.

«Quando abbiamo parlato, le ho menzionato Whistler e Ruskin», riprese pensieroso, «e lei ha reagito subito. Di conseguenza, non si può nemmeno escludere che la sua incapacità di lavorare, l'anno scorso, sia nata da qualche stroncatura della critica.»

«Sì, può essere, se avesse ricevuto qualche critica negativa», disse Penelope.

«No?»

«A quanto ricordo, niente di importante.»

«E allora, che cosa può bloccare l'impulso creativo, Pen? Che cosa annulla o impedisce alla passione artistica di manifestarsi?»

«La paura», rispose lei.

Lynley notò che Lady Helen si affrettava ad abbassare lo sguardo. «La paura di che?» domandò.

«Di fare fiasco. Di essere respinta. Di offrire qualcosa di sé a qualcuno... al mondo... e di vederselo calpestare. Questo dovrebbe bastare, secondo me.»

«Invece non è successo niente del genere?»

«A Sarah Gordon, no. Ma non significa che non lo tema per il futuro. C'è molta gente che rimane schiacciata dal successo.»

Penelope girò gli occhi verso la porta mentre, nell'altra camera, il motore del frigorifero scoppiettava e ronzava. Si alzò, e la poltrona a dondolo accompagnò questo movimento con un ultimo cigolio.

«Sarà come minimo da un anno che non pensavo più all'arte.» Si scostò i capelli dal viso e sorrise a Lynley. «Che strano. È stato molto piacevole parlarne.»

«Hai moltissimo da dire.»

«Una volta, sì. Ormai...» Poi si avviò verso la scala e, con un gesto, gli fece capire di rimanere seduto. «Vado a dare un'occhiata alla bambina. Buonanotte, Tommy.»

«Buonanotte.»

Lady Helen rimase in silenzio fino a quando non sentì i passi della sorella lungo il corridoio del piano di sopra e la porta della sua stanza aprirsi e chiudersi. Poi si voltò verso Lynley.

« È stato un bene per lei. Avrai capito che le ha fatto bene. Ti ringrazio, Tommy. »

« No, è stato puro e semplice egoismo. Mi occorrevano certe informazioni, e ho pensato che Pen potesse fornirmele. Tutto qui, Helen. Be', forse non proprio. Volevo vederti. A questo non sembra che ci sia mai fine. »

Vedendo che si alzava, Lynley fece altrettanto. Si avviarono insieme alla porta. Lynley allungò una mano verso il soprabito, ma si voltò d'impulso verso Helen prima di toglierlo dall'attaccapanni.

« Miranda Webberly fa un concerto jazz domani sera alla Trinity Hall. Verrai? » le domandò. Quando Helen lanciò un'occhiata verso le scale, continuò: « Sono soltanto poche ore, Helen. Credo che Pen possa occuparsi dei bambini da sola. In caso contrario, cerchiamo di rintracciare Harry all'Emmanuel, altrimenti faccio venire uno degli agenti di Sheehan. Scommetto che questa sarebbe la soluzione migliore, almeno per Christian. Allora, verrai? Randie suona la tromba in modo eccellente. A sentire suo padre, diventerà una Dizzy Gillespie in gonnella ».

Lady Helen sorrise. « Va bene, Tommy. Sì. Verrò. »

Lynley si sentì al settimo cielo, anche se probabilmente lei aveva accettato solo per ringraziarlo perché era riuscito a strappare Pen al suo malessere spirituale, sia pure per pochi minuti. « Bene », le rispose. « Allora facciamo alle sette e mezzo. E ti proporrei anche di cenare insieme, ma non voglio pretendere troppo dalla mia buona sorte. » Prese il soprabito dall'attaccapanni e se lo buttò sulle spalle. Il freddo non gli avrebbe dato fastidio. Un attimo di speranza sembrava una protezione sufficiente contro qualsiasi intemperie.

Lei comprese al volo cosa stava provando, come sempre. « È solo un concerto, Tommy. »

E Lynley non volle fingere di non capire. « Lo so benissimo. A parte il fatto che, in ogni caso, non riusciremmo ad arrivare fino a Gretna Green e a tornare indietro in tempo per preparare la colazione a Christian, ti pare? Ma anche se fosse, non è mia intenzione sposarti davanti al fabbro del paese, quindi puoi stare tranquilla. Almeno per una serata. »

Il sorriso di Helen si accentuò. «Quello che dici mi dà un conforto enorme.»

Lui le sfiorò una guancia con una carezza. «Dio solo sa come la mia unica aspirazione sia farti stare bene, Helen.»

Poi attese che si muovesse, cercò di costringerla a farlo, concedendosi solo per un attimo di misurare fino in fondo l'intensità del proprio desiderio. Lei piegò lievemente la testa, premendogli la guancia contro la mano.

«Stavolta non sbaglierai. Non con me. Non te lo permetterò.»

«Ti amo», disse Helen. «È questa la verità.»

13

«Barbara? Cara? Sei andata a letto? Perché le luci sono spente e non voglio disturbarti se sei addormentata. Hai bisogno di dormire. È il primo sonno che riposa di più, lo so. Ma nel caso fossi ancora alzata, pensavo che si potesse parlare di Natale. È presto, certo, ma è sempre meglio essere preparati con qualche idea per i regali e decidere gli inviti da accettare e quelli da rifiutare.»

Barbara Havers chiuse gli occhi per un attimo, come se, così facendo, avesse potuto evitare di udire il suono della voce di sua madre. Ritta in piedi al buio, davanti alla finestra della sua camera da letto, guardò nel giardinetto interno, dove un gatto stava muovendosi furtivamente lungo lo steccato che separava la loro proprietà da quella della signora Gustafson. L'attenzione della bestiola sembrava concentrata sul groviglio di ortiche ed erbacce che adesso cresceva al posto di quella che una volta era una striscia sottile di prato. Dava la caccia a un roditore. Probabilmente il giardino pullulava di topi, adesso. Gli augurò una buona caccia. Scatenati e falli fuori, pensò.

Accanto al suo viso, dalle tende esalava l'odore stantio del fumo di sigaretta e quello acre della polvere. Un tempo erano di cotone bianco, lindo, inamidato, con un motivo di mazzolini di nontiscordardimé, ora penzolavano flosce e grigiastre e, in quel sudiciume, anche gli allegri fiorellini azzurri non risaltavano più. Adesso, in realtà, davano l'impressione più che altro di chiazze sbavate di carboncino sullo sfondo di un campo sempre più scuro, e tetro, color cenere.

«Tesoro?»

Barbara sentì sua madre che trotterellava per il corridoio del piano di sopra, strascicando e sbatacchiando le pantofole contro il pavimento. Sapeva che avrebbe dovuto chiamarla e risponderle; invece pregò in cuor suo che, prima di arrivare fino alla sua camera da letto, l'attenzione fugace della mamma si concentrasse su qualcos'altro. Magari sulla camera di suo fratello, che, pur essendo stata svuotata da molto tempo di tutto ciò che conteneva, continuava a rivelarsi un'attrattiva sufficiente perché la signora Havers, mentre girovagava per la casa, vi entrasse a parlare con il figlio come se fosse ancora vivo e non seppellito, ormai da sedici anni, nel cimitero di South Ealing, dove riposava anche il marito.

Cinque minuti, pensò Barbara. Soltanto cinque minuti di pace.

Era già a casa da diverse ore; al suo arrivo aveva trovato la signora Gustafson che sedeva impettita su una delle sedie della cucina ai piedi della scala e la mamma di sopra, nella sua camera, accucciata sul bordo del letto. La signora Gustafson impugnava una strana arma, il tubo flessibile dell'aspirapolvere, e la mamma era impaurita, stralunata, una figura che sembrava addirittura rimpicciolita tanto era ripiegata su se stessa al buio – e aveva persino dimenticato come si accendevano e spegnevano le luci.

« Abbiamo avuto una piccola discussione. A un certo momento voleva tuo padre », le aveva spiegato la signora Gustafson quando era apparsa sulla soglia. Aveva la parrucca grigia un po' sbilenca sulla testa; così, a sinistra, i riccioli le scendevano un po' troppo sotto l'orecchio. « Ha cominciato a cercarlo per la casa, chiamando il suo Jimmy con tutta la voce che aveva in corpo. Poi voleva uscire in strada. »

Gli occhi di Barbara si erano posati sul manicotto dell'aspirapolvere.

« Su, Barbie, non l'ho picchiata », aveva ripreso la signora Gustafson. « Sai bene che non mi azzarderei a toccarla, la tua cara mamma. » Le sue dita prima si erano ripiegate intorno al manicotto e poi ne avevano accarezzato il rivestimento consunto. « È un serpente », aveva detto decisa. « Riga dritto quando lo vede, cara. A me basta agitarlo appena appena, non devo fare altro. »

Per un attimo Barbara aveva avuto l'impressione di sentirsi il sangue gelare nelle vene, trasformandola in una statua impietrita, incapace perfino di parlare. Si sentiva intrappolata fra due esigenze contrastanti. Da un lato era necessario parlare e agire, dare una specie di castigo a quella vecchia per la sua cieca stupidità, visto che aveva pensato di ricorrere al terrore invece di assistere, curare e proteggere sua madre. D'altra parte, e questa era la cosa più importante, bisognava cercare di prenderla con le buone, perché se le avesse detto chiaro e tondo che era disposta a sopportare la situazione soltanto fino a un certo punto, era la fine.

Così, in conclusione, pur disprezzandosi, ma trovando anche la forza di trovare nella sua coscienza una nuova riserva in cui contenere il senso di colpa, ancora più grande di prima, si era accontentata di rispondere: «Certo, lo so che tutto diventa difficile quando si confonde. Ma non crede che spaventarla potrebbe peggiorare le cose?» Si detestava per il tono ragionevole che stava usando, sotto il quale si nascondeva un'ennesima supplica di capire, sopportare e collaborare. Si tratta di tua madre, Barbara, si era detta. Non è di una bestia che stiamo parlando. Ma anche questo non faceva nessuna differenza. Il problema era proteggere e sorvegliare quella povera donna. Ormai già da molto tempo aveva rinunciato a condurre una vita degna del proprio nome.

«Sì, in effetti la situazione stava degenerando», aveva risposto la signora Gustafson, «ed è proprio per questo che ti ho telefonato, cara, perché pensavo che avesse perduto anche quel poco cervello che le era rimasto. Ma adesso sta bene, vero? Non la si sente neanche fiatare. Saresti dovuta rimanere a Cambridge.»

«Ma lei mi ha telefonato, per chiedermi di venire a casa.»

«Sì, è vero. Per un momento mi sono impaurita, quando voleva il suo Jimmy e si rifiutava di bere il tè o di mangiare la tartina con l'uovo sodo che le avevo preparato. Ma adesso sta bene. Sali, vai a darle un'occhiata. Magari si è messa addirittura a fare un pisolino. Proprio come i bambini piccoli, quando, a furia di piangere, finiscono per addormentarsi.»

E questo fu più che sufficiente per far capire a Barbara che cosa dovevano essere state le ultime ore che avevano preceduto il suo arrivo a casa. Salvo che, in questo caso, non si trattava di un bambino che a furia di piangere si stancava fisicamente. Qui si trattava di una persona adulta, la cui estenuazione era unicamente di carattere psichico.

Aveva trovato la mamma accoccolata sul letto, con la testa ripiegata sulle ginocchia e la faccia rivolta verso il cassettone vicino alla finestra. Quando aveva attraversato la stanza per avvicinarsi, si era accorta che gli occhiali le erano scivolati dal naso ed erano finiti sul pavimento; così, i suoi occhi celesti, già incerti e confusi, sembravano ancor più lontani dal mondo di quanto non fossero normalmente.

«Mamma?» Poi aveva esitato un attimo, nel dubbio se accendere la lampada sul comodino, per paura che potesse spaventare sua madre ancora di più. Le aveva toccato la testa: i capelli sembravano molto secchi, ma soffici come batuffoli di bambagia. Sarebbe bello farle fare una permanente, aveva pensato. Le sarebbe piaciuto. Sempre che non si fosse dimenticata dov'era nel bel mezzo del lavoro del parrucchiere, cercando di sgattaiolare via dal negozio quando si fosse vista la testa coperta dalle protuberanze colorate dei bigodini, di cui ormai non riusciva più a capire lo scopo o l'utilità.

La signora Havers si era mossa, ma era stato solo un piccolo movimento delle spalle, come se cercasse di liberarsi di un peso sgradito. «Doris e io abbiamo giocato, questo pomeriggio» le aveva detto. «Lei voleva preparare il tè e giocare alle signore; io invece volevo fare il gioco dei sassolini. Così abbiamo litigato. Ma poi abbiamo fatto entrambe le cose.»

Doris era la sorella maggiore di sua madre, morta adolescente durante i bombardamenti. Purtroppo non aveva nemmeno avuto la gentilezza di dare un po' di lustro alla storia di famiglia facendosi ammazzare da una bomba tedesca. Era stata una fine priva di gloria, la sua, ma comunque in linea con un'esistenza tutta improntata a una continua e incessante ingordigia: era rimasta soffocata da un pezzo di carne di maiale, comperata al mercato nero, che aveva rubato dal piatto del fratello durante il pranzo domenicale mentre lui, alzatosi da tavola, era andato a sistemare la radio da cui si aspettava di ascoltare il discorso che Winston Churchill stava per pronunciare, come un salvatore della patria.

Quante volte, da bambina, Barbara aveva sentito ripetere questa storia. «Mastica, mastica ogni boccone quaranta volte», le ripeteva la mamma, «altrimenti finirai morta stecchita come la tua povera zietta Doris.»

«Ho da fare i compiti per la scuola, ma non mi piacciono», continuava intanto la mamma. «Così, invece, ho giocato. E a mammina questo non piacerà. Mi domanderà che cosa ho fatto. E io non saprò cosa rispondere.»

Barbara si era chinata su di lei. «Mamma, sono Barbara. Sono a casa. Adesso accendo la luce. Non ti spaventi, vero?»

«Ma... c'è l'oscuramento. Dobbiamo stare molto attenti. Hai tirato le tende?»

«Sì, va tutto bene, mamma.» Aveva acceso la lampada e si era seduta sul letto di fianco a sua madre. Le aveva posato una mano sulla spalla, stringendogliela leggermente. « Okay, mammina? Così va meglio? »

Gli occhi della signora Havers si erano spostati dalla finestra verso la figlia. Li aveva socchiusi appena. Barbara si era chinata a raccogliere gli occhiali, aveva tolto un baffo d'unto da una delle lenti, sfregandoli contro la gamba dei pantaloni, e glieli aveva fatti scivolare di nuovo sul naso.

« Lei ha un serpente », aveva detto la signora Havers. « Barbie, a me i serpenti non piacciono, ma lei ne ha portato uno con sé. Lo tira fuori, lo alza, me lo mostra e poi mi dice quello che il serpente vuole che faccia. Dice che i serpenti ti si arrampicano su per le gambe. E dice che ti strisciano *dentro*. Ma quello è così grosso che se dovesse entrarmi dentro, io... »

Barbara aveva cinto il corpo della madre con un braccio. E si era ripiegata su se stessa, quasi per cercare di mettersi nella stessa posizione della vecchia signora. Eccole faccia a faccia, con la testa appoggiata alle ginocchia. « Non c'è nessun serpente, mammina. È l'aspirapolvere. Sta cercando di spaventarti. Ma non si sognerebbe, mai e poi mai, di fare una cosa del genere se tu cercassi almeno di ascoltarla quando ti dice quello che vuole da te. Non si prenderebbe la briga di inventare il serpente. Non riesci proprio a comportarti bene? »

Il viso della signora Havers si era oscurato. « Aspirapolvere? Oh no, Barbie, era un serpente. »

« Ma dove vuoi che si sia procurata un serpente, la signora Gustafson? »

« Non lo so, tesoro. Però ce l'ha. L'ho visto. Lo tiene in mano e lo agita. »

« È quello che sta facendo adesso, mamma. Giù, in fondo alle scale. È il tubo dell'aspirapolvere. Ti piacerebbe andar giù a dargli un'occhiata con me? »

« No! » Barbara aveva sentito che il dorso di sua madre si irrigidiva. E la sua voce era diventata più alta e stridula: « Perché a me i serpenti non piacciono, Barbie. Non voglio che mi striscino addosso. Non voglio che mi si infilino dentro. Non... »

« Va bene, mamma, va bene. »

Adesso capiva che non sarebbe mai riuscita a fare in modo che sua madre, così fragile e incapace di lottare, tenesse testa alla signora Gustafson in quella specie di guerriglia psicologica. *È soltanto l'aspirapolvere, mamma; e non è una vera sciocca la signora Gustafson a cercare di spaventarti, adoperandolo?* Non poteva funzionare, come spiegazione per conservare la pace, così debole e transitoria, in casa. Una pace troppo instabile, soprattutto perché dipendeva dalla capacità sempre minore di sua madre di rimanere saldamente ancorata alla realtà e al presente. « La signora Gustafson è impaurita quanto te, mamma », avrebbe voluto dirle. « Ecco perché cerca di spaventarti quando cominci a dare di matto », ma sapeva che sua madre non avrebbe capito. Così non aveva detto niente. Si era accontentata di stringersi contro di lei ancora di più, e aveva pensato con un senso di vuoto e di nostalgia a quel piccolo alloggio di Chalk Farm dove, fermatasi sotto la robinia, si era concessa un attimo per fare sogni di speranza e di indipendenza.

« Cara? Sei ancora alzata? »

Barbara si staccò dalla finestra. Al chiaro di luna la sua camera era diventata un luogo fatto di ombre e di luci argentee. Una lama di quella luce cadeva attraverso il letto e si allungava fino alla gamba del cassettone che terminava con una zampa di leone artigliata intorno a una palla. Lo specchio incassato nello sportello dell'armadio a muro dove teneva i vestiti (« Ma guarda, Jimmy », aveva detto la mamma. « Che simpatico! Così non avremo bisogno di mettere un guardaroba, qui! ») rifletteva quella luce disegnando una specie di striscia di un candore abbagliante sulla parete opposta. Era lì che, verso i tredici anni, aveva appeso un pannello di sughero che, secondo i suoi calcoli, avrebbe dovuto accogliere tutti i souvenir dell'adolescenza, programmi teatrali, inviti a feste e ricevimenti, oggetti ricordo dei balli scolastici, un paio di fiori secchi. Invece, per i primi tre anni non aveva accolto un bel niente. E poi lei aveva finito per convincersi che avrebbe continuato a non accogliere nulla, a meno di non appendervi qualcosa di più, e di diverso, dai sogni che non avevano alcuna conferma nella realtà. Così aveva cominciato ad attaccarvi con le puntine articoli di giornale – in principio storie strazianti in cui si parlava di bambini e di animali, poi pezzi intriganti in cui si descrivevano piccoli atti di violenza, e infine cronache sensazionali di delitti.

« Non sono proprio la cosa più adatta a una signorina », aveva sbuffato la mamma.

No, certo che non erano la cosa più adatta a una signorina, per niente, pensò.

« Barbie? Cara? »

La porta della camera era socchiusa e Barbara sentì che la mamma ci grattava sopra con le unghie. Se fosse rimasta in silenzio, assolutamente immobile, forse c'era una flebile possibilità che andasse via. Ma le sembrò una crudeltà inutile dopo tutto quello che aveva appena passato. Così disse: « Sono sveglia, mamma. Non sono andata a letto ».

La porta si aprì. E la luce del corridoio che la illuminava di spalle servì a mettere ancor più in risalto la figura scarna e allampanata della signora Havers, soprattutto le gambe, lunghe e magre, con le ginocchia e le caviglie nodose, ancora più visibili perché portava una vestaglietta da casa tutta tirata su in vita, e una camicia da notte troppo corta. Venne avanti a passo esitante.

« Ho avuto una brutta giornata, Barbie, vero? » disse. « La signora Gustafson doveva rimanere qui a dormire con me. Ricordo che lo avevi detto stamattina, giusto? Dovevi partire per Cambridge. Così, se adesso sei a casa, devo proprio essere stata cattiva. »

Barbara approfittò con piacere di quel raro momento di lucidità. « Ti sei confusa », disse.

Sua madre si fermò a un paio di metri da lei. Era riuscita a fare il bagno da sola – con due sole, rapide, visite di controllo – ma se l'era cavata molto meno bene con il rituale che seguiva abitualmente queste abluzioni perché, inondandosi di acqua di colonia, adesso era circondata dai suoi effluvi come da una specie di emanazione paranormale.

« Natale è vicino, cara? »

« Siamo in novembre, mamma, la seconda settimana di novembre. Non manca molto. »

Sua madre sorrise, visibilmente sollevata. « Infatti, mi pareva. Diventa freddo verso Natale, giusto? Ed è stato proprio così in questi ultimi giorni; allora ho pensato che ci stavamo avvicinando a Natale, con tutte quelle belle illuminazioni in Oxford Street e quelle vetrine stupende da Fortnum & Mason. E quando si vede Babbo Natale che parla con i bambini. Sì, ho pensato che fosse vicino. »

« E avevi ragione », rispose Barbara. Si sentiva stanca. Le pungevano le palpebre come se fossero state trafitte da migliaia di spilli. Ma se non altro, almeno per il momento, le pareva di poter tirare il fiato, visto che non c'era alcun pericolo di dover affrontare ulteriori discussioni con la mamma. «Pronta per andare a letto?» le chiese.

«Domani», rispose la mamma. E poi fece segno di sì con la testa, come se fosse soddisfatta della decisione presa. «Lo faremo domani, tesoro.»

«Faremo cosa?»

«Cercheremo un Babbo Natale e andremo a parlargli. Devi dirgli quello che desideri.»

«Sono un po' grande per Babbo Natale. E, in ogni caso, domattina devo tornare a Cambridge. L'ispettore Lynley è ancora là. Non posso lasciarlo tutto solo. Ma questo te lo ricordi, vero? Sto facendo delle indagini a Cambridge: te lo ricordi questo, mamma.»

«E abbiamo da scegliere gli inviti che vogliamo accettare e decidere per i regali. Domani ci sarà un bel daffare. E continueremo così, indaffarate, indaffarate, indaffarate, come api operaie fino a Capodanno.»

Purtroppo il momento di calma era durato pochissimo. Barbara prese la madre per le spalle ossute e cominciò a sospingerla gentilmente verso la porta per farla uscire dalla camera. Intanto la vecchia signora continuava a chiacchierare.

«Papà è sempre il più difficile, vero? Non si sa mai che cosa comperargli. La mamma, invece, non è un problema. A lei piacciono tanto i dolci, che so sempre cosa scegliere; basta trovare un po' di cioccolatini... e tu sai quali sono quelli che le piacciono... e tutto sarà sistemato. Ma papà è un bel pasticcio. Dorrie, come ce la caviamo con papà?»

«Non lo so, mamma», rispose Barbara.» Non lo so proprio.

Riuscì a far procedere sua madre lungo il corridoio verso la camera da letto, dove la lampada a forma di anatroccolo, che tanto le piaceva, era già accesa sul comodino. Mentre la signora Havers continuava la sua conversazione natalizia, Barbara si accorse di non essere più in sintonia con lei, anzi, le pareva di sentire un grumo di depressione che a poco a poco le si ingrandiva nel petto.

Provò a resistere, a lottare contro di esso, ripetendosi che, dietro tutto questo, c'era uno scopo. Era una prova a cui veniva sottoposta. Questo era il suo Golgota. Cercò di persuadersi che, in mancanza di meglio, quella giornata le aveva almeno insegnato una cosa, cioè che di notte non avrebbe potuto lasciare la mamma con la signora Gustafson, e che il fatto che se ne fosse resa conto per caso, e solo perché le circostanze le avevano concesso di trovarsi abbastanza vicino da poter rientrare subito a casa, era stato un bene.

Un bene? E perché? si domandò. Se l'avessero richiamata a casa da quella vacanza in paesi esotici che non si sarebbe mai presa, da un luogo che non avrebbe mai visto, con un uomo che non avrebbe mai conosciuto, e nelle cui braccia non avrebbe mai dormito, sarebbe stato peggio?

Accantonò questo pensiero. Era necessario tornare al lavoro. Costringere il cervello a concentrarsi su qualcosa, qualsiasi cosa, purché non si trattasse della loro casa, lì, ad Acton.

« Forse », stava dicendo la mamma mentre Barbara le tirava su le coperte e gliele rimboccava per bene, infilandole sotto il materasso, nella speranza che quel gesto potesse essere interpretato come una preoccupazione che non prendesse freddo e non come il desiderio di tenerla ancorata a quel letto, « forse dovremmo prenderci una piccola vacanza a Natale senza più preoccuparci di niente. Cosa ne diresti? »

« Un'idea magnifica. Perché non cominci a ragionarci su domani? La signora Gustafson ti potrà aiutare a sfogliare tutte le tue brochure. »

Il viso della signora Havers si rabbuiò. Barbara le tolse gli occhiali posandoli sul comodino accanto al letto. « La signora Gustafson? » le chiese. « Ma... Barbie, e chi sarebbe? »

14

Lynley vide la vecchia Mini del sergente Havers arrivare sobbalzando lungo Trinity Lane alle sette e tre quarti della mattina dopo. Aveva appena lasciato la camera alla Ivy Court e si stava incamminando verso la propria auto parcheggiata in un piccolo spazio del Trinity Passage, quando quella specie di scatola di sardine a quattro ruote, rosicchiata dalla ruggine, sbucò dall'estremità opposta, dove si trovava il Gonville and Caius College, sollevando nell'aria fredda una nuvola puzzolente di fumo di scarico quando aveva cambiato marcia per imboccare la curva. Vedendolo, la Havers suonò il clacson. Lynley alzò una mano per farle capire che l'aveva riconosciuta e aspettò che si fermasse. Eseguita la manovra, spalancò la portiera del passeggero, senza cerimonie, senza pronunciare una sola parola, e, alto com'era, cercò di stringersi nel ristretto spazio che offriva il sedile anteriore. L'imbottitura era lucida per l'usura. Una molla rotta sporgeva contro il tessuto.

Il riscaldamento della Mini era acceso e si sentiva il ronzio tanto entusiastico quanto privo di efficacia nella lotta contro il freddo mattutino, al punto di creare solo una zona tangibile di calore che dal fondo della vettura saliva fino al livello delle ginocchia. Dalla cintola in su, invece, l'aria era gelida, ma intrisa di quell'odore di fumo di sigaretta stantio che ormai già da molto tempo aveva alterato la tinta del tettuccio di vinile, che da beige era diventata grigia. La Havers – lo notò subito – stava facendo del proprio meglio per contribuire alla continua metamorfosi del suddetto tettuccio perché, mentre lui richiudeva con un tonfo la portiera, spense un mozzicone di sigaretta nel portacenere e se ne accese un'altra subito dopo.

«La sua colazione?» le domandò Lynley in tono amabile.

«Toast e nicotina.» Aspirò il fumo con evidente piacere e si tolse un po' di cenere dalla gamba sinistra dei pantaloni di lana pettinata. «Allora, cosa c'è di nuovo?»

Lynley non rispose subito. Invece tirò giù il finestrino di pochi centimetri per fare entrare un po' d'aria fresca e si voltò verso di lei, incontrandone lo sguardo pieno di sincero interesse. L'espressione della Havers era risoluta e allegra, ed era vestita sportiva, come c'era da aspettarsi. Insomma, forniva tutti gli indizi necessari per concludere che andasse tutto bene, ma stringeva il volante in modo troppo convulso, e le labbra contratte smentivano il tono di voluta noncuranza con cui parlava.

«Cos'è successo a casa?» le domandò.

Lei fece un altro tiro e concentrò tutta l'attenzione sulla punta accesa della sigaretta. «Niente di particolare. La mamma ha avuto uno dei soliti attacchi. La signora Gustafson si è lasciata prendere dal panico. Le solite cose, insomma.»

«Havers...»

«Ascolti, ispettore, lei potrebbe farmi assegnare un incarico diverso e chiedere a Nkata di venire qui a Cambridge a darle una mano. E lo capirei. Mi rendo conto che questo continuo andirivieni da Londra è vergognoso da parte mia. A Webberly non farebbe piacere se lei mi scaricasse mentre stiamo svolgendo queste indagini, però sono sicura che, se gli chiedessi un appuntamento e andassi a parlargli a quattr'occhi, capirebbe.»

«Posso cavarmela anche da solo, sergente. E non ho nessun bisogno di Nkata.»

«Ma deve pur aver qualcuno qui con lei! Non può fare tutto da solo. Questo maledetto lavoro richiede aiuto, ed è nel suo pieno diritto pretenderlo.»

«Barbara, qui non si tratta del lavoro.»

Lei girò gli occhi verso il finestrino e si mise a fissare la strada. Il portiere del St Stephen's College uscì ad aiutare una donna di mezza età avvolta in un cappottone e in una sciarpa, che era scesa da una bicicletta e stava tentando di sistemarla fra le tante altre biciclette appoggiate al muro. Lasciò che gliela spingesse per il manubrio, e rimase a osservarlo, chiacchierando animatamente, mentre lui la sistemava fra le altre e chiudeva la catena. Poi entrarono nella portineria insieme.

«Barbara?»

La donna si riebbe. «Me ne sto occupando, ispettore. O, perlomeno, è quello che cerco di fare. E adesso vogliamo metterci al lavoro, cosa ne dice?»

Lui sospirò, si guardò intorno alla ricerca della cintura di sicurezza e se la tirò sulla spalla. «Vada in direzione di Fulbourn Road», disse. «Voglio fare un salto da Lennart Thorsson.»

La collega assentì, percorse a marcia indietro il Trinity Passage e svoltò, procedendo a ritroso nella direzione dalla quale era arrivata pochi minuti prima. Tutt'intorno la città si stava animando. Qualche studente più mattiniero degli altri pedalava veloce per dare inizio a una giornata di studi, mentre il personale incaricato delle pulizie nei pensionati universitari si presentava in servizio alla spicciolata. In Trinity Street, due spazzini scaricarono scope e pattumiere da un carrettino giallo, mentre tre operai si arrampicavano su una vicina impalcatura. I venditori ambulanti di Market Hill stavano allestendo le loro bancarelle, tiravano fuori frutta e verdura, ammucchiavano stoffe dai colori vivaci, ripiegavano magliette e jeans e vestiti indiani, preparavano bouquet dai colori intensi con i fiori autunnali. Autobus e taxi facevano a gara per rubarsi il posto nel traffico di Sydney Street mentre, diretti verso la periferia, Lynley e il sergente Havers oltrepassavano i pendolari in arrivo da Ramsey Town e Cherry Hinton, già pronti a riprendere il proprio posto dietro le scrivanie, nelle biblioteche, nei giardini e davanti ai fornelli nelle cucine dei ventotto college dell'università.

La Havers non aprì bocca finché – tra enormi nuvole di gas dal tubo di scappamento e scoppiettii dal motore – non sfrecciarono davanti a Parker's Piece, sulla cui vasta distesa di prato verdeggiante il basso e tozzo edificio del commissariato di polizia assomigliava a un pacifico guardiano. La duplice fila di finestre, che riflettevano un cielo senza una nuvola, lo trasformava in una specie di scacchiera azzurra e grigia.

«Dunque ha ricevuto il mio messaggio su Thorsson», disse la donna. «Non gli ha parlato ieri sera?»

«Non sono riuscito a trovarlo.»

«Adesso è al corrente del nostro arrivo?»

Spense il mozzicone di sigaretta nel portacenere, ma non se ne accese un'altra. «Cosa ne pensa?»

«Tutto sommato, che è troppo bello per essere vero.»

«Perché abbiamo trovato quelle fibre nere sul cadavere? Perché lo abbiamo messo in difficoltà con la questione del movente e dell'opportunità?»

«Sembra proprio che avesse entrambi. E non appena ci faremo

un'idea dell'oggetto che è stato usato per massacrare Elena, non è escluso che possiamo scoprire che aveva anche i mezzi per farlo.» Le ricordò la bottiglia di vino che, stando a quanto Sarah Gordon aveva detto, si trovava sulla scena del crimine, e le descrisse l'impronta che aveva lasciato sul terriccio umido dell'isolotto e che lui aveva notato. Poi le spiegò anche la sua ipotesi, cioè che la bottiglia poteva essere stata usata e poi scaraventata in mezzo agli altri rifiuti.

«Tuttavia, a lei non piace molto l'idea che Thorsson sia il nostro assassino. Glielo leggo in faccia.»

«Mi sembra un caso troppo semplice, senza sbavature, Havers. E sono costretto a confessare che è proprio questo a mettermi a disagio.»

«Perché?»

«Perché ogni delitto, e questo in particolare, è sempre una faccenda sporca.»

Il sergente rallentò a un semaforo e rimase a osservare una donna curva e storpia, imbacuccata in un lungo cappotto nero, che, a passi lenti e faticosi, attraversava la strada. Teneva gli occhi fissi a terra e si trascinava dietro uno di quei carrellini pieghevoli a rotelle che si adoperano per le valigie. Sopra, non c'era niente.

Quando scattò il verde, riprese a parlare: «Secondo me, Thorsson è uno schifoso, ispettore. Mi stupisce che lei non se ne accorga. Oppure, come uomo, pensa che non ci sia niente di male a sedurre una scolaretta se questa non si lamenta?»

Lynley non si scompose, anche se la Havers lo aveva sfidato indirettamente a sollevare qualche obiezione. «Qui non si tratta di scolarette, Havers. Chiamiamole pure così, se vuole, in mancanza di un vocabolo migliore, ma non lo sono.»

«E va bene. Allora chiamiamole giovani donne che occupano una posizione subalterna. Così va tutto bene?»

«No. Naturalmente, no. Ma fino a questo momento non abbiamo alcuna prova che si sia trattato di molestie.»

«Elena era incinta, per l'amor di Dio! Qualcuno l'avrà pur sedotta.»

«Oppure è stata lei a sedurre qualcuno. Oppure è stato reciproco.»

«Oppure, come ha detto lei stesso ieri, la ragazza è stata violentata.»

«Forse. Ma a questo proposito ho avuto qualche ripensamento.»

«Perché?» Il tono della Havers era bellicoso, come a lasciar capire che la risposta di Lynley sottintendeva qualcosa di assurdo. «Oppure la sua è la tipica opinione maschile secondo cui la ragazza avrebbe rinunciato a lottare e, anzi, avrebbe trovato piacevole l'esperienza?»

Lynley le lanciò un'occhiata. «Non è questo il caso, e lo sa bene.»

«E allora?»

«La ragazza ha denunciato Thorsson per molestie sessuali. Se era disposta a fare una cosa del genere e, di conseguenza, ad affrontare la possibilità di un'eventuale indagine anche imbarazzante sul proprio comportamento, non capisco per quale motivo debba aver passato sotto silenzio una violenza, uno stupro.»

«Ma se a stuprarla fosse stato qualcuno che frequentava, ispettore? Con cui si vedeva regolarmente pur non aspettandosi di avere con lui un rapporto del genere, né tantomeno desiderandolo?»

«In tal caso, non ci resta che eliminare Thorsson dal quadro che stiamo delineando, non le sembra?»

«Lei è proprio convinto che sia innocente.» E assestò un violento pugno al volante. «Lei sta cercando il modo di eliminarlo dall'elenco delle persone sospette, vero? E tenta con ogni mezzo di accollare il delitto a qualcun altro. Ma a chi?» Gli rivolse uno sguardo molto eloquente appena posta la domanda. «Oh, no! Non è possibile! Sta pensando a...»

«Io non sto pensando a niente. Sto solo cercando la verità.»

Svoltò a sinistra come una furia, in direzione di Cherry Hinton, sfrecciando davanti a un giardinetto pubblico fitto di ippocastani con le foglie gialle, sul cui tronco cresceva già il muschio dell'inverno ormai prossimo. Sotto gli alberi, due donne spingevano la carrozzina, le teste inclinate l'una verso l'altra, e intanto parlavano, buttando fuori nuvolette di vapore.

Erano da poco passate le otto quando entrarono nel quartiere residenziale dove Thorsson abitava. Sullo stretto viale d'accesso che portava alla sua casa nella Ashwood Court, era parcheggiata una TR6 rimessa a nuovo, le fiancate verdi, bombate, che scintillavano alla luce del mattino. Si fermarono appena dietro il veicolo, così vicini che il muso della Mini le toccava quasi il portabagagli, come una specie di insulto meditato.

« Niente male », commentò la Havers, osservandola da cima a fondo.

« Proprio il genere di macchina che ci si aspetterebbe di veder guidare dal nostro marxista. »

Lynley scese e la esaminò anche lui. All'infuori del parabrezza, era completamente bagnata di rugiada. Appoggiò la mano contro la liscia superficie del cofano. E poté sentire quel poco che ancora restava del calore del motore. « Un altro ritorno di primo mattino », disse.

« E questo basta a dire che è innocente? »

« Innocente o no, questo ci dice qualcosa! »

Si avvicinarono alla porta e, mentre la Havers frugava nella borsa in cerca del block-notes, Lynley suonò il campanello. Non ricevendo un'immediata risposta, ma avendo l'impressione che, dentro, ci fosse qualche movimento, Lynley suonò una seconda volta. Solo a quel punto li raggiunse un grido che arrivava dall'alto e da lontano, una voce d'uomo che esclamava: « Un momento ». In realtà, su quella stretta striscia di cemento che serviva da gradino d'ingresso ci restarono più di un momento. Osservarono due diversi gruppi di vicini che uscivano in fretta e furia per andare al lavoro e un terzo che faceva salire rapidamente due bambini su una Escort ferma sul viale, già con il motore acceso, in folle. Poi, dietro i cinque spicchi opachi del pannello di vetro della porta, un'ombra si mosse. Si stava avvicinando qualcuno.

Si sentì scattare la serratura, e sulla soglia apparve Thorsson avvolto in una vestaglia di velour nero che era in procinto di chiudersi in vita. Aveva i capelli umidi che gli ricadevano arruffati sulle spalle. Ed era scalzo.

« Signor Thorsson », lo salutò Lynley.

Thorsson sospirò e guardò prima lui e poi la collega. « Oh, Cristo », esclamò. « Magnifico. Ci risiamo. » Quindi, con un gesto brusco, si passò una mano fra i capelli; qualche ciocca gli ricadde sulla fronte e gli diede un'aria da bambino spettinato. « Si può sapere cosa volete ancora voi due? »

Non aspettò una risposta. Si girò, invece, e si allontanò dalla porta, poi si incamminò per un breve corridoio verso il retro della casa, dove una porta spalancata dava accesso a quella che sembrava la cucina. I due agenti lo seguirono, e lo trovarono intento a riempirsi una tazza di caffè versandolo da una bellissima e imponente caffettiera che si trovava su un piano di lavoro. Cominciò a bere, prima soffiando con energia sul caffé bollente, poi ingollandolo rumorosamente. Ben presto i suoi folti baffi si coprirono di goccioline.

«Ve ne offrirei un po', ma ho bisogno di tutta la caffettiera per svegliarmi al mattino», disse, e rabboccò la tazza.

Lynley e la Havers presero posto a un tavolo in vetro e metallo cromato di fronte a una portafinestra che dava su un piccolo giardino interno; una serie di lastre di pietra formavano una specie di terrazza, sulla quale era disposto un set di mobili da giardino. Fra questi, un'ampia e capace chaise longue, su cui giaceva una coperta spiegazzata e floscia per via dell'umidità.

Lynley guardò pensieroso prima la chaise longue e poi Thorsson, che lanciò una rapida occhiata dalla finestra della cucina in direzione del giardino. Quando si girò verso Lynley, la sua faccia era assolutamente inespressiva.

«Si direbbe che l'abbiamo costretta a interrompere il suo bagno mattutino», fece Lynley.

Thorsson bevve qualche altro sorso di caffè. Aveva al collo una catenina d'oro, liscia e piatta, che gli luccicava contro il petto come pelle di serpente.

«Elena Weaver era incinta», gli comunicò Lynley.

Thorsson si appoggiò al piano dell'armadietto della cucina, tenendo la tazza di caffè in equilibrio contro un braccio. Sembrava disinteressato, addirittura annoiato a morte. «E pensare che non ho avuto l'occasione di festeggiare con lei il lieto evento.»

«Perché? Era il caso di festeggiare?»

«E come faccio a saperlo io?»

«Credevo il contrario.»

«Perché?» Thorsson bevve ancora un sorso di caffè.

«Era con Elena giovedì sera.»

«No, ispettore. Sono andato a trovarla. C'è una bella differenza. Forse è troppo sottile perché lei riesca a coglierla, ma c'è.»

«Certo! Però Elena aveva avuto i risultati del test di gravidanza mercoledì. Le ha forse chiesto di vederla? Oppure è stato lei a decidere?»

«Sono andato io a cercarla, ma Elena non mi aspettava.»

«Ah.»

Le dita di Thorsson strinsero ancor più la tazza. «Capisco. Naturale. Io ero il futuro papà ansioso di sapere qualcosa dei risultati. 'Tesoro mio, dobbiamo cominciare a fare una bella scorta di pannolini?' È così che la vede lei?»

«No. Non esattamente.»

La Havers girò in fretta la pagina del block-notes. «Se il padre è lei, immagino fosse ansioso di sapere qualcosa sui risultati del test», disse. «Tutto considerato.»

«Tutto considerato, cosa?»

«La denuncia per molestie sessuali. Una gravidanza è una prova piuttosto convincente, non sembra anche a lei?»

Thorsson scoppiò in una risata che aveva un fondo di rabbia. «Cosa presume che abbia fatto, caro il mio sergente? Che l'abbia violentata? Che le abbia strappato le mutandine? Che l'abbia riempita di droga per farmela?»

«Magari», fece la Havers. «Però direi che sedurre con classe è molto più nel suo stile.»

«Quanto a lei, invece, data la sua conoscenza in materia, non dubito che potrebbe scriverne volumi interi.»

«Non ha mai avuto qualche problema con una studentessa, prima d'ora?» domandò Lynley.

«In che senso? Cosa vuole dire? Che genere di problema?»

«Un problema come con Elena Weaver. Non è mai stato accusato di molestie sessuali?»

«Naturalmente no. Mai. Lo domandi al college, se non mi crede.»

«Ho parlato con il professor Cuff. E conferma quanto lei mi dice.»

«A ogni modo, sembrerebbe che la sua parola non sia abbastanza per voi della polizia. Forse lei preferirebbe credere alle fandonie inventate da quella puttanella sorda che era prontissima ad allargare le gambe o ad aprire la bocca per qualsiasi imbecille che non si rifiutasse di farglielo assaggiare.»

«Una puttanella sorda?» disse Lynley. «Strana scelta di parole. Vuole forse insinuare che Elena aveva la fama di farsela con chiunque?»

Thorsson tornò al proprio caffè e se ne versò un'altra tazza, ma stavolta la bevve senza fretta. «Alla fine si arriva sempre a sapere come vanno le cose», si decise a rispondere. «Il college è piccolo. E i pettegolezzi non mancano.»

«Di conseguenza se quella ragazza era...» La Havers finse di cercare qualcosa tra i suoi appunti. «Ah, sì: una 'puttanella sorda', perché non divertirsi a scoparsela insieme a tutti gli altri? Quale conclusione migliore? Del resto lei era abituata... com'è che ha detto?» Di nuovo, finse di concentrarsi sugli appunti presi. «Ah, sì, ecco qua... 'ad allargare le gambe' o 'ad aprire la bocca per qualsiasi imbecille'. In fondo, magari la ragazza poteva anche essere disposta a farlo con piacere. Un uomo come lei avrebbe potuto offrirle indubbiamente qualcosa di molto meglio delle solite cosette alle quali doveva essere abituata.»

Thorsson diventò paonazzo in viso, un colore che faceva a pugni con l'elegante biondo rossiccio della sua capigliatura. Tuttavia, rispose conciso e con sublime disinvoltura: «Oh, come mi spiace, sergente. Non posso davvero accontentarla, per quanto gradito potrebbe esserle un rapporto del genere. Preferisco le donne che pesano meno di sessanta chili».

La Havers fece un sorriso, né compiaciuto né divertito; piuttosto, era soddisfatta di aver fatto cadere in trappola la propria preda. «Come Elena Weaver?»

«*Diävla skit!* Perché non la pianta!»

«Dove si trovava lunedì mattina, signor Thorsson?» intervenne Lynley.

«Alla facoltà di inglese.»

«Intendo dire lunedì mattina presto. Fra le sei e le sei e mezzo.»

«A letto.»

«Qui?»

«E dove, sennò?»

«Pensavo che ce lo avrebbe detto lei. Una vicina afferma di averla vista rientrare a casa appena prima delle sette.»

«In tal caso si sbaglia. E di chi si tratta, a proposito? Della troia della porta accanto?»

«Si tratta di una persona che l'ha vista arrivare, parcheggiare l'automobile nel viale d'ingresso, scendere ed entrare in casa. E piuttosto in fretta, anche. Ci può fornire qualche delucidazione in proposito? Sono sicuro che si troverà d'accordo con me se le faccio notare che un'automobile come la sua Triumph è un po' difficile da confondere con un'altra.»

« Non in questo caso. Ero qui, ispettore. »

« E stamattina? »

« Stamattina? Anche. »

« Il motore della sua macchina era ancora caldo quando siamo arrivati. »

« E questo farebbe di me un assassino? È così che interpreta i fatti? »

« Io non interpreto niente. Voglio soltanto sapere dov'era. »

« Qui. Gliel'ho detto. Non so che cosa farci se una vicina dice di avermi visto. Non ero io. »

« Già, capisco. » Lynley squadrò la Havers seduta all'altro capo del tavolo. Era stanco e infastidito da quella continua schermaglia con lo svedese. Aveva un assoluto bisogno di scoprire la verità. E, a quanto sembrava, esisteva un unico mezzo per arrivarci. « Sergente, prego », disse.

La Havers si dimostrò fin troppo felice di avere quell'onore. Fra mille cerimonie, aprì il block-notes alla prima pagina perché lì, dentro la copertina, conservava una copia della famosa formula con cui si enunciavano a un imputato i suoi diritti. Lynley gliel'aveva sentita leggere centinaia di volte, e quindi sapeva fin troppo bene che conosceva quelle parole a memoria. Ma servirsi del block-notes aggiungeva un tocco di teatralità alla situazione e, se si considerava la crescente antipatia che lui, personalmente, provava per Lennart Thorsson, non volle negarle il piacere di crogiolarsi nella soddisfazione, tutta personale, di quel momento.

« Oh, e adesso... » fece, quando la Havers ebbe finito. « Dove si trovava domenica sera e domenica notte, signor Thorsson? E dove nelle prime ore di lunedì mattina? »

« Voglio un avvocato. »

Lynley gli indicò con un ampio gesto della mano il telefono attaccato alla parete. « Prego. Abbiamo tutto il tempo che vuole. »

« Non posso trovarne uno a quest'ora, e lei lo sa benissimo. »

« Ottimo. Possiamo aspettare. »

Thorsson scrollò la testa in un'eloquente, benché falsa, manifestazione di disgusto. « Va bene », disse. « Lunedì mattina stavo andando al St Stephen's. Avevo appuntamento con una studentessa. Mi ero dimenticato la sua relazione e avevo una gran fretta di tornare a prenderla per arrivare puntuale. Vuole sapere altro? »

« Ah, la relazione. Capisco. E stamattina? »

«Stamattina, niente.»

«E allora come spiega che il motore della sua Triumph era ancora caldo e che la macchina è tutta coperta di brina? Dov'era parcheggiata stanotte?»

«Qui.»

«E lei vuole farci credere di essere uscito stamattina, di aver pulito e asciugato soltanto il parabrezza per chissà quale motivo e poi di essere tornato in casa a farsi un bel bagno?»

«Confesso che non me ne importa molto di quello che voi...»

«E che ha acceso il motore e l'ha lasciato in folle per un po', in modo che la macchina si scaldasse, anche se, a quanto pare, al momento non aveva intenzione di andare in nessun posto?»

«Ho già detto...»

«Ha già detto un mucchio di cose, signor Thorsson. E sono tutte incompatibili con la realtà dei fatti.»

«Se lei crede che abbia assassinato io quella piccola stronza...»

Lynley si alzò. «Vorrei dare un'occhiata ai suoi vestiti.»

Thorsson appoggiò la tazza di caffè sul ripiano della credenza e la spinse via, nel lavello, dove cadde rompendosi. «Per quello, le occorre un mandato. E lo sa bene.»

«Se lei è innocente, non ha niente da temere, le pare, signor Thorsson? Le basta far saltar fuori la studentessa con la quale si è incontrato lunedì mattina e consegnarci tutti gli indumenti neri che possiede. A proposito, abbiamo trovato delle fibre nere sul cadavere ma, poiché sono un misto di poliestere, rayon e cotone, dovremmo riuscire a eliminare subito almeno un paio dei suoi indumenti. Mi pare che potrebbe bastare.»

«Potrebbe bastare un corno! Se cerca delle fibre nere, ha provato a pensare alle toghe accademiche? Oh, certo, si guarderà bene dall'andare a fiutare in quella direzione, vero? Perché tutti, dal primo all'ultimo, in questa fottuta università ne hanno una.»

«Un punto interessante. È da questa parte la camera da letto?»

Lynley tornò verso la porta d'ingresso. In soggiorno trovò la scala e cominciò a salire. Thorsson lo seguì, con la Havers alle calcagna.

«Bastardo che non è altro! Lei non può...»

«È questa?» domandò Lynley fermandosi davanti alla porta più vicina, in cima alle scale. Entrò nella stanza e spalancò l'armadio a muro. «Vediamo un po' cosa c'è qui. Sergente, un sacco.»

La Havers gli lanciò un sacco di plastica per i rifiuti, mentre lui cominciava a esaminare i vari indumenti.

«Le farò perdere il posto per quello che sta facendo adesso!»

Lynley si girò a guardarlo. «Dove si trovava lunedì mattina, signor Thorsson? E dove si trovava stamattina? Un uomo innocente non deve aver paura di nulla.»

Il sergente Havers aggiunse: «Sempre che lo sia, tanto per cominciare. Che conduca una vita onesta. Che non abbia niente da nascondere».

A Thorsson si gonfiarono le vene sul collo. E le tempie presero a pulsargli in fretta. Allungò le mani di scatto verso la cintura della vestaglia. «Prendete tutto», disse. «Avete il mio permesso! Portate via ogni cosa, dalla prima all'ultima. Ma non dimenticatevi questa.»

Si tolse la vestaglia con gesti frenetici. Sotto non aveva niente. Si appoggiò le mani sui fianchi.

«Non ho niente da nascondere a gente come voi.»

«Non sapevo se ridere o applaudirlo o arrestarlo su due piedi per oltraggio a pubblico ufficiale», disse la Havers. «Quel tizio prende tutto troppo sul serio. Che esagerato.»

«Sì, bisogna dire che è tutto speciale», convenne Lynley.

«Chissà se si riducono così per colpa dell'ambiente universitario in cui vivono.»

«Cioè se l'ambiente universitario incoraggia i professori a denudarsi di fronte agli agenti di polizia? Non credo proprio, Havers.»

Si erano fermati in una panetteria di Cherry Hinton a prendere due dolcini all'uvetta appena sfornati e due caffè tiepidi. Li bevvero mentre rientravano in città, e Lynley si offrì di cambiare le marce per lasciare alla collega almeno una mano libera.

«Eppure, ha fatto una cosa molto significativa, non trova? Non so quello che ne pensa lei ma, secondo me, quel tizio in fondo stava solo cercando un'opportunità per... Voglio dire che mi sembra morisse dalla voglia di esibire il... be', mi ha capito.»

Lynley accartocciò l'involucro trasparente degli scone in cui gli avevano incartato il dolcino, e lo depositò nel portacenere in mezzo a un cumulo di mozziconi di sigarette.

«Sì, aveva una voglia matta di mettere in mostra la sua attrezzatura. Su questo, non c'è dubbio, Havers. Ed è stata lei a provocarlo.»

La donna girò subito la testa nella sua direzione. «*Io?* Ma io non ho fatto niente, ispettore, e lei lo sa benissimo!»

«E invece sì, purtroppo. Fin dal primo momento gli ha fatto capire che non era rimasta abbagliata né dalla posizione che occupa all'università né da una qualsiasi delle sue doti.»

«Per quanto dubbie siano, probabilmente.»

«Di conseguenza si è visto obbligato a fornirle un'idea adeguata delle proporzioni del godimento che, per punirla, non le avrebbe offerto.»

«Che imbecille.»

«Appunto, ha detto bene.» Lynley bevve un sorso di caffè e innestò la seconda, mentre la Havers prendeva una curva e piantava il piede sulla frizione. «Ma ha fatto anche qualcosa di più, Havers. E, se vorrà perdonarmi l'espressione, proprio qui sta il bello.»

«Cosa? Oltre a offrirmi il miglior divertimento mattutino degli ultimi anni?»

«Ci ha fornito le prove di quello che Elena aveva detto a Terence Cuff.»

«E come? Cosa?»

Lynley innestò la terza e poi la quarta prima di rispondere. «Secondo quello che Elena avrebbe raccontato al professor Cuff, le avance che Thorsson le aveva fatto includevano, insieme al resto, anche specifiche allusioni alle difficoltà da lui incontrate quando si era fidanzato e stava per sposarsi.»

«Che tipo di difficoltà?»

«Di ordine sessuale, relative alle dimensioni del suo pene in erezione.»

«Troppo grosso perché una donna riuscisse ad accoglierlo? Cose del genere?»

«Precisamente.»

Gli occhi della Havers si illuminarono. «E come faceva Elena a sapere quanto ce l'aveva grosso se non era stato lui stesso a descriverglielo? Forse Thorsson sperava di ingolosirla al punto di convincerla a dargli una sbirciatina. Forse gliel'ha perfino fatto vedere... per eccitarla un po'.»

«Infatti. E preso nel suo insieme, questo non mi pare proprio il genere di invito velato a un rapporto sessuale che una ragazza di vent'anni sarebbe capace di inventarsi di sana pianta, non le pare? Soprattutto se quadra con tanta precisione con la verità. Se quella storia fosse stata falsa, è probabile che Elena si sarebbe inventata qualcosa di molto più impudente. Perché, come abbiamo visto anche noi, è abilissimo in questo genere di ostentazione.»

«Dunque ha mentito sulla faccenda delle molestie sessuali. E...» La Havers fece un sorriso di puro e autentico godimento. «... se ha mentito su quello, perché non mentire anche su tutto il resto?»

«Sì, è fuori discussione che lo abbiamo fatto tornare in pista, sergente.»

«E direi che vincerà la corsa almeno di una lunghezza.»

«Vedremo.»

«Ma, ispettore...»

«Continui a guidare, sergente.»

Rientrarono in città e, dopo un piccolo ingorgo provocato da uno scontro fra due taxi all'inizio di Station Road, riuscirono a raggiungere la centrale di polizia e a scaricare il sacco di indumenti raccolti a casa di Thorsson. L'agente in uniforme che sedeva al banco della reception schiacciò un pulsante e, quando Lynley gli mostrò il distintivo, li fece passare subito con un breve cenno del capo. Salirono in ascensore fino all'ufficio del sovrintendente.

E lo trovarono in piedi vicino alla scrivania deserta della sua segretaria, la cornetta del telefono schiacciata contro l'orecchio. In quel momento la sua conversazione consisteva soprattutto di grugniti e imprecazioni. Alla fine disse spazientito: «Ormai sono due giorni che continua a creargli una difficoltà dopo l'altra con il cadavere di quella ragazza, Drake, e non siamo ancora riusciti a ricavarne un bel niente. Se non è d'accordo con le sue conclusioni, chiami un esperto da Londra e chiudiamola lì. A questo punto me ne infischio altamente di quello che il capo della polizia di contea potrebbe pensare. Con lui, me la vedo io. Faccia quello che le dico, e basta, mi dia retta. Qui non si tratta di sindacare sulla sua competenza in qualità di caposezione; ma se, in tutta coscienza, non se la sente di firmare il referto di Pleasance e se lui non vuole cambiare neanche una virgola, non rimane nient'altro da fare... io non ho il potere di licenziarlo... ecco come stanno le cose, caro mio. Quindi, telefoni alla polizia di Londra». Quando chiuse la comunicazione, non sembrò per niente soddisfatto di trovare i due rappresentanti di New Scotland Yard fermi sulla porta, a ulteriore conferma che le circostanze in cui era avvenuto l'omicidio di Elena Weaver avevano costretto lui e i suoi uomini a ricorrere a un aiuto esterno.

«Guai?» domandò Lynley.

Sheehan prese un fascio di dossier dalla scrivania della sua segretaria e scorse rapidamente il mucchio di carte contenuto nella vaschetta del materiale ancora da archiviare. «Che tipa», disse, indicando la sedia vuota con un cenno del capo. «Stamattina ha telefonato per avvertire che è malata. Ha un vero e proprio sesto senso, la cara Edwina, e capisce subito quando l'atmosfera comincia a riscaldarsi.»

«Perché dice così?»

Sheehan prese tre fogli dalla vaschetta, li aggiunse ai dossier che teneva sotto il braccio e rientrò a passo pesante nel proprio ufficio. Lynley e la Havers lo seguirono. «Ho il capo della polizia di contea a Huntingdon che mi toglie letteralmente il fiato, perché vuole che studi una strategia per 'rinnovare i rapporti all'interno della comunità', come dice lui. Una specie di definizione di fantasia per quello che vorrebbe facessi. Secondo lui, dovrei trovare il mezzo per tenere a bada quella gente dell'università con la puzza sotto il naso, in modo da evitare che Scotland Yard, in futuro, cominci a presentarsi regolarmente qui da noi. E poi quelli dell'agenzia di pompe funebri e i Weaver mi telefonano come minimo ogni quarto d'ora reclamando il corpo della ragazza. E adesso...» Diede un'occhiata al sacco di plastica che penzolava dalle dita della Havers. «... presumo che mi porterete qualcos'altro con cui divertirmi.»

«Capi di vestiario per la Scientifica», gli spiegò la donna. «Vorremmo fare un confronto con le fibre di tessuto trovate sul cadavere. E se ci potete fornire una risposta anche vagamente positiva, non è escluso che sia proprio quello di cui abbiamo bisogno.»

«Per compiere un arresto?»

«Magari.»

Sheehan annuì con aria cupa. «Odio con tutto il cuore l'idea di dare a quei due zitelloni bisbetici qualche altro motivo per litigare, ma lo faremo. È da ieri che sono ai ferri corti sulla faccenda dell'arma del delitto. Magari questo servirà a farli concentrare su qualcos'altro almeno per un po'.»

«Non hanno ancora raggiunto nessuna conclusione?» domandò Lynley.

«Pleasance sì, ma Drake non è d'accordo. Non vuole firmare il referto e continua a prendere tempo. Da ieri pomeriggio sta facendo il diavolo a quattro per impedire che qualcuno della polizia di Londra possa dare un altro parere in merito. Orgoglio professionale, non so se mi spiego, e non parliamo poi di competenze. A questo punto ha paura che Pleasance possa aver ragione. E dal momento che ha continuato a fare un mucchio di scenate dichiarando che voleva buttarlo fuori e liberarsi di lui, si rende conto che perderà la faccia e molto, molto di più, nel caso qualcuno dovesse confermare le sue conclusioni.» Sheehan scaraventò il dossier e i fogli sulla scrivania, dove si confusero con altri già in disordine, appena usciti da una stampante. Aprì il primo cassetto e vi frugò a lungo prima di estrarre una confezione di mentine. Le offrì, si lasciò cadere sulla poltrona e si allentò il nodo della cravatta. Di là, nell'ufficio di Edwina, il telefono cominciò a suonare, ma fu ignorato.

«Amore e morte», disse. «Mettiamoci anche un po' di orgoglio e il gioco è fatto, non vi pare?»

«Vorrei capire se a dar fastidio a Drake è l'idea che sia la polizia di Londra a mettere il naso in questa faccenda, oppure anche solo un'altra persona qualsiasi che non ha niente a che vedere con la polizia.»

Il telefono continuava a squillare, ma Sheehan non ci badava. «È la polizia di Londra», disse. «Drake è fuori di sé dall'agitazione al solo pensiero che possano accorrere in suo salvataggio, perché sono migliori e superiori a lui. La vostra sola presenza qui ha creato un certo malcontento fra i miei uomini, e lui non vuole che succeda la stessa cosa nel suo reparto, dove ha già fastidi in abbondanza per tenere in riga Pleasance.»

«Però non credo che Drake solleverebbe obiezioni se qualcun altro, e parlo di una persona che non ha niente a che vedere con Scotland Yard, venisse a dare un'occhiata al cadavere. Specialmente se questa persona lavorasse con tutti e due, Drake e Pleasance, e comunicasse le sue conclusioni a voce lasciando che, poi, fossero loro a mettere insieme il referto.»

Sul volto di Sheehan si disegnò un'espressione di vivo interesse. «Mi vuol dire cosa avrebbe in mente, ispettore?»

«Un esperto del settore.»

«Niente da fare. Non abbiamo i fondi per pagare un libero professionista.»

«Non avrete niente da pagare.»

Sul pavimento fuori dell'ufficio risuonò un rumore di passi. Una voce ansante rispose al telefono.

«Otterremo le informazioni che ci occorrono», disse Lynley, «senza che la presenza della polizia di Londra faccia immediatamente capire che si sta mettendo in discussione la competenza di Drake.»

«E cosa succederà quando arriverà il momento che qualcuno si presenti in tribunale a rilasciare la sua testimonianza? Né Drake né Pleasance possono salire sul banco dei testimoni e fornire prove che non siano state ricavate direttamente da loro e dal loro lavoro.»

«Potranno testimoniare sia l'uno sia l'altro, purché abbiano assistito al lavoro dell'esperto e se arriveranno alle sue stesse conclusioni.»

Sheehan, con aria pensierosa, si mise a giocherellare con la confezione di mentine, facendola rotolare avanti e indietro sulla scrivania. «E la cosa si potrebbe combinare con una certa discrezione?»

«In modo che nessuno, all'infuori di Drake e di Pleasance, sappia, tanto per cominciare, che l'esperto è stato qui?» Quando Sheehan fece segno di sì con la testa, Lynley aggiunse: «Per favore, mi passi il telefono».

Una voce femminile, dall'ufficio esterno, chiamò Sheehan. «Sovrintendente?» gli disse, con palese diffidenza, e senza aggiungere altro. Lui si alzò e raggiunse l'agente in uniforme che aveva risposto al telefono. Mentre confabulavano fra loro, la Havers si voltò verso Lynley. «Sta pensando a St James, vero? Ma potrà venire?»

«Sempre più in fretta della polizia di Londra, secondo me», replicò Lynley. «Senza tutte le questioni burocratiche che una cosa del genere richiederebbe, e senza giochetti politici sotto. Piuttosto, preghiamo Dio che, nei prossimi giorni, non sia impegnato a fornire la sua testimonianza in qualche altro posto.»

ruote posteriori del trattore, si alzò subito, obbedendo a un aspro comando dell'uomo, e si mise al suo fianco.

« Da quella parte », disse l'uomo, dopo essersi presentato come Bob Jenkins e avere indicato la propria casa, a circa trecento metri di distanza, arretrata rispetto alla strada e circondata da un granaio, dalle varie costruzioni agricole e dai campi. « È stato Shasta a trovarla. »

Sentendo il proprio nome, il cane drizzò le orecchie e scodinzolò, ma una volta sola, con estrema disciplina, e seguì il suo padrone a sei metri dal trattore, dietro il quale un corpo giaceva in un groviglio di erbacce e di felci lungo la base della siepe.

« Mai visto niente di simile », disse Jenkins. « Non riesco proprio a capire dove sta andando questo mondo, accidenti. » Si strizzò il naso, che era paonazzo per il freddo, e socchiuse gli occhi per difenderli dal vento di nord-est, che teneva a bada la nebbia, come aveva già fatto il giorno prima, ma portava con sé le temperature rigide del grigio mare del Nord. E una siepe offriva, contro un vento del genere, scarsissima protezione.

« Accidenti », fu l'unica battuta di Sheehan mentre si acquattava accanto al cadavere. Lynley e la Havers lo seguirono.

Era una ragazza alta, magra, con una folta chioma color delle foglie di faggio. Addosso aveva una felpa verde, calzoncini bianchi, scarpe da atletica e calzini sporchi, il sinistro arrotolato intorno alla caviglia. Era distesa sulla schiena, il mento sollevato, la bocca spalancata, gli occhi vitrei. Il busto era una massa scarlatta, interrotta solo da una specie di scuro tatuaggio prodotto dalle particelle di polvere da sparo. Una semplice occhiata bastò a far capire a tutti che l'ambulanza poteva servire solo a trasportare il cadavere all'obitorio.

« Non l'ha toccata? » domandò Lynley a Bob Jenkins.

L'uomo sembrò inorridito anche solo a pensarlo. « Non ho toccato niente », disse. « Il mio Shasta, che è qui con me, l'ha annusata, ma si è allontanato subito non appena ha sentito l'odore della polvere da sparo. A Shasta i fucili non piacciono. »

« E lei non ha sentito sparare stamattina? »

Jenkins fece segno di no con la testa. « Ero occupato a dare un'occhiata al motore del trattore. Continuavo ad accenderlo e a spegnerlo, facevo lavorare il carburatore, dunque c'era un baccano d'inferno. Se qualcuno le ha sparato in quel momento... » e intanto indicò il cadavere con un cenno del capo, ma senza guardarlo, «... non avrei potuto sentire.»

«E il cane?»

La mano di Jenkins si allungò automaticamente verso la testa dell'animale, che si trovava solo a pochi centimetri dalla sua coscia sinistra. Shasta batté le palpebre, si mise ad ansare lievemente, e accettò la carezza con un altro scodinzolio. «Sì... È vero, si è messo ad abbaiare per un po'», rispose Jenkins. «Io avevo acceso la radio e così ho dovuto dirgli di stare zitto.»

«Non ricorda a che ora è successo tutto questo?»

In un primo momento l'uomo scosse la testa, poi alzò rapidamente una mano guantata, puntando un dito verso il cielo, come se gli fosse venuta all'improvviso un'idea. «Dovevano essere più o meno le sei e mezzo.»

«Sicuro?»

«Stavano ascoltando il notiziario, volevo sentire se il nostro parlamentare di zona pensa di fare qualcosa per la storia della tassa di famiglia.» Allungò lo sguardo verso il cadavere, ma lo distolse in fretta. «Certo, la ragazza avrebbe potuto essere colpita proprio in quel momento. Ma devo anche dire che Shasta a volte abbaia per niente.» Intanto, intorno a loro, i poliziotti in uniforme stavano delimitando la scena del crimine con il nastro adesivo e sistemando un posto di blocco lungo il viottolo, mentre gli esperti della Scientifica cominciavano a scaricare il loro materiale dal furgone. Il fotografo si fece avanti tenendo la macchina alta davanti a sé, come uno scudo. In faccia, era verde. Si fermò a un paio di metri di distanza in attesa di un segnale da Sheehan che stava scrutando con attenzione il davanti della felpa indossata dalla vittima, fradicia di sangue.

«Un fucile da caccia», sentenziò. E poi, alzando gli occhi, gridò alla squadra che doveva occuparsi di esaminare la scena del crimine: «Ehi voi, mi raccomando, attenti alle cartucce, eh?» Quindi, appoggiato sulle anche massicce, scrollò la testa. «Qui sarà ancora peggio che cercare sabbia nel deserto.»

«Perché?» domandò la Havers.

Sheehan, stupito, piegò la testa da un lato e la scrutò. «Sa, abita in città, sovrintendente», gli spiegò Lynley. E, rivolto al suo sergente: «Siamo in piena stagione della caccia al fagiano».

Intanto Sheehan continuò: «Vede, sergente, chi ha voglia di

esercitarsi un po' al tiro al fagiano, è proprietario di un fucile da caccia. Il massacro dovrebbe cominciare la settimana prossima. Questo è il periodo dell'anno in cui ogni imbecille con il prurito al dito e il bisogno di sentirsi un vero sportivo, uno di quelli che fanno sul serio, insomma, che è un po' come dire che non vuole dimenticare che, alle sue radici, c'è l'uomo primitivo, si mette a sparare all'impazzata a tutto quello che si muove. E alla fine del mese, vedremo ferite di ogni genere.»

«Ma non come questa.»

«No. Questa non è stata una disgrazia.» Si frugò nella tasca dei calzoni e ne estrasse un portafoglio, da cui tirò fuori una carta di credito. «Due persone che si allenavano a correre», disse pensieroso. «Due donne. E tutte e due alte, con i capelli chiari e lunghi.»

«Non penserà che dobbiamo cercare un serial killer, vero?» La voce della Havers era venata di dubbio e di delusione al pensiero che il sovrintendente di Cambridge potesse essere arrivato a una conclusione del genere.

Sheehan, intanto, stava usando il bordo della carta di credito per scostare una chiazza di terriccio e di foglie sbriciolate che era rimasta appiccicata sulla felpa intrisa di sangue della ragazza. Sul petto, a sinistra, intorno allo stemma del college era stampata la scritta *Queen's College Cambridge.*

«Allude forse a qualcuno che dimostrerebbe una poco simpatica tendenza a far fuori a ripetizione studentesse universitarie con i capelli chiari e amanti della corsa?» le chiese Sheehan. «No. Non credo proprio. I serial killer non cambiano così radicalmente le loro abitudini. È come se lasciassero la firma su ogni delitto. Ha capito perfettamente quello che voglio dire, al limite avrebbe fracassato un'altra testa con un mattone per poi dirci: 'Ehi, voi della polizia, siete ancora al punto di prima, vero? Non sapete che pesci pigliare per catturarmi, eh?'» Ripulì la carta di credito, si asciugò le dita in un fazzoletto color ruggine e si rialzò a fatica. «Scatta pure le tue foto, Graham», disse, girando appena la testa, e il fotografo si fece avanti per eseguire l'ordine. Nello stesso momento, la squadra di esperti cominciò a muoversi, seguita dagli agenti in uniforme, dando così inizio alla lenta procedura di esame del terreno circostante, centimetro per centimetro.

«Dovrei andare in quel campo laggiù...» azzardò Bob Jenkins, e alzò il mento per richiamare la loro attenzione sul luogo in cui si stava dirigendo quando il cane aveva scoperto il corpo della ragazza.

A circa tre metri, la siepe era interrotta da un cancello, dal quale si accedeva al campo più vicino. Lynley lo scrutò per qualche istante, mentre la Scientifica dava inizio al proprio lavoro.

« Tra due minuti », rispose al contadino e poi, rivolto a Sheehan: « Dovranno cercare tracce lungo tutto il bordo della strada, sovrintendente. Impronte di scarpa e segni degli pneumatici di un'automobile o di una bicicletta ».

« Giusto », fece Sheehan, e andò a parlare con i suoi uomini.

Lynley e la Havers si avviarono verso il cancello, che era largo appena quel tanto sufficiente a far passare il trattore, incuneato fra le folte fronde di rigogliosi cespugli di biancospino. Lo varcarono con cautela. Al di là, il terreno era soffice, solcato da profonde carreggiate fin dove, a poco a poco, diventava campo coltivato. Ma non era solido e compatto, si sbriciolava, e quindi, pur essendo letteralmente ricoperto da impronte di scarpe, nessuna sembrava significativa.

« Niente di buono », disse la Havers mentre esplorava la zona circostante. « Però, se c'era qualcuno nascosto ad aspettarla... »

« È chiaro che non poteva trovarsi in nessun altro posto all'infuori di qui », concluse Lynley. Stava scrutando lentamente il terreno; spostava gli occhi da un lato del cancello all'altro. Quando vide quello che cercava, un solco nel terreno diverso dagli altri, la chiamò: « Havers! »

Lei lo raggiunse, e Lynley le indicò un'impronta liscia e circolare e un'altra, che si distingueva appena, più estesa dietro di essa, e la fessura netta, più profonda, che ne costituiva il margine esterno. Prese come una cosa sola, quelle impronte ad angolo acuto si trovavano forse a sessanta, settanta centimetri dietro il cancello, a meno di trenta dalla siepe di biancospino.

« Ginocchio, gamba, punta della scarpa », disse Lynley. « L'assassino si è inginocchiato qui, nascosto dalla siepe, un ginocchio a terra, il fucile appoggiato alla seconda sbarra del cancello. Ad aspettare. »

« Ma come poteva sapere che... »

« Che la ragazza sarebbe passata di qui? Proprio come sapeva dove trovare Elena Weaver. »

Justine Weaver raschiò con la lama di un coltello la punta bruciata di una fetta di pane tostato e rimase a fissare le briciole nere che si staccavano e punteggiavano la superficie immacolata del lavello di cucina come un finissimo deposito di polvere. Intanto cercava di trovare dentro se stessa un posto dove pietà e comprensione ancora esistessero, simile a un pozzo a cui attingere per bere avidamente e, in qualche modo, ricostituire, idratare ciò che gli avvenimenti di quegli ultimi otto mesi – e dei due giorni appena trascorsi – avevano prosciugato. Ma se nel fondo più segreto del suo io era mai esistita una sorgente a cui attingere comprensione e solidarietà, ormai si era prosciugata già da tempo, sostituita dall'arido terreno del risentimento e della disperazione. E da lì non sgorgava proprio nulla.

Hanno perso la figlia, si disse. È un dolore comune, il loro. Ma fatti come questi non eliminavano la depressione e l'infelicità che provava da lunedì sera, il ripresentarsi di un dolore più antico, un po' come se fosse una stessa melodia suonata in chiave differente. Il giorno prima Anthony e la sua ex moglie erano tornati a casa insieme, in silenzio. Erano stati alla polizia. E poi all'impresa di pompe funebri. Avevano scelto la bara e dato le necessarie disposizioni – ma senza che lei ne fosse messa al corrente. Solo quando aveva servito i piatti delle sottili tartine e della torta, aveva versato il tè, aveva fatto passare all'uno e all'altra il limone, il latte e lo zucchero, le avevano rivolto la parola, e solo per pronunciare pochi monosillabi con voce affranta. Infine era stata Glyn a parlarle, scegliendo il luogo e l'arma – una semplice dichiarazione, almeno in superficie, che era stata affilata abilmente dal tempo e dalle circostanze.

Mentre le parlava, continuò a tenere gli occhi fissi sul piatto di tartine che Justine le stava offrendo, pur non accettando nulla. « Preferirei che non ti facessi vedere al funerale di mia figlia, Justine. »

Erano in salotto, raccolti intorno al basso tavolino. Il fuoco artificiale era acceso, e le fiamme lambivano i falsi pezzi di carbone con un sibilo sommesso. Le tende erano state accuratamente tirate. Dall'orologio a muro arrivava un sommesso ronzio. Impossibile pensare a un luogo più comodo e accogliente di quello.

In un primo momento, Justine non disse nulla. Si limitò a guardare suo marito, aspettando che fosse lui a protestare. Ma Anthony pareva concentrato sulla tazza da tè e sul piattino che teneva fra le mani. Gli pulsava un angolo della bocca, come un tic.

Lui lo sapeva che sarebbe successo, pensò, e disse: «Anthony?»

«Fra te ed Elena, in fondo, non c'era nessun legame», continuò Glyn. La sua voce era piatta, infinitamente saggia e ragionevole. «Di conseguenza, preferirei che non ti facessi vedere. Spero che capirai.»

«Sono stata per dieci anni la sua matrigna», rispose Justine.

«La seconda moglie di suo padre, prego», ribatté Glyn.

Justine posò il piatto e studiò la disposizione accurata delle tartine, accorgendosi che le aveva sistemate in modo da formare quasi una specie di motivo. Insalata di uova, gamberetti, prosciutto cotto fresco, crema di formaggio. La crosta tolta con cura e il bordo di ogni fettina tagliato con una simmetria perfetta. Glyn continuò.

«La porteremo a Londra per la funzione funebre, quindi sarai costretta a rimanere senza Anthony solo per poche ore. Dopo, potrai tornare subito a condurre la solita vita.»

Justine non faceva che fissarla, cercando di radunare le idee per darle una risposta, ma senza riuscirci.

Intanto Glyn parlava, come seguendo il filo di un discorso che aveva già meditato e scelto in anticipo. «Non abbiamo mai saputo con sicurezza per quale motivo Elena sia nata sorda. Te lo ha detto, questo, Anthony? Suppongo che avremmo potuto farle fare qualche esame, qualche ricerca di genetica, sai bene a che cosa alludo... ma abbiamo preferito lasciar perdere.»

Anthony si protese leggermente in avanti e posò la sua tazza di tè sul tavolino. Ma rimase con le dita strette intorno al piattino, quasi come se si aspettasse di vederlo scivolare sul pavimento.

«Non vedo cosa...» disse Justine.

«Il fatto è che potresti dare alla luce anche tu un bambino sordo, Justine, se c'è qualcosa che non funziona nei geni di Anthony. Ho pensato che fosse opportuno metterti al corrente di questa eventualità. Sei preparata – da un punto di vista emotivo, voglio dire – ad affrontare il problema di un figlio disabile? Immagini come si deve trattare? Hai mai preso in considerazione la possibilità che un figlio sordo ti metterebbe i bastoni fra le ruote per la tua carriera?»

Justine guardò il marito, ma lui evitò di incrociare il suo sguardo. Teneva una delle mani semichiusa, quasi a pugno, appoggiata sulla coscia. « È proprio necessario, Glyn? » disse lei.

« Mi pare che dovresti trovarlo utile. » Glyn si protese a prendere la propria tazza di tè. Per un attimo sembrò intenta a esaminare il motivo di rose sulla porcellana, girandola a destra e a sinistra come con l'intenzione di ammirarne il disegno. « Dunque basta così, vero? Abbiamo detto tutto quello che c'era da dire. » Mise di nuovo al suo posto la tazza e si alzò. « Io non ceno, grazie. » E li lasciò soli.

Justine si rivolse a suo marito, aspettando che parlasse, e notò che era rimasto immobile al suo posto. Anzi, pareva quasi risucchiato in se stesso, come se, a poco a poco, si facesse più piccolo, fino a scomparire: ossa, sangue e carne che si disintegravano nelle ceneri e nella polvere da cui tutti gli uomini tornavano. Che mani piccole aveva, pensò. E per la prima volta considerò la fede nuziale d'oro, larga e massiccia che portava al dito, e meditò sui motivi per cui aveva voluto che lui la portasse, la più massiccia, la più larga, la più lucente di tutto il negozio, quella che più di qualsiasi altra avrebbe potuto dare l'annuncio del loro matrimonio. « È questo che vuoi? » si decise infine a domandargli.

Le palpebre di Anthony sembravano indurite, la pelle tesa e dolente. « Cosa? »

« Che io non mi faccia vedere al funerale. È questo che vuoi, Anthony? »

« Dev'essere così. Cerca di capire.

« Capire? E cosa? »

« Che in questo momento lei non è responsabile delle sue azioni. Non ha più alcun controllo su quanto dice e fa. Purtroppo si tratta di una cosa che l'ha colpita troppo, e nel profondo, Justine. Devi capire. »

« E non farmi vedere al funerale. »

Vide un gesto di rassegnazione – un semplice alzarsi e abbassarsi delle dita – e intuì quale sarebbe stata la sua risposta prima ancora di sentirsela dare. « Le ho fatto del male. L'ho lasciata. Almeno questo, glielo devo. Lo devo a tutte e due. »

« Mio Dio. »

« Ho già parlato con Terence Cuff perché venerdì sia celebrata una funzione funebre in memoria di Elena alla St Stephen's

Church. A questa, parteciperai. E ci saranno tutti gli amici di Elena.»

«E basta? Tutto qui? È questo il valore che dai all'accaduto? Al nostro matrimonio? Alla nostra vita? Ai miei rapporti con Elena?»

«Tu, in questo, non c'entri. Non prendertela in questo modo.»

«Non mi sono nemmeno azzardata a discutere con lei. Potevi protestare tu.»

Anthony Weaver finalmente si decise a guardarla dritto negli occhi. «È così, punto.»

E Justine non parlò più. Si accorse che quel grumo di risentimento che aveva nel cuore si faceva più grosso e pesante. Malgrado questo, preferì tacere. «Sii dolce, Justine», le pareva quasi di sentir la voce di sua madre quando provava un desiderio spasmodico di inveire, da autentica bisbetica, contro suo marito. «Fai la brava.»

Infilò il sesto pezzo di pane tostato nella rastrelliera e sistemò quest'ultima insieme alle uova alla coque e alla salsiccia su un vassoio bianco di vimini. Le brave ragazze devono riuscire sempre a tirar fuori dal proprio cuore un po' di compassione, rifletté. Le ragazze dolci e gentili perdonano, perdonano, perdonano... Non pensare a te stessa. Vai oltre. Prova a guardarti intorno e scoprirai un bisogno più grande del tuo, che puoi soddisfare. Ecco come è fatta una vita cristiana.

Ma no, non se la sentiva di farlo. Su quella bilancia dove aveva pesato il proprio modo di comportarsi, adesso posò le ore inutili che aveva dedicato a creare un legame con Elena, quelle mattine in cui aveva fatto l'allenamento di corsa al suo fianco e quelle sere che aveva trascorso aiutandola a scrivere saggi e componimenti e quegli interminabili pomeriggi domenicali che aveva trascorso aspettando il ritorno di padre e figlia da una di quelle gitarelle che, a detta di Anthony, erano essenziali per potersi riguadagnare l'affetto e la fiducia di Elena.

Trasportò il vassoio nel soggiorno con la veranda, dove suo marito e la sua ex moglie sedevano a un tavolo di vimini. Già da quasi mezz'ora avevano cercato di mangiucchiare fette di pompelmo e fiocchi d'avena e adesso, almeno questa era la sua opinione, avrebbero continuato a fare la stessa cosa con le uova e la salsiccia e il pane tostato.

Capiva che avrebbe dovuto dire: «Avete bisogno di mangiare.

Tutti e due», e un'altra Justine forse sarebbe riuscita a pronunciare quelle poche parole e a darvi un'intonazione di sincerità. Non disse niente, invece. Sedette al suo solito posto, con le spalle rivolte al viale d'accesso alla villa, di fronte a suo marito. Gli versò il caffè. Lui alzò la testa. In due giorni sembrava invecchiato di dieci anni.

«Tutta questa roba da mangiare», disse Glyn. «Non riesco a inghiottire neanche un boccone. Che spreco, in fondo!» E non alzò gli occhi da Justine che stava togliendo il guscio alla parte superiore del suo uovo alla coque. «Sei uscita a correre stamattina?» domandò, e quando Justine non rispose aggiunse: «Immagino che vorrai ricominciare il più presto possibile. Per una donna è importante mettersi d'impegno e conservarsi una bella figura. Immagino non avrai neanche una smagliatura, vero?»

Justine chinò gli occhi a fissare la cucchiaiata di albume gelatinoso che aveva estratto dal proprio uovo. Dal suo passato si levò una vera e propria barriera di avvertimenti a cui avrebbe dovuto dare ascolto, ma adesso, dopo quello che era successo la sera prima, appariva tanto fragile e priva di sostanza che era facile abbatterla. «Elena era incinta», disse. E poi alzò gli occhi. «Incinta di due mesi.»

Da svuotata ed esausta, l'espressione di Anthony si fece sconvolta. Su quella di Glyn, invece, apparve un sorriso stranamente soddisfatto.

«Quel tizio di Scotland Yard è stato qui ieri pomeriggio», disse Justine. «E me lo ha riferito.»

«Incinta?» Anthony ripeté questa parola con voce spenta.

«È quello che ha rivelato l'autopsia.»

«Ma chi... come...?» Anthony tentò di afferrare un cucchiaino con dita malferme, ma gli sfuggì, cadendo con un tintinnio sul pavimento.

«*Come?*» Glyn proruppe in una risatina nervosa. «Oh, secondo me è successo come al solito, cioè nel solito modo in cui si fanno i bambini.» Rivolse un piccolo cenno del capo a Justine. «Che momento di trionfo per te, mia cara.»

Anthony girò la testa. E quel movimento sembrò penoso, torpido, come se lo eseguisse lottando contro un peso enorme. «Mi vuoi spiegare che cosa dovrebbe significare quello che hai detto?»

«Pensi che tua moglie non si stia godendo questo momento?

Prova a domandarle se non lo sapeva già. Prova a domandarle se un'informazione del genere, per lei, è stata una sorpresa. Anzi, potresti addirittura domandarle in che modo ha incoraggiato tua figlia ad avere un uomo ogni volta che ne aveva voglia.» Glyn si protese in avanti. «Perché Elena mi ha raccontato tutto a questo proposito, Justine. Mi ha parlato di quelle chiacchiere a tu per tu, a cuore aperto, alle spiegazioni sul modo in cui lei avrebbe dovuto badare a se stessa.»

«E tu, Justine, l'hai incoraggiata? Tu sapevi?» fece Anthony.

«Naturale che sapeva.»

«Questo non è vero», disse Justine.

«Non pensare nemmeno per un attimo che lei non desiderasse che Elena rimanesse incinta, Anthony. Era disposta ad accettare qualsiasi cosa pur di allontanarti da lei. Perché se Elena avesse fatto una cosa del genere, lei sarebbe riuscita a conquistarsi quello che desiderava. Te. Solo. Senza ulteriori distrazioni.»

«No», negò Justine.

«Odiava Elena. La voleva morta. Non mi meraviglierei affatto se fosse stata lei a ucciderla.»

E per un attimo – solo per una frazione di secondo – Justine vide disegnarsi il dubbio sulla faccia di suo marito. E si rese conto di quello che sapevano tutti, e di come si potesse arrivare a questa convinzione: lei era sola in casa quando era arrivata quella comunicazione sul Ceephone, al mattino era uscita per la sua solita corsa da sola e non aveva portato con sé il cane, quindi avrebbe potuto massacrare di colpi sua figlia e strangolarla.

«Mio Dio, Anthony...» gli disse.

«Tu sapevi», ribatté lui.

«Che aveva un amante? Sì, ma solo questo. E le ho parlato. Sì, le ho detto di lavarsi, di curare la propria igiene personale, di stare attenta a...»

«Chi era?»

«Anthony...»

«Accidenti a te, chi era?»

«Lei lo sa», disse Glyn. «Lo vedi, no?»

«Da quanto tempo?» continuava a domandare Anthony. «Da quanto tempo andava avanti questa storia?»

«Lo facevano qui, Justine? In casa? Mentre c'eri anche tu? E lasciavi fare? Magari stavi a guardarli? Oppure tendevi l'orecchio dietro la porta?»

Justine si scostò con forza dal tavolo. E si alzò. Si sentiva la testa vuota.

«Voglio delle risposte, Justine.» Anthony alzò la voce. «Chi è stato a far questo a mia figlia?»

Justine lottò per trovare le parole. «È stata lei a farlo a se stessa.»

«Oh, sì», fece Glyn, con gli occhi scintillanti, l'espressione consapevole. «Vediamo di tirar fuori la verità.»

«Sei una vipera.»

Anthony si alzò. «Voglio i fatti, Justine.»

«Allora esci e vai a Trinity Lane, se vuoi trovarli.»

«Trinity...?» Le voltò le spalle, girando gli occhi verso la vetrata, oltre la quale c'era la sua Citroën, parcheggiata sul viale. «No.» Ed era già fuori della stanza, senza aggiungere un'altra parola. Era uscito di casa senza la giacca, le maniche della camicia a righe che svolazzavano al vento. Salì in automobile.

Glyn allungò una mano verso un uovo à la coque. «No, le cose non sono andate come pensavi, eh, Justine?» fu il suo commento.

Adam Jenn fissò le righe scritte con accurata precisione e cercò di cavare un senso logico da quegli appunti. La Rivolta dei Contadini. Il consiglio della reggenza. Una nuova domanda: invece dell'imposizione del nuovo testatico, non fu piuttosto la formazione del consiglio di reggenza ad avere un notevole peso sulle circostanze che condussero alla rivolta del 1381?

Lesse qualche frase su John Ball e Wat Tyler, sullo Statuto dei Lavoratori, e sul sovrano. Riccardo II, per quanto animato da buone intenzioni, era un inetto a cui mancavano le capacità e la stoffa che fanno, di un uomo, un leader. Aveva cercato di accontentare tutti ma era riuscito solo a distruggere se stesso. Era la prova storica della discussa opinione secondo la quale per avere successo ci vuole ben altro che quei diritti di nascita che possono essere una pura e semplice coincidenza. L'acume politico è la chiave per raggiungere indenne qualsiasi meta personale o professionale.

Del resto Adam aveva improntato la propria vita universitaria, puntualmente, su tale precetto. Si era preparato con la massima cura alla scelta del professore che potesse seguirlo negli studi di specializzazione passando ore e ore a esaminare minuziosamente i candidati alla cattedra Penford. E alla fine aveva optato per Anthony Weaver solo quando aveva avuto la relativa certezza che lui, il medioevalista del St Stephen's, sarebbe stato il prescelto da parte della commissione universitaria incaricata di tale nomina. Avere alle spalle colui che avrebbe occupato la cattedra Penford significava, potenzialmente, garantirsi quei benefici e quei vantaggi che giudicava necessari per raggiungere il successo: la posizione iniziale di supervisore per gli studenti non ancora laureati, la successiva conquista di una borsa di studio per un dottorato di ricerca, la eventuale nomina successiva a lettore, ad assistente, e infine a professore con cattedra prima di aver compiuto i quarantacinque anni. E tutto questo sembrava nei limiti di un'aspettativa ragionevole quando Anthony Weaver lo aveva accettato come laureato da seguire durante gli studi per la specializzazione. Di conseguenza venire incontro alla richiesta di Weaver di prendere sotto la propria ala la figlia in modo che il suo secondo anno di università risultasse un'esperienza meno difficile e più gradevole di quanto sembrava fosse stato il primo, gli offriva un'opportunità fortuita di dimostrare – anche se, magari, soltanto a se stesso – che possedeva il grado necessario di perspicacia e di diplomazia per avere fortuna e successo nell'ambiente accademico. Ciò su cui non aveva contato, quando si era sentito parlare per la prima volta della figlia disabile del professore e aveva inizialmente valutato l'entità della gratitudine di Weaver stesso per il tempo che avrebbe dedicato a placare le acque agitate della vita di sua figlia, era stata Elena in sé e per sé.

Si era aspettato di venir presentato a una ragazza con le spalle curve, il petto incavato, la faccia scialba e flaccida di una che doveva ormai assomigliare a una specie di fiorellino di campo un po' appassito, a una creatura seduta, con aria afflitta, sul bordo di un divano dalla stoffa consunta, con le gambe ripiegate sotto di sé e le mani penzoloni lungo i fianchi. Avrebbe certamente indossato un vecchio vestito con un motivo di bocciolini di rosa. E, certo, avrebbe avuto ai piedi calzini corti e scarpe sportive scalcagnate. Per il rispetto che portava al professor Weaver, avrebbe fatto il proprio dovere con un commovente miscuglio di gravità e di gentilezza. Avrebbe perfino portato un block-notes in una tasca della giacca in modo da avere la sicurezza di poter comunicare con lei per iscritto in qualsiasi momento.

E aveva continuato a vedersi davanti quell'immagine fantasiosa di Elena per tutta la strada fino al salotto di casa Weaver, arrivando addirittura al punto di osservare bene in faccia gli altri invitati che erano tutti lì presenti per la famosa festa della facoltà di storia all'inizio del primo trimestre. Aveva dovuto rinunciare all'idea del divano con l'imbottitura consunta quasi subito; e, dopo aver adocchiato il genere di arredamento della casa, si era detto che a nessun oggetto sciupato, logoro o sfilacciato sarebbe stato concesso di rimanere per più di dieci minuti in un ambiente così elegante, fra tutto quel vetro e quella pelle; però aveva continuato a rimanere aggrappato all'immagine che ormai si era fatto di una disabile, chiusa in se stessa, rannicchiata in un angolo, timorosa di tutti e di tutto.

E, invece, eccola venirgli incontro, facendo ondeggiare le anche, inguainata in un aderentissimo abito nero, con dondolanti orecchini di onice, e la capigliatura che accompagnava con sottile eleganza, ripetendolo, l'ondeggiare dei fianchi. Gli sorrise e gli disse qualcosa, che lui interpretò come: «Ciao. Sei Adam, vero?» perché il modo in cui pronunciava le parole non era affatto chiaro. Non gli sfuggì il fatto che esalava un profumo di frutto maturo, che non portava il reggiseno e aveva le gambe nude. E che ogni uomo nella stanza seguiva i suoi movimenti con gli occhi, qualsiasi fosse la conversazione in cui era impegnato.

Aveva un modo tutto suo di dare a un uomo la sensazione di essere un tipo speciale. Lo aveva imparato fin troppo presto. Molto sagacemente, si era accorto che questa impressione di essere l'unico interesse nella vita di Elena scaturiva dal fatto che la ragazza era costretta a guardare direttamente in faccia le persone per poter leggere le loro labbra quando le parlavano. E per un certo tempo si era persuaso che ci fosse soltanto questo alla base dell'attrazione che provava per lei. Ma già quella prima sera in cui avevano fatto conoscenza, aveva scoperto che i propri occhi continuavano ad abbassarsi verso le piccole protuberanze dei suoi capezzoli che erano eretti, premevano contro il tessuto dell'abito, chiedevano di essere succhiati e manipolati e leccati... tanto che si era trovato con le mani che quasi gli dolevano per la gran voglia di fargliele scivolare intorno alla cintola, di appoggiargliele a coppa sulle natiche e di stringerla a sé.

Non aveva fatto niente del genere. Mai. Neanche una volta in quelle dodici o forse più che erano stati insieme. Non l'aveva mai nemmeno baciata. E quell'unica volta in cui lei aveva allungato impulsivamente una mano facendogli scorrere la punta delle dita all'interno della coscia per tutta la sua lunghezza, con un gesto automatico gliel'aveva scostata. E lei gli aveva riso in faccia, divertita, niente affatto offesa. Così aveva provato un bisogno indicibile di picchiarla, un bisogno violento come quello che provava di farsela, di scoparla. Sentiva il desiderio trasformato in una vampata ardente proprio dietro gli occhi, il desiderio di fare contemporaneamente quelle due cose: picchiarla con violenza, maltrattarla, ma anche possederla fisicamente, ascoltare i suoni con cui manifestava la sua sofferenza, ma rendersi anche conto con soddisfazione che lei doveva sottomettersi, per quanto riluttante fosse.

Gli capitava sempre così ogni volta che frequentava troppo una donna. Si sentiva prigioniero di un dilemma atroce fatto di desiderio e di disgusto. E, di continuo, sia pur respinto in fondo alla memoria, aveva buon gioco il ricordo di papà che picchiava la mamma e i suoni e i rumori che accompagnavano, dopo, il loro affannoso e appassionato accoppiarsi.

Conoscere Elena, frequentare Elena, accompagnarla doverosamente, da cavaliere, qua e là aveva fatto parte, sin dal principio, del lavorio diplomatico, del gioco politico necessario a una carriera accademica e a un buon successo come studioso. Ma come capita per ogni azione che sia frutto di un sottile calcolo egocentrico, anche quella che poteva passare per generosa collaborazione aveva un prezzo.

Lo aveva letto in faccia al professor Weaver ogni volta che lui gli chiedeva qualcosa sul tempo passato in compagnia di Elena, esattamente come era capitato già quella prima sera quando i suoi occhi avevano seguito la figlia che girava per il salotto e avevano avuto un lampo di soddisfazione nel vedere che si era soffermata a chiacchierare con Adam, e non con qualcun altro. Quindi non ci era voluto molto prima che Adam si rendesse conto che il prezzo del successo in un ambiente come quello in cui Anthony Weaver recitava un ruolo tanto importante, con ogni probabilità sarebbe stato direttamente proporzionale al modo in cui si evolvevano le situazioni nella vita di Elena.

« È una ragazza meravigliosa », aveva preso l'abitudine di ripetere Weaver. « Ha moltissimo da offrire a un uomo. »

Adam si domandò se, ora che la figlia di Weaver era morta, la strada che conduceva al suo futuro sarebbe stata piena di curve e di controcurve su un terreno disagevole e accidentato. Infatti, pur avendo scelto Weaver come suo professore e consulente per la specializzazione, soprattutto per i vantaggi potenziali che potevano venirgli da tale scelta, si era reso conto quasi subito che Weaver lo aveva accettato avendo in mente, anche lui, tutta una serie di vantaggi ben precisi. Li nutriva nel segreto del proprio cuore, e senza dubbio li chiamava i suoi sogni. Ma Adam sapeva con esattezza di che si trattava.

La porta dello studio si spalancò mentre era ancora intento a fissare gli appunti presi per lo studio di quei tumulti del quattordicesimo secolo nel Kent e nel Sussex. Alzò la testa, spinse indietro la sedia, un po' confuso perché Anthony Weaver era entrato. Non si aspettava di vederlo per parecchi giorni ancora, come minimo, quindi non si era preoccupato di mettere un po' di ordine fra la confusione di piatti, tazze da tè, relazioni degli studenti sparse qua e là sul tavolo e sul pavimento. Ma anche se avesse già provveduto in tal senso, l'improvvisa comparsa del professore che si presentava proprio mentre lui stava facendo determinate riflessioni sul suo conto, gli avrebbe procurato ugualmente un certo imbarazzo. Si sentì una vampata salire dal collo e di lì diffondersi sulle guance.

« Dottor Weaver », disse. « Non mi aspettavo... » La sua voce si spense. Weaver non aveva addosso né giacca né soprabito, e i suoi capelli scuri erano diventati un groviglio di ricci spettinati dal vento. Non aveva con sé né la cartella né un libro. Qualsiasi fosse stata la ragione che lo aveva spinto a venire lì, non era certamente il lavoro.

« Era incinta », disse.

Adam si sentì la bocca arida. Pensò di bere un sorso del tè che si era versato, e subito dimenticato, almeno un'ora prima. Ma pure, alzandosi lentamente in piedi, non riuscì a fare altri movimenti, figurarsi poi quello di allungare un braccio per raggiungere la tazza.

Weaver chiuse la porta e vi rimase in piedi accanto. «Non ti rimprovero per questo, Adam. È chiaro che dovevate essere innamorati.»

«Professor Weaver...»

«Mi spiace soltanto che non abbiate pensato a prendere qualche precauzione. Non è il modo migliore di cominciare una vita insieme, ti pare?»

Adam non seppe formulare una risposta. Gli pareva che il suo intero futuro dipendesse dai pochi minuti successivi e da come li affrontava, e da quello che diceva. Rimase incerto tra la verità e una bugia, chiedendosi quale delle due potesse risultare più utile ai propri interessi.

«Quando Justine me l'ha detto, sono venuto via di casa rabbioso. Mi sentivo come certi padri del diciottesimo secolo che si precipitano accecati dalla collera a esigere soddisfazione. D'altra parte so come cose del genere possono succedere fra due persone. Vorrei soltanto che tu mi dicessi se avevate parlato di sposarvi. Prima, intendo. Prima che tu facessi l'amore con lei.»

Adam avrebbe voluto dire che ne avevano parlato spesso, a sera tarda battendo furiosamente i tasti del computer per le domande e le risposte, a fare piani, a condividere sogni, a impegnarsi a una vita comune. Ma una bugia del genere avrebbe dovuto generare una serie di manifestazioni di dolore che fossero abbastanza convincenti nei mesi successivi. E pur essendo dispiaciuto per la morte di Elena, Adam non se la sentiva, tutto sommato, di piangere la sua scomparsa e di prendere il lutto, e quindi si rese conto che un'esibizione di angoscia e dolore disperato sarebbe stata assolutamente al di fuori delle proprie capacità.

«Era una creatura speciale», stava dicendo Anthony Weaver. «Il suo bambino... il *tuo* bambino, Adam... sarebbe stato altrettanto speciale. Era fragile e lavorava sodo per trovare se stessa, d'accordo, ma tu l'aiutavi a crescere, a maturare. Ricordalo. Aggrappati a questo. Sei stato straordinariamente buono per lei. E io sarei stato orgoglioso di vedervi diventare marito e moglie.»

Si accorse di non farcela. «Professor Weaver, non sono stato io.» Abbassò gli occhi verso il tavolo. Provò a concentrarsi su quei libri di studio spalancati, sui propri appunti, sulle relazioni degli studenti. «Cioè, mi spiego, io non ho mai fatto l'amore con Elena, professore.» Si accorse che le guance gli ardevano ancora più di prima. «Non l'ho mai neanche baciata. Quasi non l'ho nemmeno toccata.»

«Non sono in collera, Adam. Non fraintendermi. Non occorre che neghi il fatto che eravate amanti.»

«Non lo sto negando, le sto semplicemente dicendo la verità. I fatti. Non eravamo amanti. Non sono stato io.»

«Ma frequentava soltanto te...»

Adam esitò prima di comunicare quell'unica informazione da cui, come ben sapeva, Anthony Weaver fuggiva, forse di proposito, forse senza rendersene conto. Capiva che, parlandone, avrebbe anche fatto diventare autentiche e reali le peggiori paure del suo professore. D'altra parte sembrava che non ci fosse altro mezzo di convincerlo della verità su quello che era stato il suo rapporto con Elena. In fondo, il professore era uno storico. E si presume che gli storici siano anche i ricercatori della verità.

Non poteva esigere niente di meno neppure da se stesso. Pertanto disse: «No, professore. Lei se n'è dimenticato. Io non ero l'unico. C'era Gareth Randolph».

Sembrò che gli occhi di Weaver diventassero sfocati dietro le lenti degli occhiali. Adam si affrettò a proseguire.

«Si vedeva con lui parecchie volte la settimana, non è così, professore? Anche quello faceva parte degli accordi che lei aveva preso con il professor Cuff.» No, non voleva aggiungere altro. Già poteva vedere l'espressione di consapevolezza e di infelicità che calava, come una cortina grigia, sul viso di Weaver.

«Quel ragazzo sordo...» e a questo punto Weaver tacque. I suoi occhi tornarono acuti e penetranti come prima. «L'hai forse respinta, Adam? È questo il motivo per cui lei ha cercato altrove? Non ti andava bene? Ti creava qualche imbarazzo perché era sorda?»

«No. Assolutamente no. Il fatto è che io, semplicemente...»

«E allora perché?»

Avrebbe voluto rispondere: «Perché avevo paura. Ero convinto che mi avrebbe succhiato vivo. Spasimavo per averla, averla, averla e poi ancora averla... ma non sposarla, Oddio, non sposarla e vivere il resto della mia esistenza sentendomi minacciato della distruzione di me stesso». E invece aggiunse: «Fra noi, insomma, non c'è stata...»

«Cosa?»

«Non è scoccata la scintilla.»

«Perché lei era sorda.»

«Questo non costituiva un problema, professore.»

«Come puoi dirlo? Come puoi aspettarti che ci creda? Certo che era un problema. Era un problema per chiunque. Era un problema per lei. Come poteva non esserlo?»

Adam intuì che stava camminando su un terreno pericoloso. Avrebbe voluto tirarsi indietro e non scendere a un confronto diretto. Ma Weaver aspettava la sua risposta e dall'espressione dura e gelida della sua faccia intuì quanto importante fosse una risposta corretta.

«Era soltanto sorda, professore. Nient'altro. Soltanto sorda.»

«E questo, cosa vorrebbe dire?»

«Che non c'era nient'altro che non funzionasse in lei. E perfino il fatto di essere sorda non era qualcosa di sbagliato. Si tratta soltanto di una parola che la gente adopera per indicare che manca qualcosa.»

«Come cieco, come muto, come paralizzato?»

«Presumo di sì.»

«E se lei fosse stata queste cose, cieca, muta, paralizzata, continueresti ancora a dire che il problema non stava lì?»

«Ma lei non era niente di queste cose.»

«Continueresti ancora a dire che il problema non stava lì?»

«Non so. Non saprei dirlo. Posso soltanto dire che la sordità di Elena non costituiva un problema. Per me, no.»

«È una bugia.»

«Professore...»

«La vedevi come qualcosa di anomalo.»

«Niente affatto.»

«Ti vergognavi per la sua voce e il suo modo di pronunciare le parole, per il fatto che lei non sarebbe mai riuscita a capire che parlava troppo forte e così, quando eravate in pubblico insieme, la gente avrebbe sentito quella strana voce. E si sarebbero voltati, si sarebbero incuriositi. E tu ti saresti sentito imbarazzato da tutti quegli occhi che ti fissavano. E ti saresti vergognato di lei, di te, e prima di tutto, ancora, di essere imbarazzato. No, avresti capito di non essere affatto così progressista e senza pregiudizi come una volta credevi di essere. E sempre con il desiderio che lei fosse normale perché, in tal caso, se solo avesse potuto udire, allora sì che non avresti più provato la sensazione che le dovevi qualcosa di più di quanto eri capace di dare.»

Adam si accorse di essere agghiacciato ma non riuscì ugualmente a rispondere. Avrebbe voluto fingere di non avere udito o, se non altro, di riuscire a impedire alla propria espressione di rivelare fino a che punto e in quale misura avesse compreso il significato nascosto di ciò che il professore aveva appena finito di dirgli. Notò di aver fallito in pieno sia in un senso sia nell'altro poiché la faccia di Weaver registrò un brusco cambiamento e apparve come raggrinzita, disfatta. «Oddio...», disse.

Si avvicinò alla mensola del camino dove Adam aveva continuato a posare buste e messaggi che arrivavano sempre più numerosi. Con quello che sembrò uno sforzo enorme, li raccolse tutti, li portò alla scrivania e si sedette. Cominciò ad aprirli lentamente, con aria pensierosa, i movimenti appesantiti da vent'anni di rifiuto e di senso di colpa.

Adam riprese posto cautamente sulla propria sedia. Tornò a dedicarsi ai propri appunti ma stavolta riuscì a concentrarsi ancora meno di prima. Capiva di dovere qualche sia pur vaga rassicurazione al professor Weaver, di dover cercare con lui qualche punto di contatto in nome dell'affetto e dell'amicizia. Ma niente, in quei suoi ventisei anni di limitata esperienza, poté fornirgli le parole adatte a far capire al suo professore che non era peccato provare ciò che lui provava. L'unico vero peccato era quello di evitarlo, sfuggirlo.

Sentì che, dal professore, gli arrivava un suono tremulo e convulso. Si voltò sulla sedia.

Weaver, notò, si era messo ad aprire quelle lettere. Ma per quanto i fogli che almeno tre di quelle buste contenevano gli fossero scivolati sulle ginocchia e ne tenesse un altro appallottolato nella mano stretta a pugno, non stava leggendone nessuno. Si era tolto gli occhiali e coperto gli occhi con la mano. Stava piangendo.

16

Melinda Powell stava per spingere a mano la sua bicicletta da Queen's Lane alla Old Court, quando un'auto della polizia si fermò a meno di mezzo isolato di distanza. Scese un agente in uniforme, insieme al preside del Queen's College e al tutor più anziano. Si fermarono a parlare tutti e tre insieme, al freddo, le braccia incrociate sul petto, l'alito che si trasformava in nuvolette di vapore nell'aria, l'espressione grave e tetra. L'agente annuì, ascoltando quello che il preside stava dicendo al tutor più anziano, e mentre si scostavano preparandosi ad andarsene prima che il poliziotto ripartisse, da Silver Street arrivò una Mini scassata, imboccò con un sordo rimbombo la stradicciola e venne a parcheggiare dietro di loro.

Scesero due persone, un uomo alto e biondo con un soprabito di cachemire, e una donna tozza, bassa, infagottata in sciarpe e maglioni di lana. Si unirono agli altri. L'uomo biondo tirò fuori quello che doveva essere un distintivo, e il preside del college, dopo averne presa visione, gli tese la mano. La conversazione si fece più animata, seria, e un gesto da parte del preside in direzione di un ingresso laterale al college fu accompagnato da quella che sembrava qualche indicazione fornita dall'uomo biondo all'agente in uniforme. Questi annuì e poi tornò al trotto verso Melinda, che si era fermata, le mani strette intorno al manubrio della bicicletta e ghiacciate al contatto con il metallo da cui il freddo filtrava fino alle manopole. «Mi scusi, signorina», disse, passandole vicino a passo svelto e, dopo averle girato intorno, varcò il cancello d'ingresso del college.

Melinda lo seguì. Era rimasta fuori buona parte della mattinata a riscrivere faticosamente per la quarta volta una relazione nel tentativo di rendere più chiare le proprie idee prima di mostrarla al supervisore il quale, con il classico sadismo dei professori, gliela avrebbe di certo smontata pezzo per pezzo. Era quasi mezzogiorno. E per quanto fosse abbastanza usuale vedere qualche studente del college passeggiare per la Old Court a quell'ora del giorno, quando sbucò dal passaggio adorno di pinnacoli e cuspidi che collegava quel cortile a Queen's Lane, notò parecchi gruppetti di ragazzi che parlavano sottovoce sul viale fra i due prati rettangolari mentre un altro gruppo, più nutrito, si era raccolto davanti alla porta della scala sinistra della torretta nord.

E il poliziotto, dopo essersi fermato un momento a rispondere a una domanda, era scomparso proprio oltre quella porta. Melinda, quando se ne accorse, ebbe un attimo di incertezza. Le pareva che la bicicletta fosse diventata un macigno da spingere avanti a mano, come se la catena, arrugginita, glielo impedisse; e alzò gli occhi verso l'ultimo piano dell'edificio nella speranza di vedere qualcosa oltre i vetri delle finestre di quella camera dalla forma irregolare, incuneata sotto le grondaie.

« Cosa è successo? » domandò a un ragazzo in giacca a vento azzurro cielo e con un berrettino di lana dello stesso colore sul quale spiccavano, a vistosi caratteri rossi, le parole *Ski Bulgaria.*

« Una di quelle che fanno jogging la mattina è stata ammazzata », disse.

« Chi? »

« Un'altra di quelle del club di atletica, dicono. »

Melinda provò uno strano senso di vertigine. Sentì che il ragazzo le chiedeva: « Ehi, ti senti bene? » ma non gli rispose. Invece, inebetita, con i sensi ottenebrati, continuò a sospingere la bicicletta verso la porta della scala di Rosalyn Simpson.

« Me lo aveva promesso », bisbigliò Melinda tra sé. E solo per un attimo rendersi conto di una realtà così schiacciante come il tradimento di Rosalyn la lasciò perfino più sconvolta della sua stessa morte.

Non le aveva strappato quella promessa a letto dove le risoluzioni si infiacchiscono di fronte al desiderio. Né tantomeno l'aveva costretta a uno di quegli scontri aperti, a base di pianti e lacrime, in cui si era sempre servita di ataviche vulnerabilità di Rosalyn come di uno strumento per avere ascendente su di lei e ottenere ciò che voleva. Aveva optato, invece, per la discussione, cercando di rimanere calma e di evitare di lasciarsi prendere da quel panico e da quell'isterismo che, come ben sapeva, un bel giorno avrebbero allontanato definitivamente Rosalyn se non avesse imparato, prima, a tenerli sotto controllo, e aveva insistito perché la sua amante considerasse quanto fosse pericoloso continuare quegli allenamenti di corsa fintanto che c'era un assassino in circolazione. Si era aspettata un accanito litigio specialmente perché sapeva quanto Rosalyn si fosse pentita della promessa fattale qualche giorno prima d'impulso, la promessa che l'aveva portata a Oxford il lunedì mattina. Ma invece di mettersi a discutere o, perfino, di rifiutarsi di prendere in considerazione il problema, Rosalyn aveva dichiarato di essere d'accordo. No, non sarebbe più uscita per la solita corsa mattutina fino a quando l'assassino non fosse stato catturato. Oppure, se voleva continuare gli allenamenti, non li avrebbe più fatti da sola.

Si erano lasciate a mezzanotte. Erano ancora una coppia, così pensò Melinda, erano ancora innamorate, anche se non avevano fatto l'amore come lei aveva sperato per quella che, nelle sue fantasie di tutto il martedì, sarebbe dovuta essere una vera e propria festa – la celebrazione del gesto di Rosalyn di annunciare apertamente, al mondo intero, quali fossero le proprie preferenze in fatto di sesso. No, niente era andato secondo le sue speranze. Rosalyn aveva tirato in ballo la stanchezza, aveva parlato di una relazione alla quale doveva ancora lavorare e manifestato il bisogno di rimanere sola per adattarsi all'idea che Elena Weaver era morta. Tutte scuse, adesso Melinda se ne rendeva conto, che segnavano l'inizio della fine tra loro.

Ma del resto non succedeva sempre così? L'estasi iniziale dell'amore. Gli incontri, le speranze. L'intimità crescente. L'aspirazione a condividere sogni e fantasie dell'altro. La comunicazione felice e gioiosa. E, in ultima analisi, la delusione. Aveva creduto che Rosalyn sarebbe stata diversa. Ma ormai adesso era chiaro. Era una bugiarda, un'imbrogliona come tutte le altre.

Carogna, pensò. Carogna. Me l'avevi promesso, ma mi hai detto una bugia, e chissà quante altre bugie mi hai detto e con chi sei andata a letto, magari anche con Elena?

Tanto era il suo furore che le pareva di avere una specie di carbone ardente in mezzo al petto. Con sublime indifferenza per i regolamenti del college, i quali richiedevano esplicitamente che venissero sistemate in tutt'altro posto, appoggiò la bicicletta al muro e si fece largo a gomitate fra quella piccola folla. Notò che uno dei custodi del college si trovava proprio dietro la porta che sbarrava l'ingresso ai curiosi e aveva un'espressione rabbiosa e un po' truce, soprattutto indignata. Al di sopra del mormorio di tutte quelle voci, lo sentì spiegare: « Un colpo di fucile in piena faccia ».

Il furore scomparve con la stessa rapidità con cui l'aveva travolta, dissolvendosi sotto l'impatto di quelle semplici parole. Un colpo di fucile. In piena faccia.

Melinda si accorse che si stava mordendo le dita coperte dai guanti di lana. Invece del custode fermo sulla soglia di quell'edificio della Old Court, adesso ci vedeva Rosalyn, la faccia e il corpo maciullati, che si disintegravano di fronte ai suoi occhi, che venivano squarciati e dispersi in un rombo di polvere da sparo e colpi di fucile e sangue. E poi, subito dopo, il posto di Rosalyn venne preso dall'orrore, perché capiva che se qualcuno aveva commesso quell'omicidio, anche la sua stessa vita, adesso, era in pericolo.

Frugò con gli occhi tra le facce degli studenti intorno a lei, cercando quella che doveva essere lì a cercare la sua. Non la vide. Ma questo non significava che non fosse lì, nei pressi, a guardare giù da una finestra, aspettando di vedere la sua reazione alla morte. Magari si stava riposando un po' dopo le fatiche della mattinata, ma avrebbe ugualmente avuto tutte le intenzioni di compiere la sua opera fino in fondo.

Si accorse di avere i muscoli contratti mentre tutto il suo corpo, dalla testa ai piedi, reagiva all'ordine dato dal cervello di scappare. Nello stesso tempo era acutamente consapevole della necessità di fingersi calma. Infatti, se si fosse voltata per correre via, lì, in quel momento, di fronte a tutti – e in particolare davanti a chi la stava osservando ed era semplicemente in attesa che fosse lei a fare la prima mossa –, era perduta, non c'erano dubbi.

Dove vado? si domandò. Dio, Dio, dove vado?

Il gruppo degli studenti in mezzo ai quali anche lei, adesso, si trovava, cominciò a disperdersi mentre una voce maschile diceva: « Fatevi da parte, prego ». E poi: « Havers, pensa lei a telefonare a Londra, per favore? » E l'uomo biondo che aveva notato in Queen's Lane si fece largo a spallate fra il capannello vociante di fronte alla porta intanto che la sua compagna si avviava, invece, in direzione della sala comune degli studenti.

« Il custode dice che è stato un colpo di fucile », esclamò qualcuno ad alta voce mentre l'uomo biondo saliva il gradino che dava accesso all'edificio. Per tutta risposta, questi lanciò al custode un'occhiata di disapprovazione ma continuò a tacere passandogli davanti e cominciò a salire le scale.

«Le ha squarciato l'addome, ho sentito», disse un ragazzo con la faccia foruncolosa.

«No, l'ha presa in piena faccia», replicò qualcun altro.

«Prima lo stupro...»

«Legata...»

«Le tette tagliate via e...»

Il corpo di Melinda entrò in azione di scatto. Voltandosi impetuosamente per allontanarsi dal suono di quelle voci che facevano supposizioni e congetture, a spintoni si aprì un varco, alla cieca, per uscire da quella massa di gente. Se fosse stata rapida abbastanza, se non si fosse soffermata a considerare dove stava andando e come avrebbe fatto ad arrivarci, se fosse corsa di sopra, in camera, a prendere uno zaino e qualche vestito e i soldi che la mamma le aveva mandato per il suo compleanno...

A corsa pazza filò per tutta la lunghezza dell'edificio fino alla scala che si trovava sulla destra della torretta sud. Spalancò impetuosamente la porta e cominciò a fare i gradini a quattro a quattro. Quasi senza respirare, quasi senza pensare, ormai il suo unico pensiero era quello della fuga.

Si sentì chiamare per nome quando raggiunse il pianerottolo del secondo piano ma non badò a quella voce e continuò a salire sempre più in fretta. C'era la casa della nonna nel West Sussex, pensò. Un prozio abitava a Colchester, suo fratello nel Kent. Ma nessuno di loro le sembrò abbastanza sicuro, abbastanza lontano per non correre rischi. Nessuno di loro le dava l'impressione di poterle offrire il genere di protezione che le sarebbe stato necessario per sfuggire a un assassino che pareva conoscesse i suoi movimenti ancora prima che venissero fatti, che pareva fosse al corrente di pensieri e progetti prima ancora che venissero apertamente formulati. Anzi, in realtà c'era un assassino che magari, perfino in quel preciso momento, la stava aspettando...

All'ultimo piano si fermò davanti alla porta della propria camera, rendendosi conto che, dentro, potevano esserci ad aspettarla chissà quali pericoli. La paura le aveva fatto venire i crampi alla pancia, si sentiva le lacrime a fior di pelle. Tese l'orecchio fissando i pannelli bianco sporco della porta, ma quel riquadro, incassato rispetto alla parete, ebbe unicamente il risultato di trasformarsi in un amplificatore del suono affannoso e raschiante del proprio respiro.

Avrebbe voluto scappare, sentiva l'assoluta necessità di nascondersi. Però per fare entrambe le cose doveva assolutamente impossessarsi di quel gruzzolo di denaro.

« Gesù », sussurrò. « Oddio, oddio... »

Adesso avrebbe allungato una mano verso la maniglia. E spalancato la porta. E se l'assassino fosse stato lì dentro, si sarebbe messa a urlare come una matta.

Si riempì i polmoni dell'aria sufficiente a prorompere in un grido lacerante e appoggiò la spalla alla porta. Quando la spalancò, mandandola a sbattere contro la parete, ebbe una visuale chiara e completa della camera. Il corpo di Rosalyn era nel letto. Melinda cominciò a urlare.

Glyn Weaver andò a mettersi a sinistra della finestra nella camera di sua figlia e scostò il tessuto trasparente dal vetro in modo da poter vedere il prato di fronte alla casa. Il setter irlandese vi stava scorrazzando, fra capriole e gioiosi latrati, come se già pregustasse una bella corsa. Stava girando freneticamente tutt'intorno a Justine la quale si era cambiata e adesso, in tuta e scarpe da ginnastica, era intenta a eseguire una serie di piegamenti e di stiramenti per riscaldare i muscoli. Aveva portato fuori con sé il guinzaglio e Townee, in quel momento, lo tirò su con i denti dal prato, passandole davanti. E si mise a sventolarlo come una bandiera. Adesso saltellava, spiccava balzi, faceva capriole.

Elena le aveva mandato almeno una decina di foto del cane: quando era appena nato, coperto di soffice pelo, mentre dormiva accoccolato sulle sue ginocchia, da cucciolo con le zampe già lunghe che frugava con il muso fra i suoi regali sotto l'albero di Natale in casa di suo padre, con il corpo slanciato, adolescente, che spiccava un balzo al di sopra di un muricciolo a secco. Sul retro di ogni fotografia, aveva scritto l'età di Townee – *tre settimane e due giorni; quattro mesi e otto giorni; oggi ha compiuto dieci mesi* – come una mammina indulgente. Glyn si domandò se sarebbe stata disposta a fare la stessa cosa per il bambino che portava in grembo oppure se avrebbe optato per un aborto. In fin dei conti, un bambino era diverso da un cane. E a parte quali potevano essere stati i suoi motivi per voler rimanere incinta – e Glyn conosceva sua figlia abbastanza bene per capire che la gravidanza di Elena, con ogni probabilità, doveva essere un gesto calcolato – era impossibile che non si rendesse conto di come molte cose sarebbero cambiate nella sua vita quando fosse arrivato un figlio. I bambini cambiavano sempre l'esistenza di una persona in mille modi imprevedibili, ed era praticamente impossibile contare sul loro affetto cieco e assoluto come si poteva invece fare con quello di un cane. Prendevano, i figli; prendevano ma davano raramente. E solo l'adulto meno egoista e più generoso del mondo sapeva di godere appieno la sensazione di sentirsi svuotato di ogni risorsa e privato di ogni sogno.

E per quale ricompensa? Solo la nebulosa speranza che questa creaturina adorabile, quest'individuo completo in sé e per sé sul quale nessuno aveva un controllo assoluto, un giorno, chissà come, non commettesse gli stessi errori, non ripetesse gli stessi schemi, o non conoscesse quella stessa sofferenza che i suoi genitori avevano dovuto accettare e sopportare e infliggersi a vicenda.

Fuori, Justine si stava legando i capelli sulla nuca. A Glyn non sfuggì che, per farlo, si serviva di un foulard dello stesso colore della tuta e delle scarpe da ginnastica. Distrattamente, si domandò se Justine fosse mai uscita di casa indossando un abbigliamento completo che fosse appena appena non armonioso o perfetto, e osservandola si mise a ridacchiare. Anche se si voleva criticare il fatto che Justine avesse stabilito di uscire a fare un po' di esercizio due soli giorni dopo l'omicidio della figliastra, non si poteva certo condannare la sua scelta del colore. Era il più appropriato, ponderato con cura.

Che ipocrita, pensò Glyn arricciando un labbro. E si tirò indietro per non vederla più.

Justine era uscita di casa senza una parola, algida, elegante, squisitamente aristocratica ma senza più possedere tutto quell'autocontrollo che le sarebbe piaciuto. A farglielo perdere aveva provveduto l'aperto scontro di quella mattina nel tinello della prima colazione, quando la vera Justine era venuta allo scoperto mettendo da parte le apparenze di padrona di casa riguardosa e di moglie perfetta di un professore universitario. Così, adesso, si sarebbe dedicata a una bella corsa per dare tono ai muscoli di quel corpo stupendo e seducente, per impegnarsi a fondo e fare una bella sudata, dal fragrante profumo di rosa.

Ma c'era anche qualcosa d'altro. Non solo questo. Doveva uscire a correre, adesso. Doveva nascondersi. Perché la realtà, sotto quella finzione che era Justine Weaver, era stata finalmente rivelata in quel tinello della prima colazione, in quell'attimo fuggente nel quale le sue fattezze, che di norma esprimevano una finta innocenza piena di ipocrisia, si erano indurite lasciando affiorare il senso di colpa che abitualmente celavano. La verità era venuta a galla.

Aveva odiato Elena. E adesso che lei usciva per fare la solita corsa, Glyn era pronta a cercare quelle prove che dimostrassero come la sua facciata di sentimenti ben controllati nascondesse con estrema abilità la disperazione di un'assassina.

Udì l'abbaiare del cane, fuori – un suono esilarante ed eccitato che si affievoliva rapidamente in direzione di Adams Road. Se n'erano andati, tutti e due. E Glyn adesso era ben decisa a sfruttare ogni momento, qualunque potesse essere il tempo a sua disposizione fino al ritorno di Justine.

Entrò in fretta, agitata, nella camera da letto matrimoniale con quell'arredamento danese, liscio e lineare, e le lampade in ottone dalla forma elegante. Si avvicinò al lungo cassettone basso e cominciò ad aprire i cassetti.

«Georgina Higgins-Hart.» L'agente di polizia, con la faccia appuntita come un furetto, strizzò gli occhi guardando il suo block-notes, la copertina del quale era deturpata da una macchia che aveva il poco raccomandabile aspetto del condimento al pomodoro di una pizza. «Socia anche lei del club di atletica. Stava seguendo il master in filosofia con una tesi sulla letteratura del Rinascimento. Una ragazza di Newcastle.» Richiuse il blocco con un colpetto secco. «Il preside del college e il tutor più anziano non hanno avuto difficoltà a identificare il corpo, ispettore. La conoscevano tutti e due fin dal giorno in cui è venuta a studiare a Cambridge.»

L'agente era stato messo di guardia alla porta chiusa della camera da letto della ragazza. E di una guardia aveva anche assunto la posizione, a gambe larghe, a braccia incrociate sul petto; e la sua espressione – ora compiaciuta ma critica, ora apertamente derisoria – indicava fino a che punto considerasse le inadeguatezze dei funzionari di New Scotland Yard all'origine del più recente delitto avvenuto a Cambridge. Lynley si limitò a dire semplicemente: « Ha lei la chiave, agente? » E la prese dal palmo della mano dell'uomo quando questi gliela porse.

Georgina, lo notò subito, doveva essere stata una fanatica ammiratrice di Woody Allen e quasi tutto lo spazio limitato che offrivano le pareti della sua camera era occupato da locandine dei suoi film. Il resto era interamente coperto da scaffali di libri sui quali era messo in mostra tutto quanto era stato di proprietà della ragazza e che rivelava una certa varietà di interessi, da una collezione di vecchie bambole di pezza a una vasta e ottima scelta di vini. Quanto ai pochi libri, li aveva allineati sulla mensola del caminetto incassato nella parete. E ai lati, erano tenuti dritti da due piccole palme in miniatura, dall'aspetto piuttosto striminzito, che avevano la funzione di reggilibri.

Con il poliziotto fuori e la porta chiusa alle sue spalle, Lynley sedette sul bordo del letto a una piazza. Era coperto da un piumone rosa al centro del quale era stato ricamato un grosso mazzo di peonie gialle. Le sue dita palparono il disegno dei fiori e delle foglie mentre il cervello seguiva lo schema usato per i due omicidi.

Nelle sue linee generali quest'ultimo era basato sui particolari più evidenti: una seconda socia del club di atletica che si allenava nella corsa; una seconda vittima che era alta e flessuosa e con i capelli lunghi e impegnata – al buio – in un allenamento di primo mattino. Queste erano le somiglianze superficiali. Ma se esisteva un legame fra i due delitti, ce ne dovevano essere anche altri.

E naturalmente, c'erano. Infatti saltava subito all'occhio che Georgina Higgins-Hart, come Elena Weaver, era in qualche modo legata alla facoltà di inglese. Doveva certo aver conosciuto molti professori, gran parte dei lettori e chiunque altro avesse un qualsiasi interesse nel suo campo specifico, quello della letteratura del Rinascimento, e delle opere, sia europee sia inglesi, che appartenevano al quattordicesimo, quindicesimo e sedicesimo secolo. Sapeva in quale modo la Havers avrebbe sfruttato questa informazione, non appena le fosse arrivata alle orecchie, e lui stesso non se la sentiva di non tener conto di tutti quei rapporti e legami così suggestivi.

Del resto non poteva nemmeno ignorare il fatto che Georgina Higgins-Hart studiasse presso il Queen's College. Né tantomeno se la sentiva di rinnegare le ulteriori connessioni che il Queen's College faceva venire in mente.

Si alzò in piedi, si avvicinò alla scrivania, incassata in una specie di vano le cui pareti erano coperte da una raccolta di fotogrammi tratti da *Il dormiglione*, *Il dittatore dello stato libero di Bananas* e *Prendi i soldi e scappa.* Stava leggendo il brano iniziale di un componimento su *Racconto d'inverno,* quando la porta si aprì ed entrò il sergente Havers.

La donna lo raggiunse davanti alla scrivania. « Ebbene? »

« Georgina Higgins-Hart », disse. « Letteratura del Rinascimento. » Gli parve quasi di intuire il sorriso di lei mentre collegava quel periodo di tempo con il suo autore più significativo.

« Lo sapevo. Lo sapevo. Bisogna tornare a casa sua e perquisirla per scoprire quel fucile da caccia, ispettore. Secondo me è necessario chiedere a Sheehan che ci faccia accompagnare da qualcuno dei suoi uomini per frugare a fondo, dappertutto. »

« Non posso credere che lei voglia pensare che un uomo dell'intelligenza di Thorsson, dopo aver ammazzato una ragazza massacrandone il corpo, se ne torni tranquillamente a casa e metta di nuovo il fucile in mezzo alle sue cose, così, come se niente fosse... Sa benissimo che lo sospettiamo già, sergente. E non è un cretino. »

« Non occorre che sia un cretino », obiettò lei. « Basta semplicemente che sia ridotto alla disperazione. »

« Come se questo non bastasse, e Sheehan ce l'ha fatto notare, sta per aprirsi la stagione della caccia al fagiano. I fucili da caccia abbondano. Non mi meraviglierei affatto di scoprire che perfino l'università ha un'associazione per lo sport all'aperto che si dedica con passione alla caccia. E se qui c'è un manuale per gli studenti, sulla mensola del camino, può dare un'occhiata e verificarlo lei stessa. »

La Havers non si mosse. « Non vorrà lasciarmi credere che secondo lei tra questi due omicidi non c'è nessuna connessione. »

« Non mi è mai passato per il cervello di pensare una cosa del genere. Sono convinto che il collegamento ci sia. Ma non necessariamente in modo tanto smaccato. »

« E allora, come? Quale altro legame può esserci se non il più ovvio... che, fra l'altro, ci viene addirittura offerto su un piatto d'argento? E va bene, so benissimo che lei obietterà che la ragazza era una sportiva, si allenava nella corsa e quindi c'è un altro tratto comune con cui possiamo divertirci. E so anche che, all'incirca, ha più o meno lo stesso aspetto della Weaver. Però, francamente, ispettore, cercare di costruire una ipotesi su questi due fatti mi sembra molto meno convincente di quella che si potrebbe costruire su Thorsson.» Insomma, la donna intuiva che Lynley pareva propenso a contrastare la posizione che lei stava prendendo. Malgrado questo, continuò con accanimento: «Noi sappiamo che c'era un fondo di verità nelle accuse che Elena Weaver ha mosso contro Thorsson. Dopotutto, ce lo ha addirittura dimostrato proprio questa mattina. Quindi, se molestava Elena, perché non pensare che molestasse anche quest'altra ragazza?»

«Esiste un ulteriore legame, Havers. Al di là di Thorsson. Al di là degli allenamenti.»

«E quale?»

«Gareth Randolph. È anche lui uno studente del Queen's.»

La Havers non sembrò né soddisfatta né sconcertata da quest'ultima informazione. «Bene. Perfetto», disse. «E il suo movente, ispettore?»

Lynley intanto stava frugando tra gli oggetti che c'erano sulla scrivania di Georgina. Li catalogò mentalmente e rifletté sulla domanda del sergente cercando di formulare una risposta ipotetica che quadrasse con entrambi i delitti.

«Forse ci troviamo di fronte a un rifiuto primario, all'origine, che poi si è infiltrato a poco a poco in tutto il resto della sua esistenza.»

«Elena Weaver lo ha respinto, così lui l'ha ammazzata e poi, quando si è accorto che quell'unico omicidio non era sufficiente a cancellare dalla propria memoria quel rifiuto primario, si è impuntato a volerla uccidere di nuovo, ancora una volta e poi un'altra volta ancora? Ovunque la trovasse?» La Havers non fece nessuno sforzo per nascondere la propria incredulità. Si passò una mano irrequieta fra i capelli e se ne afferrò una ciocca cominciando a tirarla con impazienza. «Non me la sento di mandar giù un'interpretazione del genere, ispettore. I mezzi sono troppo differenti. Può darsi che Elena Weaver sia stata uccisa in un agguato ben studiato, ed è proprio lì il punto. C'era una vera furia dietro quello che le è successo, un'esigenza spasmodica di far del male oltre che uccidere. Quest'altra... » fece un gesto vago con la mano indicando il piano della scrivania come se con i suoi libri, i suoi fogli, i suoi quaderni sparsi potesse valere come simbolo della morte della seconda ragazza. « ... Secondo me qui, invece, c'era l'esigenza di eliminare. E in fretta. Senza complicazioni. Bastava riuscirci. »

« Perché? »

« Georgina faceva parte anche lei del club di atletica. Probabilmente conosceva Elena. E se questo è vero, mi sembra logico pensare che sapesse, probabilmente, anche quel che Elena intendeva fare. »

« A proposito di Thorsson... »

« E forse Georgina Higgins-Hart era proprio quella conferma di cui Elena aveva bisogno perché la sua accusa di molestie sessuali reggesse. Forse Thorsson lo sapeva. Se è andato a discutere con Elena a questo proposito giovedì sera, la ragazza potrebbe avergli anche detto che non sarebbe stata lei l'unica a rivolgersi alle autorità del college per quel motivo. E sempre che le cose siano andate realmente così, a questo punto non si trattava soltanto della parola di Elena contro quella di lui. Ma della parola di Thorsson contro quella di varie ragazze. Non sono probabilità molto favorevoli, vero, ispettore? E non avrebbero fatto una buona impressione a nessuno. »

Lynley si vide costretto ad ammettere che l'ipotesi della Havers aveva basi molto più solide e reali della propria. Eppure, a meno che non si riuscisse a trovare qualche indizio, qualche prova concreta e convincente, si sarebbero ritrovati con le mani legate. E pareva che la collega lo capisse.

« Abbiamo le fibre nere », volle però insistere ugualmente lei. « Se scopriamo che sono identiche a quelle di qualche capo di vestiario di Thorsson, siamo a cavallo. »

« Ma è proprio convinta che Thorsson ci avrebbe consegnato quella roba stamattina – e non tenga conto di quelle che dovevano essere le sue condizioni mentali –, se avesse avuto anche la più piccola preoccupazione che gli esperti del laboratorio di medicina legale potessero provare che le fibre di uno di quei tessuti erano identiche a quelle trovate sul corpo di Elena Weaver? » Lynley richiuse con un tonfo un libro spalancato sulla scrivania. « Lui sa di non correre rischi quanto a questo, Havers. Ci occorre qualcos'altro. »

«L'arma del delitto, quella che è stata usata per colpire Elena.»

«È riuscita a parlare al telefono con St James?»

«Arriverà domani verso mezzogiorno. Era impegnatissimo a pasticciare con un qualcosa di polimorfo, e mi ha bofonchiato che si stava occupando di isoenzimi ma, tutto sommato, aveva gli occhi che gli bruciavano perché da più di una settimana non faceva che guardare nel microscopio. E che sarebbe stato ben felice di un diversivo.»

«È proprio questo che ha detto?»

«No. Veramente, mi ha risposto: 'Dica a Tommy che è in debito con me', ma mi sembra che questa sia più o meno la norma fra voi due, o sbaglio?»

«Infatti.» Lynley stava esaminando l'agenda di Georgina. Aveva molte meno attività di Elena Weaver, però, come Elena, vi segnava anche lei tutti i propri appuntamenti. Vi erano indicati seminari e colloqui coi supervisori, a seconda del soggetto e con il nome del docente. Anche il club di atletica vi trovava ampiamente posto. Ma gli bastò solo un momento per assicurarsi che il nome di Lennart Thorsson non vi apparisse mai, in nessun senso. E tantomeno vi scoprì qualcosa che assomigliasse sia pur vagamente al pesciolino che Elena aveva disegnato con regolarità sul proprio calendario. Sfogliò rapidamente le pagine dell'agenda alla ricerca di qualcosa che gli suggerisse un amore segreto o qualche altro piccolo mistero da poter collegare all'immagine di quel pesciolino, ma dovette riconoscere che era tutto chiaro, semplice, alla luce del sole. Se Georgina Higgins-Hart aveva avuto qualche segreto, non lo aveva certo affidato a quell'agenda.

Avevano ben poco a cui attaccarsi, adesso se ne rendeva conto. In gran parte avevano messo insieme nient'altro che una serie di supposizioni di cui non si potevano trovare le prove. E fino a quando Simon Allcourt-St James non fosse arrivato a Cambridge, e a meno che non fornisse lui qualcosa d'altro su cui lavorare, avrebbero dovuto accontentarsi solo delle prove che avevano sottomano.

17

Con un peso sul cuore e la crescente sensazione che l'inevitabile si stava avvicinando molto rapidamente, Rosalyn Simpson rimase a osservare Melinda che continuava a riempire alla rinfusa due grossi zaini con i suoi oggetti più disparati. Era andata a tirar fuori in fretta e furia da un cassetto calzettoni, biancheria, collant e tre camicie da notte; un foulard di seta, due cinture, quattro magliette da un altro; e da un terzo il passaporto e una consunta guida Michelin della Francia. Poi era passata all'armadio dal quale aveva scelto due paia di jeans, un paio di sandali e una gonna in tessuto trapuntato. Aveva la faccia a chiazze rosse a furia di piangere, e intanto che preparava il bagaglio non faceva che tirar su con il naso. Di tanto in tanto cercava di ricacciare indietro un mezzo singhiozzo.

« Melinda. » Rosalyn cercò di dare alla propria voce un tono persuasivo. « Non ti stai comportando da persona ragionevole. »

« Credevo che fossi tu a non comportarti così. » Questa era stata la sua risposta più frequente durante quell'ultima ora, un'ora che era cominciata con le sue urla di terrore, dalle quali era poi passata subito a un pianto disperato e frenetico per raggiungere la cieca determinazione di lasciare Cambridge immediatamente, con Rosalyn al seguito. Impossibile riuscire a parlare con lei in modo sensato e ragionevole ma, anche in caso contrario, Rosalyn si stava accorgendo di non avere l'energia sufficiente a farlo. Aveva passato una nottataccia, piena di infelicità, a girarsi e rigirarsi nel letto a mano a mano che il senso di colpa si diffondeva come un'eruzione pruriginosa sulla sua coscienza, e l'ultima cosa al mondo che desiderava adesso era una scenata di rimproveri, recriminazioni e rassicurazioni con Melinda. Però era abbastanza saggia da evitare di accennare a tutto questo, almeno per il momento. Preferì piuttosto raccontarle solo una parte della verità: non aveva dormito molto bene la notte precedente; tornando da una esercitazione pratica del mattino era passata dalla camera di Melinda perché non sapeva dove altro andare per fare un pisolino in quanto il portiere le aveva vietato l'accesso alla scala con cui raggiungere la propria camera; si era addormentata di colpo risvegliandosi soltanto quando la porta aveva sbattuto violentemente contro il muro e Melinda aveva cominciato a cacciare tutti quegli urli inspiegabili. Era rimasta all'oscuro del fatto che qualcuno aveva sparato a una ragazza che si allenava nella corsa. Il portiere non le aveva detto niente, limitandosi a spiegarle che, per un po' di tempo, era stato vietato l'accesso alla sua scala. E anche fra gli altri studenti del college non era corsa la voce di un altro omicidio e quindi lì, davanti all'ingresso, al suo arrivo, non c'era stato nessuno a riferirle un'informazione o qualche pettegolezzo in merito. Ma se la ragazza a cui avevano sparato era una di quelle della sua scala, capiva che poteva trattarsi soltanto di Georgina Higgins-Hart, l'unica altra socia del club di atletica che abitava in quella parte dell'edificio.

« Ho pensato che fossi tu », singhiozzò Melinda. « Mi avevi promesso che non saresti più uscita da sola per gli allenamenti, e invece ho pensato che fossi andata ugualmente a fare la tua solita corsa mattutina per farmi un dispetto, perché eri arrabbiata che avessi tanto insistito di farti dire tutto di noi due ai tuoi, a casa, così ho pensato che dovessi essere tu. »

A quel punto Rosalyn si accorse che, effettivamente, un po' di rabbia in corpo l'aveva. Più che altro si trattava di un vago risentimento che cominciava a ribollirle dentro ma che, viste le premesse, si sarebbe ingigantito per trasformarsi in autentica avversione. Tentò di non badarci dicendo: « Mi vuoi spiegare per quale motivo potrei aver voglia di farti un dispetto, e per di più un dispetto del genere? Non sono uscita per la mia solita corsa da sola. Anzi non sono nemmeno uscita ».

« Ce l'ha con te, quello, Ros. È sulle tue tracce. Sulle nostre tracce. Voleva te e invece ha beccato lei, ma con noi non ha ancora chiuso i conti: dobbiamo andarcene. »

Aveva tirato fuori una scatola di metallo che conteneva i suoi soldi dal nascondiglio in cui stava abitualmente, una scatola di cartone da scarpe. Aveva frugato in fondo a uno dei ripiani dell'armadio per tirar fuori i due zaini. Aveva ammassato un'abbondante scorta di cosmetici in una borsa di plastica. E adesso stava arrotolando i jeans in modo da fargli assumere la forma cilindrica necessaria a cacciarli in fondo al sacco di tela con tutto il resto. Quando era in quello stato, non aveva senso cercare di fare un discorso serio con lei; Rosalyn, tuttavia, provava ugualmente il bisogno di provarci.

«Melinda, tutto questo non ha alcun senso, ecco la verità.»

«Ti avevo detto, sì o no, ieri sera, di non parlarne con nessuno? Tu invece non hai voluto darmi retta. Sei sempre quella che deve fare il suo dovere, da brava ragazzina. E adesso guarda in che guaio ci hai cacciate.»

«E sarebbe?»

«Questo qui. Dobbiamo squagliarcela a tutti i costi, e non sappiamo dove andare. Se tu almeno avessi riflettuto un minuto... se avessi pensato, almeno una volta... adesso lui è lì che ci aspetta, Ros. Sta semplicemente aspettando l'occasione più adatta. Sa dove trovarci. Tu, praticamente, lo hai invitato al macello, a ridurci tutte e due in brandelli informi. Bene, non succederà niente di simile. Non ho nessuna intenzione di rimanere qui ad aspettare che lui venga a uccidermi. E la stessa cosa vale per te.» Tirò fuori da un cassetto altri due maglioni. «Abbiamo più o meno la stessa taglia. Così non avrai bisogno di tornare in camera a prendere la tua roba.»

Rosalyn si avvicinò alla finestra. Un professore del college stava attraversando, tutto solo, il prato sottostante. La folla dei curiosi ormai si era già dispersa da parecchio tempo, ed erano scomparsi anche tutti i segni più evidenti della presenza della polizia; così pareva quasi incredibile che, al mattino, un'altra ragazza fosse stata assassinata mentre si allenava alla corsa e addirittura impossibile convincersi che questo secondo delitto fosse da collegare in qualche modo al colloquio che aveva avuto, la sera precedente, con Gareth Randolph.

Con Melinda – infuriata, accanita a protestare e a discutere perché era contraria alla sua decisione, praticamente a ogni passo – avevano percorso a piedi i pochi isolati che le separavano dall'ASNU e lo avevano trovato in quella specie di sgabuzzino che era il suo ufficio. Poiché non c'era nessuno, lì, che potesse fare da interprete, si erano serviti di un pc per comunicare. Gareth aveva un aspetto da far spavento, rammentò Rosalyn. Gli occhi cisposi e arrossati; la barba lunga, la pelle tirata, letteralmente, sulle ossa del viso. Sembrava consumato da una malattia. Aveva l'aria esausta e straziata. Ma non aveva niente dell'assassino.

Chissà perché, si disse, pensava che bene o male lo avrebbe intuito subito se Gareth avesse rappresentato un pericolo. Perché ci sarebbe stata una tensione palpabile intorno a lui. E avrebbe mostrato qualche segno di panico a mano a mano che gli spiegava di essere al corrente di qualcosa riguardo all'omicidio della mattina precedente. Invece Gareth aveva manifestato soltanto disperazione e rabbia. E di fronte a tutto questo si era trovata ad avere la certezza che fosse stato innamorato di Elena Weaver.

Così, all'improvviso, senza il minimo avvertimento, aveva provato una fitta irragionevole di gelosia. Avere qualcuno – d'accordo, un uomo, doveva ammetterlo – che la amasse fino a quel punto, al punto di sognarla e pensare a lei e avere la speranza di una vita da trascorrere insieme...

Mentre osservava Gareth Randolph e guardava le sue mani che si muovevano sulla tastiera formulando le domande e rispondendo a quelle di lei, si era accorta improvvisamente di dover prendere atto di qualcosa... cioè che desiderava un futuro il più convenzionale possibile, come qualsiasi altra ragazza. Un simile desiderio, per di più inaspettato, aveva portato con sé, come logica conseguenza, un soverchiante senso di colpa, che riportò in primo piano la questione del tradimento. Eppure, nonostante tutti i rimorsi della coscienza, si era sentita divorare dalla rabbia. Come poteva esserci, infatti, anche il più vago sospetto di tradimento nell'anelare alle prospettive più semplici che la vita offriva a chiunque?

Poi erano ritornate in camera di una Melinda nerissima, e di pessimo umore, la quale, tanto per cominciare, non avrebbe voluto che Rosalyn parlasse con nessuno di Robinson Crusoe's Island. Perfino il compromesso di discuterne con Gareth Randolph e di non andare alla polizia non era bastato a placare il suo malcontento. Rosalyn sapeva che solo la seduzione poteva far tornare Melinda allegra e serena, di nuovo, e subito. E già sapeva come si sarebbe svolta la scena fra loro, con se stessa nel ruolo della supplice che tentava qualche timido approccio sessuale e Melinda che reagiva senza entusiasmo, incattivita. Le sue avance piene di sollecitudine, alla fine, avrebbero fatto dileguare l'apparente disinteresse di Melinda, che avrebbe saputo farla rigar dritto con languida e finta indifferenza. Sarebbe stata quella specie di danza delicata dell'espiazione e della punizione che avevano interpretato tante volte. Ormai lei sapeva come ogni movimento avrebbe provocato quello successivo, tutti intesi a dimostrare, in qualche modo, il proprio amore. Ma per quanto il successo della seduzione le fornisse abitualmente qualche momento gratificante, il procedimento necessario per raggiungerlo, nel suo complesso, la sera prima le era sembrato incredibilmente noioso.

Ecco perché aveva addotto la scusa della stanchezza, di una relazione da scrivere, della necessità di riposare e riflettere. E quando Melinda l'aveva lasciata, girando appena la testa sulla spalla a lanciarle un'occhiata di rimprovero prima di chiudere la porta, Rosalyn aveva provato un sollievo addirittura esaltante.

Purtroppo, non era servito molto a farle prendere sonno. La soddisfazione di ritrovarsi sola non le aveva impedito di girarsi e rigirarsi nel letto e di cercare di cancellare dalla memoria tutti i pezzi della sua vita che adesso pareva fossero lì lì per crollarle addosso.

Hai fatto una scelta, si disse. Sei quello che sei. Niente e nessuno possono cambiarlo per te.

Ma come avrebbe voluto che cambiasse.

«Perché non pensi a noi?» le stava dicendo Melinda. «Tu non ci pensi mai, Ros. Sono io a farlo. E di continuo. Tu invece no, mai. Perché?»

«Qui si tratta di qualcosa che va oltre noi.»

Melinda smise improvvisamente di mettere via la roba e rimase con un paio di calzini arrotolati in mano.

«Come puoi dire una cosa del genere? Ti avevo pregata di non parlare con nessuno. Tu hai risposto che dovevi parlarne, comunque. Adesso un'altra persona è morta. Un'altra ragazza che faceva atletica. Una ragazza che si allenava nella corsa e che stava nella tua scala. Lui ti ha seguita, Ros. Credeva che fossi tu.»

«Ma è assurdo! Lui non ha nessun motivo di farmi del male.»

«Devi avergli raccontato qualcosa senza neanche renderti conto della sua importanza. E lui ha capito il significato di quello che gli raccontavi. E ha sentito il bisogno di ucciderti. E dal momento che c'ero lì anch'io con te, vuole uccidere anche me. Bene, non ne avrà l'occasione. Tu non sei disposta a pensare a noi, ma io sì. Ce la filiamo lontano di qui e rimaniamo alla larga fino a quando non lo avranno catturato.» Chiuse la lampo dello zaino e lo lasciò cadere sul letto. Poi tornò ad aprire l'armadio per tirar fuori il cappotto, la sciarpa e i guanti. «Per prima cosa prenderemo il treno fino a Londra. Possiamo rimanere nelle vicinanze di Earl's Court fino a quando non mi procuro i soldi per...»

«No.»

«Rosalyn...»

«Gareth Randolph non è un assassino. Amava Elena. Glielo si leggeva in faccia. Non le avrebbe mai torto nemmeno un capello.»

«Questo è un mucchio di scemenze. La gente si ammazza di continuo e proprio per amore. E poi ammazzano ancora una volta per nascondere le proprie tracce. Il che è esattamente quello che lui sta facendo e non ha importanza quello che credi di aver visto sull'isolotto.» Melinda si guardò intorno come per assicurarsi di non aver dimenticato niente. «Su, andiamo. Vieni», disse.

Rosalyn non si mosse. «Ieri sera l'ho fatto per te, Melinda. Sono andata all'ASNU, non alla polizia. E adesso Georgina è morta.»

«Perché sei andata all'ASNU. Perché hai parlato, tanto per cominciare. Se tu avessi tenuto la bocca chiusa, non sarebbe successo niente a nessuno. Come fai a non capirlo?»

«Di questo sono responsabile io. Siamo responsabili tutte e due.»

Melinda strinse le labbra e la sua bocca si trasformò in una sottile linea dura. «Io sarei responsabile? Io ho cercato di occuparmi di te. Volevo proteggerti. Ho cercato di impedirti di far correre un rischio a tutte e due. E adesso sarei responsabile io della morte di Georgina? Questa sì che è bella, sai?»

«Ma non capisci come sono andate le cose? Io ho lasciato che tu me lo impedissi. Invece avrei dovuto fare subito quella che era la cosa più giusta, e lo sapevo. Del resto è quello che dovrei sempre fare. Però continuo a farmi mettere i piedi in testa.»

«E cosa vorresti dire?»

«Che, in fin dei conti, con te tutto si riduce a un problema di amore. Se io ti volessi realmente bene, accetterei la camera sotto le grondaie. Se io ti volessi realmente bene, andremmo a letto insieme ogni volta che tu vuoi. Se io ti volessi realmente bene, direi a mio padre e a mia madre la verità su noi due.»

«Ah, dunque all'origine di tutto c'è soltanto questo, o sbaglio?

Il fatto che lo hai raccontato ai tuoi e loro non hanno approvato. Non si sono commossi, non si sono precipitati ad augurarti ogni bene e felicità. Hanno giocato bene le loro carte puntando sul senso di colpa invece che sulla compassione.»

«Se io ti volessi realmente bene, farei sempre quello che vuoi tu. Se io ti volessi realmente bene, non avrei più un'opinione che fosse mia. Se io ti volessi realmente bene, vivrei come...»

«Cosa? Finisci un po' la frase. Perché non lo dici? Vivrei come una che cosa?»

«Niente. Scordalo.»

«Avanti. Devi dirlo.» Melinda sembrava colta da una vertigine. «Vivresti come una lesbica. Una lesbica. Una lesbica. Perché è quello che sei, solo che non hai il coraggio di ammetterlo. Così cerchi di cambiare le carte in tavola e riversi la colpa su di me. Cosa credi? Che un uomo potrebbe essere la risposta ai tuoi problemi? Che un uomo possa farti diventare quello che non sei? Fatti furba, Ros. Sarà meglio che tu affronti la verità. Il problema sei tu.» Infilò lo zaino sulle spalle e scaraventò l'altro sul pavimento ai piedi di Rosalyn. «Scegli», disse.

«Non voglio scegliere.»

«Oh, falla finita! Non crederai di convincermi con queste storie.» Melinda attese per qualche istante. Sulla scala, lontano, una porta si spalancò. Ne uscì un'ondata di musica bizzarra, mentre una voce tremula e capricciosa dichiarava di essere l-i-b-e-raaaaa... Melinda scoppiò in una risata sardonica. «Molto appropriato», disse.

Rosalyn mosse qualche passo verso di lei. Ma non raccolse da terra lo zaino. «Melinda.»

«Così ci si nasce, non si diventa. È un po' come un colpo di dadi, e nessuno può cambiarlo.»

«Ma non capisci? Io, questo non lo sapevo. Non ho mai avuto l'occasione di scoprirlo.»

Melinda fece segno di sì con la testa e di colpo l'espressione del suo viso si fece chiusa e scostante. «Magnifico. Allora prova a scoprirlo. Però, poi, non tornare da me piagnucolando quando avrai scoperto come stanno veramente le cose.» Afferrò la borsa a tracolla e infilò i guanti. «A ogni modo, io di qui me ne vado. Chiudi bene la porta quando esci. E poi consegna la tua chiave al portiere.»

« Tutto questo soltanto perché voglio vedere la polizia? » domandò Rosalyn.

« Tutto questo soltanto perché non vuoi vedere te stessa. »

« Io sarei pronta a scommettere qualcosa sul maglione », disse il sergente Havers. Poi afferrò la tozza teiera di acciaio inossidabile e cominciò a riempire le tazze, facendo una smorfia di fronte al colore chiaro della bevanda e prorompendo in un: « Ehi, scusi un momento, si può sapere cos'è questa roba? » rivolto alla cameriera che passava dal loro tavolo.

« Miscela di erbe », rispose la ragazza.

Tetra, la Havers aggiunse alla sua tazza un cucchiaino di zucchero e mescolò. « Cimature d'erba di prato, più probabilmente. » Si azzardò a berne un sorso e si irritò ancora di più. « Non c'è dubbio, cimatura d'erba di prato. Ma non hanno il solito tè? Per esempio, quello bello nero, corrosivo che ti toglie lo smalto dai denti? »

Lynley versò la bevanda nella propria tazza. « È molto meglio per lei, sergente. Niente caffeina. »

« Ma neanche sapore, oppure a lei non importa? »

« È un altro degli inconvenienti della vita salutista. »

La Havers, bofonchiando qualcosa, tirò fuori le sigarette.

« Qui non si fuma, signorina », disse la cameriera mentre serviva i dolci al loro tavolo, cioè una scelta fra biscotti alle carrube e tartellette di frutta senza zucchero.

« Oh, morte e dannazione », disse la Havers.

Si trovavano nella Bliss Tea Room, una sala da tè a Market Hill, un piccolo locale stretto fra un negozio di cartoleria e quello che sembrava il ritrovo degli skinhead locali. Di sbieco, sulla vetrina di quest'ultimo, che in passato doveva essere stato un negozio, una mano praticamente analfabeta aveva scarabocchiato la scritta *Hevvy Mettal* in rosso, e dalla porta prorompeva di tanto in tanto una folata di musica stridula, di chitarra elettrica, che assordava.

Quando Lynley e la Havers entrarono, nella sala da tè, con i suoi tavolini in nudo legno di pino e le tovagliette di stuoia intrecciata, non c'era nemmeno un cliente. Del resto una combinazione come quella della musica che usciva con violenza dalla porta accanto e dei cibi ecologici elencati sul menu era una chiara indicazione che il piccolo ristorante avrebbe dovuto chiudere molto presto i battenti.

Avevano fatto la telefonata al laboratorio di medicina legale di Cambridge da una cabina di Silver Street, scelta indubbiamente preferibile a quella della sala comune degli studenti verso la quale la Havers aveva tentato di far dirigere i passi di Lynley dopo che erano usciti dalla camera di Georgina Higgins-Hart. Ma Lynley l'aveva fermata subito dicendo: «Ho visto una cabina in strada. Se quelle fibre di tessuto si assomigliano, preferirei che la notizia non venisse ascoltata da altri e fatta passare di bocca in bocca da quei pettegoli dell'università prima di poter decidere cosa fare».

Così erano usciti dal college puntando verso Trumpington dove c'era, sull'angolo, una vecchia cabina telefonica in condizioni deplorevoli, con tre dei pannelli di vetro della porta mancanti e il quarto occupato quasi interamente da un adesivo con il disegno di un feto in un bidone della spazzatura e le parole *Aborto=delitto* stampate a lettere scarlatte che si dissolvevano in una sgargiante pozza di sangue sotto di esse.

Lynley aveva fatto quella telefonata unicamente perché si rendeva conto che non poteva esserci mossa più logica. Ma non rimase affatto meravigliato quando l'équipe di medicina legale della polizia di Cambridge gli passò l'informazione che aspettava.

«Non si assomigliano proprio per nulla», disse alla Havers mentre tornavano verso Queen's College, dove avevano lasciato la macchina. «Però non hanno finito di fare i controlli su tutto. Ma finora, niente da fare.»

Rimanevano ancora da sottoporre a quel test una giacca, un maglione, una maglietta e due paia di calzoni. E il sergente Havers stava concentrando proprio su questi capi di vestiario la sua attenzione.

Intinse il biscotto alle carrube nel tè e gli diede un morso prima di parlare di nuovo, tornando a battere sul solito tema. «Fila perfettamente. Faceva freddo, quella mattina. E deve certo avere indossato un maglione. Secondo me, lo abbiamo incastrato.»

Lynley aveva scelto il fagottino di mele. Gli diede un morso. Non era male. «Non sono d'accordo», disse. «Perché non sono quelle le fibre che stiamo cercando, sergente. Rayon, poliestere e cotone costituiscono un insieme troppo leggero per un maglione soprattutto se, a portarlo, era qualcuno che usciva nelle prime ore di una mattina di novembre, quando il tempo è rigido.»

«E va bene. Sono disposta ad ammetterlo. Vuol dire che, sopra, aveva infilato qualcosa. Un soprabito. Una giacca. Poi se l'è tolto prima di ammazzarla. E l'ha infilato di nuovo per nascondere il sangue di cui si era letteralmente ricoperto quando le ha spappolato la faccia a quel modo.»

«E poi lo ha portato in tintoria tenendolo lì pronto, in previsione della nostra visita di stamattina, sergente? Perché di macchie, lì sopra, non ce n'era neanche una. E se lui prevedeva che saremmo andati a portarglielo via, per quale motivo lasciarlo in mezzo al resto del suo guardaroba? Perché non liberarsene?»

«Perché lui non sa proprio bene, con precisione, come si svolge un'indagine.»

«Non mi piace, Havers. Non mi sembra logico. Lascia troppe cose senza una spiegazione.»

«Per esempio, cosa...?»

«Per esempio cosa stava facendo Sarah Gordon sulla scena del crimine quella mattina e perché si aggirava con quell'aria così furtiva per la Ivy Court alla sera. E per quale motivo Justine Weaver ha deciso di fare un po' di jogging senza il cane, lunedì mattina? E, per esempio, come si può spiegare che rapporto c'è tra la presenza di Elena Weaver e il suo modo di comportarsi a Cambridge mentre suo padre spera di ottenere la cattedra Penford?»

La Havers prese un secondo biscotto e lo spezzò in due. «E io che credevo che avesse spostato tutto il suo interesse su Gareth Randolph da un po' di tempo a questa parte! A proposito, che ne è stato di lui? Lo ha cancellato dalla lista? E se è proprio questo che ha fatto, se ha messo Sarah Gordon o Justine Weaver o qualcun altro insieme a Thorsson, eliminando lui, mi vuole spiegare che storia può esserci dietro questo secondo omicidio?»

Lynley posò la forchetta e spostò di lato il piatto con il fagottino di mele.

«Vorrei saperlo.»

La porta della sala da tè si aprì. Tutti e due si voltarono in quella direzione. Una ragazza si era fermata, esitante, subito dopo essere entrata. Aveva la pelle chiara e una massa di capelli color rame che le circondavano il viso in folti riccioli – un po' come i cirri, in cielo, quando il sole ormai è quasi tramontato.

«Voi siete...» si guardò intorno quasi per assicurarsi che quelle fossero proprio le persone a cui doveva rivolgersi. «Voi siete della polizia, o sbaglio?» Quando glielo confermarono, si avvicinò al loro tavolo. «Mi chiamo Catherine Meadows. Posso parlarvi?»

Si tolse il berretto blu scuro, e la sciarpa in tinta, e i guanti. Ma tenne addosso il cappotto. Prese posto sull'orlo di una sedia dallo schienale rigido, non al loro tavolo ma a quello vicino. E quando la cameriera si avvicinò, la ragazza sembrò confusa per un attimo prima di dare un'occhiata al menu e ordinare una semplice tazza di tè alla menta e un panino dolce, di farina integrale, tostato.

«È dalle nove e mezzo che sto tentando di rintracciarvi», disse. «Il portiere del St Stephen's non ha saputo dirmi dove eravate. È stato un vero e proprio colpo di fortuna che mi ha permesso di vedervi entrare qui. Ero alla Barclay's che c'è di fronte.»

«Ah», fece Lynley.

Catherine ebbe un fuggevole sorriso e poi cominciò a tormentarsi la punta di una ciocca di capelli. Si era tenuta la tracolla in grembo e aveva le ginocchia accostate. Non aprì più bocca fino a quando non le vennero serviti il tè e il dolce.

«Si tratta di Lenny», disse, abbassando gli occhi verso il pavimento.

Lynley si accorse che la Havers faceva scivolare il block-notes sul tavolo e lo apriva senza rumore. «Lenny?» disse.

«Thorsson.»

«Ah. Sì.»

«Ho notato che l'aspettavate martedì, dopo la lezione su Shakespeare. Ma allora non sapevo chi eravate; però lui me l'ha detto dopo che gli avevate parlato di Elena Weaver. E ha anche detto che non avevamo nessun motivo di preoccuparci, al momento, perché...» Allungò una mano verso la tazza come se volesse bere il tè ma poi, evidentemente, cambiò idea. «Questo non ha importanza, vero? A voi occorre semplicemente sapere che lui non ha avuto niente a che fare con la faccenda di Elena. E certamente non è stato lui ad ammazzarla. Non avrebbe potuto. Era con me.»

«E si può sapere quando, esattamente, era con lei?»

Li fissò con aria grave, e i suoi occhi grigi sembrarono diventare più cupi. Non poteva avere più di diciotto anni. «È una cosa tanto personale! E lui si troverebbe in grossi guai se voi doveste raccontarlo a qualcuno. Perché vedete, io sono l'unica studentessa che Lenny abbia mai... » Dopo aver afferrato il tovagliolino di carta cominciò ad arrotolarne strettamente un angolo e infine si decise a dire in tono pacato e pieno di determinazione: « Io sono l'unica con la quale lui si sia mai concesso di avere una certa intimità. E che lotta è stata, la sua! Una questione morale. Una questione di coscienza. Di quello che poteva essere giusto per noi. Di quello che poteva essere etico. Perché lui è il mio tutor ».

« Devo concludere che siete amanti? »

« Dovete sapere che per settimane e settimane non abbiamo fatto niente, niente di niente. Era una lotta continua ogni volta che ci trovavamo a quattr'occhi. Fin dal principio abbiamo sentito un'attrazione reciproca. Come qualcosa di elettrico. E Lenny, come è stato schietto e onesto! In fondo, è sempre stato in questo modo che, in passato, ha cercato di lottare. Perché si sente attratto dalle donne. E lo ammette. E, in passato, ne ha sempre parlato apertamente. Lo faceva sapere alle donne e hanno cercato di passarci sopra, insieme, di impegnarsi a superare la cosa. Abbiamo provato anche noi. Abbiamo provato seriamente. Ma in questo caso, era qualcosa di più grande di noi due. »

« Ed è questo che Lenny diceva? » domandò la Havers. La sua faccia era un capolavoro di interesse blando, distaccato.

Comunque, Catherine evidentemente dovette intuire qualcosa dal tono della sua voce. « È stata una decisione tutta mia quella di fare l'amore con lui », disse con un vago tono di superiorità. « Da parte di Lenny, nessuna pressione. Ero preparata. Ne avevamo parlato per giorni e giorni. Lui voleva che lo conoscessi completamente, dentro e fuori, prima di prendere la decisione. Voleva che io capissi. »

« Capire che cosa? » domandò Lynley.

« Lui. La sua vita. Come erano andate le cose quella volta che si era fidanzato. Voleva che io lo vedessi in tutta la sua verità e realtà, in modo da poterlo accettare. Completamente. In tutto e per tutto. In modo che io non potessi mai essere come la sua fidanzata. » Si girò sulla sedia e li guardò dritto in faccia. « Da parte sua, c'era stato un rifiuto dal punto di vista sessuale. Lo aveva fatto soffrire a quel modo, e per quattro anni interi, perché lui era... Oh, non importa. Però dovete assolutamente capire che lui non avrebbe sopportato che accadesse di nuovo. Il fatto di essere respinto, la prima volta, e il dolore provato avevano avuto un effetto terribile su di lui. E c'era voluto un sacco di tempo perché riuscisse a superare la disperazione e imparasse ad avere di nuovo fiducia in una donna.»

«È stato lui a chiederle di venire a parlarci?» fece Lynley.

Lei piegò da un lato quella sua graziosa testolina. «Non mi credete, vero? State pensando che ho inventato tutto dalla prima parola all'ultima.»

«Niente affatto. Mi stavo semplicemente domandando se, e quando, lui le aveva chiesto di venire a parlare con noi.»

«Lui non mi ha chiesto di venire a parlare con voi. Non farebbe mai una cosa del genere. La verità è che stamattina mi ha raccontato della vostra visita, mi ha spiegato che avevate portato via qualcuno dei suoi vestiti e che eravate addirittura persuasi...» La sua voce ebbe un tremito, per un attimo, e allungata una mano verso la tazza del tè, stavolta ne bevve un sorso. Poi continuò a tenerla in equilibrio sul palmo della mano piccola e candida. «Lenny non aveva mai avuto niente a che fare con Elena. È innamorato di me.»

Il sergente Havers si lasciò sfuggire un colpettino di tosse. E Catherine si voltò di scatto verso di lei.

«Capisco benissimo quello che state pensando, che io sono, per lui, soltanto un'altra stupida puttana. Invece non è affatto così. Abbiamo intenzione di sposarci.»

«Sicuro.»

«Certo che ci sposeremo! Non appena mi sarò laureata.»

«Che ora poteva essere quando il signor Thorsson l'ha lasciata?» Domandò Lynley.

«Le sei e tre quarti.»

«E sarebbe venuto via dalla sua camera nel pensionato del St Stephen's?»

«Io non vivo al college. Divido una casa con altre tre ragazze dalle parti di Mill Road. In direzione di Ramsey Town.»

E non, pensò subito Lynley, in direzione di Crusoe's Island. «È proprio sicura dell'ora?»

«Non ho il minimo dubbio.»

La Havers cominciò a battere ritmicamente la matita su una pagina del block-notes. «E per quale motivo?»

La risposta di Catherine risultò venata da una sottile sfumatura di orgoglio. «Perché avevo dato un'occhiata all'orologio quando lui mi ha svegliata e poi l'ho guardato ancora quando abbiamo finito. Volevo vedere quanto era riuscito a durare stavolta. Settanta minuti. Ha finito alle sei e quaranta.»

«Che bravo! Un'autentica maratona.» E la Havers assentì. «E lei deve essersi sentita ridotta più o meno come una polpetta.»

«Havers», mormorò Lynley.

La ragazza si alzò in piedi. «Lenny aveva detto che non mi avreste creduto. Soprattutto lei...» disse puntando un dito contro la Havers, «... perché voleva fargliela pagare. Pagare per che cosa, gli ho chiesto. Vedrai, ha detto, vedrai quando ti capiterà di parlare con lei.» Calzò il berretto, si avvolse nella sciarpa. Appallottolò i guanti. «Bene, vedo. E chiaramente. Lui è un uomo meraviglioso. È tenero. È affettuoso, brillante, ed è sempre stato tremendamente ferito e offeso nella sua vita proprio perché è tanto capace di dare affetto. Voleva bene a Elena Weaver, ma lei ha capito male. Così, quando si è rifiutato di dormire con lei, è andata a parlare con il professor Cuff, a raccontargli una storia così spregevole... Se non riuscite a vedere la verità...»

«Era con lei la notte scorsa?» domandò la Havers.

La ragazza si raddrizzò sulla persona, parve esitante. «Come?»

«Ha passato di nuovo la notte con lei?»

«Io... no. Aveva una lezione da preparare. E stava scrivendo un saggio.» La sua voce era diventata più ferma, più forte. «Stava lavorando a uno studio delle tragedie di Shakespeare. Si tratta di una sua tesi che intende svolgere sugli eroi tragici. Vittime dei loro tempi, ecco la sua argomentazione, sconfitti non dalle loro tragiche manchevolezze e incapacità, ma dalle condizioni sociali prevalenti nella loro epoca. Brillante, anticonformista. Ci stava lavorando ieri sera e...»

«Dove?» domandò la Havers.

Per un attimo la ragazza rimase incerta. E non rispose. «Dove?» ripeté la Havers.

«Era a casa.»

«Le ha detto di essere rimasto a casa tutta la sera?»

La mano della ragazza si chiuse ancora più strettamente sui guanti appallottolati.

«Sì.»

«Non è possibile che, a un certo momento, sia uscito? Magari per vedere qualcuno?»

« Per vedere qualcuno? E chi? Chi poteva aver voglia di vedere? Io ero a una riunione. Sono tornata a casa molto tardi. Lui non era passato da me, non aveva chiamato. Quando gli ho telefonato, non ha risposto, ma io ho semplicemente pensato... ero io *l'unica* con la quale Lenny si vedeva. L'unica. Così... » Abbassò gli occhi. E con gesti incerti cominciò a infilarsi i guanti. « Ero io l'unica... » Di scatto si avviò alla porta, e si voltò ancora una volta come se volesse aggiungere qualcosa, poi se ne andò. La porta rimase spalancata dietro di lei. Vi si ingolfò subito il vento. Freddo e umido.

La Havers afferrò la tazza che aveva davanti e la alzò in una specie di brindisi alla partenza della ragazza. « Proprio un bel tipo, il nostro Lenny. »

« L'assassino non è lui », dichiarò Lynley.

« No, perlomeno non di Elena. »

18

Fu Penelope che venne ad aprire la porta quando Lynley suonò il campanello a Bulstrode Gardens, quella sera, alle sette e mezzo. Si teneva la neonata appoggiata alla spalla e, per quanto portasse sempre la solita vestaglia e fosse in pantofole, aveva i capelli puliti, che le scendevano sulle spalle in morbide ciocche ondulate. Ed esalava un lieve profumo di borotalco.

«Ciao, Tommy», disse, e lo precedette in salotto, dove alcuni tomi erano aperti sul divano e lottavano per trovare spazio con una calibro .45 giocattolo, un cappello da cowboy e un mucchio di biancheria pulita che pareva fosse composto, in massima parte, da pigiami e pannolini.

«Ieri sera hai fatto rinascere il mio interesse per Whistler e Ruskin», gli disse, alludendo ai testi – solo adesso Lynley si accorse che erano tutti libri d'arte. «La disputa sorta tra loro ormai fa parte della storia, ma non ci pensavo più da anni. Che lottatore, Whistler! A prescindere da quello che si può pensare della sua opera, e figurati se, ai suoi tempi, non ha suscitato più di una polemica – basta considerare la Peacock Room in casa Leyland – non si può fare a meno di ammirarlo.»

Si avvicinò al divano e, servendosi del bucato pulito, costruì una specie di nido in cui sistemare la neonata, che cominciò a emettere gorgoglii felici e si mise a scalciare in aria. Dopo avere preso un volume da sotto il mucchio, Penelope continuò: «Ecco, qui c'è addirittura trascritta una parte del processo. Prova a immaginare di citare in giudizio per calunnia il più influente critico d'arte della tua epoca. Non riesco proprio a pensare a nessuno che, oggi, abbia la faccia tosta di commettere un'azione del genere nei confronti di un critico d'arte. Ma ascolta un po' questo giudizio di Ruskin». Afferrò il libro e cominciò a far scorrere un dito lungo la pagina. «Ecco qua. 'E non è soltanto quando la critica è contraria che io la faccio oggetto delle mie obiezioni, ma anche quando è incompetente. Dichiaro che nessuno, all'infuori di un artista, può essere un critico competente.' » Scoppiò in una risata lieve e si scostò i capelli dalle guance. Un gesto che assomigliava stranamente a quello che spesso faceva Helen. « Immagina di sentir dire una cosa del genere su John Ruskin. Certo che Whistler era proprio il classico arricchito. »

« Ma diceva la verità? »

« Secondo me, quello che diceva è vero, e vale per tutta la critica nel suo insieme, Tommy. Nel caso della pittura, poi, un artista parte nelle sue valutazioni da quella che è la sua conoscenza di base, che scaturisce non solo dalla sua istruzione ma anche dalla sua esperienza. Un critico d'arte, ma di solito la stessa cosa vale per i critici di qualsiasi genere, si serve, per dare il suo giudizio, di una determinata inquadratura storica a cui fa riferimento, ed è quello che si faceva in passato, oppure dalla teoria, come si dovrebbe fare adesso. Tutte cose buone e belle: teoria, tecnica, e non dimenticare mai le questioni fondamentali dalle quali si parte. Ma, tutto sommato, è proprio necessario un artista per comprendere sul serio, e fino in fondo, un altro artista e la sua opera. »

Lynley la raggiunse davanti al divano dove uno dei libri d'arte era spalancato all'illustrazione *Notturno in nero e oro: il razzo che precipita.* « Confesso di non avere una grande familiarità con la sua opera », disse. « All'infuori del ritratto di sua madre. »

Penelope fece una smorfia. « Essere ricordato per quel dipinto così desolante! Se si pensa a questi. Ma d'altronde, forse non è del tutto giusto un commento del genere da parte mia, ti sembra? Il ritratto della madre è stato uno studio stupendo in fatto di composizione e di colore, o forse sarebbe più giusto dire per la mancanza di colori e di luce di base, ma i quadri che rappresentano il fiume sono splendidi. Guardali! Hanno una loro magnificenza tutta particolare, non trovi? Che sfida dipingere il buio, vedere la materia nelle ombre. »

« Oppure nella nebbia? » le chiese Lynley.

Penelope alzò gli occhi dal libro e lo guardò: « La nebbia? »

« Sarah Gordon », le spiegò Lynley. « Si stava preparando a dipingere nella nebbia quando, lunedì mattina, ha trovato il cadavere di Elena Weaver. È un ostacolo in cui non faccio che inciampare quando mi ritrovo a dover valutare il suo ruolo negli avvenimenti di cui ci occupiamo. Tu diresti, per esempio, che dipingere la nebbia è esattamente come dipingere il buio? »

« Sì, non c'è molta differenza. »

« Ma significherebbe un nuovo stile, come per Whistler? »

« Sì. Ma un cambiamento di stile non è poi una cosa tanto insolita fra gli artisti, no? Pensiamo a Picasso: prima il periodo blu, poi il cubismo... Non si fermava mai. Aspirava sempre a qualcosa di nuovo. »

« Come una specie di sfida? »

Pen tirò fuori ancora un altro volume. Era spalancato al *Notturno in azzurro e argento,* una rappresentazione del Tamigi e del Battersea Bridge. « Sfida, evoluzione, noia, bisogno di un cambiamento, un'idea momentanea che si trasforma in un impegno a lungo termine... Gli artisti cambiano stile per tanti motivi. »

« E Whistler? »

« Secondo me, lui vedeva l'arte dove le altre persone non vedevano niente. Ma questa è la natura dell'artista, non ti sembra? »

Vedere l'arte dove le altre persone non vedevano niente. Lynley si accorse di essere vagamente stupito che quella fosse una conclusione logica da ricavare dai fatti, al punto che lui stesso avrebbe dovuto essere in grado di arrivarci.

Penelope, intanto, stava sfogliando altre pagine. Sul viale di fronte a casa si fermò un'automobile. La portiera si aprì e si richiuse. Lei alzò la testa.

« E cos'è successo a Whistler? » le domandò Lynley. « Non riesco a ricordare se vinse la causa contro Ruskin. »

Gli occhi di Penelope erano fissi sulle tende, completamente tirate. Poi si spostarono in direzione della porta d'ingresso mentre un rumore di passi vi si avvicinava, passi che calpestavano rapidi, con uno scricchiolio irritante, la superficie ruvida e aguzza della ghiaia del viale.

« Ha vinto e ha perso allo stesso tempo », rispose. « La giuria gli concesse un centesimo per i danni morali, ma lui fu costretto a pagare le spese del processo e finì sul lastrico. »

« E poi? »

« Andò a Venezia per un po', senza dipingere niente, e cercò di distruggersi con una vita viziosa e sregolata. Poi tornò a Londra e continuò a distruggersi. »

« E non ci riuscì? »

« No. » Penelope sorrise. « Si innamorò, invece. Di una donna che lo ricambiava. E sono queste le cose che fanno dimenticare le ingiustizie passate, vero? È un po' difficile concentrarsi sul proprio annientamento, quando un'altra persona diventa più importante. »

La porta di casa si aprì. Un fruscio, simile al rumore di un cappotto sfilato e appeso all'attaccapanni. Poi altri passi. Harry Rodger si arrestò di colpo sulla soglia del salotto.

«Ciao, Tommy», lo salutò. «Non avevo idea che fossi in città», aggiunse, ma rimase dov'era, un po' a disagio, con l'abito spiegazzato e una cravatta rossa piena di macchie. Stringeva in una mano una sacca sportiva piuttosto consunta, con la lampo aperta, dalla quale sporgeva il polsino di una camicia bianca. «Mi sembri in forma», disse a sua moglie. Azzardò qualche passo nella stanza, abbassò gli occhi sul divano, guardò i libri. «Ah. Ho capito.»

«Ieri sera Tommy mi ha domandato una cosa su Whistler e Ruskin.»

«Davvero?» Rodger rivolse uno sguardo glaciale a Lynley.

«Sì.» Intanto Penelope continuava piena di entusiasmo. «Sai, Harry, avevo completamente dimenticato che tra loro si era creata una situazione interessante.»

«Ma guarda...»

Lentamente, Penelope alzò una mano per controllare le condizioni dei suoi capelli. Qualche rughetta sottile si disegnò agli angoli della sua bocca. «Vado a chiamarti Helen», disse a Lynley. «Stava leggendo qualcosa ai gemelli. Non credo ti abbia sentito entrare.»

Quando se ne andò, Rodger si piazzò davanti al divano e posò la punta delle dita sulla fronte della neonata, in una sorta di irrequieta benedizione. «Sto pensando che dovremmo chiamarti Canvas, tela», disse, facendo scorrere l'indice lungo la guancia liscia della piccina. «Alla mamma piacerebbe, non credi?» E guardò Lynley, curvando le labbra in un sorriso sardonico.

«Di solito la gente ha anche altri interessi al di fuori della famiglia, Harry», ribatté lui.

«Interessi secondari. Al primo posto viene la famiglia.»

«La vita non è così accomodante. In genere le persone non si adattano sempre alla forma più comoda in cui si vorrebbe plasmarle.»

«Pen è una moglie.» La voce di Rodger era pacata, ma dura come una pietra, decisa, spietata. «Ed è anche una mamma. Ha preso questa decisione più di quattro anni fa. Ha scelto di dare protezione e affetto, di diventare la spina dorsale della famiglia, non una donna che abbandona la sua neonata in mezzo a un mucchio di biancheria per sfogliare libri d'arte e rievocare il passato.»

Si trattava di una condanna che Lynley trovava particolarmente ingiusta, considerate le circostanze del rinnovato interesse per l'arte mostrato da Penelope. « A dire la verità, sono stato io che le ho chiesto una mano, ieri », ribatté.

« Bene. Capisco. Ma quella parte della sua vita per lei è finita, Tommy. »

« E chi l'ha deciso? »

« So quello che stai pensando. E sbagli. L'abbiamo deciso insieme che questo era più importante, ma adesso lei non lo accetta più. Non vuole adattarsi. »

« E perché dovrebbe farlo? Non avete siglato un patto col sangue, o sbaglio? Perché non può avere tutte e due le cose, la carriera e la famiglia? »

« Non ci sono vincitori in una situazione del genere. E ne soffrono tutti. »

« Invece di Pen e basta? »

Per reazione all'affronto, la faccia di Rodger si fece più tesa, i lineamenti contratti. La sua voce, invece, rimase ragionevole, pacata. « Ho visto cose di questo genere fra i miei colleghi, Tommy, anche se a te non è mai capitato. Mogli che vanno per la loro strada e famiglie distrutte. E anche se non fosse questo il caso, anche se Penelope riuscisse a destreggiarsi fra il ruolo di madre, moglie, angelo della casa e restauratrice senza farci diventare tutti pazzi, cosa che non è in grado di fare – a proposito, è questo il motivo per il quale ha dovuto lasciare il suo lavoro alla Fondazione Fitzwilliam quando i gemelli avevano due anni – ha già tutto quello di cui ha bisogno qui. Un marito, un reddito decoroso, una casa decente, tre bambini sani. »

« Non è sempre abbastanza... »

Rodger scoppiò in una risata secca. « A sentirti, sembri lei. Ha perduto il proprio io, dice. Adesso è soltanto un'appendice dell'esistenza degli altri. Chiacchiere, idiozie, dalla prima all'ultima. Quello che Penelope ha perduto sono le cose materiali. Ciò che le davano suo padre e sua madre. Ciò che eravamo abituati ad avere quando si lavorava in due. Le cose materiali. » Lasciò cadere la sacca sportiva vicino al divano e cominciò a sfregarsi la nuca con aria stanca. « Ho parlato con il suo dottore. 'Le dia tempo', mi dice. È la solita faccenda della depressione post-parto. Ancora qualche settimana e tornerà a essere quella di prima. Bene, per quanto mi riguarda, sarà meglio che si sbrighi. Confesso che ormai la mia pazienza è al limite. » Con un cenno del capo gli indicò la neonata. « Puoi darle un'occhiata tu, per favore? Vado a cercare qualcosa da mangiare. »

Poi scomparve in direzione della cucina. La bambina emise un altro gorgoglio e tentò di afferrare l'aria con le manine. Poi proruppe in un suono soffocato e la boccuccia sdentata sorrise felice al soffitto.

Lynley prese posto accanto a quella specie di nido che le aveva ricavato sua madre, e si impadronì di una di quelle manine. Non era molto più grossa del polpastrello del suo pollice. Le unghiette gli fecero il solletico sulla pelle – curioso pensare come non avesse mai nemmeno una volta preso in considerazione il fatto che anche i bambini così piccoli hanno le unghie – e sentì un impeto di tenerezza nei suoi confronti. Ma impreparato com'era a provare qualcosa di più o di diverso da perplessità e stupore, lasciato solo con lei, prese uno dei libri d'arte di Penelope. E anche se le parole gli apparivano sfocate, perché non aveva voglia di prendersi la briga di inforcare gli occhiali – in fondo voleva solo dare un'occhiata – si lasciò assorbire completamente dal divertente resoconto di James McNeill sui primi giorni di Whistler a Parigi e dalla classica descrizione da biografo accademico, cioè sussiegosa e conformista, dei suoi rapporti con la prima amante, che veniva introdotta e poi liquidata mediante un'unica frase piena zeppa di gerundi: « Cominciò assumendo uno stile di vita che considerava adatto a un bohémien e spingendosi tanto su questa strada da affascinare una giovane modista, soprannominata 'La Tigresse' con la disinvolta tendenza all'esagerazione di quel periodo, al punto da farla andare a vivere insieme a lui, posando per un certo periodo di tempo ». Lynley continuò a leggere, ma della modista non si parlava più. Per l'illustre accademico che aveva scritto il libro, meritava una sola frase nella biografia di Whistler, indipendentemente da quello che poteva essere stata per lui, dal modo in cui poteva aver influenzato o ispirato la sua opera.

Lynley provò a fare qualche riflessione sui velati sottintesi a cui alludeva quel semplice insieme di parole. Dichiaravano senza mezzi termini che era una *persona insignificante,* una donna che gli faceva da modella e che lui ritraeva e poi si portava a letto. Dunque era stata affidata alla storia come l'amante di Whistler. Se mai avesse avuto una personalità, era già stata dimenticata da molto tempo.

Si alzò, fece qualche passo, irrequieto, attraversò il salotto e si avvicinò al caminetto, sulla mensola del quale era allineata tutta una serie di fotografie. Raffiguravano Penelope con Harry, Penelope con i bambini, Penelope con i genitori, Penelope con le sorelle. Ma non ce n'era nemmeno una di lei da sola.

« Tommy? »

Si voltò, e vide Helen vicino alla porta. Era vestita di lana marrone e di seta color avorio, con un'elegante giacca di cammello buttata sul braccio. Subito dietro di lei veniva Penelope.

« Credo di capire. Adesso. In questo momento credo di aver finalmente capito », avrebbe voluto dire a tutte e due. E invece, valutando la propria inadeguatezza in tutta la sua vastità e profondità, chiaramente condizionata dal fatto di essere uomo, si limitò ad aggiungere: « Harry è andato a cercarsi qualcosa da mangiare. Grazie per l'aiuto, Pen ».

La risposta di lei fu breve e incerta: un movimento delle labbra che sarebbe potuto passare per un sorriso, un rapido cenno del capo. Poi si avvicinò al divano e cominciò a chiudere i libri. Li ammucchiò sul pavimento e prese in braccio la neonata.

« Adesso deve mangiare », disse. « Mi meraviglio che non abbia già cominciato a farsi sentire. » Uscì lentamente dal salotto. La udirono salire le scale.

Continuarono a tacere fino a quando si ritrovarono in automobile, a percorrere la poca distanza che li separava dalla Trinity Hall. Il concerto si teneva nella sala comune degli studenti. E infine fu Lady Helen a rompere quel silenzio prolungato.

« È addirittura rinata, Tommy. Non ti so dire che sollievo è stato. »

« Sì. L'ho capito. Ho potuto notare anch'io la differenza. »

« Per tutto il giorno è stata impegnata da qualcosa che andava al di là delle esigenze domestiche. È proprio quello che le occorre. E lei lo sa. Lo sanno tutti e due. Devono saperlo. »

« Gliene hai parlato? »

« 'E come faccio a lasciarli?' mi ha domandato. 'Sono i miei figli, Helen. Che razza di madre sarei se avessi voglia di lasciarli?' »

Lynley le lanciò un'occhiata. Ma Helen teneva il viso girato dall'altra parte. « Non sei tu che puoi risolvere questo problema per lei, e lo sai benissimo. »

« Non vedo come potrei andarmene, se non ci riesco. »

Il suo tono era talmente deciso che Lynley si sentì immediatamente sprofondare in un abisso di depressione. « Dimmi la verità, stai meditando di rimanere ancora qui? » domandò.

« Domani telefono a Daphne. Può rimandare la sua visita di un'altra settimana. Figurati se non ne sarà contenta! In fondo, anche lei ha la sua famiglia. »

Senza riflettere, Lynley esclamò: « Helen, accidenti, vorrei che tu... » Poi tacque di colpo.

Si accorse che lei si era girata sul sedile, capì che lo stava osservando. E non aggiunse altro.

« Hai fatto un gran bene a Pen », gli disse. « Secondo me l'hai costretta ad affrontare qualcosa che si rifiutava di vedere. »

Lui non ricavò alcun piacere da questa notizia. « Sono lieto di essere stato utile a qualcuno. »

Parcheggiò la Bentley infilandola in uno spazio limitatissimo in Garret Hostel Lane, a pochi metri di distanza dall'arcata del piccolo ponte pedonale sul fiume Cam. Poi tornarono indietro, a piedi, verso la portineria del college, che si trovava poco più in giù, sulla stessa strada, rispetto all'ingresso del St Stephen's.

L'aria era fredda, pareva intrisa di umidità. Una coltre massiccia di nuvole oscurava il cielo notturno. Il rumore dei loro passi levò qualche eco dal marciapiede – era un suono netto, staccato, come un vigoroso rullo di tamburi.

Lynley guardò di sottecchi Lady Helen. Camminava rimanendogli abbastanza accostata, tanto che gli sfiorava la spalla con la propria, e il calore del braccio e il profumo fresco e tonificante che il suo corpo esalava agirono di comune accordo per suscitargli uno stimolo che cercò di ignorare. Si disse che nella vita c'era ben altro oltre la gratificazione immediata dei propri desideri. Tentò di persuadersi che questo era vero pur accorgendosi che cominciava a smarrirsi anche nella pura e semplice contemplazione del contrasto offerto da quelle folte e pesanti ciocche di capelli neri che ondeggiavano lievemente sulle spalle di Helen venendo a sfiorare la sua pelle di perla dal tenue colore rosato.

« Ma per te sono utile, servo a qualcosa, Helen? » disse come se non ci fosse stata alcuna interruzione nel loro discorso. « Perché la vera domanda è questa, non ti pare? » E per quanto facesse di tutto per dare un tono noncurante alla propria voce, si accorse di avere il cuore che gli batteva a tonfi più sordi, in gola. « Chissà! È quello che mi domando. A volte metto sul piatto della bilancia l'insieme di tutto ciò che sono, e provo a pesarlo con quello che dovrei essere, e mi domando se, in realtà, sono abbastanza.»

«Abbastanza?» Quando lei voltò la testa, la lama di luce color ambra che, scendendo da una finestra in alto sopra di loro, batteva sul selciato, la circondò come un'aureola. «E per quale motivo dovresti pensare che non sei abbastanza?»

Lui ponderò la domanda, cercando di risalire addirittura all'origine delle proprie riflessioni, dei propri sentimenti. E si accorse che le une come gli altri scaturivano dalla decisione di Helen di rimanere a Cambridge, con la famiglia della sorella. Lui la voleva di ritorno a Londra, a sua disposizione. Se fosse stato la persona giusta per lei, dietro una sua precisa richiesta, Helen sarebbe tornata. Se avesse apprezzato il suo amore, si sarebbe piegata ai suoi desideri. E voleva che lo facesse. Voleva una chiara manifestazione di quell'amore che Helen pretendeva di sentire per lui. E voleva essere quello a cui sarebbe toccato decidere, esattamente, come quella manifestazione dovesse essere.

Ma non poteva dirle niente di tutto questo. Così rimediò alla bell'e meglio, ribattendo: «Comincio a pensare che sto cercando una definizione dell'amore».

Lei sorrise e lo prese sottobraccio. «Tu e chiunque altro, Tommy carissimo.»

Intanto avevano girato l'angolo di Trinity Lane ed erano entrati nel giardino del college, dove una lavagna recava ben visibile la scritta *Stasera concerto jazz* con gessi colorati, mentre frecce di robusto cartoncino da disegno incollate al marciapiede indicavano la strada da percorrere oltre il cortile principale fino alla sala comune degli studenti che era situata all'angolo di nord-est.

A somiglianza del St Stephen's College, l'edificio che ospitava la sala era moderno, essenziale nelle sue linee, poco più che un alternarsi di pannelli di legno e di grandi vetrate. Ma in aggiunta alla sala, ospitava anche il bar del college dove una folla considerevole era già raccolta intorno ai tavolini rotondi, impegnata in conversazioni frizzanti e chiassose che sembravano avere come bersaglio due uomini sui quali si concentravano le bonarie ma pungenti battute di spirito di tutti, due uomini che giocavano a freccette con molto maggiore accanimento di quello che di solito accompagna una partita del genere. E sembrava che il motivo di tanto impegno fosse l'età. Uno dei due giocatori non doveva avere più di vent'anni, l'altro era parecchio più anziano, con una folta barbetta grigia.

« Dai, Petersen, dacci dentro! » gridò qualcuno quando il ragazzo, arrivato il suo turno, si mise in posizione per scagliare le freccette. « Prenderli a calci, bisogna, questi assistenti. Faglielo un po' vedere tu! »

Il ragazzo cominciò a esibirsi in una elaborata dimostrazione del modo in cui sciogliere i muscoli prima di assumere la posizione più giusta per scagliare una freccetta che mancò completamente il bersaglio. Dalla stanza si levarono frizzi, esclamazioni, beffe e canzonature. Per tutta risposta, lui si voltò di qua e di là, indicò in modo molto eloquente il proprio fondoschiena e si portò un boccale di birra alla bocca. La folla scoppiò in risate scroscianti, tra fischi e ululati.

Lynley fece strada a Lady Helen fra quel gruppo di gente che si spingeva e si dava gomitate, per raggiungere il bar; di lì proseguirono, ciascuno con il proprio bicchiere di birra in mano, in direzione della sala comune. Questa era stata costruita su differenti livelli; vi trovavano posto una fila di divani fissati al pavimento, e un certo numero di poltrone dall'aspetto anonimo e dal comodo schienale inclinato. A una estremità del locale il pavimento, più elevato rispetto al resto, veniva a creare una specie di piccolo palco dove il gruppo jazz stava già preparandosi al concerto.

Erano soltanto in sei e quindi non avevano bisogno di molto spazio, ma solo di quello che potevano richiedere tastiera e batteria, tre sedie dallo schienale rigido per i suonatori di sassofono, tromba e clarinetto, e un'area triangolare, delimitata un po' vagamente, per il contrabbasso. I fili delle prolunghe elettriche che si staccavano dalla tastiera pareva serpeggiassero ovunque, al punto che Miranda Webberly, quando, voltandosi, vide Lynley e Lady Helen, inciampò in uno di essi nella fretta di andare incontro a tutti e due per salutarli.

Riacquistando l'equilibrio con un lieve sorriso, si precipitò verso di loro. « Siete venuti! » disse. « Magnifico, assolutamente magnifico, ispettore. Mi promette che dirà a papà che io sono un genio musicale? Sto meditando un altro viaggio a New Orleans, ma oso sperare che contribuisca anche lui, finanziariamente parlando, soltanto se si convince che avrò un futuro suonando come si suona il jazz in Bourbon Street. »

«Gli dirò che suoni come un angelo.»

«No! Come Chet Baker, per favore!» Poi scambiò un saluto con Lady Helen e riprese a parlare in tono confidenziale: «Jimmy... il nostro batterista... voleva annullare lo spettacolo di stasera. Studia al Queen's, capite, e ha pensato che con un'altra ragazza ammazzata stamattina...» Girò la testa sulla spalla per dare un'occhiata al batterista il quale, con l'aria di chi è di cattivo umore, stava eseguendo un ritmo tanto incalzante quanto sommesso con le bacchette che sfioravano i piatti. «'Non dovremmo divertirci e far festa', dice. 'Non è giusto, ti pare? Perlomeno a me non sembra giusto.' Ma non ha saputo trovare un'alternativa che ci andasse bene. Paul... suona il contrabbasso... voleva andare in un certo pub di Arbury a rompere qualche zucca ai ragazzi di città. A ogni modo, tutto considerato, la cosa migliore ci è sembrata quella di tirare avanti come se niente fosse, e suonare. Non so che risultati avremo, però. Sembra che nessuno sia dell'umore adatto.» E si guardò intorno con ansia, osservando il salone come se cercasse di venire rassicurata da qualcosa o da qualcuno che le confermasse il contrario.

Intanto aveva cominciato a raccogliersi una discreta folla, richiamata evidentemente dalle scale e dagli accordi che il pianista stava eseguendo sulla tastiera del sintetizzatore per riscaldarsi le mani. Lynley approfittò di quell'occasione, prima che il concerto avesse inizio, per domandare: «Randie, tu lo sapevi che Elena Weaver era incinta?»

Miranda cominciò a manifestare la propria agitazione spostando lievemente il peso del corpo da un piede all'altro e sfregandosi la suola della scarpa da ginnastica destra, nera, alta, contro la caviglia sinistra. «Più o meno», disse.

«Come sarebbe?»

«Ecco, voglio dire che lo sospettavo. Lei, però, non me lo ha mai detto.»

Era un argomento che avevano già discusso in precedenza. «Vuoi dire che non lo sapevi come un fatto certo.»

«Non lo sapevo come un fatto certo.»

«Però lo sospettavi? Perché?»

Miranda si succhiò l'interno del labbro inferiore. «Sono stati i biscotti al cioccolato nel nostro cucinino, ispettore. Erano suoi, la stessa scatola. È rimasta lì per settimane.»

«Non credo di capire.»

«La sua colazione», disse Lady Helen.

Miranda assentì. «Aveva cominciato a saltare la colazione del mattino. E tre volte... forse quattro... quando sono andata al gabinetto, lei c'era già stata prima di me e aveva vomitato. Una volta ce l'ho addirittura trovata e le altre...» Miranda cominciò a giocherellare con un bottone del cardigan blu scuro, girandolo e rigirandolo. Sotto, portava una maglietta, blu scuro anche quella. «Il fatto è che ne ho sentito l'odore.»

È come se facesse parte della polizia, pensò Lynley. È un'osservatrice nata. Non le sfuggirebbe nessuno dei soliti trucchi.

«E gliene avrei anche parlato lunedì sera», riprese intanto Miranda con voce affannosa, «solo che non lo sapevo con sicurezza. E poi, all'infuori del fatto che stava male di stomaco la mattina, continuava a comportarsi come prima. Non era cambiato niente.»

«E cosa vorresti dire con questo?»

«Voglio dire che non si comportava come se avesse qualche cosa in particolare di cui preoccuparsi, così ho pensato che forse potevo essermi sbagliata.»

«Forse non era preoccupata. Una gravidanza fuori del matrimonio non è più la tragedia che sarebbe potuta essere trent'anni fa.»

«Forse non nella sua famiglia», e Miranda sorrise. «Ma io non me lo vedo proprio mio padre che accoglie una notizia del genere come se fosse l'annuncio di una seconda discesa in terra di Gesù Cristo. E non ho mai avuto l'impressione che suo papà fosse diverso dal mio.»

«Randie, dai! Cominciamo», gridò il sassofonista dal fondo del salone.

«D'accordo», rispose lei. E rivolse a Lynley e a Lady Helen un allegro saluto militare. «Io mi faccio un giro durante il secondo pezzo. Ascoltatelo.»

«Si fa un giro?» chiese Lady Helen mentre Randie trotterellava in fretta e furia a raggiungere il resto del complessino jazz. «E cosa diavolo vorrebbe dire, Tommy?»

«Dev'essere il gergo dei jazzisti», rispose Lynley. «Ho paura che qui ci vorrebbe Louis Armstrong a farci da interprete.»

Il concerto cominciò con un rullare di tamburi e un attacco del tastierista che gridò: «Vai, Randie. Uno due e tre e...»

Randie, il sassofonista e il clarinetto alzarono i loro strumenti.

Lynley diede un'occhiata al foglio che serviva da programma per il concerto e lesse il nome del primo pezzo. 'Disritmia circadiana.' All'inizio il tastierista, curvo sul proprio strumento per lo sforzo e la concentrazione, portò avanti una melodia molto vivace per i primi minuti e poi la passò al clarinetto che, alzandosi in piedi, ripartì per conto proprio. Come musica di fondo il batterista forniva un accompagnamento continuo e regolare con le bacchette sui piatti. Intanto, socchiudendo gli occhi, scrutava rapidamente, di qua e di là, i gruppi di ascoltatori.

Verso la metà del pezzo, altri vennero a unirsi a quelli che già affollavano la sala, arrivando senza fretta dal bar con i bicchieri in mano oppure provenendo direttamente da fuori perché la musica, che prorompeva di lì, doveva senz'altro aver raggiunto anche gli edifici circostanti. Qualche testa cominciò a muoversi su e giù secondo quella specie di reazione istintiva comune in chi ascolta un buon jazz, mentre qualche mano cominciò a battere, seguendo il ritmo, sui braccioli delle poltrone, sulle cosce, sui bicchieri di birra. Verso la fine del pezzo l'uditorio ormai era conquistato e quando la canzone si concluse, senza che nulla lo lasciasse prevedere, senza un calo nell'entusiasmo dei musicisti, ma semplicemente con una singola nota che trafisse, lacerante, il silenzio, l'attimo di sbalordimento e di stupore che seguì venne subito interrotto da applausi lunghi ed entusiastici.

Il gruppo mostrò di gradire tanta approvazione semplicemente con un cenno del capo, a mo' di ringraziamento, da parte del tastierista. Prima che gli applausi si spegnessero, il sassofono si era già lanciato in un vorticoso attacco della melodia familiare e torbida di *Take Five.* Poi, dopo aver eseguito interamente il pezzo, cominciò a improvvisare. Il contrabbassista sostenne questa improvvisazione ripetendo di continuo tre note e il batterista si accodò, ma ormai era chiaro che il sassofonista si esibiva in un vero e proprio assolo, con tutto se stesso, il cuore e l'anima, gli occhi chiusi, il corpo che ondeggiava all'indietro, lo strumento sollevato in aria. Era quella musica che prende come un tormento persistente, cupo, ossessivo, al plesso solare.

Mentre concludeva l'assolo, il sassofonista fece un cenno a Randie la quale si alzò in piedi e cominciò a improvvisare per conto proprio, senza stacchi, ma facendo seguito all'ultima nota di [illegible] E anche stavolta il contrabbasso suonò le stesse tre note mentre il batterista gli teneva dietro con il ritmo continuo e regolare di prima. Ma fu il suono della tromba a trasformare la vena cupa di quel pezzo. Perché diventò puro, ed esaltante, una celebrazione gioiosa di suoni striduli e metallici.

Come il sassofonista, anche Miranda eseguì la propria improvvisazione a occhi chiusi, accompagnandosi con leggeri colpetti a terra del piede destro a tempo con il batterista. Ma, a differenza del sassofonista, quando il suo assolo si concluse e fu il clarinetto a cominciare un assolo, si mise a ridere, piena di una gioia irrefrenabile, agli applausi che accolsero la sua esibizione.

Il terzo pezzo, *Just a Child*, fu suonato in una vena completamente diversa. Qui si dava grande spazio al clarinettista – un ciccione con i capelli rossi che aveva la faccia imperlata di sudore – e diffondeva una melodia un po' triste che parlava di serate di pioggia e di squallidi night club, di nuvole di fumo di sigaretta e di bicchieri di gin. Invitava al ballo lento, a baci pigri, e al sonno.

Il pubblico lo trovò bellissimo, e manifestò lo stesso apprezzamento anche per il quarto pezzo, intitolato *Black Nightgown*, eseguito da clarinetto e sassofono. E così finiva la prima parte del programma.

Si levarono grida di protesta quando il tastierista annunciò: « Facciamo un intervallo di un quarto d'ora », ma era un'opportunità per rifornirsi di qualcos'altro da bere, e buona parte degli ascoltatori cominciò a spostarsi lentamente verso il bar. Lynley si unì al gruppo.

I due giocatori di freccette erano ancora in gara, se ne accorse subito, e il concerto nella sala accanto non aveva tolto né passione né accanimento alla concentrazione con cui si dedicavano alla partita. A quanto pareva, il più giovane dei due doveva aver avuto un momento felice perché i punti segnati sulla lavagnetta indicavano che stava per raggiungere il suo barbuto avversario.

« L'ultimo colpo, gente », annunciò il ragazzo, agitando la freccetta con lo sfoggio di millanteria di un prestigiatore che sia lì lì per far scomparire un elefante. « Questa volta tiro di schiena, faccio centro e vinco. C'è qualcuno che vuole scommettere qualche soldo? »

« Oh, figuriamoci! » E si levò qualche risata.

« Lancia quella freccetta, Petersen », gli gridò qualcuno. « E dacci un taglio alle tue disgrazie. »

Petersen scoppiò in una risatina di finta deplorazione. «Oh, ma siete proprio gente di poca fede, sapete?» esclamò. E girate le spalle al bersaglio, scagliò la freccetta da quella posizione mostrandosi poi stupefatto, come tutto il pubblico, quando quella volò verso il bersaglio come un pezzo di metallo attirato dalla calamita e si conficcò nel centro.

Dalla folla si levò un ruggito di soddisfazione. Petersen balzò con un salto in cima a un tavolo.

«Accetto tutti quelli che si presentano!» si mise a urlare. «Fatevi avanti. Tentate la sorte. Si accettano solo professori. Il nostro Collins qui presente è stato ridotto in polpette e adesso eccomi a cercare il sangue fresco di nuove vittime.» Strizzò gli occhi e scrutò intorno fra la calca e il fumo di sigarette. «Lei, professor Troughton! La vedo rannicchiarsi in un angolo. Venga avanti a difendere l'onore dei cattedratici!»

Lynley seguì la direzione dello sguardo del ragazzo fino a un tavolo in fondo alla sala dove uno dei professori del college era seduto a chiacchierare con altri due uomini più giovani di lui.

«Lasci perdere tutte quelle baggianate di storie», continuò Petersen. «Le conservi per le tesi. Su, da bravo. Ci si provi, Troughton!»

L'uomo alzò gli occhi. E rifiutò l'invito con un gesto della mano. La folla insistette nell'incitarlo. Ma lui la ignorò.

«Via, Troughtsie, da bravo. Sia un uomo.» Petersen scoppiò a ridere.

Qualcun altro gridò: «Su, accetti, Troughton».

Di colpo, Lynley non sentì nient'altro che quel nome e capì. Troughton, come *trout*, trota, un pesce. Era l'eterna abitudine degli studenti di dare ai loro professori un nomignolo affettuoso. L'aveva fatto anche lui, prima a Eton, poi a Oxford.

E adesso, per la prima volta, si domandò se Elena Weaver non avesse fatto la stessa cosa.

19

«Cosa c'è, Tommy?» gli domandò Lady Helen, raggiungendolo dalla porta del salone, appena lui l'aveva chiamata con un cenno.

«Il concerto è finito prima. Per noi, almeno. Vieni con me.»

Helen lo seguì di nuovo nel bar dove la calca cominciava ad assottigliarsi e il pubblico del concerto stava spostandosi nuovamente e lentamente in direzione della musica. Il professor Troughton era sempre seduto a quel tavolo d'angolo, ma uno dei suoi compagni se n'era già andato e l'altro si stava accingendo a farlo perché si stava infilando una giacca a vento verde e si avvolgeva intorno al collo una sciarpa bianca e nera. Anche Troughton si alzò, e si portò una mano a coppa dietro l'orecchio per cercare di udire qualcosa che il ragazzo gli stava dicendo; dopo aver scambiato ancora qualche parola con lui, infilò una giacca e cominciò ad attraversare il locale avviandosi verso la porta. Mentre gli si avvicinava, Lynley lo scrutò, chiedendosi se avesse potuto essere l'amante di una ragazza di vent'anni. A parte un viso giovanile, un po' da folletto, si sarebbe potuto definire un tipo anonimo, un uomo comunissimo, alto poco più di un metro e sessanta, con una folta chioma morbida e ricciuta color pane tostato che cominciava a farsi decisamente più rada in cima alla testa. Sembrava già quasi sulla cinquantina e, all'infuori del fatto che aveva le spalle larghe e il petto possente, due caratteristiche le quali lasciavano supporre che fosse un canottiere, Lynley fu costretto ad ammettere che non sembrava proprio il tipo d'uomo capace di attrarre o sedurre una ragazza come Elena Weaver.

Mentre stava per passare davanti a loro, diretto all'uscita, Lynley mormorò: «Il professr Troughton?»

Lui si fermò, visibilmente stupito di sentirsi chiamare per nome da uno sconosciuto. «Sì?»

«Thomas Lynley», gli rispose, e si affrettò a presentare Lady Helen. Poi si cacciò una mano in tasca e tirò fuori il distintivo della polizia. «Possiamo andare a parlare in qualche posto?»

Troughton non parve stupito da quella richiesta, anzi, si sarebbe quasi detto rassegnato e visibilmente sollevato. « Sì. Da questa parte », disse precedendoli fuori, nella notte.

Li condusse al suo alloggio, che si trovava nell'edificio che dava sulla zona nord dei giardini del college, a due cortili di distanza dalla sala comune degli studenti. Situato al primo piano, all'angolo sud-est, aveva le finestre che guardavano da un lato sul Cam e dall'altro sul giardino. Era costituito da una piccola camera e da uno studio, la prima arredata solo con un letto a una piazza, disfatto, e il secondo ingombro di una quantità di mobili antiquati, più un divano e poltrone dall'imbottitura rigonfia, e da un numero incredibile di libri ammucchiati a casaccio, dappertutto. Erano proprio questi ultimi a dare al locale un vago odore di polvere e di muffa che faceva venire in mente la carta esposta troppo tempo all'aria e, quindi, appesantita dall'umidità.

Troughton tolse un fascio di componimenti dei suoi allievi da una delle seggiole e lo posò sulla scrivania. « Posso offrirvi un brandy? » domandò e, quando Lynley e Lady Helen accettarono, andò verso un armadietto con le ante di vetro, accanto al camino, dal quale tirò fuori tre bicchieri panciuti, lisci, che sollevò accuratamente uno dopo l'altro alla luce prima di riempirli di liquore. E continuò a tacere fino a quando non ebbe preso posto anche lui in una di quelle ampie poltrone imbottite.

« Lei è qui per Elena Weaver, vero? » domandò in tono pacato. « È da ieri pomeriggio che vi sto aspettando. È stata Justine a farle il mio nome? »

« No. È stata Elena stessa, in un certo senso. Da gennaio ha continuato a fare un curioso disegnino sul suo calendario », gli spiegò Lynley. « Un disegnino a matita, un pesciolino. »

« Già, capisco. » Troughton dedicò tutta la sua attenzione al tondo bicchiere da brandy che teneva in mano. Poi i suoi occhi si riempirono di lacrime; vi premette contro le dita prima di rialzare la testa. « Naturalmente, non è così che mi chiamava », disse, per quanto non fosse affatto necessario. « Mi chiamava Victor. »

« Ma quello era una specie di simbolo per segnare i giorni dei vostri incontri; sì, mi sembra che potrebbe essere la spiegazione giusta. E poi, doveva anche essere un modo per impedire che suo padre sapesse di chi si trattava se gli fosse capitato di dare un'occhiata a quel calendario quando andava a trovarla nella sua camera. Perché immagino che lei conosca benissimo il padre di Elena.»

Troughton annuì. Bevve un sorso di brandy, poi posò il bicchiere sul basso tavolino che separava la sua poltrona da quella di Lady Helen. Si batté la mano sul taschino della giacca di tweed grigio e ne tirò fuori un astuccio per le sigarette. Era di peltro, con un'ammaccatura in un angolo. Sulla parte superiore aveva inciso una specie di stemma. Troughton l'offrì in giro, quindi si accese una sigaretta; il fiammifero gli palpitò fra le dita come una tremula e vacillante piccola fiaccola. Aveva le mani grandi, notò Lynley, dall'aspetto forte, con unghie lisce, ovali. Erano la cosa più bella, in lui.

Troughton, tenendo gli occhi fissi sulla propria sigaretta, disse: «La parte più difficile da recitare in questi ultimi tre giorni è stata quella di fingere, continuamente. Venire al college, occuparsi degli studenti, prendere i pasti con gli altri. E ieri sera, bere un bicchiere di sherry con il preside e fare le solite banalissime quattro chiacchiere mentre, per tutto il tempo, avrei voluto soltanto buttare indietro la testa e urlare di disperazione». Quando la sua voce pronunciò, con un leggero tremito, quest'ultima parola, Lady Helen si protese verso di lui dalla sua poltrona come se avesse voluto offrirgli simpatia e comprensione, ma si irrigidì subito quando Lynley la ammonì di non fare nulla del genere con un rapido gesto, alzando la mano. Troughton riuscì a controllarsi dopo aver dato un lungo tiro alla sigaretta e dopo averla posata sull'orlo di un portacenere di ceramica sul tavolo accanto a lui, dal quale il fumo cominciò a levarsi in una tortuosa voluta. Poi continuò.

«D'altra parte che diritti ho, io, di manifestare il mio dolore? Non posso dimenticare di avere dei doveri. E delle responsabilità. Una moglie, tre figli. Si presume che io pensi a loro. Dovrei essere impegnatissimo a mettere insieme alla bell'e meglio i pezzi della mia vita distrutta, tirare avanti, e ringraziare Iddio che né matrimonio né carriera mi crollano sulla testa perché ho passato questi ultimi undici mesi a scopare una ragazza sorda che ha ventisette anni meno di me. Anzi, a guardar bene nella mia animuccia sordida, dove nessuno potrebbe mai nemmeno immaginare che esista questo sentimento, dovrei provare quasi una segreta soddisfazione che Elena non ci sia più. Perché così adesso non ci saranno più né pasticci, né scandalo, né risatine o bisbigli dietro le mie spalle. È finita, in ogni senso, e io posso continuare per la mia strada. Del resto è quello che fanno gli uomini della mia età, vero? Quando, credendosi chissà chi, hanno ottenuto un gran successo seducendo una ragazza. Anche se, col passare del tempo, la faccenda comincia a diventare un po' noiosa. E questa sarebbe potuta diventarlo, non è vero, ispettore? A conti fatti, c'erano tutte le premesse perché presto la trovassi anch'io una specie di macina intorno al collo, con quella sua voglia di sesso, la prova vivente di un peccatuccio di presunzione che minacciava di trasformarsi in un boomerang e perseguitarmi se, in un modo o nell'altro, non ce l'avessi fatta a liberarmi di lei e a risolvere, bene o male, il mio problema. »

« Perché? Lei la vedeva diversamente? »

« Io la amo. Non posso dire che l'amavo, perché se ne parlo al passato, mi vedo costretto ad affrontare il fatto che lei se ne è andata, e questo è un pensiero che non riesco a sopportare. « Elena era incinta. Lo sapeva? »

Troughton chiuse gli occhi. La luce tenue che arrivava dall'alto, diffusa da un paralume a forma di cono, gli disegnava un'ombra lunga, quella delle ciglia, sulle guance. E strappava un tenue luccichio da quelle mezzelune di lacrime che colavano dagli occhi e che lui provava a ricacciare indietro a ogni costo. Tirò fuori di tasca un fazzoletto. E quando finalmente si fu calmato quel tanto che bastava, rispose: « Sì ».

« A me sembra che un fatto del genere potesse crearle gravi difficoltà, professor Troughton. Indipendentemente da quelli che erano i suoi sentimenti per la ragazza. »

« Allude allo scandalo? Alla perdita di amicizie che duravano da una vita? Al danno alla mia carriera? Niente di tutto questo aveva importanza. Oh, capivo benissimo che, con ogni probabilità, sarei stato messo al bando da chiunque, se avessi abbandonato la mia famiglia per una ragazza di vent'anni. Ma più ci pensavo, più mi rendevo conto che, tutto sommato, ciò non aveva la minima importanza per me. Le cose che sono vitali ed essenziali per i miei colleghi, ispettore – promozioni e nomine di prestigio, il sapersi costruire una solida base politica, una reputazione accademica brillantissima, gli inviti a fare conferenze a congressi e a presiedere commissioni, le richieste di servire college, università, perfino la nostra nazione... – tutte queste cose avevano cessato di avere importanza per me molto ma molto tempo fa, quando ho raggiunto la conclusione che l'unica cosa ad avere un reale valore nella vita è un rapporto personale, un legame completo con un'altra persona. E sentivo di averlo trovato con Elena. Non avevo nessuna intenzione di perderla. Avrei fatto di tutto per tenermi Elena.»

Sembrava che pronunciare il suo nome fosse diventata una necessità per Troughton, una forma subdola per manifestare, scaricare in qualche modo quel dolore che si era proibito di esprimere, che le circostanze in cui si svolgeva la loro relazione non gli avevano concesso di esprimere, dal momento in cui lei era morta. Eppure, malgrado ciò, non piangeva, come se fosse convinto che abbandonarsi al dolore significasse perdere il controllo su quei pochi lati della sua esistenza che non erano andati distrutti in seguito all'omicidio della ragazza.

Come se lo avesse intuito, Lady Helen si alzò e si avvicinò all'armadietto vicino al camino dove trovò la bottiglia del brandy. Ne versò un altro goccio nel bicchiere di Troughton. Lynley notò che aveva il volto grave e composto.

«Qual è stata l'ultima volta che ha visto Elena?» domandò Lynley al professore.

«Domenica sera. Qui da me.»

«Però non ha passato la notte con lei, vero? Il portiere del St Stephen's afferma di averla vista uscire per il solito allenamento, al mattino.»

«Mi ha lasciato... doveva essere poco prima dell'una. Prima che qui chiudessero i cancelli.»

«E lei? È rientrato a casa anche lei?»

«Mi sono fermato qui. È quello che faccio quasi sempre durante la settimana, più o meno da due anni.»

«Già. Quindi lei non abita in città?»

«No, a Trumpington.» Evidentemente Troughton intuì quello che significava l'espressione apparsa sulla faccia di Lynley perché si affrettò ad aggiungere: «Sì, lo so, ispettore. Trumpington, effettivamente, non è a tale distanza dal college perché sia ragionevole passare la notte qui. Soprattutto perché lo faccio, come dicevo, da quasi due anni. È chiaro che, se mi fermo qui, il motivo non è la distanza fisica, ma di altro genere. Almeno agli inizi. Prima di Elena.»

Ormai la sigaretta di Troughton si era completamente consumata, riducendosi a nulla, nel portacenere vicino alla sua poltrona. Ne accese un'altra e bevve ancora un po' di brandy. Si sarebbe detto che avesse riacquistato di nuovo il completo controllo di sé.

«Quando le ha detto di essere incinta?»

«Mercoledì sera, poco dopo aver ricevuto i risultati del test.»

«Ma prima, le aveva accennato a questa possibilità? Le aveva parlato di ciò che sospettava?»

«Prima di mercoledì non mi aveva mai detto niente di una possibile gravidanza. E io non ho mai avuto alcun sospetto in proposito.»

«Sapeva che la ragazza non stava prendendo nessuna precauzione?»

«Si trattava di qualcosa che, secondo me, non doveva essere discusso tra noi.»

Con la coda dell'occhio, Lynley si accorse che Lady Helen faceva un lieve movimento, voltandosi per avere Troughton di faccia: «Eppure, professor Troughton», interloquì, «non è possibile che un uomo della sua cultura avesse deciso di lasciare l'intera responsabilità di una cosa simile alla donna con la quale aveva intenzione di andare a letto. Avrebbe dovuto parlargliene prima.»

«Non ne vedevo la necessità.»

«La necessità.» Lady Helen pronunciò lentamente queste due parole.

Lynley, intanto, stava pensando a quelle pillole contraccettive mai adoperate che il sergente Havers aveva trovato nel cassetto dello scrittoio di Elena Weaver. Ricordò che, sopra, c'era una data di febbraio, e si fece tornare in mente le supposizioni che avevano fatto, con il suo sergente, a proposito di quella data. «Professor Troughton», gli domandò, «c'è quindi da pensare che lei presumesse l'uso di un contraccettivo di qualsiasi genere da parte di Elena? Era stato lei stesso, forse, a suggerirle di prenderlo?»

«Vuole forse alludere a un tentativo di incastrarmi? No. Elena non ha mai detto una sola parola a proposito di contraccettivi o controllo delle nascite, né in un senso né nell'altro. Non ne aveva alcun bisogno, ispettore. Anche se lo avesse fatto, per me non ci sarebbe stata alcuna differenza.» Afferrò di nuovo il bicchiere pieno di brandy e cominciò a farlo roteare nel palmo della mano. Sembrò soprattutto un gesto per aiutarsi a riflettere.

Intanto Lynley stava osservando il gioco di espressioni che gli balenavano sul viso, il senso di incertezza che vi appariva. E provava una certa irritazione al pensiero della delicatezza con cui, date le circostanze, avrebbe dovuto indagare più a fondo per arrivare alla verità. «Ho la netta impressione», cominciò, «che qui stiamo girando intorno alla cosa o quanto meno tergiversiamo, se non si tratta addirittura di menzogna. Forse lei preferirebbe confessarmi quello che cerca di nascondere.»

Nel silenzio, il suono lontano del concerto jazz si mise a pulsare ritmicamente contro le finestre della stanza, soprattutto le note alte, selvagge della tromba di Randie che si lanciava in un'altra improvvisazione accompagnata dal resto del gruppo. Poi un assolo toccò al batterista. E infine la melodia riprese. Fu a questo punto che Victor Troughton sollevò la testa come se fosse stata la musica a incitarlo a fare quel gesto.

«Volevo sposare Elena», disse. «In tutta franchezza, ho accettato con gioia l'occasione che mi si offriva per farlo. Ma il suo bambino non era mio.»

«Non era...»

«Lei, questo, non lo sapeva. Pensava che il padre fossi io. E gliel'ho lasciato credere. Purtroppo non sono stato io.»

«Lei ne sembra assolutamente sicuro.»

«Infatti, lo sono, ispettore.» E Troughton gli rivolse un sorriso di infinita tristezza. «Ho fatto una vasectomia quasi tre anni fa. Elena non lo sapeva. E io non gliel'ho detto. Non l'ho mai detto a nessuno.»

Appena fuori dall'edificio in cui Victor Troughton aveva studio e camera da letto, c'era una terrazza che dava sul fiume Cam. Un po' sopraelevata rispetto al giardino, seminascosta da un muro in mattoni, era ingentilita da un certo numero di portafiori in cui crescevano piante verdeggianti; non mancava nemmeno qualche panchina su cui, quando c'era bel tempo, gli studenti del college potevano prendere il sole e ascoltare le risate di chi tentava la sorte spingendo i barchini con la pertica giù per il fiume in direzione del Ponte dei Sospiri. Fu verso questa terrazza che Lynley condusse Lady Helen. Benché sentisse impellente la necessità di esporle le sue conclusioni, perché erano state le circostanze e gli avvenimenti di quella serata a ispirargliele, al momento non disse niente. Piuttosto tentò di definire in qualche modo le sensazioni che questa nuova presa di coscienza provocava in lui.

Il vento dei due giorni precedenti sembrava notevolmente calato. Tutto ciò che ne rimaneva era qualche breve folata di brezza fredda che di tanto in tanto soffiava attraverso i Backs, come se la notte si lasciasse sfuggire qualche sospiro. Ma perfino quelle a un certo momento si sarebbero disperse mentre l'aria intrisa di gelo lasciava già supporre che, l'indomani, la nebbia le avrebbe sostituite.

Erano passate da poco le dieci. Il concerto jazz si era concluso pochi minuti prima che si congedassero da Victor Troughton, e le voci degli studenti che si chiamavano l'un l'altro ancora si sentivano levarsi e affievolirsi all'interno dei cortili del college mentre la folla si disperdeva. Nessuno, però, si avviò nella loro direzione. E considerando non soltanto l'ora ma anche la temperatura, Lynley sapeva che sarebbe stato molto difficile che qualcuno li raggiungesse o venisse a disturbarli su quella terrazza così appartata sul fiume.

Scelsero una panchina all'estremità sud dove un muro che separava il giardino dei professori dal resto dei cortili e dei giardini del college offriva anche quel tanto di protezione necessaria a ciò che rimaneva del vento. Lynley si mise a sedere costringendo Lady Helen a prendere posto vicino a lui, attirandola contro di sé nella curva del braccio. Poi appoggiò le labbra alla sua testa, di lato, in quello che era più un bisogno di contatto fisico che una manifestazione di affetto e, in risposta, il corpo di lei sembrò che cedesse al suo, venendo a creare una pressione dolce e costante contro di lui. Helen non disse una sola parola ma Lynley non aveva alcun dubbio su quella che poteva essere la direzione dei suoi pensieri.

Si sarebbe detto che Victor Troughton avesse calcolato che finalmente gli veniva offerta un'occasione di parlare per la prima volta di quello che doveva essere stato il suo segreto meglio custodito. E come gran parte della gente che ha vissuto una menzogna, quando si presenta l'opportunità di rivelare i fatti come sono realmente, non aveva nascosto di essere addirittura desideroso di farlo. Però, mentre stava cominciando a narrare la propria storia, Lynley aveva notato come la simpatia iniziale di Lady Helen nei suoi confronti (in fondo, si trattava di un lato caratteristico di lei) si trasformasse lentamente. Perfino la sua posizione era cambiata, costringendola a scostarsi sia pure in modo quasi impercettibile dal professore. I suoi occhi si erano offuscati. E per quanto si rendesse conto di trovarsi nel bel mezzo di un colloquio cruciale per l'indagine, Lynley si accorse di osservarla pressappoco con la stessa attenzione con cui si era messo ad ascoltare il racconto di Troughton. Avrebbe voluto chiederle scusa – non solo per sé ma per tutti gli uomini – per i peccati contro le donne che Troughton stava elencando senza provare, almeno in apparenza, il minimo rimorso.

Lo storico aveva acceso una terza sigaretta dal mozzicone fumante della seconda. Aveva bevuto altro brandy e, parlando, aveva mantenuto lo sguardo fisso sul liquore che c'era nel bicchiere e sul piccolo ovale ondeggiante color giallo oro che costituiva il riflesso nel brandy della lampada accesa che pendeva dal soffitto sopra di lui. E quando si era deciso a parlare, lo aveva fatto con una voce sempre bassa e venata di sincerità.

« Volevo una vita. In fondo questa è l'unica scusa che ho, e capisco quanto sia flebile. Ero disposto a non distruggere il mio matrimonio per amore dei miei figli. Ero disposto a essere ipocrita e a continuare la finzione della felicità. Ma non ero disposto a vivere come un sacerdote. L'ho fatto per due anni, sono stato morto per due anni. E poi ho provato di nuovo il desiderio di una vita. »

« Quando ha conosciuto Elena? » gli domandò Lynley. Ma Troughton accantonò la domanda con un gesto della mano. Sembrava determinato a raccontare la propria storia come voleva lui, secondo i suoi tempi e il suo ritmo. « La vasectomia non ha avuto niente a che fare con Elena », disse. « Avevo preso semplicemente una decisione che riguardava il mio stile di vita. Questi sono tempi di sregolatezza dal punto di vista del sesso, in fondo; così avevo fatto la scelta di rendermi disponibile alle donne. Ma non volevo correre il rischio di una gravidanza indesiderata, oppure di rimanere vittima dei calcoli e dei raggiri di qualcuna di loro, ecco perché ho sistemato le cose. E poi mi sono messo a caccia. »

Sollevò il bicchiere ed ebbe un sorriso sardonico. « Devo ammettere che è stato un risveglio piuttosto brusco. Avevo poco meno di quarantacinque anni, mi trovavo in condizioni abbastanza buone, stavo facendo una carriera mirabile e piena di soddisfazioni, da professore universitario relativamente famoso e abbastanza rispettato. Le mie aspettative, quindi, erano di trovare donne non solo disposte, ma addirittura ansiose di accettare le mie attenzioni per il puro e semplice brivido di piacere intellettuale che poteva provocare l'idea di andare a letto con un docente universitario di Cambridge.»

«Devo concludere che si è accorto come la realtà fosse del tutto diversa.»

«O perlomeno non è stata così fra le donne che corteggiavo.» Troughton scrutò a lungo Lady Helen come se volesse misurare le forze nemiche in lotta con lui: la saggezza di non aggiungere altro in contrapposizione con il bisogno soverchiante di vuotare finalmente il sacco. Cedette a questo secondo impulso e tornò a voltarsi verso Lynley. «Volevo una donna giovane, ispettore. Volevo toccare una carne giovane ed elastica. Volevo baciare seni che fossero sodi e saldi. Volevo gambe senza vene varicose e piedi senza callosità e mani morbide come la seta.»

«E cosa ci dice di sua moglie?» gli chiese Lady Helen. La sua voce era pacata, teneva le gambe incrociate, le mani ripiegate e rilassate in grembo. Ma Lynley la conosceva abbastanza bene per immaginare come il suo cuore dovesse aver cominciato a battere a tonfi sordi per la rabbia (e, del resto, sarebbe stata la stessa cosa con il cuore di qualsiasi altra donna), quando Troughton aveva cominciato a snocciolare con lucidità e pacatezza l'elenco delle sue esigenze sessuali: non una mente, non un'anima, ma solo un corpo che fosse giovane.

Troughton non ebbe la minima riluttanza a risponderle. «Tre figli», replicò. «Tre maschi. E ogni volta, Rowena si è lasciata andare un po' di più. Prima ha cominciato con i vestiti e i capelli, poi con la pelle, infine con il corpo.»

«Quello che intende dire è che una donna di mezza età, che ha partorito tre figli, non ha più niente di eccitante per lei.»

«Ammetto non solo questo, ma anche di peggio», rispose Troughton. «Provavo un autentico senso di repulsione ogni volta che mi capitava di posare gli occhi su quel che era rimasto del suo addome. Ero vagamente disgustato dalle proporzioni dei suoi fianchi, e odiavo quelle specie di sacchettini penduli che erano diventati i suoi seni, e la carne flaccida che le pendeva sotto le braccia. Ma più di tutto odiavo il fatto che non volesse più far niente per aver cura di sé, per rimanere in forma. E che si mostrasse addirittura felice quando la lasciavo stare e non mi occupavo di lei.»

Si alzò in piedi e, attraversata la stanza, si avvicinò alla finestra che dava sul giardino del college. Ne scostò le tende e scrutò il panorama al di là dei vetri sorseggiando il brandy.

«Così feci i miei piani. Dopo la vasectomia, per mettermi al riparo da qualsiasi inconveniente, cominciai ad andarmene per la mia strada. L'unico problema fu la rivelazione che, in fondo in fondo, non possedevo le giuste... come le chiamano? le capacità giuste? Le mosse adatte? La tecnica?» Scoppiò in una risatina di derisione. «A dire la verità avevo pensato che sarebbe stato facile. Non volevo perdermi la rivoluzione sessuale ma ci arrivavo con vent'anni di ritardo; nonostante questo ero ugualmente deciso a parteciparvi. Un pioniere di mezza età. Che sgradevole sorpresa c'era in serbo per me.»

«E poi arrivò Elena Weaver?» gli chiese Lynley.

Troughton continuò a rimanere accanto alla finestra, stagliato sullo sfondo di vetro nero della notte. «Conoscevo suo padre da anni e quindi mi era già capitato di incontrarla di tanto in tanto quando veniva da Londra per fargli visita. Ma è stato solo quella volta che l'ha portata a casa mia, nell'autunno scorso, a scegliere un cucciolo, che ho cominciato sul serio a considerarla qualcosa di diverso dalla pura e semplice figliolina sorda di Anthony. E anche allora, in principio è stata solo ammirazione quella che ho provato per lei. Era vivace, allegra, di buon umore, una massa di energia e di entusiasmo. Se l'era cavata bene nella vita a dispetto della sordità e già questo era qualcosa che me la faceva apparire attraente e affascinante in un modo straordinario, insieme, certo, con tutto il resto. Ma Anthony era un collega e anche se almeno una ventina di giovani donne mi aveva già dato prove più che sufficienti che io ero senz'altro un uomo desiderabile, non avrei certo avuto il coraggio di fare avance a sua figlia.

«Allora è stata Elena a farle a lei?»

Troughton fece un ampio gesto che indicava tutta la stanza. «L'anno scorso, durante il primo trimestre, ogni tanto passava di qui. Mi dava notizie del cane e chiacchierava in quel suo modo strano, con quella voce curiosa. Beveva un tè e mi sgraffignava qualche sigaretta quando credeva che io non guardassi. Le sue visite mi facevano piacere. Così ho cominciato ad aspettarle. Però fra noi non è successo niente fino a Natale.»

«E poi?»

Troughton tornò alla sua poltrona. Schiacciò la sigaretta nel portacenere ma non ne accese un'altra. « Un giorno venne a mostrarmi l'abito che si era comprata per una delle grandi feste da ballo natalizie », cominciò a raccontare. « Mi disse, lo provo per lei, posso, e voltandomi le spalle ha cominciato a spogliarsi proprio qui, in questa stanza. Naturalmente non sono un completo imbecille. In seguito mi sono reso conto che lo aveva fatto deliberatamente ma, al momento, sono rimasto inorridito. E non soltanto per il suo modo di comportarsi ma per quello che provavo – no, per quello che ho capito, in un attimo, che volevo fare – di fronte al suo comportamento. Ormai era vestita poco o niente quando ho detto: per amor di Dio, ma cosa credi di fare, figliola? Ma era in fondo alla stanza e lei teneva la testa girata dall'altra parte, quindi non poteva leggermi le labbra. Così ha continuato a spogliarsi. Io mi sono avvicinato, l'ho costretta a voltarsi verso di me e ho ripetuto la domanda. Lei mi ha guardato dritto negli occhi e ha risposto: faccio quello che tu vuoi che io faccia, Victor. Tutto qui. Abbiamo fatto l'amore proprio lì, in quella poltrona dove adesso è seduto lei, ispettore. Avevo una voglia talmente selvaggia di possederla che non mi sono nemmeno preso la briga di chiudere a chiave la porta. » Ingollò d'un sorso il resto del brandy, poi appoggiò il bicchiere sul tavolo. « Elena aveva capito a che cosa miravo. E sono sicuro che l'ha capito fin dal momento in cui suo padre l'ha accompagnata a casa mia a vedere quei cani. Di un fatto si può essere sicuri, se anche non avesse posseduto nessun'altra qualità, era abilissima a leggere nel pensiero delle persone. O se non altro era molto abile a leggere nel mio. Sapeva sempre quello che volevo e quando lo volevo ed esattamente come lo volevo. »

« Così lei ha trovato quella bella carne soda ed elastica che cercava », disse Lady Helen. E sotto sotto, un'affermazione del genere implicava una gelida condanna.

Troughton non fece nulla per evitare di ammettere il peggio. « L'avevo trovata. Certo. Ma non nel modo che crede lei. Non avevo considerato la possibilità di innamorarmi. Pensavo che fra noi ci potesse essere soltanto il sesso. Sesso buono, stimolante, ogni volta che ne sentivamo il bisogno. Dopotutto, non facevamo che offrirci reciprocamente un servizio, perché davamo soddisfazione l'uno alle esigenze dell'altra. »

« In che senso? »

« Lei si prestava alla mia esigenza di assaporare la sua giovinezza e magari di ritrovarne un poco della mia. Io le facevo comodo perché, tramite me, realizzava quel suo bisogno essenziale di far del male al padre.» Si versò ancora del brandy e ne aggiunse un po' anche agli altri bicchieri. Poi passò con lo sguardo da Lynley a Lady Helen come per misurare, da quello che si leggeva sulla loro faccia, come avrebbero reagito a quest'ultima dichiarazione. «Come le dicevo, ispettore», aggiunse, «io sono un perfetto imbecille.»

«Forse il giudizio che ha di se stesso è un po' troppo severo.»

Troughton appoggiò la bottiglia sul tavolino, vicino alla sua poltrona, e bevve una lunga sorsata di brandy, dicendo: «Nemmeno per sogno. Provi a considerare quelli che sono i fatti. Io ho quarantasette anni e ormai sono in fase declinante. Lei ne aveva venti, ed era circondata da centinaia di giovani uomini con tutta la vita davanti. Perché diavolo avrebbe dovuto scegliere me, a meno che non avesse capito che quella era la soluzione perfetta per ferire, colpire suo padre, e nel modo più atroce? Ed è stato il modo perfetto, in fin dei conti. Scegliere uno dei suoi colleghi... anzi, scegliere uno dei suoi amici. Scegliere un uomo che era perfino più vecchio di suo padre. Scegliere un uomo che era sposato. Scegliere un uomo che aveva dei figli. Mai e poi mai avrei potuto illudermi davvero che Elena mi volesse perché mi trovava più affascinante di qualsiasi altro uomo di sua conoscenza, infatti non mi sono mai illuso. Ho capito subito, fin dal primo momento, che cosa lei aveva in mente».

«Lo scandalo di cui parlavamo poco fa?»

«Anthony si è preoccupato troppo della vita e del comportamento di Elena qui a Cambridge. Si interessava moltissimo a ogni aspetto della sua esistenza. A come agiva e si vestiva, a come prendeva appunti alle lezioni, a come si comportava con i suoi supervisori. Queste, per lui, erano questioni importanti. Secondo me era persuaso che sarebbe stato formulato un giudizio su di lui – come uomo, come genitore, perfino come docente universitario – in relazione al successo o al fallimento di sua figlia qui, all'università.»

«E la cattedra Penford. Era collegata a tutto il resto?»

«Direi che, secondo Anthony, sì. Nella realtà dei fatti, no.»

«Ma se lui era persuaso che un giudizio sulla sua figura dovesse essere messo strettamente in relazione con il comportamento e la riuscita negli studi di Elena...»

«In tal caso avrebbe desiderato fare di tutto perché lei si comportasse e studiasse come doveva fare la figlia di un professore apprezzato e rispettato. Elena, questo, lo sapeva. Intuiva che c'era soprattutto questo alla base di ogni azione del padre nei suoi confronti, e se ne risentiva. Di conseguenza lei può bene immaginare le immense e, per Elena, divertenti possibilità di umiliarlo e di vendicarsi non appena si fosse scoperto che sua figlia si lasciava scopare regolarmente da uno dei suoi colleghi con i quali era in maggior amicizia.»

«E a lei non importava venire usato in questo modo?»

«Io stavo vivendo tutte le fantasie che avevo sempre avuto sul come fare l'amore con una donna e sul come riuscire a ottenere che una donna facesse l'amore con me. Da Natale in poi ci vedevamo almeno tre volte la settimana e io ho sempre trovato estasiante ogni minuto di quegli incontri. Non badavo ai suoi calcoli, non mi importavano affatto, purché Elena continuasse a venire qui a trovarmi e si togliesse i vestiti.»

«Dunque era qui che vi vedevate?»

«Generalmente, sì. Però sono anche riuscito ad andare a Londra parecchie volte durante le vacanze estive per incontrarci. E ci vedevamo anche al pomeriggio durante il weekend, e alla sera in casa di suo padre durante il periodo scolastico.»

«Quando lui era a casa?»

«Una volta soltanto, durante un ricevimento. E per lei è stato particolarmente eccitante.» Alzò le spalle anche se stava arrossendo. «E confesso di averlo trovato eccitante anch'io. Suppongo che fosse soprattutto il puro e semplice terrore che avevo al pensiero che qualcuno avrebbe potuto sorprenderci.»

«Invece non è mai capitato?»

«No, mai. Justine sapeva... chissà come, era riuscita a scoprirlo, forse lo aveva indovinato da sola o forse era stata Elena a raccontarglielo... però non ci ha mai sorpresi sul fatto.»

«Non lo ha mai detto a suo marito?»

«A lei non interessava fornirgli testimonianze del genere contro Elena, ispettore. Per quel che riguardava Anthony, sarebbe stato uno di quei casi in cui, a lasciarci le penne, è sempre chi fa la spia, e Justine lo sapeva meglio di chiunque altro. Così ha preferito tacere. Immagino che aspettasse che Anthony lo scoprisse da solo.»

« Cosa che lui non ha mai fatto. »

« Cosa che lui non ha mai fatto. » Troughton cambiò posizione in poltrona, accavallando le gambe e tirando fuori di nuovo l'astuccio delle sigarette. Però si limitò a giocherellarvi passandolo da una mano all'altra. E non lo aprì. « Naturalmente, a un certo punto avrebbe finito per sentirselo raccontare. »

« Da lei? »

« No. Suppongo che fosse Elena a pregustare un tale piacere. »

Lynley si accorse di non riuscire a persuadersi che Troughton non si sentisse rimordere assolutamente la coscienza per quello che riguardava Elena. Era chiaro che non aveva mai sentito nessuna necessità di guidarla. Non aveva assolutamente pensato che si dovesse insistere con la ragazza in modo che scegliesse un altro modo per manifestare l'odio nei confronti del padre. « Ma, professor Troughton, quello che non capisco è... »

« Per quale motivo ho accettato di lasciarmi prendere dal suo gioco? » Troughton posò l'astuccio delle sigarette vicino al bicchiere del brandy. E rimase a studiare il quadretto che ne risultava, l'effetto che facevano quei due oggetti l'uno al fianco dell'altro. « Perché l'amavo. In principio è stato il suo corpo... la sensazione incredibile di abbracciare, stringere, toccare quel corpo bellissimo. Ma poi è stata lei. Elena. Era scatenata, indomabile, ridente, viva. Ed era proprio la cosa che desideravo nella mia vita. Non mi importava quello che sarebbe potuto costarmi. »

« Anche se avesse significato farsi passare per il padre del bambino? »

« Anche in quel caso, ispettore. Non appena mi ha detto di essere incinta, quasi quasi sono riuscito a persuadermi che la vasectomia non fosse stata eseguita nel modo corretto, tanti anni fa, e che quella creatura fosse realmente mia. »

« Allora chi era il padre? Lei non ne ha nemmeno la più vaga idea? »

« No. Però, da mercoledì scorso, ho passato ore e ore a domandarmelo. »

« E quale è stata la conclusione delle sue meditazioni? »

« Sempre la stessa. Se veniva a letto con me per vendicarsi di suo padre, con chiunque altro lo avesse fatto, doveva essere per la stessa ragione. Non aveva niente a che vedere con l'amore. »

«E lei era disposto a iniziare una vita con Elena pur essendo al corrente di tutto questo?»

«Patetico, vero? Volevo ancora la passione. Volevo sentirmi vivo. Mi ripetevo che sarei stato una buona cosa per lei. Pensavo che, con me, si sarebbe finalmente decisa a rinunciare a tutto il suo rancore nei confronti di Anthony. Mi andavo convincendo che io sarei dovuto bastarle. Che sarei stato capace di guarirla. Piccole fantasie da adolescente alle quali mi sono aggrappato fino in fondo.»

Lady Helen posò il proprio bicchiere sul tavolo vicino a quello di Troughton. Ma vi lasciò, delicatamente appoggiate, le dita sull'orlo. «E sua moglie?» domandò.

«Non le avevo ancora detto niente di Elena.»

«Non è questo che intendevo.»

«Lo so», rispose lui. «Lei intendeva alludere al fatto che Rowena ha generato i miei figli, ha lavato la mia biancheria, mi ha cucinato i pasti e ha pulito la mia casa. Alludeva a quei diciassette anni di fedeltà e di devozione. Al mio impegno nei suoi confronti, e non parliamo poi delle mie responsabilità nei confronti dell'università, dei miei studenti e dei miei colleghi. Alludeva alla mia etica, alle mie concezioni morali, ai miei valori e alla mia coscienza. È questo a cui alludeva, vero?»

«Suppongo di sì.»

Lui si versò un altro bicchiere di brandy. «Ci sono matrimoni che logorano una persona al punto che rimane una cosa sola, cioè un corpo che compie meccanicamente determinati gesti.»

«Mi domando se questa è la conclusione alla quale è arrivata anche sua moglie.»

«Rowena vorrebbe dare un taglio a questo matrimonio esattamente come lo voglio io. Solo che ancora non lo sa.»

Adesso, nell'oscurità della terrazza, Lynley si accorse di non riuscire a scrollarsi dalle spalle non solo la valutazione che Troughton aveva fatto del proprio matrimonio ma anche quel miscuglio di repulsione e di indifferenza che aveva manifestato nei confronti della moglie. Adesso più che mai avrebbe desiderato che Helen non fosse stata in sua compagnia ad ascoltare la storia dell'attaccamento di Troughton a Elena Weaver, e delle sue valutazioni paurosamente lucide e razionali di tale attaccamento. Perché, mentre il professore di storia gli stava descrivendo con la massima tranquillità i propri motivi per staccarsi dalla moglie e cercare la compagnia e l'amore di una donna tanto giovane da poter essere sua figlia, Lynley si andava convincendo di essere finalmente arrivato a comprendere almeno in parte ciò che esisteva alle radici del rifiuto di Helen di sposarlo.

Questa presa di coscienza aveva assunto le forme di un vago senso di disagio che si era messo a ribollirgli dentro – esigendo di essere preso in considerazione – fin dall'inizio della serata in Bulstrode Gardens. E aveva richiesto quasi imperiosamente di essere manifestata, in qualche modo, a parole entro i confini dello studio, che esalava un tenue odore di muffa, di Victor Troughton.

Che cosa chiediamo loro, pensò. Cosa ci aspettiamo, cosa esigiamo. Mai, però, ciò che daremmo in cambio. Mai ciò che vogliono. E mai, solo per un attimo, prendiamo seriamente in considerazione gli oneri che i nostri desideri e le nostre esigenze riversano su di loro.

Alzò gli occhi a contemplare l'immensità buia, grigia del cielo coperto di nuvole. In lontananza vi palpitava una luce.

«Che cosa stai guardando?» gli domandò Lady Helen.

«Una stella cadente, credo. Chiudi gli occhi, Helen. Presto. Ed esprimi un desiderio.» Lo fece anche lui.

Lei rise sommessamente, rise di lui. «Desideri sprecati, i tuoi, Tommy, perché quello è un aereo. Diretto a Heathrow.»

Lynley riaprì gli occhi, si accorse che Helen aveva ragione. «Temo di non avere un grande futuro come astronomo.»

«No, non posso crederci. Se eri proprio tu che mi mostravi tutte le costellazioni. In Cornovaglia. Non te ne ricordi?»

«Tutta scena, Helen, tesoro. Stavo cercando di far colpo su di te.»

«Davvero? Be', devo dire che ci riuscivi discretamente.»

Lui si voltò a guardarla. Le cercò la mano. Benché facesse freddo, Helen non aveva messo i guanti e lui si appoggiò quelle dita fresche contro la guancia. Le baciò il palmo della mano.

«Me ne stavo lì seduto ad ascoltarlo e intanto mi rendevo conto che sarebbe potuto essere me», disse, «perché, in fin dei conti, si riduce tutto a ciò che gli uomini vogliono, Helen. E quello che vogliamo sono le donne. Ma non come individui singoli, non come esseri umani che vivono, respirano, sono vulnerabili, possiedono tutta una gamma di desideri e di sogni propri. Le vogliamo... vi vogliamo... come un'appendice di noi stessi. E io sono fra i peggiori.»

La mano di Helen si mosse nella sua, ma non gli sfuggì. Anzi, sembrò piuttosto che le dita di Helen si intrecciassero alle sue.

«E mentre lo ascoltavo, Helen, pensavo a tutti i modi in cui ti ho desiderata. Come amante, come moglie, come madre dei miei figli. Nel mio letto, nella mia automobile. A casa mia. A ricevere i miei amici. Ad ascoltarmi parlare del mio lavoro. Seduta in silenzio accanto a me quando non avevo voglia di parlare. Ad aspettarmi quando ero fuori a lavorare su un determinato caso. Ad aprirmi il tuo cuore. A farti mia. Ecco le parole chiave che continuavo a udire. Io, me, miei, mia.» Girò lo sguardo in direzione dei Backs, dove le sagome indefinite e confuse di querce e di ontani erano poco più di ombre contro un cielo color antracite. Quando tornò a voltarsi verso di lei, l'espressione di Helen era grave, però i suoi occhi continuavano a fissarlo. Scuri e gentili.

«Non c'è nessuna colpa in questo, Tommy.»

«Hai ragione», replicò lui. «In fondo, tutto si riduce a se stessi. A me stesso. A quello che voglio. Quando lo voglio. E da parte tua ci dev'essere collaborazione perché sei una donna. È così che sono stato, vero? Non certo meglio di tuo cognato, non certo meglio di Troughton.»

«No», rispose lei. «Tu non assomigli a loro. Non ti ho mai visto sotto questo aspetto.»

«Ti ho desiderata, Helen. E il guaio, in tutto questo, è che continuo a desiderarti anche adesso né più né meno di come ti ho sempre desiderata. Ero lì seduto ad ascoltare Troughton, ed è stato proprio quello ad aprirmi gli occhi su mille modi differenti in cui tutto può andare a rotoli fra un uomo e una donna, e tutto si riduce sempre a uno stesso, unico e maledetto fatto, senza che si verifichi mai, in senso assoluto, alcun cambiamento. Ti amo. Ti voglio.»

«Se tu mi avessi avuta, una volta, adesso potresti lasciar andare tutto a rotoli? Potresti lasciarmi andare?»

La risata con cui Lynley le rispose fu mordace e dolorosa. Sfuggì il suo sguardo. «Vorrei che tutto fosse così semplice, che tutto si riducesse a portarti a letto. Ma sai bene che non è così. Sai che io... »

« Ma tu potresti, Tommy? Potresti rinunciare a me e lasciarmi andare? »

Lynley si voltò lentamente a guardarla perché scopriva qualcosa nella sua voce, un'insistenza, una supplica, l'esigenza di un certo tipo di comprensione che lui non era mai stato capace di darle. Gli sembrò, scrutandola in viso – e notando la sottile linea di preoccupazione fra le sopracciglia –, che conquistarsi la realizzazione di tutti i propri sogni, di qualsiasi sogno avesse mai fatto sul suo conto, adesso dipendeva dall'abilità di comprendere ciò che Helen intendesse dire.

Abbassò gli occhi a guardarle la mano, che continuava a tenere stretta nella propria. Così fragile che poteva quasi sentire gli ossicini delle dita. Così liscia che riusciva facilmente a immaginare come dovesse essere tenera la sua carezza sulla propria pelle.

« Come posso rispondere? » si decise finalmente a dire. « Ho la sensazione che, con questa risposta, mi sto giocando tutto il mio futuro. »

« Non ho nessuna intenzione di fare una cosa del genere. »

« Però l'hai fatta, vero? »

« Suppongo di sì. In un certo senso. »

Le lasciò andare la mano e si avviò verso il basso muricciolo in mattoni che faceva da confine alla terrazza verso il fiume. Più sotto, il Cam luccicava lievemente nel buio come una massa di inchiostro nero-verdastro che si muovesse pigramente in direzione dell'Ouse. Era un procedere inesorabile, questo movimento dell'acqua, lento, sicuro, inarrestabile come il tempo.

« Le mie aspirazioni sono quelle di qualsiasi altro uomo », disse. « Voglio una casa, una moglie. Voglio dei bambini, un figlio maschio. Voglio, in conclusione, sapere che la mia vita non è stata inutile, e l'unico modo in cui sento di poterlo fare è avere la certezza che mi lascio qualcosa alle spalle, che ho qualcuno a cui resterà tutto. In questo momento posso dire soltanto che finalmente capisco quale genere di fardello venga così a ricadere sulle spalle di una donna, Helen. Capisco che indipendentemente dal modo in cui il peso viene spostato fra i due compagni, o diviso o distribuito, quello della donna sarà sempre il maggiore. Me ne rendo conto. Ma non posso mentire con te per quanto riguarda tutto il resto, per la sua realtà. Continuo a desiderare quelle stesse cose.»

«Le puoi avere con chiunque.»

«Le voglio avere con te.»

«Non hai bisogno di averle con me.»

«Bisogno?» Cercò di leggere l'espressione della sua faccia ma Helen adesso era soltanto una sagoma pallida e offuscata nel buio sotto l'albero che allungava un'ombra cupa sulla panchina della terrazza. Rifletté su quella strana parola che lei aveva scelto, meditò sulla sua decisione di rimanere con la sorella a Cambridge. E considerò la trama di quei quattordici anni, da quando aveva conosciuto Lady Helen. E, alla fine, ebbe un'illuminazione.

Si lasciò cadere sulla cornice di cemento che delimitava il muretto in mattoni dal lato del fiume. E la esaminò con distacco. In lontananza, sentì il *clic-clac* di una bicicletta che passava su Garret Hostel Bridge, il sonoro stridio di un autocarro che cambiava marcia imboccando la discesa della distante Queen's Road. Ma né l'uno né l'altro di questi suoni lo distrassero dalle sue riflessioni mentre studiava Lady Helen. Si stava domandando come avesse fatto ad arrivare al punto di amarla tanto e, nello stesso tempo, di conoscerla così poco. L'aveva avuta davanti agli occhi per più di dieci anni senza che mai, nemmeno per un momento, lei avesse cercato di camuffarsi, nascondendo se stessa o la sua vera natura. Eppure, per tutto quel tempo, non era riuscito a vederla alla luce della realtà, e aveva preferito rivestirla di tutta una serie di qualità che gli sarebbe piaciuto sapere che lei possedeva mentre, contemporaneamente, ogni forma di rapporto, ogni azione, in lei, non era stata altro che una dimostrazione logica e rigorosa di quello che vedeva come il proprio ruolo, come il proprio modo di procedere nella vita. Lynley non riusciva a credere, adesso, di essere stato tanto stupido.

Quando parlò lo fece quasi rivolto più alla notte che a lei. «Alla base di tutto questo c'è il fatto che io so cavarmela, so funzionare da solo. Tu non vuoi sposarmi perché io non ho bisogno di te, Helen, non nel modo che tu vorresti. Hai deciso che io non ho bisogno di te per cavarmela da solo, tirare avanti nella vita, essere perfino un tutto unico. Ed è la verità, sai. Non ho bisogno di te a questo modo.»

«Dunque, vedi», disse lei.

Lynley sentì il tono conclusivo di quelle poche parole, pronunciate tranquillamente, e si accorse che la propria rabbia aumentava all'improvviso, per reazione. « Vedo. Certo. Vedo che non sono uno dei tuoi progetti. Vedo che non ho bisogno di te per salvarmi. Adesso la mia vita è più o meno in ordine e voglio dividerla con te. Da pari a pari, da compagno. Non come una specie di mendicante sentimentale ma come un uomo che vuole crescere al tuo fianco. Questo è il principio, è la fine. Certo non quello a cui sei abituata. E nemmeno quello che avevi in mente per te stessa. Ma è il meglio che posso fare. Il meglio che posso offrire. Quello e il mio amore. E lo sa Dio se ti amo! »

« L'amore non è abbastanza. »

« Perdio, Helen, quando ti deciderai a vedere che non esiste altro, è l'unica cosa che ci sia, accidenti! »

In risposta alle sue parole irate, una luce si accese all'improvviso nell'edificio alle loro spalle. Venne scostata una tenda e una faccia evanescente, che pareva disincarnata, apparve a una finestra. Lynley si alzò dal muricciolo e raggiunse Lady Helen sotto l'albero.

« Quello che tu stai pensando », le disse, ma in tono pacato, adesso, perché poteva capire come lei avesse già cominciato a prendere le distanze, « è che se avrò sufficientemente bisogno di te, non penserò mai di lasciarti. Potrai considerarti sempre al sicuro. Perché è così, vero? »

Lei girò di scatto la testa dall'altra parte. E Lynley, dolcemente, le prese il mento fra le dita e la costrinse a voltarla di nuovo verso di lui.

« Helen, non è così? »

« Non sei giusto. »

« Sei innamorata di me, Helen. »

« No. Ti prego. »

« Né più né meno di come io sono innamorato di te, fino in fondo. Mi vuoi nello stesso modo. Mi desideri nello stesso modo. Ma io non sono come gli altri uomini con i quali hai avuto a che fare. Io non ho bisogno di te in quel modo per cui puoi sentirti sicura di amarmi. Io non dipendo da te. Io so cavarmela da solo in ogni senso. E se accetti di iniziare una vita con me, è come un salto nel vuoto. Rischi tutto, senza la benché minima garanzia. »

Si accorse che Helen aveva cominciato a tremare leggermente. Notò che deglutiva a fatica. E si sentì allargare il cuore.

«Helen.» La prese fra le braccia. Traeva un senso di forza dal fatto di conoscere ogni dolce curva di lei, di poter sentire il suo petto che si sollevava e si abbassava nel respiro, il tocco lieve come una piuma dei suoi capelli contro il viso, la mano affusolata con la quale si era aggrappata alla sua giacca. «Helen, amore», sussurrò e fece scorrere una mano sui capelli di lei, per tutta la loro lunghezza. Quando Helen alzò gli occhi a guardarlo, la baciò. Le braccia di lei lentamente si allargarono intorno al suo corpo per stringerlo a sé. Le labbra si fecero dolci e si socchiusero sotto le sue. Da lei saliva l'aroma del suo profumo e l'odore delle sigarette di Troughton. La sua bocca sapeva di brandy.

«Puoi capire?» gli sussurrò.

Per tutta risposta, Lynley le cercò di nuovo la bocca, attirandola contro la propria, abbandonandosi più che altro a tutte quelle sensazioni, una ben distinta dall'altra, che erano connesse al piacere di baciarla: il morbido tepore delle sue labbra e della sua lingua, il lieve suono del suo respiro, il contatto dei suoi seni che gli dava un godimento inebriante. A poco a poco il desiderio cresceva in lui, gli faceva scorrere più rapido il sangue nelle vene, lo costringeva lentamente a dimenticare, a cancellare qualsiasi altra cosa all'infuori di un'unica presa di coscienza, quella che doveva assolutamente averla. Adesso. Quella sera stessa. Non era preparato ad aspettare nemmeno un'altra ora in più. Se la sarebbe portata a letto, e al diavolo tutte le conseguenze. Voleva assaporarla, toccarla, conoscerla completamente. Voleva impadronirsi di ogni parte adorabile del suo corpo, fare di quel corpo qualcosa di proprio. Voleva distendersi lentamente fra le sue cosce sollevate e udirla ansimare e gridare quando si fosse sentito affondare in lei e...

Volevo toccare una carne giovane ed elastica volevo baciare seni che fossero sodi e saldi volevo gambe senza vene varicose e piedi senza callosità e io volevo io volevo io volevo...

La lasciò andare. «Gesù Cristo!» sussurrò.

Si accorse che Helen gli accarezzava una guancia. Com'era fresca la sua pelle. Quanto alla propria, lo sapeva, probabilmente doveva scottare.

Si alzò in piedi. Si sentiva sconvolto. «Dovrei riaccompagnarti da Pen», disse.

«Cosa c'è?» gli domandò Helen.

Lui scrollò la testa ottenebrato. In fondo, com'era facile costruire una serie di confronti intellettuali, orgogliosi, autodenigratori fra se stesso e Victor Troughton, soprattutto quando si sentiva relativamente sicuro che la risposta di Helen sarebbe stata rassicurante, generosa, piena di affetto, per fargli capire che lui non era come gli altri uomini. E gli riusciva ancora più difficile esaminare con attenzione la questione quando il suo stesso modo di comportarsi, i suoi desideri e le sue intenzioni rivelavano la verità. Provava la sensazione di aver trascorso quelle ultime ore a raccogliere con entusiasmo, con autentico zelo, i semi di una comprensione che aveva appena finito, proprio adesso, di scagliare spensieratamente nel vento, sparpagliandoli dappertutto.

Presero la via del ritorno, attraversando il prato, diretti verso la portineria e Trinity Lane più oltre. Helen taceva al suo fianco benché la domanda di poco prima rimanesse ancora sospesa in aria, in attesa di una risposta. E Lynley capiva che Helen ne meritava una. Ma non rispose ugualmente fino a quando non furono arrivati all'automobile e, infilata la chiave nella serratura, le aprì la portiera. A questo punto la trattenne appena prima che vi salisse. Le sfiorò con la mano una spalla. Annaspò alla ricerca delle parole.

«Mi sono arrogato il diritto di giudicare Troughton», disse. «E al contempo di decidere la punizione.»

«Non dovrebbe essere il compito della polizia, infatti?»

«Non quando si è colpevoli dello stesso crimine, Helen.»

Lei aggrottò le sopracciglia. «Dello stesso...»

«Desiderio. Avidità. Non dare, e nemmeno pensare. Solo desiderare. E prendere ciecamente quello che si desidera. E infischiarsene altamente di tutto il resto.»

Helen gli sfiorò una mano con una carezza. Per un attimo rimase a osservare la curva del ponticello pedonale e più oltre i Backs dove le prime spettrali folate di nebbia cominciavano ad attorcigliarsi come esili dita trasparenti intorno al tronco degli alberi. Poi girò di nuovo gli occhi che si fissarono nei suoi. «Non eri solo tu a provare desiderio», gli disse. «Non è mai stato così, Tommy. Né in passato. Né certamente stasera.»

Era una assoluzione che gli colmò il cuore con un senso di armonia totale e completa che mai, prima, aveva provato con lei. «Rimani a Cambridge», disse. «Torna a casa quando sei pronta.»

«Grazie», bisbigliò Helen, a lui, alla notte.

20

L'indomani mattina la nebbia era calata massiccia sulla città, una grigia coltre di foschia che si sollevava come un gas dalle paludi circostanti e si gonfiava volteggiando nell'aria trasformata in nuvole amorfe che ammantavano alberi, case, strade e la campagna aperta, mutando ogni oggetto da materia nota e riconoscibile in sagome indefinite. Automobili, camion e autobus e taxi procedevano a passo d'uomo accostati ai marciapiedi umidi delle strade cittadine. Nel grigiore di quelle luci plumbee i ciclisti passavano lenti, a zigzag. I pedoni camminavano in fretta imbacuccati in pesanti cappotti con scarti improvvisi di tanto in tanto per evitare il costante stillicidio delle gocce di umidità che si condensava sulle grondaie dei tetti, sui davanzali delle finestre e sugli alberi. Pareva che i due giorni di vento e di sole appena trascorsi non fossero mai esistiti. La nebbia era tornata nella notte come una pestilenza. Tempo di Cambridge, era quello, ma peggiore del solito, e a oltranza.

«Mi fa sentire come se fossi una ricoverata del reparto tubercolotici», disse il sergente Havers. Nel giaccone verde pisello con il cappuccio alzato e la testa coperta da un berretto di maglia rosa per ulteriore protezione, cominciò a battersi energicamente le mani contro i bicipiti e a pestare i piedi per terra, mentre si incamminavano verso l'auto di Lynley. La fitta nebbia cominciava a creare un sottile arabesco di guazza sugli abiti che indossava. Sulla fronte, la sua frangia rossiccia stava cominciando ad arricciarsi come se fosse stata esposta al vapore. «Non c'è affatto da meravigliarsi che Philby e Burgess siano passati ai russi vivendo qui», continuò con voce cupa. «Probabilmente cercavano un clima migliore.»

«Davvero», fece Lynley. «Mosca d'inverno. Proprio il mio ideale del paradiso in terra.»

Mentre parlava, allungò uno sguardo al suo sergente. La Havers era arrivata con quasi mezz'ora di ritardo e lui si stava già preparando a radunare tutto il necessario per uscire senza di lei quando, imboccato a passi pesanti il corridoio che portava alla sua camera della Ivy Court, si era messa a bussare sonoramente alla porta.

«Mi spiace», gli aveva detto. «Stamattina c'era un nebbione d'inferno. L'M11 più che un'autostrada sembrava un parcheggio.» Però, malgrado il tono deliberatamente noncurante della sua voce, non gli era sfuggito che aveva la faccia tesa per la stanchezza e, aspettando che lui infilasse il soprabito e si imbacuccasse nella sciarpa, incapace di star ferma, si era messa a girellare per la camera.

«Brutta nottata?» le chiese.

Lei si sistemò la cinghia della tracolla un poco più in alto sulla spalla con un gesto che sembrava quasi un tentativo metaforico di raccogliere come meglio poteva tutte le proprie risorse prima di rispondere: «Un po' della solita insonnia. Ma non morirò per questo».

«E sua madre?»

«Anche lei ha sofferto d'insonnia.

«Capisco.» Si drappeggiò la sciarpa intorno al collo e infilò rapidamente il soprabito. Davanti allo specchio si passò una spazzola fra i capelli, ma era più che altro una scusa per osservare meglio la Havers la cui immagine vi era riflessa, evitando così di farlo direttamente. La donna, infatti, stava fissando la sua cartella spalancata sulla scrivania. Ma sembrava che non prendesse nota di niente di ciò che conteneva.

Lynley indugiò ancora davanti allo specchio, per darle tempo, senza dire niente, domandandosi se avrebbe parlato.

Provava un miscuglio di colpa e di vergogna, quando era costretto a trovarsi faccia a faccia con la diversità delle loro posizioni. E non per la prima volta, si vedeva obbligato a riconoscere e ammettere che le differenze fra loro non si limitavano unicamente a quelle di nascita, classe sociale e ricchezza. Infatti le difficoltà in cui la Havers si dibatteva nascevano da tutta una serie di circostanze che esulavano da quella che poteva essere la famiglia in cui era nata e dal modo in cui pronunciava le parole con una cadenza più o meno dialettale o colta. E tali circostanze avevano origine, a loro volta, dalla pura e semplice cattiva sorte, una sfilza di eventi sfortunati che le erano precipitati addosso uno dopo l'altro talmente in fretta in quegli ultimi dieci mesi che lei non era riuscita a impedirne o bloccarne il continuo susseguirsi. Ma che adesso la Havers potesse arrestarlo definitivamente con una pura e semplice telefonata era la realtà, l'unica realtà che lui avrebbe voluto farle accettare e riconoscere. Nello stesso tempo doveva confessarsi che proprio quella semplice telefonata, che gli sarebbe stato tanto facile consigliarle, per lei rappresentava un modo di scaricarsi delle proprie responsabilità, cioè quella salvezza tanto segretamente desiderata piuttosto che la soluzione più evidente. E Lynley non poteva nemmeno negare che, in circostanze analoghe, lui stesso avrebbe finito per trovarsi legato, né più né meno come lei, all'idea dei doveri filiali.

Quando raggiunse il punto in cui soltanto il narcisismo sarebbe potuto essere una ragionevole spiegazione del motivo per cui continuava a prolungare tanto l'ammirazione della propria immagine riflessa nello specchio, posò la spazzola e si voltò verso la collega. Lei percepì quel movimento e sollevò gli occhi dalla cartella che aveva continuato apparentemente a esaminare fino a quel momento.

«Senta, mi spiace di essere arrivata tardi», disse impetuosamente. «So benissimo che lei in tutta questa storia fa il possibile per coprirmi, ispettore. E so che non può continuare a coprirmi all'infinito.»

«Il punto non è questo, Barbara. Ci copriamo l'un l'altra quando abbiamo certi problemi personali che occorre risolvere. Siamo sempre stati d'accordo, no?»

Lei allungò una mano verso la spalliera di una poltrona non tanto per sorreggersi, almeno così sembrò, quanto per avere qualcosa da fare con le mani perché cominciò subito a osservare le proprie dita che cincischiavano un bordo di passamaneria sfilacciato. «Il buffo è che stamattina era perfettamente in sé, lucidissima», disse. «Ieri sera è stato un vero e proprio orrore, invece stamattina stava bene. Continuo a pensare che deve avere un significato, questo. Continuo a ripetermi che è un segno.»

«Se comincia a cercare questi segni, li può trovare dappertutto. A ogni modo, non servono a cambiare la realtà dei fatti.»

«Ma se esistesse una possibilità che abbia avuto un piccolo miramento...»

ià, e stanotte? E ieri sera? E per quel che riguarda lei stessa?

Mi vuole dire che genere di miglioramento o peggioramento può esserci anche per lei in tutto questo, Barbara?»

La donna ormai stava staccando dall'imbottitura un pezzo del la passamaneria; poi cominciò a girarlo e rigirarlo intorno alle dita. «Come faccio a portarla via dalla sua casa quando non riesce nemmeno a capire quello che succede intorno a lei? Come posso farle una cosa del genere? È mia madre, ispettore.»

«Non è una punizione.»

«E allora perché assomiglia tanto a una punizione? O, peggio ancora, perché io mi sento una specie di criminale che riesce a squagliarsela senza pagare lo scotto delle proprie malefatte mentre è lei a venir condannata?»

«Perché è quello che vuole fare, nel segreto del suo cuore, suppongo. Del resto esiste fonte di colpevolezza peggiore di quella che nasce dal tentativo di decidere una volta per tutte cosa si vuole fare, anche se sembra al momento un atto di egoismo eppure è proprio la cosa giusta, quella che va fatta? Come facciamo a dirci se ci comportiamo in modo veramente onesto oppure se stiamo semplicemente cercando di persuaderci ad affrontare e risolvere la situazione in un modo che si adatti, come meglio è possibile, alle nostre aspirazioni?»

Adesso la Havers sembrava definitivamente sconfitta. «Ecco la questione, ispettore. E io non avrò mai la risposta. Tutta questa situazione è troppo difficile perché sia capace di risolverla con le mie sole forze.»

«No, niente affatto. Comincia e finisce con lei. È solo lei che può farlo. È lei che può prendere la decisione.»

«Non sopporto l'idea di darle un dolore, farle del male. Perché lei non può capire.»

Lynley chiuse la cartella con una colpetto secco. «E mi vuol dire che cosa capisce della situazione così com'è adesso, sergente?»

Bastò a mettere fine al discorso. Mentre si incamminavano verso la sua auto, incuneata nello stesso ridottissimo spazio di cui si era già servito la sera prima in Garret Hostel Lane, Lynley le riferì il colloquio che aveva avuto con Victor Troughton. Quando ebbe finito, la donna, prima di salire sulla Bentley, gli domandò: «Secondo lei Elena Weaver era capace di provare vero amore per qualcuno?»

Lui inserì la chiavetta dell'accensione. E subito dal radiatore scaturì un flusso di aria gelida che si avventò contro i loro piedi. Lynley rifletté sulle parole conclusive di Troughton a proposito della ragazza: «... Cerchi di capire. Non era cattiva, ispettore. Era semplicemente arrabbiata. Io, per primo, non me la sento di condannarla per questo».

«Anche se, in fin dei conti, lei non fosse stato altro che uno strumento nelle sue mani?» gli aveva chiesto Lynley.

«Anche in questo caso», aveva replicato lui.

Adesso Lynley osservò: «È proprio vero che non è mai possibile riuscire a sapere cosa c'è nel cuore di qualsiasi vittima, non trova anche lei, sergente? Nel nostro lavoro, ci tocca esaminare una vita andando a ritroso, cominciando dalla morte e procedendo da lì. Cerchiamo di mettere insieme i pezzi e di ricavarne la verità. E con quella verità possiamo solo avere la speranza di comprendere chi era la vittima e cosa ha provocato il suo omicidio. Ma, quanto al suo cuore – inteso come la vera, la definitiva verità su di lei – in fondo in fondo, a ben pensarci, possediamo soltanto dei fatti e le conclusioni, qualsiasi possano essere, alle quali arriviamo per mezzo di quegli stessi fatti». La viuzza era troppo stretta perché la Bentley potesse far manovra e quindi Lynley preferì tornare lentamente a marcia indietro verso Trinity Lane, frenando per far passare un gruppo di studenti, infagottati nei cappotti, simili a sagome indistinte, che uscivano da una porta laterale della Trinity Hall. Dietro di loro, la nebbia lambiva senza posa il giardino del college.

«Ma perché avrebbe voluto sposarla, ispettore? Sapeva che lei non era un tipo fedele. Che non gli voleva bene. Come poteva illudersi che un matrimonio del genere potesse funzionare?»

«Era persuaso che il suo amore fosse sufficiente a cambiarla.»

La Havers ribatté sarcastica: «La gente non cambia mai».

«Ma certo che cambia. Solo quando è pronta a crescere, a maturare.» Intanto ripartiva puntando con la macchina oltre la St Stephen's Church, in direzione del Trinity College. I fari lottavano contro il massiccio banco di nebbia e la loro illuminazione si rifletteva, perfettamente inutile, nell'abitacolo dell'automobile. Si muovevano al passo di un insetto sonnolento. «Non c'è dubbio che il mondo sarebbe molto più bello e certamente meno complicato se chiunque potesse avere un rapporto sessuale soltanto con la persona che ama, sergente. La realtà è completamente diversa;

la gente si serve del sesso per una varietà di ragioni, la maggior parte delle quali non ha niente a che vedere con l'amore, il matrimonio, un impegno, un legame, l'intimità, la procreazione o qualsiasi altro nobile motivo. Elena era una persona come tante altre. E Troughton, evidentemente, era disposto ad accettare questo fatto.»

«Ma che genere di matrimonio poteva aspettarsi di avere con lei?» domandò la Havers in tono di protesta. «Iniziavano la loro vita comune con una bugia.»

«A Troughton questo non importava assolutamente. La voleva.»

«E lei?»

«Lei, non c'è dubbio, voleva quel momento di trionfo in cui avrebbe visto il crollo di suo padre, non appena gli avesse dato la notizia. Ma non dimentichiamo che non ci sarebbero state notizie da dare se, prima di tutto, lei non fosse riuscita nella sua manovra di farsi sposare da Troughton.»

«Ispettore.» Sembrava che la voce della donna avesse un tono meditabondo. «Secondo lei esiste una possibilità che Elena lo abbia raccontato al padre? Aveva avuto il responso mercoledì. È morta soltanto il lunedì mattina. La moglie di Weaver era fuori, a fare jogging. Lui era a casa solo. Non pensa che...?»

«Certo che bisogna tener conto anche di questa eventualità, le pare?»

Si sarebbe detto che il sergente Havers non avesse intenzione di andare più in là di così nell'esprimere i propri sospetti. Perché riprese subito e in tono più deciso: «Impossibile che si aspettassero di essere felici insieme, Elena e Troughton».

«Credo che lei abbia ragione. Troughton si illudeva sulle proprie capacità di guarirla da tutta quella rabbia, da quel risentimento. E lei si illudeva di procurarsi un piacere inenarrabile da un colpo così atroce al padre. Queste sono basi sulle quali non è possibile costruire un matrimonio.»

«In conclusione lei sta dicendo che non si può continuare a vivere a meno di non seppellire per sempre i fantasmi del passato e ritrovare la pace?»

Lui le scoccò uno sguardo circospetto. «Questo è un cambiamento radicale, sergente. Secondo me chiunque riesce sempre a combinare un sacco di pasticci nella propria vita. O perlomeno ci riesce la maggior parte della gente. E confesso che non saprei proprio spiegarle perché ci riescono così bene.»

Con tutta quella nebbia, il traffico e il carattere capriccioso delle strade a senso unico di Cambridge, ci misero un po' più di dieci minuti per raggiungere il Queen's College, più o meno lo stesso tempo che ci avrebbero messo ad andarci a piedi. Lynley parcheggiò nello stesso posto del giorno prima; entrarono nel college dal corridoio adorno di pinnacoli e torrette.

«In conclusione lei è convinto che questa sia la risposta a tutto?» domandò il sergente Havers, osservando l'Old Court che stavano attraversando per il viale centrale.

«Penso che possa essere una delle tante risposte.»

Trovarono Gareth Randolph nella sala da pranzo del college, una combinazione tanto orribile quanto priva di attrattive di linoleum, lunghi tavoli da mensa, muri rivestiti di pannelli di quello che sembrava finto legno di quercia chiara. Era l'omaggio di un architetto moderno alla banalità più completa e assoluta.

Benché ci fossero anche altri studenti, Gareth sedeva a un tavolo tutto solo, curvo con aria sconsolata sugli avanzi di una tardiva colazione, composta di un uovo fritto mangiato a metà, con il tuorlo semiliquefatto, e una scodella di fiocchi d'avena e fettine di banana che erano diventati, rispettivamente, zuppi e grige. Sul tavolo, di fronte a lui, un libro spalancato – ma sembrava che fosse lì più che altro per gettare un po' di polvere negli occhi al suo prossimo perché non ne stava leggendo nemmeno una riga. Come non stava scrivendo sul block-notes che aveva accanto a sé pur tenendovi una matita posata sopra come se dovesse farlo da un momento all'altro.

Quando Lynley e la Havers presero posto di fronte a lui, alzò di scatto la testa. E lanciò un'occhiata intorno a sé quasi nella speranza di potersela squagliare in fretta e furia oppure di far venire in suo soccorso qualche altro ragazzo del college, di quelli lì presenti. Lynley gli tolse di mano la penna e scrisse con rapidità nove parole di traverso, sul primo foglietto del block-notes: *Era lei il padre del bambino di Elena, vero?*

Gareth si portò una mano alla fronte. Si strinse le tempie, poi si buttò indietro una ciocca di capelli unti e spettinati. Gonfiò il petto una sola volta prima di compiere un gesto che sembrò costargli una grande fatica, quello di alzarsi e di inclinare la testa in direzione della porta. Significava che dovevano seguirlo.

Come quella di Georgina Higgins-Hart, la camera-soggiorno di Gareth si trovava incuneata in un angolo della Old Court. Al pianterreno, era di forma perfettamente quadrata con i muri bianchi ai quali erano appesi quattro grandi manifesti in cornice della London Philharmonic e tre ingrandimenti fotografici di spettacoli teatrali: *I miserabili*, *Starlight Express*, *Aspetti dell'amore*. Nel primo spiccava, bene in evidenza, il nome *Sonia Raleigh Randolph* appena sopra le parole *Al pianoforte*. L'ultimo rappresentava una giovane cantante dall'aspetto simpatico e attraente, in costume di scena.

Gareth puntò un dito prima sui manifesti, poi sulle fotografie. « Madre », disse con quella sua curiosa voce gutturale. « Sorella. » E osservò con occhi penetranti Lynley. Pareva che aspettasse una reazione a tanta ironia della sorte visto che era quello il modo in cui si guadagnavano da vivere la madre e la sorella. Lynley si limitò a rispondere solo con un cenno del capo.

Su un'ampia scrivania sotto l'unica finestra della camera, c'era un computer. E c'era anche, Lynley se ne accorse subito, un modem identico agli altri che aveva già visto a Cambridge. Gareth l'accese e accostò una seconda sedia alla scrivania. Con un gesto fece segno a Lynley di prendervi posto e toccò qualche tasto in modo da avere accesso a un determinato programma di lavoro.

« Sergente », disse Lynley quando intuì il modo in cui Gareth intendeva comunicare con loro, « dovrà prendere appunti direttamente dallo schermo. » Si tolse il soprabito e la sciarpa e sedette davanti alla scrivania. Il sergente Havers venne a mettersi alle sue spalle con il block-notes pronto in mano, dopo essersi buttata sulle spalle il cappuccio del giaccone e aver tolto il berretto di lana rosa.

« Era lei il padre? » Lynley batté queste parole sulla tastiera.

Il ragazzo le contemplò a lungo prima di rispondere: « Non sapevo che lei fosse incinta. Non lo aveva mai detto. Gliel'ho già spiegato ».

« Il non sapere che la ragazza era incinta non vuol dire andate tutti a farvi friggere », osservò la Havers. « Non può prenderci per imbecilli. »

« Non ci pensa neanche », ribatté Lynley. « Direi, piuttosto, che prende se stesso per un imbecille, sergente.» Poi scrisse: *Lei aveva rapporti sessuali con Elena,* facendo deliberatamente un'affermazione, non una domanda.

Gareth rispose premendo un tasto dei numeri: 1.

Una volta sola?

Sì.

Quando?

Il ragazzo si scostò per un attimo dalla scrivania. Però rimase seduto dov'era. Non fissava lo schermo del computer ma aveva abbassato gli occhi verso il pavimento, con le braccia sulle ginocchia. Lynley scrisse la parola *settembre* e toccò la spalla del ragazzo. Gareth alzò gli occhi, la lesse, abbassò di nuovo la testa. Un suono cupo, che assomigliava a una specie di singhiozzante muggito, gli scaturì dalla gola.

Lynley scrisse: *Mi dica quello che è successo, Gareth,* e toccò di nuovo la spalla del ragazzo.

Gareth alzò gli occhi. Era scoppiato in lacrime e come se questa manifestazione dei propri sentimenti gli facesse rabbia, aveva alzato impetuosamente un braccio per nascondersi gli occhi. Lynley attese. Il ragazzo tornò ad avvicinarsi alla scrivania.

Londra, batté sui tasti. *Appena prima dell'inizio del trimestre. Ero andato a trovarla per il mio compleanno. E lei ha voluto che ci facessimo una scopata sul pavimento della cucina mentre sua madre era fuori a comperare il latte per il tè.* *BUON COMPLEANNO, MALEDETTO IMBECILLE CHE NON SEI ALTRO.*

«Magnifico», sospirò la Havers.

Io l'amavo, continuò Gareth. *Volevo che noi due fossimo qualcosa di speciale. Che fossimo...* Si lasciò ricadere le mani in grembo con gli occhi fissi sullo schermo.

Lei pensava che fare l'amore a quel modo avesse un significato maggiore di quello che Elena intendeva dargli, scrisse Lynley. *È andata così?*

Scopare, rispose Gareth. *Non fare l'amore. Scopare.*

È stata lei a chiamarlo così?

Pensavo di poter costruire qualcosa insieme. L'anno scorso. Io mi ci sono messo d'impegno. Sul serio. Perché durasse. Non volevo avere fretta. Non ci ho mai nemmeno provato con lei. Volevo che fosse una cosa vera.

Invece non lo è stata?

Credevo che lo fosse. Perché quando si fa quella cosa con una donna è come prendere un impegno. Come dire qualcosa che non si direbbe a nessun'altra.

Dire che vi volete bene?

Provare il bisogno di stare insieme. Voler avere un futuro. Pensavo che fosse questo il motivo per cui lo faceva con me.

Sapeva che Elena andava a letto con qualcun altro?

Allora, no.

E quando l'ha saputo?

Quando lei è tornata a Cambridge per questo trimestre. Pensavo che saremmo stati insieme.

Come amanti?

Lei, questo, non lo voleva. Rideva quando io cercavo di parlargliene. Diceva si può sapere che cosa ti prende Gareth è stata soltanto una scopata quella che abbiamo fatto e ci è piaciuta ma è stata anche la fine così adesso mi vuoi dire perché hai quell'aria così afflitta non è poi una cosa tanto importante.

Invece per lei lo era.

Credevo che mi amasse ecco perché voleva farlo con me non immaginavo...

S'interruppe. Pareva svuotato di ogni energia.

Lynley gli volle concedere qualche attimo di tregua, e girò gli occhi intorno a sé per la stanza. A un gancio dietro la porta era appesa la sua sciarpa, di quel colore azzurro caratteristico dell'università. I guantoni da boxe, lisci, di pelle chiara che – bastava guardarli – dovevano essere tenuti con amore e con cura, erano appesi a un secondo gancio sotto la sciarpa. Lynley si domandò fino a che punto Gareth Randolph fosse riuscito a scaricare la propria disperazione prendendo a pugni uno di quei sacconi della piccola sala da boxe al piano superiore del Fenners.

Tornò a voltarsi verso il computer. *La discussione che ha avuto domenica con Elena. È stato allora che lei le ha detto di avere una relazione con un altro?*

Io le ho parlato di noi rispose Gareth. *Ma quel «noi» non esisteva.*

È così che Elena le ha detto?

Come poteva non esistere quel «noi», ho detto, e allora Londra?

È stato a quel punto che Elena le ha detto che per lei non aveva avuto nessun significato?

Solo una scopata così per divertirci Gareth ne avevamo voglia vero non essere così stupido e non darle più importanza di quello che ha.

La prendeva in giro. Non posso immaginare che le facesse piacere.

Ho continuato a cercare di parlare. Come lei aveva agito a Londra. Quello che aveva provato a Londra. Ma non mi stava ad ascoltare. E poi l'ha detto.

Che c'era un altro?

In principio non le ho creduto. Ho detto che lei aveva paura. Ho detto che stava cercando di essere quello che suo padre voleva che lei fosse. Ho detto cose di ogni genere. Senza neanche pensarci. Volevo soltanto farle del male.

« Osservazione significativa, questa », osservò la Havers.

« Forse », ribatté Lynley. « Ma è una reazione abbastanza tipica quando si è feriti e offesi da qualcuno che amiamo: sempre come al solito, occhio per occhio. »

« E quando la prima decisione che si prende è l'omicidio? » domandò la Havers.

« Ho tenuto conto anche di quello, sergente. » Poi sui tasti batté le seguenti parole: *Cosa ha fatto quando Elena è riuscita a convincerla che c'era un altro uomo?*

Gareth alzò le mani ma non batté nulla sui tasti. In una camera vicina, si cominciò a sentire il rombo di un aspirapolvere. Evidentemente uno degli addetti alle pulizie faceva il suo solito giro delle camere del pensionato studentesco e Lynley si rese conto che era necessario concludere quell'interrogatorio prima che qualcuno venisse a disturbarli. Scrisse di nuovo: *Che cosa ha fatto?*

Esitante, Gareth sfiorò i tasti. *Ho continuato a gironzolare intorno al St Stephen's fino a quando lei è uscita. Volevo sapere chi era.*

L'ha seguita alla Trinity Hall? Sapeva che si trattava del professor Troughton? Quando il ragazzo assentì, Lynley batté sui tasti: *Quanto tempo è rimasto da quelle parti?*

Fino a quando lei è uscita.

All'una?

Lui fece segno di sì con la testa. E spiegò che aveva aspettato in strada di vederla uscire di nuovo. E quando lei era tornata fuori, l'aveva affrontata, furioso, pieno di rabbia perché era stato respinto, amaramente deluso di vedere i suoi sogni che andavano in pezzi. Ma soprattutto era disgustato dal suo modo di comportarsi. Perché credeva di aver capito quali intenzioni ci fossero, da parte di Elena, alla base di un rapporto del genere con Victor Troughton. E interpretava quelle intenzioni come un tentativo di aggrapparsi a un mondo di persone che non erano sorde, che non l'avrebbero mai accettata né capita completamente. Si comportava da sorda. Ma non da Sorda con la S maiuscola. Avevano litigato furiosamente. Poi lui l'aveva piantata in asso, lì in strada.

E non l'ho mai più vista concluse Gareth.

«A me sembra che andiamo male, ispettore», disse il sergente Havers.

Dove si trovava lunedì mattina? batté Lynley sui tasti.

Quando lei è stata uccisa? Qui. A letto.

Ma nessuno, naturalmente, aveva modo di controllarlo. Era nella sua camera da solo. Né sarebbe stato del tutto impossibile per Gareth rinunciare a rientrare al Queen's College quella notte e, invece, spostarsi fino a Crusoe's Island nascondendovisi per aspettare Elena Weaver e mettere così la parola fine a quel loro aperto dissenso.

«Avremo bisogno di quei guanti da boxe, ispettore», disse il sergente Havers chiudendo il blocco con un colpetto secco. «Il ragazzo aveva il movente. E i mezzi. E l'opportunità. E come se non bastasse, oltre a essere furioso aveva anche le capacità di scaricare il suo furore con i pugni.»

Lynley fu costretto ad ammettere che non si poteva sorvolare il fatto che Gareth appartenesse alla squadra di boxe dell'università, quando la vittima di un omicidio era stata selvaggiamente picchiata prima di essere strangolata.

Così, batté sui tasti: *Lei conosceva Georgina Higgins-Hart?* E dopo che Gareth ebbe risposto facendo segno di sì con la testa, scrisse ancora: *Dove si trovava ieri mattina? Fra le sei e le sei e mezzo.*

Qui. Dormivo.

C'è qualcuno che può confermarlo?

Gareth scrollò la testa facendo segno di no.

Ci occorrono i suoi guanti da boxe, Gareth. Sarà necessario consegnarli al laboratorio di medicina legale. Ci permette di prenderli?

Al ragazzo sfuggì un lento ululato. *Non l'ho uccisa io non l'ho uccisa io non sono stato io non sono stato io non sono stato io non sono stato io...*

Dolcemente, Lynley scostò le mani del ragazzo dalla tastiera. E scrisse: *Sa chi è stato?*

Gareth fece segno di no con la testa, una volta sola, ma continuò a tenersi le mani in grembo, strette a pugno, come se, di propria volontà, potessero tradirlo se si fosse azzardato ad avvicinarle alla tastiera, se avesse lasciato che ricominciassero a battere sui tasti.

« Racconta un sacco di storie. » La Havers si fermò sulla porta per avvolgere la cordicella che legava i guanti da boxe di Gareth intorno alla cinghia della propria borsa a tracolla. « Perché se qualcuno che aveva un movente per farla fuori, quel qualcuno è lui, ispettore. »

« Non posso che essere d'accordo », ribatté Lynley.

La donna si calcò il berretto di lana sulla fronte con un gesto deciso e si tirò su il cappuccio. « Però lei può, e senza dubbio sarà prontissimo, a non essere d'accordo con tutto il resto. Non è la prima volta che la sento parlare con quel tono. E allora? »

« Secondo me, Gareth sa chi l'ha uccisa. O crede di saperlo. »

« Naturale che lo sa. Perché è stato lui a farlo. Subito dopo averle massacrato la faccia con questi. » E agitò i guantoni in direzione del suo capo. « Si può sapere perché abbiamo continuato a cercare in lungo e in largo l'arma del delitto? Qualcosa di liscio? Provi un po' a toccare questa pelle. Qualcosa di pesante? Provi un po' a essere quello che riceve in piena faccia i pugni di un pugile. Qualcosa che possa provocare danni come le ferite che abbiamo trovato sulla faccia di Elena? Guardi quelle poche foto dopo un incontro di pugilato se ha bisogno di qualche prova in proposito. »

Lynley si accorse di essere pienamente d'accordo. Il ragazzo aveva tutti i requisiti necessari. Salvo uno.

« E il fucile da caccia, sergente? »

« Cosa? »

« Il fucile da caccia che è stato usato per uccidere Georgina Higgins-Hart. E di quello, cosa mi racconta? »

« Ma se è stato proprio lei a dire che l'università, molto probabilmente, ha anche un club della caccia. Sono sicura che Gareth Randolph vi è iscritto. »

« Allora perché seguirla? »

Lei si accigliò, e si mise a battere la punta del piede contro il gelido impiantito di pietra.

« Havers, posso capire che si nascondesse ad aspettare Elena Weaver su Crusoe's Island. Era innamorato di lei. E la ragazza lo aveva respinto. Gli aveva detto chiaro e tondo che quando avevano fatto l'amore non era stata una cosa seria ma soltanto un modo come un altro di spassarsela allegramente sul pavimento della cucina di sua madre. Gli aveva detto chiaro e tondo di essere legata a un altro uomo. Si era burlata di lui, lo aveva umiliato, lo aveva fatto sentire un perfetto imbecille. Sono d'accordissimo su tutto. »

« E allora? »

« E allora... Georgina? »

« Georg... » La Havers rimase sconcertata solo un attimo e dopo una rapida riflessione continuò imperterrita: « Forse è proprio quello a cui pensavamo prima. Un modo simbolico di uccidere Elena Weaver non una volta sola ma ripetutamente, cercando tutte le ragazze che le assomigliano ».

« Se è questo il caso, perché non andare nella sua camera, Havers? Perché non ammazzarla nel college? Perché seguirla fin là, oltre Madingley? E *come* l'ha seguita? »

« Come... »

« Havers, il ragazzo è sordo. »

Questo le tagliò le gambe.

Lynley insistette, accorgendosi del vantaggio conquistato. « Lì è piena campagna, Havers. E c'era un buio pesto. Anche se avesse preso un'auto seguendola a una certa distanza fino a quando non si fossero trovati al sicuro, fuori città, e poi l'avesse oltrepassata per mettersi in agguato ad aspettarla in quel campo, avrebbe pur dovuto udire qualcosa... il rumore dei suoi passi, l'ansito del suo respiro, qualsiasi cosa, Havers... in modo da sapere con esattezza quando sparare, vero? Oppure ha forse il coraggio di obiettare che mercoledì mattina è andato a cacciarsi là in fondo prima dell'alba facendo conto, assurdamente, che la luce delle stelle fosse sufficiente, con questo tempo – e, in tutta franchezza, mi sembra che sarebbe stato come scommettere su qualcosa di praticamente impossibile – per vedere una ragazza in corsa abbastanza bene e abbastanza in anticipo per prendere la mira, scaricarle addosso un fucile e ammazzarla? Niente omicidio premeditato, in questo caso. Ma un puro e semplice colpo di fortuna strepitosa. »

Lei prese e soppesò sul palmo della mano uno dei guantoni da boxe. «E allora... cosa ce ne facciamo di questi, ispettore?»

«Ci serviranno perché St James, stamattina, possa sudarsi un po' i soldi che guadagna. Oltre a diminuire il rischio della posta, facendoci puntare su varie possibilità.»

Lei spalancò la porta con una risatina stanca. «Come adoro gli uomini che sanno sempre riservarsi di decidere...»

Si stavano avviando verso il corridoio delle torrette e Queen's Lane al di là di esso quando una voce li chiamò. Si voltarono e fecero qualche passo indietro. Una figura snella si stava avvicinando sul viale, a passo quasi di corsa, nella loro direzione, e la nebbia pareva si aprisse davanti a lei come un sipario.

Era alta e bionda, con lunghi capelli morbidi come la seta. Li teneva scostati dal viso per mezzo di due pettinini di tartaruga che baluginavano lievemente coperti di umidità alla luce che si irradiava da uno degli edifici circostanti. Altra umidità si era rappresa in goccioline alle sue sopracciglia e alla sua pelle. Aveva addosso soltanto una tuta da ginnastica scompagnata, calzoni e giaccone in felpa sul quale era ricamato, come su quello di Georgina, il nome del college. E sembrava che avesse un freddo terribile.

«Ero nella sala da pranzo», spiegò la ragazza. «Vi ho visti quando siete venuti a cercare Gareth. Siete della polizia.»

«E lei sarebbe...?»

«Rosalyn Simpson.» I suoi occhi si posarono sui guantoni da boxe e subito aggrottò la fronte, costernata. «Non penserete che Gareth abbia qualcosa a che vedere con quello che è successo, vero?»

Lynley non disse niente. La Havers incrociò le braccia. La ragazza continuò.

«Avrei voluto venire a cercarvi prima ma ero a Oxford fino a martedì sera. E poi... be', diventa tutto un po' complicato.» Si voltò a lanciare un'occhiata in direzione della camera di Gareth Randolph.

«Lei ha qualche informazione da darci?» le chiese Lynley.

«Per prima cosa sono andata a cercare Gareth. Per via di un foglietto dell'ASNU che lui aveva fatto stampare e distribuire. Capite? L'ho visto quando sono tornata al college e quindi la cosa più logica mi è sembrata andare a parlargli. E pensavo che ci avrebbe pensato lui a passare l'informazione alle persone giuste.

A parte il fatto che, al momento, c'erano anche altre considerazioni e... oh, ma adesso che importanza ha? Eccomi qui. Pronta a raccontarvelo.»

«Ma... cosa, esattamente?»

Come il sergente Havers, anche Rosalyn incrociò le braccia, pur dando l'impressione di farlo più perché aveva bisogno di riscaldarsi che per sembrare severa e inesorabile. «Mi stavo allenando alla corsa lungo il fiume lunedì mattina», disse. «Sono passata da Crusoe's Island verso le sei e mezzo. Credo di aver visto l'assassino.»

Glyn Weaver scese con circospezione qualche scalino, ma solo quanto bastava per sentire ciò che il suo ex marito e la sua attuale consorte stavano dicendosi. Si trovavano ancora nel tinello, anche se erano passate varie ore da quando avevano fatto colazione, e le loro voci erano educate e formali, quel tanto necessario a lasciarle capire chiaramente quale fosse la situazione tra loro. Erano voci fredde, fu la conclusione di Glyn, e andavano, anzi, dal gelido al glaciale. Sorrise.

«Terence Cuff vuole fare una specie di discorso elogiativo in memoria di Elena», stava dicendo Anthony. Parlava senza dare una particolare espressione a ciò che diceva, come se snocciolasse una notizia in tono distaccato. «Ho parlato con due dei professori che le facevano da supervisori. Anche loro diranno qualche parola; quanto a Adam, vorrebbe leggere una poesia che a lei piaceva in modo particolare.» Ci fu un tintinnio di porcellana, mentre una tazza veniva appoggiata con cura su un piattino. «Può anche darsi che la polizia non ci restituisca il suo corpo prima di domani, ma l'impresa di pompe funebri provvederà ugualmente a mandare una bara. Nessuno capirà la differenza. E poiché è stato detto che Elena verrà portata a Londra, al cimitero, nessuno si aspetterà una sepoltura domani.»

«A proposito del funerale, Anthony. A Londra...» La voce di Justine era pacata. E Glyn si sentì correre un brivido lungo la schiena nell'ascoltare quel tono così freddo e deciso.

«Non ci sarà nessun cambiamento di piani», rispose Anthony. «Cerca di capire. Io non ho scelta. Devo rispettare i desideri di Glyn. È il minimo che possa fare.»

« Io sono tua moglie. »

« Anche lei lo è stata, un tempo. Ed Elena era nostra figlia. »

« Lei è stata tua moglie per meno di sei anni. Sei anni di infelicità, come ricordo che mi dicevi. E da allora ne sono passati altri quindici. Mentre tu e io... »

« Questa situazione non ha niente a che vedere con la durata dei miei matrimoni, Justine. »

« E invece sì. Ha a che vedere con la lealtà, la fedeltà, con i voti che ho pronunciato e le promesse che ho mantenuto. Ti sono stata fedele in ogni senso, mentre lei andava a letto con chi voleva, come una puttana, e tu lo sai. E adesso vieni a dirmi che rispettare i suoi desideri è il minimo che tu possa fare? Rispettare i suoi, e non i miei? »

« Se continui a non capire che ci sono momenti in cui il passato... » stava per cominciare Anthony, quando comparve Glyn. Rimase lì solo un attimo a scrutarli, prima di parlare. Anthony sedeva in una delle poltrone di vimini, aveva la barba lunga, era svuotato, avvizzito. Justine era davanti alla fila di finestre dove la nebbia, che ammantava lo spazioso giardino davanti alla casa, pareva facesse pressione contro le vetrate segnandole con lunghe strisce di umidità. Portava un completo nero con una camicetta grigio perla. Appoggiata alla sua sedia c'era una cartella in pelle nera.

« Forse ti piacerebbe dire il resto, Justine », esclamò Glyn. « Tale madre, tale figlia. È questo che vuoi aggiungere, vero? Oppure non hai il coraggio di portare questa forma di onestà tutta speciale fino alla sua conclusione logica? »

Justine cominciò a muoversi verso la propria sedia. E si scostò una ciocca di capelli biondi dalla guancia. Glyn l'afferrò per un braccio, affondando le dita nel morbido tessuto e gustando un fuggevole momento di piacere quando si accorse che Justine trasaliva.

« Ho detto, perché non concludi quello che stavi dicendo? » insisté. « Glyn ha voluto che Elena seguisse la sua stessa strada, Anthony. Glyn ha trasformato tua figlia in una piccola sgualdrina sorda. Elena se la faceva con chiunque avesse voglia di portarsela a letto, né più né meno come sua madre. »

« Glyn », fece Anthony.

« E non cercare di difenderla, ci siamo capiti? Ero sulle scale. Ho sentito quello che ha detto. La mia unica figlia è morta solo da tre giorni, per quello che mi riguarda sto ancora lottando disperatamente per accettare questo fatto e cercare di convincermi che è realmente avvenuto, ma lei non sa aspettare e preferisce accanirsi subito contro te e me. E per farlo hai scelto il sesso. Lo trovo di estremo interesse, questo.»

«Non voglio continuare a star qui a sentire queste cose», disse Justine.

Glyn rafforzò la sua stretta. «Non sopporti di sentire la verità? Eppure tu ti servi del sesso come di un'arma, e non solamente contro di me.»

Glyn sentì che i muscoli di Justine diventavano rigidi. Capiva che la sua frecciata aveva colpito in pieno il bersaglio. E ne approfittò per girare e rigirare il coltello nella piaga. «Premiarlo quando è stato un bravo bambino, punirlo quando ha fatto il cattivo. Non è forse così che vanno le cose? E allora! Per quanto tempo dovrà pagare, Anthony, perché ti ha vietato di essere presente al funerale?»

«Sei patetica», fece Justine. «Non riesci a vedere al di là del sesso esattamente come...»

«Elena?» Glyn mollò di colpo il braccio di Justine. E si rivolse ad Anthony. «Ah. Ecco, ci siamo.»

Justine si sfregò con la mano la manica come per ripulirsi dal contatto di poco prima con l'ex moglie di suo marito. E si chinò a tirar su la cartella.

«Io vado», disse con la massima calma.

Anthony si alzò in piedi, passando con gli occhi dalla cartella a lei, sfiorandola con lo sguardo dalla cima della testa alla punta dei piedi come se si fosse accorto solo in quel momento del modo in cui Justine si era vestita per quella giornata. «Non puoi avere l'intenzione...»

«Di tornare in ufficio solo tre giorni dopo che Elena è stata assassinata? Espormi alla pubblica censura per aver fatto una cosa del genere? Oh, sì, Anthony, è proprio quello che intendo fare.»

«No, Justine, la gente...»

«Smettila. Ti prego. Io non sono affatto come te.»

Per un momento Anthony rimase con gli occhi sbarrati a guardarla e lei uscì, dopo aver preso il cappotto che aveva attaccato al pilastrino in fondo alle scale, dopo aver richiuso la porta dietro di sé. Continuò a seguirla con lo sguardo mentre si avviava in mezzo alla nebbia verso la Peugeot grigia. Glyn, intanto, non lo lasciava un attimo con gli occhi, circospetta, domandandosi se si sarebbe precipitato fuori per provare a fermarla. Ma, evidentemente, doveva essere troppo estenuato per impuntarsi a cercare di cambiare le idee di chiunque. Voltò le spalle alla finestra e a passo lento e strascicato si avviò verso il retro della casa.

Glyn si avvicinò al tavolo sul quale erano rimasti gli avanzi della colazione: la pancetta che pareva incollata a piccole chiazze di grasso congelato, tuorli d'uovo che asciugandosi sembravano macchie di fango giallo. Nel portatoast d'argento era rimasto ancora un pezzo di pane e Glyn allungò la mano verso di esso con aria meditabonda. Ma il pane secco, ruvido sotto le sue dita, si spezzettò subito, lasciando uno spolverio di briciole sul parquet pulito.

Dal retro della casa le giunse il rumore metallico dei cassetti di uno schedario che venivano aperti. E, a superare quel suono, l'acuto uggiolio del setter irlandese di Elena che smaniava perché qualcuno lo facesse entrare in casa. Glyn si avviò verso la cucina dalla cui finestra poté osservare il cane accucciato sul gradino della porta, il naso nero schiacciato contro lo stipite, la coda soffice come piuma che ondeggiava avanti e indietro in innocente aspettativa. Poi il cane fece un passo indietro, alzò gli occhi e la scorse a osservarlo dietro il vetro della finestra. Il ritmo del suo scodinzolio si accentuò; gli sfuggì un latrato di gioia. Glyn lo scrutò impassibile, provando un vago senso di piacere nell'alimentare le sue speranze, prima di voltargli le spalle e di avviarsi anche lei verso il retro della casa. Sulla soglia dello studio di Anthony, si fermò. Lui era accovacciato davanti a un cassetto aperto dello schedario. E sul pavimento era sparso il contenuto di due cartelle di cartoncino pesante, forse una ventina di schizzi a matita. E accanto agli schizzi, c'era una tela arrotolata.

Per un attimo, Glyn rimase a osservarlo mentre passava lentamente la mano su quei disegni, in un gesto che poteva sembrare un accenno di carezza. Poi si mise a esaminarli, attentamente. Le sue dita parevano impacciate. Un paio di volte ansimò, come se gli mancasse il fiato. Quando si fermò per togliersi gli occhiali e ripulire le lenti sulla camicia, si accorse che stava piangendo. Entrò nello studio per osservare meglio quei disegni sparpagliati sul pavimento e si accorse che tutti, dal primo all'ultimo, raffiguravano Elena.

« In questo periodo papà si sta dedicando al disegno », le aveva spiegato una volta Elena. Lo aveva pronunciato *diseg-no*, e lei si era messa a ridere a quell'idea. Infatti avevano sghignazzato spesso, di nascosto, dei tentativi di Anthony di ritrovare se stesso mediante le attività più disparate, a mano a mano che si avvicinava alla mezza età. In principio era stato il fondo, poi il nuoto, infine si era dedicato alla bicicletta con un entusiasmo che rasentava il fanatismo; per ultima cosa aveva imparato ad andare in barca a vela. Ma fra tutte, il disegno era stata quella che le aveva divertite di più. « Papà è convinto di avere l'anima di un Van Gogh », ripeteva Elena. E riusciva a rappresentarle con abili gesti da mimo suo padre in piedi, piantato a gambe larghe con un album da disegno tra le dita, gli occhi socchiusi, fissi in lontananza, una mano che gli ombreggiava la fronte. Poi si disegnava un paio di baffi sul labbro superiore e dava alla propria faccia un'espressione aggrottata, piena di cipiglio, concentrata. « Muoviti un pochino, Glynnie », ordinava a sua madre. « Ferma in quella posa. Ferma-in-quella-posa, ho detto. » E che risate si facevano insieme.

Adesso, però, Glyn si accorse che quei disegni erano veramente belli, che Anthony era riuscito a ottenere molto di più di ciò che aveva ottenuto con quelle nature morte appese qua e là nel salotto, o le barche a vela, le vedute di un porto e dei villaggi di pescatori che aveva disposto sulle pareti del proprio studio. Infatti in quella serie di disegni che adesso lui aveva sparpagliato sul pavimento poteva vedere in che modo e fino a che punto fosse riuscito a cogliere quella che era, fondamentalmente, loro figlia, nella sua vera essenza. E infatti ecco quel modo identico di piegare la testa, la forma degli occhi da elfo, il largo sorriso con quel dente scheggiato, il contorno di uno zigomo, del naso, della bocca. Certo, erano soltanto studi, impressioni buttate giù in fretta. Ma erano stupende, autentiche.

Quando avanzò di un passo, Anthony alzò gli occhi e la guardò. Raccolse i disegni e li infilò di nuovo nelle rispettive cartellette. Poi mise tutto nel cassetto, insieme a quella tela arrotolata, che sistemò sul fondo, per il lungo.

« Non ne hai fatto incorniciare neanche uno », gli disse.

Anthony non rispose. Invece, richiuse il cassetto e andò alla scrivania cominciando a battere con dita irrequiete i tasti del computer, dopo aver messo in funzione il Ceephone, con gli occhi fissi sullo schermo, su cui intanto era apparsa una serie di istruzioni. Anthony continuò a guardarle ma senza fare niente con le dita sulla tastiera.

« Non importa », disse Glyn. « Io so perché li nascondi. » Si avvicinò fermandosi alle sue spalle. E quando gli parlò, lo fece vicino al suo orecchio. « Da quanti anni vivi così, Anthony? Dieci? Dodici? Come hai fatto a tirare avanti? »

Anthony chinò la testa, e Glyn gli osservò la nuca, ricordando inaspettatamente com'erano morbidi i suoi capelli e come si curvassero contro la pelle, come quelli di un bambino, quando diventavano troppo lunghi. Adesso cominciavano a ingrigire, e fra le ciocche nere spiccava qualche filo bianco.

« Che cosa sperava di ottenere? Elena era tua figlia. La tua unica figlia. Che cosa accidenti sperava di ottenere? »

La risposta di Anthony fu un sussurro. Parlava come se rispondesse a qualcuno che non era lì, in quella stanza. « Voleva farmi del male. Non aveva nessun altro mezzo per costringermi a capire. »

« A capire? E cosa? »

« Che cosa significasse sentirsi distruggere. Come io l'avevo distrutta. Per vigliaccheria. Egoismo. Egocentrismo. Ma soprattutto per vigliaccheria. Tu vuoi la cattedra Penford soltanto per dare soddisfazione al tuo io, diceva. Tu vuoi una bella casa e una bella moglie e una figlia che si adatti a essere il tuo burattino. In modo che la gente ti guardi con ammirazione e invidia. In modo che la gente dica che fortunato quel tizio, ha proprio tutto! Invece tu non hai tutto. Anzi, in pratica, non hai niente. Hai meno che niente. Perché quello che hai è solo falsità, una menzogna. E non hai neanche il coraggio di ammetterlo. »

Di colpo Glyn si sentì stringere il cuore perché, a poco a poco, intuiva quale fosse il vero significato delle sue parole, anche se le pronunciava in fretta, senza sosta. « Avresti potuto prevenirlo. Se almeno le avessi dato quello che lei desiderava. Anthony, avresti potuto fermarla. »

« Non potevo. Dovevo pensare a Elena. Era qui, a Cambridge, in questa casa, con me. Stava cominciando a adattarsi, a essere di buon umore, a sentirsi libera con me, finalmente, a lasciare che io fossi suo padre. Non potevo correre il rischio di perderla di nuovo. Non me la sentivo di lasciarmi sfuggire questa occasione. E pensavo che l'avrei perduta se... »

« L'hai perduta in ogni caso! » gridò Glyn scuotendolo per un braccio. « Non entrerà più da quella porta. Non dirà papà, capisco, ti perdono, so che hai fatto del tuo meglio. Se ne è andata. È morta. E avresti potuto impedirlo. »

« Se avesse avuto un figlio, forse lei avrebbe potuto capire che cosa significava avere Elena qui. Forse si sarebbe resa conto del motivo per cui non me la sentivo di affrontare ancora, di fare qualcosa che avesse, come risultato, il rischio di perderla di nuovo. L'avevo già perduta una volta. Come facevo ad affrontare ancora quello strazio atroce? E lei come poteva aspettarsi che io lo affrontassi? »

Glyn si accorse che, in realtà, non era a lei che Anthony rispondeva. Rimuginava tra sé. Era come se parlasse in lingue diverse. Nascosto dietro una barriera che lo proteggeva dalla peggiore verità, parlava in un abisso dove l'eco esisteva ma gli rimandava indietro parole differenti. All'improvviso Glyn si accorse di provare nei suoi confronti lo stesso tipo di rabbia e di furore che aveva provato durante gli anni peggiori del loro matrimonio quando aveva reagito alla cieca smania di far carriera di lui con interessi e impegni propri, aspettando che lui si accorgesse come tornava a casa tardi la sera, desiderando che notasse di che natura erano i lividi che le si formavano sul collo, sui seni e sulle cosce, pregustando il momento nel quale si sarebbe finalmente deciso a parlare, quando le avrebbe finalmente lasciato capire che ci teneva a lei, che lei gli importava sul serio.

« In fondo tutto questo ha sempre te come centro, vero? » gli domandò. « Ed è sempre stato così. Anche avere Elena qui a Cambridge è stato un vantaggio per te, non per lei. Non per la sua istruzione, ma per farti sentire meglio, per dare a te stesso ciò che desideravi. »

« Volevo darle una vita. Volevo che potessimo avere una vita insieme. »

« Ma come sarebbe stato possibile? Tu non le volevi bene, Anthony. Volevi bene solo a te stesso. Alla tua immagine, alla tua reputazione, alle tue stupende creazioni artistiche. Amavi l'idea di essere amato. Ma, a lei, non volevi bene. E perfino adesso riesci a restare qui a osservare la morte di tua figlia e a pensare come sei stato tu a provocarla e a quello che provi adesso per averla provocata e in che senso tutto questo può essere messo in relazione con te. Però non alzerai un dito per fare qualcosa a questo riguardo, vero, non farai nessuna dichiarazione, né tantomeno prenderai una posizione chiara. Perché in qualche modo tutto ciò rischierebbe di ricadere su di te?»

Finalmente lui la guardò. Aveva il contorno degli occhi gonfio e arrossato. «Tu non sai che cosa è successo. Tu non capisci.»

«Io capisco perfettamente. La tua idea è seppellire i morti, leccarti le ferite e andare avanti. Sei lo stesso vigliacco che eri quindici anni fa. Allora, te la sei squagliata nel cuore della notte, abbandonandola. E adesso vuoi fuggire di nuovo, lontano da lei. Perché è la cosa più facile.»

«Io non l'ho abbandonata», rispose Anthony, soppesando le parole. «Stavolta, Glyn, ho agito con fermezza. Ecco perché lei è morta.»

«Per te? A causa tua?»

«Sì. A causa mia.»

«Il sole sorge e tramonta sempre allo stesso punto nel tuo mondo, è sempre stato così.»

Lui scrollò la testa. «Una volta, forse», disse. «Adesso tramonta soltanto.»

21

Lynley parcheggiò la Bentley in uno spazio vuoto all'angolo sud-ovest della stazione di polizia di Cambridge, e rimase a fissare la sagoma appena distinguibile della bacheca all'ingresso dell'edificio; si sentiva svuotato. Di fianco a lui, la Havers si agitava sul sedile. E cominciò a girare le pagine del block-notes. Sapeva che stava leggendo gli appunti della deposizione di Rosalyn Simpson.

« Era una donna », aveva detto la studentessa del Queen's.

Aveva percorso insieme a loro la stessa, identica strada fatta nelle prime ore del mattino di lunedì, in mezzo a quella spessa nebbia grigiastra, soffice come ovatta, lungo Laundress Lane. In quell'oscurità, dalla porta spalancata della facoltà di studi orientali irradiava una fievole luce, ma quando qualcuno la richiuse di scatto, la foschia sembrò impenetrabile. E l'universo intero racchiuso in quei sei metri quadrati oltre i quali la visibilità era nulla.

« Vai a correre ogni mattina? » le aveva domandato Lynley mentre attraversavano Mill Lane e costeggiavano i paletti di ferro che bloccavano l'accesso ai veicoli sul ponticello pedonale a Granta Place. Alla loro destra, il Laundress Green era offuscato dalla nebbia, una vasta estensione di prato buia, interrotta di tanto in tanto dalla sagoma massiccia e opprimente dei salici. Più in là, oltre lo stagno, una luce sola palpitava a una finestra del piano più alto dell'Old Granary.

« Sì, quasi. »

« Sempre alla stessa ora? »

« Cerco di uscire verso le sei e un quarto. A volte ritardo un pochino. »

« E lunedì? »

« Il lunedì faccio sempre un po' più fatica ad alzarmi, dunque esco più tardi; probabilmente, quando ho lasciato il Queen's dovevano già essere le sei e venticinque. »

« Quindi, dovresti aver raggiunto l'isolotto... »

« Non più tardi delle sei e mezzo. »

« Di questo sei sicura. Non poteva essere più tardi? »

« Sono rientrata nella mia camera per le sette e mezzo, ispettore. Corro veloce, d'accordo, ma non fino a questo punto. A parte il fatto che lunedì mattina ho corso dodici chilometri buoni, se non di più. Partendo dall'isolotto. Fa parte del mio percorso di allenamento. »

« Per il club di atletica? »

« Sì. Vorrei far parte della squadra del college, quest'anno. »

Quel lunedì mattina non aveva notato niente di diverso dal solito, spiegò a Lynley e al sergente. Era ancora buio pesto quando aveva lasciato il Queen's College e, all'infuori di un manovale che stava spingendo un carretto lungo Laundress Lane, non aveva visto anima viva. Soltanto il solito assortimento di anatre e cigni, qualcuno sguazzava già nel fiume, altri dormicchiavano ancora placidamente sulla riva. Ma la nebbia era fitta – « Almeno quanto oggi », aveva specificato – quindi era stata costretta ad ammettere che chiunque avrebbe potuto appostarsi nel vano di una porta o nascondersi tra i prati senza essere visto.

Raggiunto l'isolotto, avevano notato un focherello acceso, dal quale saliva qualche tenue folata di fumo acre, color fuliggine, che si confondeva con la nebbia. Un uomo con cappotto, cappello a visiera e guanti gettava foglie secche, rifiuti e qualche pezzo di legno tra le fiamme azzurrognole. Lynley l'aveva riconosciuto al volo: era Ned, il più burbero dei due vecchi falegnami del cantiere nautico.

Rosalyn aveva indicato il ponticello che attraversava non il Cam ma il ramo secondario, che scorreva attorno al lato occidentale dell'isolotto. « Stava passando di qui. L'ho sentita perché ha inciampato in qualcosa – forse è scivolata e ha perso l'equilibrio, c'era una tale umidità... E tossiva, anche. Ho pensato che si stesse allenando, come me, e che si sentisse senza fiato, e francamente confesso che mi sono anche un po' indispettita, perché sembrava che non guardasse dove metteva i piedi e per poco non la prendevo in pieno. E poi... » Rosalyn pareva imbarazzata. « Be', immagino di avere anch'io la mentalità degli universitari rispetto agli abitanti della città, vero? Insomma, che ci fa questa qui nel mio territorio? ho pensato. »

« Che cosa ti ha dato l'impressione che fosse del posto? »

Rosalyn aveva guardato pensierosa il ponticello attraverso la nebbia. Aveva le ciglia intrise di umidità, che le faceva sembrare appiccicose e più scure. Sulla fronte, i capelli più corti cominciavano ad arricciarsi, come nei bambini. « Mah, l'abbigliamento direi. Forse l'età... Magari era una del Lucy Cavendish. »

« Che cosa hai notato in particolare nei suoi vestiti? »

Rosalyn indicò la felpa e i pantaloni della tuta che indossava: erano spaiati. « Di solito chi fa parte della squadra di atletica, indossa i colori del college che frequenta, almeno la felpa. »

« E quella donna, invece, no? » aveva domandato la Havers di punto in bianco, alzando gli occhi dai suoi appunti.

« Be', in effetti portava anche lei la tuta, ma non era quella di un college. Cioè, non ricordo di aver visto nessuno stemma di un college. Anche se adesso che ci penso, considerato il colore, poteva essere della Trinity Hall. »

« Perché era vestita di nero », aveva commentato Lynley.

Il rapido sorriso di Rosalyn glielo aveva confermato. « Allora lei è un esperto? »

« Veramente ho tirato a indovinare. »

Poi si era avviato per il ponticello. Il cancelletto in ferro battuto che dava accesso all'estremità sud dell'isolotto era socchiuso. Ormai il nastro adesivo lasciato dalla polizia era stato tolto, e l'isolotto era tornato a essere disponibile per chiunque avesse voglia di sedersi vicino al fiume, combinare un incontro segreto o – come Sarah Gordon – provare a disegnare qualcosa. « E quella donna ti ha visto? »

Rosalyn e la Havers erano rimaste sul sentiero. « Oh, sì. »

« Ne sei sicura? »

« Le sono quasi finita addosso. Impossibile che non mi abbia visto. »

« E tu eri vestita come oggi? »

Rosalyn aveva annuito e si era infilata le mani nelle tasche della giacca a vento che era andata a prendere in camera prima di incamminarsi nella nebbia. « Senza questa, naturalmente », aveva precisato, sollevando le spalle per indicare la giacca a vento. E poi aveva aggiunto ingenuamente: « Sa, correndo ci si riscalda abbastanza. E... » Le si era illuminato il viso. « Quella donna non aveva né un cappotto né una giacca. Ecco perché ho pensato che stesse facendo jogging. Anche se... » Un'evidente esitazione, mentre continuava a fissare la nebbia. « Forse sì, è possibile.

Non me ne ricordo. Però... sì, mi pare che avesse addosso qualcosa... se non sbaglio.»

«Che aspetto aveva?»

«Che aspetto aveva? Vediamo...» Rosalyn aveva aggrottato le sopracciglia e si era guardata le scarpe da ginnastica. «Snella. Con i capelli tirati indietro.»

«Di che colore?»

«Oh, povera me. Erano chiari, mi pare. Sì, molto chiari.»

«Hai notato niente di insolito? Che so, nei lineamenti? Una macchia sulla pelle? La forma del naso? La fronte spaziosa? Il mento appuntito?»

«Non riesco a ricordarmene. Mi spiace moltissimo. Non sono di grande aiuto, vero? Ma dovete capire... è successo tre giorni fa e, al momento, non sapevo che mi avreste fatto tutte queste domande. Cioè, se incontri qualcuno non è che ti metti a studiarlo, no? E non ti aspetti di dovertene ricordare dopo.» Rosalyn aveva sbuffato avvilita, prima di aggiungere con aria molto seria: «Forse se provate a ipnotizzarmi come si fa quando un testimone non ricorda i particolari di un delitto...»

«Va bene così», aveva risposto Lynley, poi le aveva raggiunte. «Ti sembra che quella donna abbia visto bene la felpa che hai addosso?»

«Oh, direi proprio di sì.»

«E che avrebbe potuto leggere il nome del college?»

«Queen's College, vuole dire? Sì, certo.» Rosalyn si era voltata a guardare in direzione del college, per quanto, anche senza la nebbia, non sarebbe comunque riuscita a vederlo a quella distanza. Poi si era girata di nuovo verso di loro, con il viso triste, ma non aveva più aperto bocca fino a quando non avevano incrociato un giovanotto, che arrivava dalla parte di Coe Fen, poi aveva sceso i dieci gradini di ferro, facendo risuonare i passi sul metallo, e li aveva superati a testa china nella nebbia, che lo aveva avviluppato quasi subito. «Allora, Melinda aveva ragione», aveva mormorato Rosalyn. «Georgina è morta al posto mio.»

Una ragazza della sua età non può portarsi dentro una responsabilità del genere per il resto dei suoi giorni, aveva riflettuto Lynley, così le aveva detto: «Non potrai mai saperlo con certezza», anche se lui stesso stava arrivando rapidamente alla stessa conclusione.

Rosalyn si era portata una mano su uno dei pettinini di tartaruga che aveva fra i capelli. Se lo era tolto e aveva stretto una lunga ciocca fra le dita. «C'è questo», aveva detto, poi si era aperta la lampo della giacca a vento e aveva indicato lo stemma che portava sul petto. «E questo. Siamo alte uguali, pesiamo uguali, abbiamo lo stesso colore di capelli. E siamo tutt'e due del Queen's. Chiunque abbia seguito Georgina ieri mattina, ha creduto di seguire me. Perché io ho visto. Perché io sapevo. Perché avrei potuto parlare. E avrei dovuto farlo, sì, avrei dovuto parlare... E se lo avessi fatto – solo ora mi rendo conto che era mio dovere, non serve che me lo senta ripetere anche da lei, lo so da me – Georgina non sarebbe morta.» Poi aveva girato la testa di scatto e sbattuto rapida le palpebre, fissando la massa nebulosa dello Sheep's Green.

E allora Lynley aveva capito che c'era ben poco, forse niente, che poteva dire per far diminuire il senso di colpa o alleggerire il peso della responsabilità che la ragazza si sentiva addosso.

Adesso, più di un'ora dopo, Lynley respirò a fondo e si lasciò sfuggire un sospiro, fissando la targa davanti alla stazione di polizia. Sull'altro lato della strada, la vasta distesa verdeggiante di Parker's Piece poteva anche non esistere, nascosta com'era da uno spesso strato di nebbia. Al centro, in lontananza, lampeggiava un faretto, che fungeva da guida a chi stava cercando di trovare la strada.

«Quindi che Elena fosse incinta non c'entrava niente», disse il sergente Havers, poi aggiunse: «E adesso?»

«Rimani qui ad aspettare St James. Senti un po' cos'è riuscito a concludere sull'arma del delitto. E lasciagli fare qualche analisi in più, in modo da eliminare anche quei guantoni da boxe.»

«E tu che farai?»

«Vado dai Weaver.»

«Bene.» Tuttavia, non si mosse. Lynley si accorse che lo fissava. «Dunque hanno perso tutti, ispettore?»

«È sempre così quando c'è di mezzo un omicidio.»

Quando Lynley arrivò a casa dei Weaver, nessuna auto era parcheggiata sul viale. Le porte del garage erano chiuse e, partendo dal presupposto che le avessero messe al riparo dall'umidità, andò ugualmente a suonare il campanello. Dal retro sentì i latrati di benvenuto del cane, seguiti pochi istanti dopo da una voce femminile che gli gridava di tacere, proprio dietro la porta. Udì lo scatto della serratura.

Poiché in occasione delle due visite precedenti aveva trovato Justine Weaver ad accoglierlo alla porta, anche adesso, quando i massicci pannelli di legno di quercia si spalancarono senza far rumore, si aspettava di vedersela davanti. Così rimase un po' sconcertato quando al suo posto apparve una donna alta, di mezza età, piuttosto appesantita, con in mano un piatto di sandwich, dai quali saliva l'inequivocabile odore del tonno in scatola, con intorno una marea di patatine fritte.

A Lynley tornò in mente il primo colloquio con i Weaver e le informazioni che Anthony gli aveva fornito sulla ex moglie. Quella, intuì, doveva essere Glyn.

Tirò fuori il distintivo e si presentò. Lei lo esaminò senza fretta, dandogli il tempo di fare altrettanto con lei. Solo per l'altezza assomigliava a Justine Weaver. Per il resto, ne era l'antitesi. Osservando la pesante gonna di tweed che le tirava un po' sui fianchi, la faccia segnata dalle rughe, il doppio mento, i capelli ricci e abbondantemente striati di grigio, raccolti in uno chignon che non le donava affatto, a Lynley parve di risentire il giudizio di Victor Troughton sull'età della propria consorte. E provò anche un impeto di mortificazione appena si accorse che stava cedendo anche lui all'abitudine di dare giudizi basandosi solo sui segni che il tempo aveva lasciato su un corpo femminile. Glyn Weaver rialzò gli occhi dal tesserino e scrutò lui. Intanto continuava a tenere la porta spalancata. «Entri», gli disse. «Stavo per pranzare. Gradisce qualcosa?» E gli allungò il piatto. «Pensavo di trovare qualcos'altro oltre al tonno in scatola in dispensa, ma la moglie di Anthony preferisce stare attenta alla linea.»

«È qui?» le domandò Lynley. «C'è anche il professor Weaver?»

Glyn lo precedette in salotto e poi fece un lieve cenno con la mano. «No, sono fuori tutti e due. Del resto, non ci si può aspettare da Justine che rimanga a casa per più di un paio di giorni in seguito a un avvenimento di così poca importanza come il decesso di una figlia... Quanto ad Anthony, non so. È uscito da un po'.»

«Con la macchina?»

«Sì.»

«Era diretto al college?»

«Non ne ho la minima idea. Era qui con me, stavamo parlando, ma un minuto dopo se n'era andato. Immagino sia fuori, chissà dove, in mezzo alla nebbia, cercando di riflettere su quello che dovrà fare. Lo sa anche lei come vanno queste cose. Scrupoli morali contro una gran voglia di scopare. Si è sempre trovato nei guai a dover risolvere dilemmi come questo. Nel suo caso, temo vincerà la lussuria, come al solito.»

Lynley non rispose. Sarebbe stato un ottuso se non avesse capito cosa ribolliva dietro il velo dell'educazione di Glyn. Rabbia, odio, amarezza, invidia. E il terrore di sconfessare anche uno solo di questi sentimenti per consentire al proprio cuore di sentire in tutta la sua completezza l'impatto di ciò che doveva essere un dolore multiplo. Glyn posò il piatto su un tavolo di vimini dal quale non erano ancora stati portati via i resti della prima colazione. Sul pavimento era ben visibile una patina di briciole di pane tostato che lei pestò, perché non se n'era accorta o perché non se ne preoccupava. Ammucchiò i piatti della colazione uno sull'altro, indifferente agli avanzi di cibo freddo e rappreso, ma piuttosto che portarli in cucina, si accontentò di ammassarli da una parte, senza badare a un coltello sporco e a un cucchiaino da tè che caddero sul lindo cuscino di stoffa a fiori che copriva una delle sedie.

«Anthony lo sa», gli disse. «E presumo che lo sappia anche lei. Immagino che sia questo il motivo per il quale è venuto. L'arresterà oggi?» Si mise a sedere. La sedia di vimini scricchiolò. Prese un sandwich e diede un gran morso, masticandolo poi con un piacere che sembrava solo marginalmente riferito al gusto del cibo.

«Mi sa dire dov'è andata Justine, signora Weaver?» domandò Lynley.

Glyn prese qualche patatina fritta. «A che punto procedete con l'arresto? Me lo sono sempre domandata. Vi occorre un testimone oculare? E cosa mi dice, invece, delle prove schiaccianti? Vi occorrerà pur qualcosa per il pubblico ministero, no? La vostra imputazione dev'essere perfetta, solida, senza sbavature.»

«Aveva un appuntamento?»

Glyn si pulì le mani nella gonna e cominciò a elencare una serie di fatti, tenendone il conto sulle dita. «Allora, abbiamo prima quella telefonata tramite Ceephone che Justine finge di aver ricevuto domenica sera. Poi c'è il fatto che lunedì mattina è uscita a fare jogging senza il cane. Sapeva esattamente dove, come e a che ora trovarla. E infine la odiava e voleva vederla morta. Le occorre altro? Impronte digitali? Sangue? Anche un solo capello, un pezzettino di pelle?»

«È andata a trovare un parente?»

«La gente voleva bene a Elena. E Justine non poteva sopportarlo. Ma, soprattutto, non poteva sopportare che Anthony la amasse tanto. Odiava la sua dedizione, odiava il modo con cui lui si affannava perché fra loro filasse sempre tutto liscio. Lei non lo voleva. Perché se le cose andavano bene fra Anthony ed Elena, pensava che per contrasto sarebbero andate male tra lei e il marito. Era letteralmente malata di gelosia. È venuto per lei, vero?»

Quel poco di luccicante saliva che le si era raccolta agli angoli della bocca rivelava tutta la sua impazienza. A Lynley ricordò quelle folle che, in passato, si radunavano per assistere alle esecuzioni pubbliche e andavano in visibilio per il gusto della vendetta. Ci fosse stata una possibilità di vedere Justine Weaver sventrata e squartata, non aveva il minimo dubbio che quella donna sarebbe stata non solo consenziente, ma addirittura felice di sfruttare una simile opportunità. Avrebbe voluto dirle che alla fine la vendetta era impossibile e non si trovava nemmeno una vera e propria soddisfazione in nessun tribunale. Infatti, pur infliggendo a un criminale la più barbara delle punizioni, non si potevano cancellare la rabbia e il dolore di chi ne era stato vittima.

Guardò il disordine sul tavolo. Accanto ai piatti malamente ammucchiati e sotto un cucchiaio sporco di burro c'era una busta con lo stemma della University Press recante il nome di Justine – ma non il suo indirizzo – scritto con una mano ferma, maschile.

Glyn evidentemente se ne accorse, perché disse: «È un pezzo grosso. C'era da aspettarselo che non sarebbe rimasta qui a gingillarsi».

Lynley annuì e si accinse a prendere congedo. «La arresterete?» gli domandò ancora Glyn.

«Voglio soltanto farle una domanda», rispose lui.

«Capisco. Solo una domanda. Perfetto. Bene. La arresterebbe se avesse in mano una prova? E se gliela fornissi io?» Rimase in attesa, per vedere la sua reazione. Poi, quando Lynley si fermò e si voltò a guardarla, fece un sorriso simile a quello di un gatto ben pasciuto e soddisfatto. « Sì », gli disse piano. « Oh, sì, proprio così, signor poliziotto. »

Tirò indietro la sedia, si alzò e uscì dal salotto. Dopo un attimo, Lynley sentì il setter irlandese che ricominciava ad abbaiare e lei che gli gridava, invano, di stare zitto dal fondo della casa.

« Ecco qua », esclamò, rientrando. Aveva due cartellette manila e, sotto il braccio, quella che sembrava una tela da pittore arrotolata. « Anthony la teneva nel suo studio, nascosta in fondo a uno dei cassetti dello schedario. Un'ora fa, più o meno, appena prima che uscisse, l'ho trovato lì che piangeva. Dia un'occhiata anche lei. Non ho dubbi sulle conclusioni alle quali arriverà. »

Gli consegnò le cartellette, e Lynley sfogliò i disegni che contenevano. Tutti studi su Elena, apparentemente eseguiti dalla stessa mano. Erano belli, disegnati con abilità, tanto che non poté non ammirarli. Ma nessuno di essi, comunque, avrebbe potuto servire da movente per un delitto. Stava per dirglielo, quando Glyn gli allungò la tela.

« E adesso guardi un po' questa. »

La srotolò, accovacciandosi per distenderla sul pavimento, date le dimensioni, e anche perché era stata piegata e ripiegata prima di venire arrotolata. Notò che si trattava di un robusto canovaccio chiazzato qua e là di colore e lacerato da due vistosi tagli in diagonale che si incontravano nel mezzo, tagliati a loro volta da uno squarcio più corto. Le chiazze di pittura erano grossi grumi di colore, in gran parte bianchi e rossi, con cui pareva che la tela fosse stata imbrattata a casaccio con una spatola, senza un particolare intento artistico. Altrove, si intravedevano i colori di un altro dipinto a olio. Allora Lynley si alzò e contemplò la tela dall'alto; a poco a poco cominciava a capire.

« E dentro la tela, quando l'ho distesa per la prima volta, c'era questa », aggiunse Glyn.

Con un gesto brusco, gli mise in mano una placchetta in ottone, non più lunga di sei centimetri e non più larga di uno e mezzo. Lui la prese e la portò alla luce, pur sapendo già che cosa c'era scritto. *Elena*, in bella calligrafia.

Tornò a guardare Glyn Weaver, e notò subito il trionfante piacere che le dava quella rivelazione. Era chiaro che si aspettava qualche commento sul motivo per cui gliel'aveva mostrata, invece

Lynley le chiese: « Mentre lei era qui a Cambridge, Justine è uscita ad allenarsi come al solito? »

Evidentemente Glyn si aspettava tutt'altra reazione, però gli rispose di sì, senza mostrarsi troppo meravigliata, benché avesse socchiuso gli occhi, di colpo insospettita.

« Era in tuta? »

« Be', di certo non con un tailleur Coco Chanel. »

« Di che colore era la tuta, signora Weaver? »

« Di che colore? » Era offesa, indignata, perché lui non si concentrava sul quadro e su quello che poteva significare.

« Sì. Ricorda di che colore era la tuta? »

« Nera. »

« E allora, quali altre prove vuole per convincersi che Justine odiava mia figlia? » Glyn Weaver lo aveva seguito fuori dal salotto, lasciandosi alle spalle l'odore di uova vecchie e tonno, burro e patatine fritte che lottavano l'uno contro l'altro per avere il sopravvento. « Cosa ci vuole per convincerla? Quante altre prove ancora? »

Gli aveva posato una mano sul braccio per trattenerlo, finché lui non si era visto costretto a voltarsi e ad affrontarla. Gli stava così vicino che riusciva a sentirne l'alito di pesce unto ogni volta che fiatava. « Lui disegnava Elena, non sua moglie. Dipingeva Elena, non sua moglie. Provi un po' a immaginarsela, costretta ad assistere a tutto questo. Provi un po' a immaginarsi l'odio che provava mentre la cosa si svolgeva davanti ai suoi occhi. Qui, in questo tinello. Perché qui la luce è buona, e di sicuro lui voleva che fosse tutto perfetto prima di dipingere sua figlia. »

Lynley puntò con la Bentley verso Bulstrode Gardens. Sulla strada, la luce dei lampioni non riusciva a trafiggere la nebbia, si limitava a colorirne con una pallida tinta dorata lo strato più in alto, mentre il resto rimaneva una massa umida e grigia. Imboccò subito il viale semicircolare che portava alla casa, ricoperto di un tappeto di foglie fradice cadute o strappate dal vento dalla fila di esili betulle tutt'intorno alla proprietà. Senza prestare una particolare attenzione, diede un'occhiata alla casa prima di scendere e rifletté sul tipo di prove che aveva con sé, ripensò ai ritratti di Elena e al significato della tela rovinata, ragionò sul Ceephone collegato al computer, ma, più che altro, lavorando sul tempo. Perché sul tempo si giocava la soluzione di quel caso.

Glyn Weaver aveva asserito che per prima cosa Justine doveva aver deturpato l'immagine ma, accorgendosi che ciò non le dava una soddisfazione né reale né durevole, in un secondo tempo aveva deciso di passare ai fatti e di uccidere la ragazza. Doveva averle fracassato la faccia esattamente come aveva sfregiato la tela, brutalizzandola, distruggendola, scaricando tutta la sua furia contro di lei.

Ma in gran parte erano solo supposizioni che a lei sarebbe piaciuto veder confermate, si disse Lynley. E solo in parte si avvicinavano alla verità. Si ficcò la tela sotto il braccio e raggiunse la porta.

Ad aprirgli venne Harry Rodger, con Christian e Perdita alle calcagna. « È Pen che vuoi? » si limitò a domandargli, e poi aggiunse, rivolto a suo figlio: « Vai a chiamare la mamma, Chris ».

Mentre il bambino si arrampicava su per la scala per obbedire, gridando a squarciagola « Mamma! » e sbatacchiando la testa consunta di un cavalluccio di legno contro la balaustra, emettendo altri strilli, con un cenno della testa Rodger invitò Lynley a entrare in salotto. Poi prese in braccio la bambina e lanciò un'occhiata alla tela, senza dire niente. Perdita si rannicchiò contro il petto del padre.

Sopra di loro, si sentivano i rumorosi passi di Christian lungo il corridoio. Intanto il povero cavalluccio di legno continuava a essere sbatacchiato contro il muro. « Mamma! » Rumore di piccoli pugni contro la porta. « Le hai portato del lavoro da fare, vero? » Le parole di Rodger erano cortesi, il suo viso di proposito impenetrabile.

« Vorrei farle dare un'occhiata a questo, Harry. Mi occorre il suo giudizio da esperta. »

Le labbra del padrone di casa si curvarono in un lieve sorriso, con cui pareva mostrare che avesse compreso l'informazione senza indicare che gli fosse gradita. « Ti prego di scusarmi », disse, e passò in cucina, richiudendosi la porta alle spalle.

Dopo un attimo, Christian arrivò in salotto, precedendo non solo sua madre ma anche la zia. A un certo punto, aveva raccattato chissà dove una fondina in similpelle e stava trafficando con le manine impacciate per allacciarsela intorno alla vita, mentre la pistola giocattolo gli penzolava intorno alle ginocchia. «Ti uccido, signore», minacciò Lynley, cercando di afferrare l'impugnatura dell'arma e inciampando contro le gambe di Lady Helen nel tentativo di tirarla fuori dalla fondina. «Lo uccido, zietta Leen.»

«Non mi sembrano le parole più adatte da dire a un poliziotto, Chris.» Lady Helen gli si inginocchiò davanti e gli allacciò la fondina alla cintola, aggiungendo: «Sta' fermo».

Christian scoppiò in una risatina convulsa e ricominciò a sbraitare: «*Bang, bang*, sei morto, signore!» E poi si buttò contro il divano e cominciò a colpire i cuscini con la pistola.

«Se non altro, direi che ha un buon futuro come criminale», osservò Lynley.

Penelope alzò le mani in segno di impotenza. «Sta per scoccare l'ora del suo pisolino. E quando è stanco, non si riesce più a dominarlo.»

«Preferisco non pensare che cosa dev'essere quando è riposato!»

«*Bang, bang!*» urlò Christian, poi rotolò sul pavimento e cominciò a strisciare in direzione del vestibolo, fingendo di sparare a nemici immaginari.

Penelope lo osservò, scuotendo la testa. «Ho perfino preso in considerazione l'idea di tenerlo sotto sedativi fino ai diciotto anni compiuti, ma allora chi mi farebbe ridere?» Mentre Christian si preparava ad assaltare la scala, indicò con un cenno del capo la tela arrotolata e domandò a Lynley: «Che cos'hai portato?»

Lynley la distese sullo schienale del divano, le concesse qualche attimo perché la osservasse dal fondo della stanza e poi le chiese: «Che cosa puoi fare?»

«Fare?»

«Di certo non un restauro, Tommy», osservò Lady Helen dubbiosa.

Penelope staccò gli occhi dalla tela. «Santo cielo», disse. «Starai scherzando, spero.»

«Perché?»

«Tommy, è un disastro.»

«Non voglio che venga restaurato. Devo solo sapere cosa c'è sotto lo strato di pittura.»

«Ma come fai a sapere che c'è sotto qualcosa?»

« Guarda più da vicino. Dev'esserci qualcosa, si vede. Tra l'altro, è l'unica spiegazione. »

Penelope non domandò ulteriori particolari. Si limitò ad avvicinarsi al divano per osservare meglio la tela e ne sfiorò la superficie con la punta delle dita. « Occorrerebbero settimane per ripulirla », sentenziò. « E non hai idea di ciò che comporterebbe. Vedi, è un lavoro che si deve eseguire lentamente, centimetro per centimetro, eliminando uno strato alla volta. Non ci si può accontentare di rovesciarci sopra una bottiglia di solvente e poi strofinare via tutto come se fosse una finestra con i vetri sporchi. »

« Accidenti », sussurrò Lynley.

« *Bang, bang!* » urlò Christian dalle scale, pronto a sferrare il suo agguato.

« Eppure... » Penelope tamburellò l'indice sulle labbra. « La porto in cucina, lì c'è più luce. »

Suo marito era in piedi accanto al fornello e stava esaminando rapidamente la posta arrivata quel giorno. Sua figlia gli stava aggrappata a una gamba, con una guanciotta rosea schiacciata contro la coscia. « Mammina », mormorò con voce assonnata, e Rodger alzò la testa dalla lettera che stava leggendo. Si soffermò a guardare la tela che Penelope portava con sé. L'espressione del viso rimase impenetrabile.

« Se solo provaste a ripulire il ripiano », disse Penelope, e attese con la testa fra le mani che Lynley e Lady Helen spostassero i recipienti del frullatore, i piatti del pranzo, i libri di fiabe e le posate d'argento. Poi vi posò sopra la tela e la guardò pensierosa.

« Pen », la chiamò il marito.

« Tra un minuto », rispose lei. Andò a un cassetto e, passando vicino alla bambina, le accarezzò i capelli con tenerezza.

« Dov'è la piccola? » domandò Rodger.

Penelope si chinò e si mise a esaminare attentamente prima di tutto i grumi di pittura, a uno a uno, e poi i tagli nella tela. « Ultravioletti », stabilì. « Forse infrarossi. » Alzò gli occhi verso Lynley. « Hai proprio bisogno del quadro, o potrebbe bastarti una fotografia? »

« Una fotografia? »

« Pen, ti ho domandato... »

« Abbiamo tre possibilità, tutte parte di un eventuale operazione di restauro, comunque. I raggi X ci rivelerebbero lo scheletro del quadro, cioè tutto quanto è stato dipinto sulla tela, a prescindere dagli strati di colore. La luce ultravioletta, invece, ci potrebbe fornire indicazioni su cosa è stato fatto sopra lo strato superiore di pittura – se è stato ridipinto qualcosa, per esempio. Una foto a raggi infrarossi, infine, ci mostrerebbe lo schizzo iniziale del quadro. E se per caso la firma è stata contraffatta. Sempre che la firma ci sia, naturalmente. Che cosa potrebbe esserti utile? »

Lynley guardò la tela lacerata e rifletté sulle varie alternative. « Direi i raggi X », rispose pensieroso. « Ma se non dovessero rivelarci niente di interessante, possiamo provare con qualcos'altro? »

« Certo. Mi basterebbe... »

« Penelope. » Adesso Harry Rodger aveva il viso pieno di chiazze rosse, benché si sforzasse di mantenere un tono di voce educato e cortese. « Non è ora che i gemelli vadano a dormire? Ormai sono venti minuti che Christian fa il matto; quanto a Perdita, sta dormendo in piedi. »

Penelope diede un'occhiata all'orologio appeso alla parete sopra il fornello. Si morse un labbro guardando sua sorella. Lady Helen lc sorrise appena in segno di approvazione, o forse d'incoraggiamento. « Certo, hai ragione », sospirò. « Hanno proprio bisogno di riposare. »

« Bene. Allora... »

« Allora pensaci tu, tesoro. Noi facciamo un salto al Fitzwilliam per vedere cosa riusciamo a ricavare da questa tela. La piccola ha già mangiato, ormai dorme. Quanto ai gemelli, non ti creeranno troppe difficoltà, basta che provi a leggere a entrambi qualcosa da *Poesie bizzarre*. A Christian piace tanto la poesia che parla di Mathilda. Helen deve avergliela letta almeno tre volte ieri, prima che si addormentasse. » Intanto aveva cominciato ad arrotolare la tela. « Ho bisogno solo di un minuto per vestirmi », disse a Lynley.

Quando fu uscita, Rodger prese in braccio sua figlia, poi si mise a guardare la porta, come se aspettasse il ritorno della moglie. Vedendo che non accadeva e che, invece, stava spiegando a Christian: « Ci pensa papà a metterti a letto e a farti addormentare, tesoro », per un attimo, mentre il bambino scendeva rumorosamente le scale e attraversava di corsa il tinello, diretto in cucina, dedicò tutta la sua attenzione a Lynley.

« Non sta bene », gli disse Rodger. « E lo sapete anche voi che non dovrebbe uscire. Se dovesse succedere qualcosa, vi considererò responsabili. Tutti e due, Helen.»

«Stiamo solo andando al Fitzwilliam Museum», rispose Lady Helen in tono più che mai ragionevole e sensato. «Cosa diavolo vuoi che le succeda in un museo?»

«Papà!» Intanto Christian si era fiondato in cucina ed era andato a sbattere euforico contro le gambe del padre. «Dai, leggimi 'Tilda! Subito!»

«Ti ho avvertito, Helen», ripeté Rodger, puntando un dito contro Lynley. «Vi ho avvertito tutti e due.»

«Papà! Leggi!»

«Si direbbe che il dovere ti chiami, Harry», rispose Lady Helen con voce angelica. «Troverai i pigiamini sotto il cuscino. E quanto al libro...»

«So benissimo dov'è quel maledetto libro», ringhiò Rodger e uscì dalla cucina, portandosi dietro i figli.

«Oh, poveri noi», mormorò Lady Helen. «Chissà come ce la farà pagare! Ne vedremo di tutti i colori!»

«Non credo proprio», rispose Lynley. «Harry è un uomo educato e istruito. Se non altro sappiamo che è capace di leggere.»

«Cosa, *Poesie bizzarre*?»

Lynley fece segno di no con la testa. «Il messaggio che gli ha appena dato sua moglie.»

«Dopo un'ora, siamo riusciti ad arrivare a un accordo. La probabilità maggiore era che si trattasse di vetro. Quando me ne sono andato, Pleasance continuava a insistere con la sua teoria, cioè che doveva essere una bottiglia, di vino o di champagne, preferibilmente piena, ma il ragazzo è fresco di studi, quindi tende a dilungarsi. In tutta franchezza, ho l'impressione che sia più attirato dalle belle parole con cui esprime le proprie argomentazioni che dalla loro applicazione pratica. Non mi meraviglio affatto che il capo della Scientifica – non è Drake? – abbia una gran voglia di strozzarlo.»

Simon Allcourt-St James, l'esperto di medicina legale, aveva raggiunto Barbara Havers al tavolo dove era seduta da sola nella mensa della centrale di polizia di Cambridge. In quelle ultime due ore era rimasto chiuso in laboratorio con i due litiganti della squadra del sovrintendente Sheehan a esaminare non solo le radiografie di Elena Weaver ma addirittura il suo cadavere, e a confrontare le proprie conclusioni con quelle alle quali era arrivato il più giovane del gruppo di Cambridge. Barbara aveva pregato di essere esentata. Durante l'addestramento, il poco tempo dedicato ad assistere alle autopsie aveva soddisfatto a oltranza tutto il suo interesse per la medicina legale, modestissimo peraltro.

«E vi prego anche di notare», aveva esordito quella volta il patologo della Scientifica davanti al carrello su cui si trovava il corpo coperto da un lenzuolo, che sarebbe stato oggetto della lezione, «che i segni della legatura usata per strangolare questa ragazza sono ancora visibili, anche se il nostro assassino ha fatto quello che, evidentemente, era convinto fosse un ingegnoso tentativo di confondere le carte. Prego, avvicinatevi.»

Come idioti – anzi, automi – i detective sotto esame avevano obbedito. Tre di loro erano svenuti sul colpo mentre il patologo, con un lieve sorriso malizioso, toglieva rapidamente il lenzuolo per mettere in mostra i macabri resti di un cadavere che era stato riempito di paraffina e dato alle fiamme. Quanto a Barbara, era rimasta in piedi, ma solo per un pelo. Da quel giorno in poi non si era mai affannata ad assistere a un'autopsia. A me bastano i risultati, pensava ogni volta che un cadavere veniva portato via da una scena del crimine. Non costringetemi a stare a guardare mentre vengono raccolti.

«Tè?» domandò a St James, che si stava accomodando su una delle sedie, sistemandosi al meglio per trovar posto all'apparecchio ortopedico che portava alla gamba sinistra. «È appena fatto, sai?» Poi diede un'occhiata all'orologio. «Be', ecco... diciamo che è stato fatto da poco. A ogni modo, c'è dentro caffeina a sufficienza da farti rimanere con gli occhi sbarrati per chissà quanto tempo, casomai ti sentissi un po' giù di tono.»

St James accettò l'offerta e si servì tre cucchiai di zucchero ben colmi. Dopo averlo assaggiato, ne aggiunse un quarto e disse: «Anche io, come Falstaff, vivo di notte, Barbara».

«Salute», fece lei, sollevando la tazza in una specie di brindisi, poi lo osservò mentre beveva.

Stava bene, concluse. Un filo troppo magro e spigoloso, un po' troppe rughe in faccia, ma i suoi capelli scuri indisciplinati e lucenti avevano un certo fascino, e le mani, appoggiate sul tavolo, erano completamente rilassate. Un uomo in pace con se stesso, si disse, domandandosi quanto ci avesse messo St James per raggiungere quell'equilibrio mentale. Era il migliore amico di Lynley, un perito di Londra della cui esperienza si erano serviti spesso.

« Se non è stata una bottiglia da vino – a proposito, ce n'era una sulla scena del crimine – e nemmeno una bottiglia di champagne, mi vuoi dire con che cosa è stata massacrata la ragazza? » gli domandò. « E per quale motivo, qui a Cambridge, gli esperti del laboratorio si sono tanto accapigliati su questo problema? »

« Secondo il mio modo di vedere, è un puro e semplice caso di orgoglio maschile », replicò St James. « Il direttore della Scientifica ha passato da poco la cinquantina e occupa il suo posto da venticinque anni, se non di più. Poi arriva Pleasance, un pivello di ventisei anni, e si mette a fare il galletto. Di conseguenza, quando ci sono due galli in un pollaio... »

« Ah, gli uomini... » si limitò a commentare Barbara. « Perché non vanno fuori e fanno a gara a chi piscia più lontano? »

St James sorrise. « Non è una cattiva idea. »

« Le donne dovrebbero mandare avanti il mondo. » Si versò dell'altro tè. « Dunque, per quale motivo non potrebbe essere stata una bottiglia di vino o di champagne? »

« Perché la forma non coincide. Stiamo cercando qualcosa che, tra il fondo e i lati, faccia una curva leggermente più larga di una bottiglia. Diciamo... così, ecco. » E piegò la mano destra a formare una specie di mezzo ovale.

« Quindi i guantoni di pelle non corrispondono? »

« Per quanto riguarda la curva, forse sì, ma è impossibile che abbiano potuto fratturare uno zigomo in un colpo solo. Anzi, non sono nemmeno sicuro che avrebbe potuto farlo un peso piuma e, da quanto mi avete detto, il proprietario dei guantoni, pur lavorando di fantasia, non si può considerare un peso massimo. »

« E allora cos'è stato? » domandò Barbara. « Un vaso, magari? »

« Non direi. Qualsiasi oggetto sia stato usato, doveva avere qualcosa di simile a un manico, ed era pesantissimo, tanto che ha provocato danni molto gravi con uno sforzo minimo. La ragazza è stata colpita solo tre volte. »

« Una specie di manico. Verrebbe proprio da pensare al collo di una bottiglia. »

« È proprio per questo che Pleasance continua a insistere con la sua ipotesi, malgrado ci siano prove schiaccianti a confutarla. A meno che, naturalmente, non si tratti della bottiglia di champagne più strana del mondo.» St James prese un tovagliolino di carta dal contenitore sul tavolo e vi tracciò sopra un rozzo disegnino: «L'arma del delitto è un oggetto piatto sul fondo con una curva piuttosto larga ai lati e, secondo me, una specie di collo massiccio che si possa impugnare saldamente». Poi lo consegnò a Barbara, che si mise a studiarlo con attenzione.

«Si direbbe uno di quei decanter per il vino», disse Barbara, tormentandosi il labbro superiore con le dita, pensierosa. «Simon, qualcuno le ha massacrato la faccia con un pezzo del servizio di famiglia?»

«Di sicuro è un oggento pesante come il cristallo», replicò St James. «Ma con la superficie liscia, non intagliata. E altrettanto solida. A ogni modo, non si tratta di un recipiente.»

«E di che cosa, allora?»

St James guardò lo schizzo che Barbara aveva posato di nuovo in mezzo a loro. «Non lo so.»

«Non può essere qualcosa di metallico?»

«Non direi. Il vetro, soprattutto se è liscio e pesante, mi sembra il materiale più logico, soprattutto perché non ha lasciato alcuna traccia.»

«Devo chiederti se hai trovato qualcosa dove l'équipe di Cambridge ha fallito?»

«No, non occorre, perché non ho trovato niente.»

«Che casino» sospirò.

Era d'accordo. Cambiò posizione sulla sedia e le chiese: «Siete sempre intenzionati, tu e Tommy, a trovare un collegamento tra questi due omicidi? È uno strano metodo di procedere, se si pensa all'arma del delitto, così differente. Se state cercando di incastrare lo stesso assassino, per quale motivo le due vittime non sono state uccise entrambe a fucilate?»

Barbara cominciò a giocherellare con la superficie gelatinosa di una crostatina alle ciliegie che avrebbe dovuto sostituire la sua cena. «Pensiamo che sia stato il movente a stabilire le modalità di ciascuno dei due omicidi. Nel primo caso, il movente era personale, dunque esigeva una modalità altrettanto personale.»

«Cioè una partecipazione attiva, un contatto diretto? Picchiare selvaggiamente la vittima e poi strangolarla?»

« Sì. Nel secondo caso, invece, il movente era solo la necessità di eliminare un potenziale testimone che avrebbe potuto confermare la presenza dell'assassino su Crusoe's Island nello stesso arco di tempo in cui Elena Weaver è stata strangolata. Dunque bastava un fucile da caccia. Naturalmente l'assassino non sapeva che avrebbe ucciso la ragazza sbagliata. »

« Una gran brutta faccenda. »

« Infatti. » Barbara infilzò una ciliegia con la forchetta. Assomigliava a un grosso grumo di sangue. Con un brivido, la lasciò ricadere sul piatto e tentò di infilzarne un'altra. « Ma se non altro adesso abbiamo qualche elemento utile. E l'ispettore è andato a... » Si interruppe, aggrottando le sopracciglia, perché Lynley era entrato in quel momento dalla porta girevole, il soprabito buttato con noncuranza su una spalla, la sciarpa di cachemire che gli svolazzava intorno come un paio di ali scarlatte. Aveva con sé una cartelletta manila. Lady Helen Clyde e un'altra donna, presumibilmente sua sorella, lo seguivano a ruota.

« St James », si limitò a dire all'amico, per salutarlo. « Sono ancora in debito con te. Grazie per essere venuto. Conosci Pen, naturalmente. » Mentre St James salutava Penelope e sfiorava con un bacio la guancia di Lady Helen, lasciò cadere il soprabito su una sedia. Poi, intanto che Lynley presentava Barbara alla sorella di Lady Helen, avvicinò al tavolo altre sedie.

Barbara lo scrutò, sconcertata. Era andato a casa Weaver per avere un'informazione e, subito dopo, avrebbe dovuto arrestare il colpevole, invece era chiaro che non c'era stato nessun arresto. Qualcosa gli aveva fatto cambiare idea.

« Non l'hai portata con te? » gli domandò.

« No. Guarda un po' qua. »

Tirò fuori dalla busta un mucchietto di fotografie, e cominciò a raccontare anche a loro la storia della tela e dei disegni che Glyn Weaver gli aveva consegnato. « Il danno al dipinto è duplice », disse. « Qualcuno lo ha deturpato macchiandolo con grossi grumi di colore e poi ha terminato l'opera con un coltello da cucina. L'ex moglie di Weaver ha pensato che il soggetto del quadro fosse Elena e che Justine lo avesse distrutto. »

« E invece devo concludere che si è sbagliata? » chiese Barbara, prendendo in mano le fotografie ed esaminandole rapidamente una dopo l'altra. Ciascuna mostrava una sezione differente della tela. Erano pezzi strani, qualcuno sembrava addirittura una specie di doppia esposizione, in cui una figura era sovrapposta a un'altra. E rappresentavano vari ritratti di una figura femminile, dall'infanzia all'adolescenza. « Queste cosa sono? » domandò, passando ogni fotografia a St James dopo averla esaminata con cura.

« Fotografie a raggi infrarossi e radiografie », rispose Lynley. « Pen può spiegarvelo meglio. Le abbiamo fatte al museo. »

« Rivelano quello che c'era in origine sulla tela », disse lei. « Prima che fosse coperto da queste macchie di pittura. »

Il gruppo conteneva come minimo cinque studi di una testa, e uno di essi era grande almeno il doppio degli altri. Barbara, sempre più sconcertata, li esaminò tutti, mormorando: « Un quadro piuttosto strano, non le pare? »

« No, se lo considera come un montaggio », rispose Penelope. « Ecco, adesso le faccio vedere. »

Lynley sparecchiò il tavolo, accatastando la teiera di acciaio inossidabile, le tazze, i piatti e le posate su quello vicino. « Date le dimensioni, abbiamo potuto fotografarla solo in sezioni », spiegò intanto a Barbara.

« E quando le varie sezioni vengono assemblate, ecco il risultato », continuò Penelope. Intanto stava sistemando le fotografie in modo da formare un rettangolo dal quale mancava l'angolo destro. Ciò che Barbara vide sul tavolo fu un semicerchio di quattro studi della testa di una ragazza a mano a mano che cresceva, dipinta prima come neonata, poi a pochi anni di età, poi più grandicella e infine adolescente, che costituivano una specie di sequenza, conclusa dall'ultimo studio, più grande: lei da adulta.

« Se non è Elena Weaver », disse Barbara, « allora chi... »

« Certo che è Elena », confermò Lynley. « Sua madre era pronta a scommetterci tutto quello che possiede. Ha sbagliato il resto dello scenario, però. Ha visto i disegni e un dipinto nascosti nello studio di Weaver e, sapendo che l'ex marito era un pittore dilettante, ne ha tirato la logica conclusione. Ma è evidente che questa non è l'opera di un dilettante. »

Barbara alzò gli occhi e si accorse che il collega stava estraendo dalla busta un'altra fotografia. Tese la mano, la prese e la posò nell'angolo mancante, in basso a destra; poi guardò la firma dell'artista. Non era vistosa. Più o meno come la pittrice. Solo *Gordon* a lievi tratti neri.

«Il cerchio si chiude», disse Lynley.

«Guarda un po' che coincidenza», ribatté lei.

«Se riusciamo a collegarla all'arma del delitto, siamo a cavallo.» Mentre Lady Helen raccoglieva le fotografie in un mucchietto ordinato e le riponeva nella busta, Lynley guardò St James. «A quali conclusioni sei arrivato?» gli domandò.

«Vetro.»

«Una bottiglia di vino?»

«No. Non è la forma giusta.»

Barbara si accostò al tavolo sul quale Lynley aveva ammucchiato le stoviglie e cominciò a frugare, finché non trovò il tovagliolino di carta con il disegno. Lo tirò fuori da sotto la teiera e lo lanciò verso di loro. Cadde sul pavimento. Lady Helen lo raccolse, lo guardò, si strinse nelle spalle e lo consegnò a Lynley.

«E cosa sarebbe?» chiese. «Sembra un decanter.»

«È quello che pensavo anch'io», disse Barbara. «Ma Simon non è dello stesso parere.»

«Perché?»

«Dev'essere un oggetto solido, e abbastanza pesante da fratturare un osso con un solo colpo.»

«Accidenti!» esclamò Lynley e lo lasciò cadere sul tavolo.

Penelope lo prese. «Tommy», disse con aria pensierosa, «non ne sono sicura, ma assomiglia in modo incredibile a un mortaio.»

«Un mortaio?»

«E cosa sarebbe?» chiese il sergente Havers.

«È la prima cosa che adopera un pittore quando prepara i colori», rispose Penelope.

22

Sdraiata supina in camera da letto, Sarah Gordon teneva gli occhi fissi sul soffitto. Studiò gli intarsi dello stucco, cercando con insistenza di trarre da quelle dentellature e da quei riccioli lievi e delicati la sagoma di un gatto, la faccia scarna di una vecchia, il ghigno perverso di un demonio. Era l'unica stanza della casa di cui aveva lasciato le pareti spoglie, nell'intento di creare un'atmosfera di semplicità monastica, perché era persuasa che avrebbe favorito i voli della fantasia che in passato avevano sempre avuto come risultato uno slancio creativo.

Adesso servivano soltanto a riportarle il ricordo. Il tonfo sordo, lo sgretolio, il frantumarsi dell'osso. Il sangue inaspcttatamente caldo che le era schizzato in faccia dal viso della ragazza. E poi lei, la ragazza. Elena.

Si voltò su un fianco, avvolgendosi nella coperta di lana e piegandosi in posizione fetale. Il freddo era insopportabile. Al pianterreno aveva alimentato il fuoco per gran parte della giornata e alzato al massimo il riscaldamento, eppure non riusciva ancora a sfuggire a quel senso di gelo. Pareva che filtrasse dai muri, dal pavimento, dal letto, come una specie di contagio insidioso, determinato a possederla. E a mano a mano che i minuti passavano, il freddo aveva la meglio sul suo corpo, che era percorso da nuovi brividi.

Sarà qualche linea di febbre, si disse. Aveva fatto brutto tempo. Non ci si poteva illudere di rimanere immuni dall'umidità, dalla nebbia e dal vento gelido. Ma mentre ripeteva queste parole chiave – umidità, nebbia e vento – come una specie di cantilena ipnotica, per cercare di dare ai propri pensieri una direzione limitata, benché fosse la più accettabile e sopportabile, quella parte del suo cervello che fin dal principio era stata incapace di dominare le impose di nuovo, con prepotenza, il ricordo di Elena Weaver.

Per due mesi consecutivi, Elena era andata a Grantchester due pomeriggi la settimana, arrivando lungo il viale in sella alla sua vecchia bicicletta, con i lunghi capelli legati sulla nuca perché non le andassero in faccia, e le tasche piene di leccornie da allungare di soppiatto a Fiamma quando pensava che Sarah non se ne accorgesse. Cagnaccio, lo chiamava, e gli dava un'affettuosa tiratina alle orecchie sbilenche, gli avvicinava la faccia al muso e lasciava che le leccasse il naso. « Che cosa ho qui per il mio bel cagnaccio? » gli diceva, e scoppiava a ridere quando lui cominciava ad annusarle le tasche, scodinzolando felice, con le zampe anteriori contro i jeans. Ormai era diventato una specie di rito che, di solito, si svolgeva sul viale, dove Fiamma si precipitava a darle il benvenuto abbaiando frenetico e contento, così forte che Elena giurava di sentirne le vibrazioni nell'aria.

Poi entrava, si levava la giacca, si scioglieva i capelli e la salutava con un sorriso, un po' imbarazzata se Sarah la sorprendeva ad accarezzare il cane con tanto affetto. A quanto sembrava, non riteneva un comportamento da persona adulta tutto quell'amore per un animale, soprattutto perché non era nemmeno suo.

« Pronta? » le diceva poi, con quello strano modo di mangiarsi le sillabe. In principio, quando Tony l'aveva accompagnata da lei, quelle poche sere in cui aveva fatto da modella per le lezioni di disegno dal vero, a Sarah era sembrata timida. In realtà si trattava soltanto di quel logico riserbo iniziale di una ragazza ben consapevole di essere diversa e ancora di più del fatto che questa differenza poteva in qualche modo contribuire a creare disagio negli altri. Non appena intuiva, invece, che il suo interlocutore non era in imbarazzo – o perlomeno non appena aveva intuito che Sarah non era a disagio – diventava più sciolta e diretta, cominciava a chiacchierare e a ridere, ambientandosi alla perfezione e adattandosi alle circostanze con naturalezza.

In quei pomeriggi, alle due e mezzo precise saltava sull'alto sgabello nello studio di Sarah. Girava gli occhi per la stanza, attenta, incuriosita, e scopriva subito le tele sulle quali aveva continuato a lavorare dopo la sua ultima visita, oppure quelle nuove. E parlava sempre. In questo, come assomigliava a suo padre!

« Non ti sei mai sposata, Sarah? » Anche la scelta degli argomenti era la stessa, tranne che, a differenza del padre, lei parlava con quella sua voce strana, tanto che a volte Sarah ci metteva un attimo per comprenderne il significato, dovendo prima ripetere dentro di sé quelle sillabe pronunciate con cura ma distorte.

« No. Mai. »

« Perché? »

Sarah esaminò la tela sulla quale stava lavorando e la paragonò alla creatura vivace appollaiata sullo sgabello, domandandosi se sarebbe mai riuscita a catturare quell'energia che pareva emanare dalla ragazza. Perfino quando era a riposo, e teneva la testa inclinata, i capelli che le ondeggiavano sulle spalle, illuminati dalla luce come il sole che batte sul grano maturo d'estate, era elettrica, viva. Irrequieta e curiosa, pareva ansiosa di fare esperienza, avida di capire.

« Probabilmente pensavo che un uomo mi avrebbe ostacolato », replicò Sarah. « Volevo fare la pittrice, tutto il resto era secondario. »

« Anche mio padre vuole fare il pittore. »

« Già, infatti. »

« È bravo, cosa ne dici? »

« Sì. »

« E ti piace? »

Le aveva posto quest'ultima domanda fissandola. Solo così avrebbe potuto leggerle la risposta sulle labbra, pensò Sarah. Però era stata ugualmente brusca: « Certo! Tutti i miei studenti mi piacciono. Ed è sempre stato così. Ti stai muovendo, Elena. Ti prego, rimetti la testa come prima ».

Restò a osservare la ragazza che allungava la punta di un piede per sfregarla sulla testa di Fiamma, sdraiato sul pavimento, in attesa della leccornia che sperava le cadesse dalla tasca. Aspettò, trattenendo il fiato, che la domanda su Tony venisse dimenticata. Succedeva sempre così. Elena era abilissima nel riconoscere i limiti da non superare, ecco perché era anche straordinariamente abile nel rimuoverne la maggior parte.

Così, con un sorriso, le disse: « Scusami, Sarah », e riprese la posizione di prima, mentre la pittrice cercava di eludere il suo sguardo inquisitore avvicinandosi allo stereo e accendendolo.

« Che sorpresa per papà quando vedrà questo ritratto », esclamò Elena. « Quando? »

« Quando sarà finito. Rimettiti come prima, Elena. Accidenti, comincia a mancare la luce. »

Dopo, coperto il cavalletto e con la musica in sottofondo, si sedevano nello studio a prendere il tè, insieme con biscotti di pasta frolla che Elena faceva scivolare nella bocca avida di Fiamma –

le leccava i granelli di zucchero dalle dita con la lingua –, torte e crostate che Sarah preparava seguendo ricette a cui non pensava più da anni. Mentre mangiavano e parlavano, la musica continuava a suonare e a volte Sarah cominciava tenere il ritmo battendo le dita sul ginocchio.

« Com'è? » le domandò Elena un pomeriggio.

« Che cosa? »

La ragazza le indicò una cassa. « Quella », disse. « Lo sai cosa. Quella. »

« La musica? »

« Sì, com'è? »

Sarah chinò subito gli occhi per sfuggire al suo sguardo penetrante, e si fissò le mani mentre il tormentoso mistero dell'arpa elettrica di Vollenweider e del sintetizzatore di Moog la sfidavano a rispondere, una musica tutta alti e bassi, ogni nota limpida come cristallo. Rimase a pensare a come risponderle per tanto tempo, che Elena alla fine disse: « Scusa. Pensavo solo che... »

Alzando di scatto la testa, Sarah si accorse del turbamento della ragazza e si rese conto che pensava di averla messa in imbarazzo per aver menzionato, senza riflettere, la propria disabilità, un po' come se le avesse domandato di osservare con attenzione uno sfregio che lei avrebbe preferito evitare. « Oh, no », si affrettò a rispondere. « Non si tratta di quello, Elena. Stavo cercando di decidere... Dai, vieni con me. » Prima di tutto la portò davanti alla cassa e alzò la musica a tutto volume. Le posò una mano sopra. Elena sorrise.

« Percussioni », iniziò Sarah. « Quelli sono i tamburi. E il basso. Le senti le note basse, vero? » Quando lei annuì, mordicchiandosi il labbro inferiore con il dente scheggiato, Sarah si guardò intorno in tutta la stanza, alla ricerca di qualcos'altro. E lo trovò nel soffice pelo di cammello dei pennelli asciutti più fini, nel metallo freddo e affilato di una spatola pulita, nel vetro liscio e gelido di un barattolo pieno di trementina.

« D'accordo, ci siamo. Questo suono è fatto così. »

A mano a mano che la musica cambiava e cresceva di intensità, gliela riprodusse sulla parte interna del braccio, dove la carne era delicata e più sensibile al tatto. « Arpa elettrica », disse, e con la spatola le batté un lieve susseguirsi di note. « E adesso... il flauto. » Aveva abbozzato una danza sinuosa con il pennello. « E questo è il sottofondo, Elena. È ottenuto con il sintetizzatore. Questo musicista non usa uno strumento, ma una macchina che emette suoni. Così, come adesso: soltanto una nota tra tutte le altre», e fece rotolare il barattolo dolcemente seguendo una lunga linea diritta.

«Tutto questo accade contemporaneamente?» domandò Elena.

«Sì.» Le diede la spatola, lei invece adoperò pennello e barattolo. E mentre il disco continuava a suonare, fecero musica insieme. E nel frattempo, al di sopra delle loro teste, su uno scaffale a poco meno di un metro e mezzo di distanza, si trovava il mortaio che Sarah avrebbe adoperato per massacrarla.

Adesso, sdraiata sul letto, nella tenue luce pomeridiana, Sarah si aggrappò stretta alla coperta e cercò di smettere di tremare. Non aveva avuto alternative, rifletté. Era l'unico modo perché Anthony imparasse ad affrontare la verità.

Però adesso avrebbe dovuto convivere lei stessa con questo orrore per il resto dei suoi giorni. La ragazza le piaceva.

Ma otto mesi prima era andata oltre il dolore, in una specie di limbo in cui niente poteva più toccarla. Così, quando sentì il rumore di un'auto sul viale, il latrato di Fiamma e quei passi che si avvicinavano, non provò assolutamente nulla.

«Okay, sono disposta ad accettare il fatto che un mortaio potrebbe avere tutte le caratteristiche dell'arma del delitto», disse la Havers, mentre seguivano con gli occhi l'auto della polizia che ripartiva per accompagnare a casa Lady Helen e sua sorella. «Ma noi sappiamo che Elena è morta verso le sei e mezzo, sempre che ci possiamo fidare di quello che Rosalyn Simpson ha detto – non so lei, ma io le credo. Anche se non è stata precisissima riguardo all'ora in cui ha raggiunto l'isolotto, Rosalyn è certa di essere rientrata in camera per le sette e mezzo. Di conseguenza, se anche ha commesso un errore, probabilmente ha anticipato un po' l'ora del delitto, non il contrario. E se Sarah Gordon, la cui versione dei fatti è confermata da due vicini di casa, è uscita poco prima delle sette...» Si agitò sul sedile e si girò verso Lynley. «Mi dica un po', ispettore, come faceva a essere in due posti contemporaneamente, cioè nella sua casa di Grantchester a far colazione e su Crusoe's Island?»

Lynley condusse la Bentley fuori dal parcheggio e riuscì a infilarsi nella fiumana irregolare di traffico, puntando verso sud-est, sulla Parkside. «Lei parte dal presupposto che quando i suoi vicini l'hanno vista allontanarsi, alle sette, era la prima volta che usciva di casa quel mattino», le rispose. «Che poi è esattamente quello che desiderava far credere sia a noi sia ai vicini. Ma se badiamo bene alle sue stesse parole, quella mattina si è alzata poco dopo le cinque, e su questo non avrebbe potuto mentire, perché uno dei vicini che l'hanno vista allontanarsi alle sette avrebbe potuto vedere le luci accese in casa molto prima di quell'ora e riferircelo. Di conseguenza è lecito concludere che ha avuto tempo in abbondanza per andare a Cambridge prima.»

«Ma perché tornarci? Se voleva fingere di avere scoperto il cadavere, una volta che Rosalyn l'aveva vista, perché non puntare subito verso la stazione di polizia?»

«Non poteva», obiettò Lynley. «E non aveva scelta. Doveva cambiarsi i vestiti.»

La Havers lo fissò perplessa. «Già. Bene, allora sono proprio rimbambita. E cosa c'entrano i suoi vestiti adesso?»

«Il sangue», rispose St James.

Lynley guardò l'amico nello specchietto retrovisore e annuì, prima di riprendere il discorso con la collega: «Mi pare un po' difficile che potesse precipitarsi in una stazione di polizia a riferire di aver trovato un cadavere con addosso una tuta da ginnastica piena di schizzi di sangue della vittima».

«Ma, allora, perché andare alla stazione di polizia?»

«Doveva trovare un motivo valido per spiegare la propria presenza sulla scena del crimine, non fosse altro per non correre il rischio, non appena si fosse diffusa la notizia della morte di Elena Weaver, che Rosalyn Simpson si ricordasse di quello che aveva visto e andasse alla polizia. E poi, lo ha detto lei stessa, Havers, che doveva fingere di avere scoperto un cadavere per caso. Quindi, anche se Rosalyn fosse stata in grado di fornire alla polizia un'accurata descrizione della donna vista quella mattina, e anche se l'identikit avesse consentito agli agenti del posto di identificarla – come sarebbe potuto accadere se a Anthony Weaver fosse venuto un sospetto – perché mai qualcuno avrebbe dovuto concludere che fosse stata sull'isolotto due volte? O che avesse ammazzato una ragazza, poi fosse andata a casa a cambiarsi e fosse tornata indietro?»

«Giusto, ispettore. E allora perché l'ha fatto?»

«Per tutelarsi», rispose St James. «Casomai Rosalyn avesse raggiunto la polizia prima che fosse riuscita a fermarla.»

« Se indossava vestiti diversi da quelli che Rosalyn aveva visto addosso all'assassino », continuò Lynley, « e se uno dei suoi vicini – anche più di uno – avesse potuto confermare che non era uscita di casa prima delle sette, per quale motivo qualcuno avrebbe dovuto pensare che fosse stata lei a uccidere una ragazza morta all'incirca mezz'ora prima? »

« Però Rosalyn ha detto che quella donna aveva i capelli chiari, ispettore. Anzi, praticamente è stata l'unica cosa di cui si ricordava. »

« Appunto. Una sciarpa, un berretto, una parrucca... »

« Ma perché preoccuparsi di simili particolari? »

« Perché Elena pensasse di vedere Justine. » Lynley imboccò il rondò di Lensfield Road prima di continuare. « Ci siamo arenati sulle tempistiche fin dal principio, sergente. Ecco perché per un paio di giorni non abbiamo fatto altro che seguire un'accozzaglia di vicoli ciechi – molestie sessuali, una gravidanza, un amore respinto, la gelosia e un certo numero di relazioni illecite – quando invece avremmo dovuto riconoscere subito l'unico elemento in comune tra le due vittime e l'ultima persona sulla quale abbiamo concentrato i nostri sospetti: tutte e tre andavano a fare jogging la mattina. »

« Ma chiunque va a correre la mattina » rispose la Havers, poi aggiunse, con un'occhiata di scuse verso St James che, anche nei momenti migliori, riusciva solo a zoppicare: « In generale, cioè... »

Lynley assentì cupo. « Esatto, in generale. »

La donna si lasciò sfuggire un sospiro di frustrazione. « Sto cominciando a confondermi. Vedo il mezzo, vedo l'opportunità, ma mi sfugge il movente. A me sembra che se qualcuno doveva essere picchiato selvaggiamente e strangolato, e se la colpevole è Sarah Gordon, non ha senso che la vittima fosse Elena. Scommetterei piuttosto su Justine. Ma esaminiamo i fatti. Pur non tenendo presente che Sarah, con ogni probabilità, deve averci messo come minimo un secolo a dipingere quel ritratto, con altrettanta probabilità il quadro valeva parecchie centinaia di sterline – forse di più, anche se ciò che ignoro sul valore di un'opera d'arte potrebbe riempire gli scaffali di una biblioteca di medie dimensioni – e Justine lo ha distrutto. Se vuole il mio parere, abbandonarsi a uno scatto di collera furibonda e rovinare un dipinto a olio imbrattandolo con macchie di colore e squarciandolo, a me sembra un movente abbastanza valido. E, badi bene, il quadro sul quale Justine stava scaricando il proprio furore non era uno dei lavoretti da dilettante del marito, ma un'autentica opera d'arte, eseguita da una vera artista con una solida reputazione. Nemmeno Weaver ne sarà stato tanto contento. Anzi, visto lo scempio, non mi sarei stupita se si fosse macchiato lui di un omicidio. Dunque, perché ammazzare Elena?» La sua voce si fece pensierosa. «A meno che, naturalmente, non sia stata Justine a prendere a coltellate quella tela. A meno che Elena stessa... è questo che sta pensando anche lei, ispettore?»

Lynley non rispose. Appena prima di arrivare al ponte sul fiume, all'altezza del Fen Causeway, si accostò al marciapiede. Lasciando il motore acceso, si voltò verso gli altri due e disse: «Ci metto solo un minuto». A dieci passi dalla Bentley, venne inghiottito dalla nebbia.

Non attraversò la strada per esaminare l'isolotto una terza volta. Ormai non aveva più segreti da rivelare. Però sapeva che, dalla strada asfaltata, avrebbe potuto vedere le sagome degli alberi, quella del ponticello pedonale bagnato dalla nebbia e forse, come impressa sull'acqua, quella più scura degli uccelli. Avrebbe visto Coe Fen trasformato in un opaco schermo grigio. Nient'altro. Se le luci di Peterhouse fossero riuscite a filtrare attraverso quel banco di nebbia vasto e tenebroso, sarebbero apparse come tanti puntini luminosi, ancor più evanescenti delle stelle. Sarebbe stata una bella sfida perfino per Whistler, pensò.

Per la seconda volta si incamminò verso l'estremità del ponticello dove c'era il cancelletto in ferro battuto. E per la seconda volta prese nota del fatto che, chiunque fosse arrivato correndo lungo la sponda inferiore del fiume, dal Queen's oppure dal St Stephen's, una volta raggiunta Fen Causeway avrebbe avuto tre alternative: svoltare a sinistra e passare davanti alla facoltà di ingegneria; svoltare a destra e dirigersi verso Newnham Road; oppure, come aveva avuto modo di controllare di persona il martedì pomeriggio, continuare dritto davanti a sé, attraversare la strada proprio nel punto in cui era fermo lui adesso, superare il cancelletto e procedere verso sud, lungo la riva superiore del fiume.

Ciò che non aveva preso in considerazione martedì pomeriggio era che anche chi correva in direzione del centro della città, arrivando dalla parte opposta, avrebbe avuto tre alternative. Ciò che non aveva preso in considerazione martedì pomeriggio era che qualcuno potesse correre nella direzione opposta, partendo dalla sponda superiore piuttosto che da quella inferiore del fiume e poi da qui seguire il sentiero superiore, piuttosto che quello inferiore, lungo cui Elena Weaver stava facendo allenamento la mattina del delitto. Adesso si mise a osservare il sentiero superiore, e notò che scompariva nella nebbia come una sottile linea di matita. Come quel lunedì, la visibilità era scarsa, sei o sette metri, forse anche meno, ma il fiume, e di conseguenza il sentiero che lo seguiva, scorreva verso nord quasi senza curve o altri elementi di disturbo che potessero provocare una particolare esitazione in un atleta, benché avesse familiarità con la topografia del luogo.

Una bicicletta sbucò dalla nebbia e gli andò incontro – dal fanale attaccato al manubrio partiva un fioco raggio di luce non molto più spesso di un dito. Quando il ciclista – un giovanotto barbuto con in testa, obliquo, un cappello a tesa larga, che contrastava in modo curioso con jeans sbiaditi e una giacca di tela cerata nera – smontò per aprire il cancelletto, Lynley gli chiese: « Dove va questo sentiero? »

Sistemandosi il cappello, il ragazzo si voltò a guardare, come se un'attenta analisi del sentiero potesse aiutarlo a rispondere alla domanda. Con aria pensierosa, si tirò la punta della barba. « Costeggia il fiume. »

« Per molto? »

« Non ne sono sicuro. Io lo prendo sempre dalle parti del Newnham Driftway. Nell'altra direzione non sono mai andato. »

« Va per caso fino a Grantchester? »

« Questo sentiero? Nossignore. »

« Accidenti. » Lynley aggrottò le sopracciglia, rendendosi conto che avrebbe dovuto rivedere ciò che secondo lui era l'unica spiegazione plausibile per la morte di Elena Weaver, lunedì mattina.

« Ma se le piace camminare, da qui ci si arriva », riprese il giovanotto, forse aspettandosi che Lynley volesse fare una passeggiata in mezzo alla nebbia e all'umidità. Cercò di ripulirsi uno schizzo di fango dai jeans e agitò il braccio verso sud, sud-ovest. « In fondo al sentiero che costeggia il fiume c'è un parcheggio, appena passato Lammas Land. Passando di lì e scendendo giù per Eitsley Avenue, c'è un sentiero pubblico che taglia per i campi. Le indicazioni sono abbastanza chiare, la portano dritto a Grantchester. Anche se... » concluse, guardando l'elegante soprabito di Lynley e le scarpe fatte a mano. « Secondo me, non conoscendo la strada, sarebbe meglio non rischiare con la nebbia. Potrebbe ritrovarsi a sguazzare nel fango e basta. »

Lynley si accorse che, ascoltandolo parlare, la sua eccitazione aumentava. Dopotutto aveva trovato un riscontro nei fatti. « È molto distante? » chiese.

« Il parcheggio sarà a tre, quattrocento metri da qui. »

« No, parlavo di Grantchester. È lontano passando per i campi? »

« Due chilometri, forse due chilometri e mezzo. Non di più. »

Lynley tornò a guardare il sentiero, poi la placida superficie del fiume indolente. Il tempo, pensò. Perché era quello al centro di tutto. Ritornò alla macchina.

« Ebbene? » gli domandò la Havers.

« Non deve aver preso la macchina per arrivare qui la prima volta », rispose Lynley. « Non poteva certo correre il rischio che uno dei vicini la vedesse mentre usciva di casa, come è successo poi dopo, e nemmeno che la notassero parcheggiare vicino all'isolotto. »

La Havers girò la testa e guardò nella direzione da cui Lynley era arrivato. « Così ci è andata a piedi. Ma deve essere tornata di corsa, a una velocità pazzesca. »

Lynley si frugò nel taschino del panciotto e tirò fuori l'orologio. « Chi è stata a dirci che aveva una gran fretta quando è uscita di casa alle sette? La signora Stamford? Perlomeno adesso sappiamo il perché. Doveva essere lei a scoprire il cadavere prima che lo facesse qualcun altro. » Aprì il quadrante dell'orologio e lo consegnò alla Havers. « Veda un po' di cronometrare quanto impieghiamo ad andare fino a Grantchester, sergente », le disse.

Riuscì a insinuare la Bentley nel traffico che, a quell'ora del pomeriggio, era abbastanza scorrevole, benché lento. Scesero il lieve pendio della strada asfaltata e, dopo una breve pausa quando un'auto in arrivo si infilò nella loro corsia per evitare di sbattere contro un furgone postale parcheggiato a metà sul marciapiede con i lampeggianti accesi, procedettero senza intoppi fino al rondò di Newnham Road. Di lì il traffico cominciò a diminuire e, per quanto la nebbia fosse ancora fitta e si levasse in lente spirali intorno al pub Granta King e a un piccolo ristorante thailandese, come se fosse stato uno scenografo a richiederla per creare un'atmosfera particolare, Lynley poté accelerare, sia pure di poco.

«Tempo?» domandò.

«Finora trentadue secondi.» Con l'orologio sempre stretto in mano, la donna si girò sul sedile in modo da poterlo guardare in faccia. «Lei però non era un'atleta, non faceva gare di corsa come le altre ragazze, ispettore.»

«Ed è questo il motivo per cui ci ha messo quasi mezz'ora ad arrivare a casa, cambiarsi i vestiti, caricare l'auto e tornare a Cambridge. Tagliando per i prati, Grantchester dista un paio di chilometri», le spiegò. «Un atleta abituato alle lunghe distanze avrebbe potuto coprire lo stesso percorso in meno di dieci minuti. E se Sarah Gordon fosse stata allenata, Georgina Higgins-Hart non sarebbe morta.»

«Perché in questo caso sarebbe potuta arrivare a casa, cambiarsi e tornare in breve tempo e quindi, anche se Rosalyn l'avesse descritta nei dettagli, ci avrebbe sempre risposto che stava lasciando l'isolotto, sconvolta, dopo aver scoperto il cadavere?»

«Infatti», disse, e continuò a guidare.

La donna guardò di nuovo l'orologio. «Cinquantadue secondi.»

Procedettero lungo il lato ovest di Lammas Land, una spaziosa area verde con tavoli da picnic e parchi giochi che si estendeva lungo Newnham Road per almeno tre quarti. Svoltarono alla curva a gomito dopo la quale Newnham diventava Barton, e sfrecciarono oltre una fila di squallidi appartamenti, una chiesa, la vetrina annebbiata di una lavanderia e i palazzi più nuovi, in mattoni, di una città in pieno sviluppo economico.

«Un minuto e quindici secondi», disse la Havers mentre svoltavano a sud in direzione di Grantchester.

Lynley diede un'occhiata nello specchietto retrovisore a St James, che aveva fra le mani il materiale raccolto al Fitzwilliam Museum da Pen – era stata accolta dai vecchi colleghi con festeggiamenti simili a quelli che di solito si organizzano soltanto in occasione della visita della famiglia reale – e stava esaminando le radiografie e le fotografie a raggi infrarossi nel suo solito modo, attento, preciso, riflessivo. «St James», gli domandò Lynley, «qual è la cosa più bella del tuo amore per Deborah?»

St James sollevò lentamente la testa. Appariva meravigliato. E Lynley lo capì. Considerata la loro storia, erano acque in cui evitavano di avventurarsi. «È una domanda un po' insolita da fare a un uomo riguardo sua moglie.»

« Ci hai mai riflettuto? »

St James guardò fuori del finestrino e vide due donne anziane, una delle quali camminava sorreggendosi a una gruccia in alluminio, avviarsi verso un fruttivendolo pieno di merce, le cui cassette di frutta e verdura esposte fuori apparivano coperte da un luccicante velo di nebbia. Al braccio, pendevano vuote delle borse di rete arancioni.

« No, non credo », replicò St James. « Ma suppongo sia la sensazione di essere colpito dalla vita. Essere e *sentirsi* vivo. Con Deborah non posso fingere, non ci riesco. Né lei me lo permette. Esige il meglio da me. Un impegno completo, anima e corpo. » Riportò gli occhi sullo specchietto retrovisore. E Lynley non si lasciò sfuggire il suo sguardo serio, pensieroso, che pareva in contrasto con le parole appena pronunciate.

« Me lo aspettavo », disse Lynley.

« Perché? »

« Perché lei è un'artista. »

Gli ultimi edifici alla periferia di Cambridge – una fila di antiquate villette a schiera – si dissolsero, inghiottiti dalla nebbia, e furono sostituiti da siepi, biancospini grigio polvere che ormai si preparavano all'inverno. Il sergente Havers controllò l'orologio. « Due minuti e trenta secondi », disse.

La strada era stretta, priva di indicazioni e di mezzeria. Procedeva superando campi, da cui pareva che si sollevasse una cortina di nuvole a creare una specie di tela da pittore solida, compatta, bidimensionale, color topo, sulla quale non era disegnato nulla. Se da qualche parte, in lontananza, esistevano delle fattorie con contadini che lavoravano e animali al pascolo, la fitta nebbia li nascondeva.

Entrarono in Grantchester, superarono un uomo vestito di tweed e con un paio di stivaloni di gomma neri, pesantemente appoggiato a un bastone, che stava osservando il proprio collie intento a esplorare il ciglio della strada. « Il signor Davies in compagnia del signor Jeffries », disse la Havers, « che si esibiscono nel loro solito numero, immagino. » Mentre Lynley svoltava piano per raggiungere la strada principale, esaminò di nuovo il quadrante dell'orologio. E aiutandosi con le dita, calcolò cinque minuti e trentasette secondi, poi, quando Lynley frenò di botto, balzò in avanti: « Ehi, che sta facendo, ispettore? »

Una Citroën blu metallizzato era parcheggiata di traverso sul viale di accesso alla casa di Sarah Gordon. Non appena la vide, con la nebbia che ne lambiva gli pneumatici, Lynley esclamò: «Aspettate qui», e scese. Accompagnò la portiera per non far rumore e raggiunse l'edificio a piedi.

Le tende alle finestre della facciata erano tirate. La casa stessa sembrava disabitata e silenziosa.

Era qui con me, stavamo parlando, ma un minuto dopo se n'era andato. Immagino sia fuori, chissà dove, in mezzo alla nebbia, cercando di riflettere su quello che dovrà fare.

Come li aveva definiti? Scrupoli morali contro una gran voglia di scopare. A prima vista, poteva sembrare un'allusione involontaria al fallimento del loro matrimonio e anche una fredda valutazione del dilemma che vessava l'ex marito. In realtà quelle parole rivelavano ben altro. Perché mentre Glyn Weaver le intendeva riferite al dovere che Weaver sentiva nei confronti della morte della figlia, in contrasto con il desiderio continuo di avere una bella moglie, Lynley era sicuro che potessero avere anche un'altra applicazione, della quale Glyn probabilmente non era affatto consapevole, ma che adesso si presentava chiara, anzi trasparente, sotto forma di un'auto ferma in un viale.

Sì lo conoscevo. E per un certo periodo di tempo siamo anche stati molto intimi.

Si è sempre trovato nei guai a dover risolvere dilemmi come questo.

Lynley si avvicinò all'auto e scoprì che era chiusa a chiave. Era anche vuota, all'infuori di una piccola scatola di cartone, marrone e bianca, lasciata socchiusa sul sedile del passeggero. E quando la vide, per un attimo Lynley si sentì raggelare. Volse rapido lo sguardo verso la casa, poi di nuovo sulla scatola di cartone e sulle tre cartucce rosse che ne erano scivolate fuori. Tornò alla Bentley quasi di corsa.

«Cosa...?»

Prima che il sergente Havers potesse finire di formulare la domanda, aveva già spento il motore e si era voltato verso St James.

«C'è un pub sulla sinistra, subito dopo la casa», gli disse. «Vai lì e telefona alla polizia di Cambridge. Di' a Sheehan di venire immediatamente. Niente sirene. Niente lampeggianti. Però digli di venire armato.»

«Ispettore...»

« C'è Anthony Weaver in casa di Sarah Gordon », spiegò Lynley al sergente Havers. « E ha con sé un fucile da caccia. »

Attesero che St James venisse inghiottito dalla nebbia prima di voltarsi verso l'edificio che si trovava a una decina di metri dietro di loro. « Mi vuol dire cosa sta pensando? » gli domandò la donna.

« Che non possiamo permetterci di aspettare l'arrivo di Sheehan. » Si voltò ancora una volta a scrutare la strada dalla quale erano arrivati. Il vecchio e il cane stavano arrivando lentamente dalla curva. « Da quelle parti dev'esserci il sentiero percorso da Sarah lunedì mattina », disse. « Se è uscita di casa senza essere vista da nessuno, non può essere passata dalla porta principale, le pare? Quindi... » Guardò di nuovo la casa e poi la strada. « Da questa parte. »

Si avviarono a piedi nella direzione dalla quale erano appena arrivati in auto. Ma non avevano percorso nemmeno cinquanta metri, quando il vecchio e il cane si avvicinarono; l'uomo alzò il bastone e colpì Lynley al petto.

« Martedì », esclamò. « Eravate qui martedì. Certe cose me le ricordo bene, sapete? Norman Davies. E ho ancora gli occhi buoni, sissignori! »

« Cristo santo », mormorò la Havers.

Il cane, intanto, si era seduto a fianco del suo padrone, con le orecchie tese in avanti e sul muso un'espressione di allegra e amichevole aspettativa.

« Il signor Jeffries e io », continuò il vecchio, indicando con un cenno del capo il cane, che diede l'impressione di piegare lievemente la testa a sentir pronunciare il proprio nome, « ormai siamo fuori da un'ora. Be', sapete, il signor Jeffries ci mette sempre un po' a fare i propri bisogni, visto che è avanti con gli anni... Vi abbiamo visti passare, vero, amico mio? E gli ho detto: 'Quella gente è già stata qui'. Ho ragione, eh? Non mi dimentico le cose, io. »

« Dov'è il sentiero per Cambridge? » gli domandò Lynley senza tante smancerie.

L'uomo si grattò la testa. Il collie si grattò un orecchio. « Il sentiero per Cambridge? Non avrà intenzione di fare una passeggiata con questa nebbia. Capisco quello che sta pensando: se il signor Jeffries e io siamo in giro, perché non potete fare quattro passi anche voi due? Ma noi siamo usciti più che altro per certe necessità fisiologiche che non potevano aspettare, altrimenti ce ne staremmo rintanati a casa.» E indicò con il bastone uno dei villini con il tetto di paglia sull'altro lato della strada. «Perlopiù ce ne stiamo seduti vicino alla finestra che dà sul davanti. Non che vogliamo spiare quello che succede in paese, ci mancherebbe, però di tanto in tanto ci piace dare un'occhiata alla strada principale dove c'è un gran viavai di gente. Vero, signor Jeffries?» Il cane sbuffò in segno di approvazione.

A Lynley prudevano le mani dalla voglia di afferrare il vecchio per il bavero della giacca. «Il sentiero per Cambridge», ripeté.

Il signor Davies cominciò a dondolare avanti e indietro sugli stivaloni di gomma. «Proprio come Sarah, eh? Anche lei aveva l'abitudine di andare a Cambridge a piedi quasi ogni giorno, non è così? 'L'ho già fatta stamattina la mia passeggiata', diceva sempre quando il signor Jeffries e io al pomeriggio ci fermavamo a domandarle se aveva voglia di fare quattro passi con noi. E io le rispondevo: 'Sarah, una persona affezionata a Cambridge come te dovrebbe decidersi a trasferirsi laggiù, non fosse altro che per risparmiarsi tanta fatica'. E lei: 'È quello che sto meditando di fare, signor Davies. Mi dia ancora un po' di tempo'.» Poi ridacchiò e, con evidente piacere, si preparò a proseguire la storia, affondando la punta del bastone nel terreno. «Due o tre volte la settimana si avviava verso i campi, mai una volta che portasse con sé il suo cane; francamente, è una cosa che non sono mai riuscito a capire. Perché vede, secondo me Fiamma, cioè il suo cane, non fa abbastanza esercizio. Così il signor Jeffries e io pensavamo...»

«Dov'è quel maledetto sentiero?» ringhiò la Havers.

Il vecchio sussultò e indicò la strada. «Eccolo là, parte dalla Broadway.»

Si misero subito in cammino, sentendo il signor Davies gridare alle loro spalle: «Ehi, gente, potreste almeno dire grazie, no? Nessuno pensa mai a...»

La nebbia lo avvolse e ne soffocò la voce mentre superavano la curva dove la strada principale si chiamava Broadway – mai nome fu meno appropriato per un viottolo campestre come quello, stretto, fiancheggiato da folte siepi. Appena oltre l'ultimo cottage, a neanche trecento metri dalla vecchia scuola, un cancello di legno a doppio battente, coperto di muschio verdognolo, penzolava sbilenco dai cardini arrugginiti, un angolo affondato nella melma.

Sopra di esso si aprivano i rami di una maestosa farnia, che nascondevano parzialmente un cartello in metallo: SENTIERO PUBBLICO, diceva. CAMBRIDGE KM 2.

Il cancello si apriva su un terreno da pascolo, dove l'erba folta e lussureggiante sembrava afflosciarsi sotto il peso dell'umidità. Qualche goccia schizzò loro sui pantaloni e sulle scarpe mentre procedevano svelti lungo gli steccati dei giardini sul retro e i muretti di cinta che delimitavano le singole proprietà lungo la strada principale del paese.

« Pensa sul serio che si sia fatta una passeggiata fino a Cambridge con una nebbia come questa? » domandò la Havers, marciando quasi a passo di corsa al fianco di Lynley. « E che sia poi tornata indietro correndo? Senza smarrirsi? »

« Conosceva la strada », rispose lui. « Il sentiero è segnalato abbastanza bene. E probabilmente costeggia i campi, non vi si inoltra. Se conoscesse un po' la zona, sono sicuro che ci riuscirebbe anche lei, e bendata. »

« Oppure al buio », concluse al suo posto.

Il giardino sul retro della vecchia scuola era recintato con del filo spinato, non da un muretto. E consisteva in una specie di orto andato in gran parte in rovina e in un prato non curato. Al di là, si vedeva l'ingresso posteriore della casa, a cui si accedeva salendo tre gradini. E sull'ultimo c'era il bastardino di Sarah Gordon, che grattava con la zampa il bordo inferiore della porta, emettendo un lieve uggiolio angosciato.

« Appena ci vede, chissà il baccano che si mette a fare », disse la Havers.

« Questo dipenderà dal suo fiuto e dalla sua memoria », replicò Lynley. E provò a fargli un fischio sommesso. Il cane alzò la testa di scatto. Lynley fischiò di nuovo, e l'animale emise due rapidi latrati.

« Maledizione! » imprecò la Havers.

Poi scese dai gradini a balzi e trotterellò veloce attraverso il prato fino alla recinzione, con un orecchio ritto e l'altro riverso sulla fronte.

« Ciao, Fiamma. » Lynley gli tese una mano. Il cane la annusò, lo scrutò e cominciò a scodinzolare. « Okay, possiamo entrare », disse Lynley e sgusciò attraverso il filo spinato. Fiamma spiccò un balzo, accompagnato da un solo latrato: era smanioso di salutarli e fare loro le feste. Piantò le zampe fangose sul soprabito di

Lynley, e lui lo prese in braccio e tornò verso il filo spinato, mentre l'animale gli leccava la faccia e si divincolava, estasiato e felice. Lo consegnò alla Havers mentre si toglieva la sciarpa.

«Gliela passi sotto il collare», le suggerì. «L'adoperi come un guinzaglio.»

«Ma io...»

«Dobbiamo farlo uscire di qui, sergente. Ha una gran voglia di farci festa, ma ho i miei dubbi che sia disposto a rimanere zitto e tranquillo sul gradino della porta di servizio, mentre noi entriamo di soppiatto in casa.»

La Havers stava lottando con l'animale, che adesso sembrava fatto quasi solamente di lingua e zampe. Lynley gli legò la sciarpa al collare di cuoio e ne consegnò un'estremità alla collega, mentre lei posava il cane a terra.

«Lo porti da St James», le disse.

«Ma... e lei?» Lanciò un'occhiata verso la casa, e la risposta che trovò non era di suo gradimento. «Non può entrare là dentro da solo, ispettore», lo dissuase. «Anzi, non può proprio entrarci. Ha detto che Weaver è armato. E stando così le cose...»

«Se nc vada di qui, sergente. Subito.»

Le voltò le spalle e si allontanò prima che lei potesse azzardare un'altra obiezione, poi, a carponi, attraversò in fretta il prato. In fondo alla casa, in quello che doveva essere lo studio di Sarah Gordon, le luci erano accese, ma le altre finestre fissavano la nebbia come occhi vacui.

La porta non era chiusa a chiave. La maniglia era fredda, bagnata e viscida, ma si abbassò senza fare rumore, consentendogli di raggiungere una piccola veranda oltre la quale si trovava la cucina; gli armadietti e i piani di appoggio gettavano ombre sul pavimento di linoleum bianco.

Da qualche parte al buio, un gatto miagolò. Pochi attimi dopo comparve Seta, che arrivò a passi furtivi dal soggiorno come uno scassinatore professionista. Si fermò di colpo non appena vide Lynley nel vano della porta, e si mise a scrutarlo con uno sguardo impavido. Poi, raggiunto con un balzo uno dei ripiani, si sedette impassibile come una statua egizia, la coda intorno alle zampe anteriori. Lynley gli passò davanti – si fissavano entrambi – e si accostò con cautela alla porta che dava nel soggiorno.

Come la cucina, anche questa stanza era vuota. E con le tende tirate, appariva avvolta dall'oscurità, illuminata solo da quel poco di luce naturale che filtrava dalla stoffa e dalla fessura che divideva le due metà. Il fuoco ardeva pigro nel camino, emettendo sibili sommessi a mano a mano che la legna si trasformava in cenere. Accanto a esso, sul pavimento, c'era un piccolo ciocco, come se, quando Anthony Weaver era arrivato a interromperla, Sarah Gordon fosse stata sul punto di buttarlo sopra gli altri che già stavano bruciando.

Lynley si liberò del soprabito e attraversò il soggiorno. Imboccò il corridoio che conduceva sul retro. Davanti a lui, la porta che dava accesso allo studio era socchiusa, ma da quella stretta apertura usciva un fascio di luce che disegnava un triangolo trasparente sul parquet di quercia sbiancato.

Per prima cosa udì il mormorio delle loro voci. Stava parlando Sarah Gordon, la voce in apparenza priva di qualsiasi sentimento. Sembrava soltanto stanchissima.

« No, Tony, non è così che sono andate le cose. »

« E allora dimmelo, accidenti a te! » In contrasto, la voce di Weaver era rauca.

« Te ne sei dimenticato, vero? Non mi hai mai chiesto di restituirti la chiave. »

« Oddio... »

« Sì. Dopo che hai voluto troncare con me, in un primo momento ho pensato che avessi semplicemente trascurato il fatto che potevo ugualmente avere accesso alle tue stanze. Poi sono arrivata alla conclusione che avevi cambiato le serrature perché per te sarebbe stato più semplice, invece di chiedermi di restituire la chiave rischiando un'altra scenata. E poi io... » Sarah Gordon scoppiò in una risatina priva di gioia, che pareva quasi diretta verso se stessa. « ... E poi ho cominciato a credere che aspettassi soltanto di ottenere la nomina alla cattedra Penford prima di ritelefonarmi e chiedermi di rivederci. E per quello avrei avuto bisogno della chiave, non ti pare? »

« Come puoi aver pensato che quanto era accaduto fra noi – va bene, quanto *io* avevo fatto in modo che accadesse fra noi – avesse a che vedere, anche alla lontana, con la cattedra Penford? »

« Perché tu non sei capace di mentirmi, Tony. Almeno non nel profondo. E non importa quanto o fino a che punto sai mentire a te stesso o a chiunque altro. Il problema era la cattedra. Lo è sempre stato, e lo sarà sempre. Ti sei servito di Elena unicamente come un pretesto che, nelle tue concezioni, era molto più nobile e più affascinante della smania di far carriera. Meglio mettere la parola fine alla tua relazione con me prendendo come pretesto tua figlia che rischiare di non ottenere la promozione se qualcuno avesse saputo che volevi piantare in asso la tua seconda moglie per un'altra donna.

« È stata Elena. *Elena*, e lo sai. »

« Oh, Tony. Lascia perdere. Ti prego. Non adesso. »

« Tu non hai mai cercato di capire quello che c'era fra noi. Alla fine lei aveva cominciato a perdonarmi, Sarah. E ad accettare Justine. Stavamo costruendo qualcosa insieme. Noi tre eravamo una famiglia. Lei aveva bisogno di questo. »

« *Tu* ne avevi bisogno. *Tu* volevi dare al tuo pubblico l'apparenza della famigliola felice. »

« Rischiavo di perderla se avessi lasciato Justine. Avevano iniziato ad allacciare un rapporto, e se avessi lasciato Justine... esattamente come avevo lasciato Glyn... sapevo che avrei perduto Elena per sempre. Ed Elena veniva prima di tutto. Non poteva essere altrimenti. » Mentre si muoveva per la stanza, alzò la voce. « Era entrata nella nostra casa, Sarah. Vedeva in noi un matrimonio felice. Non potevo distruggere tutto... non potevo rinnegare quello che credeva esistesse fra noi, lasciando mia moglie. »

« Così hai distrutto quello che c'era di meglio in me, invece. In fondo, è stata la cosa più conveniente da fare. »

« Dovevo restare con Justine. Dovevo accettare le sue condizioni. »

« Per la cattedra Penford. »

« No! Accidenti a te, l'ho fatto per Elena! Per mia figlia. Per Elena. Ma tu non sei mai riuscita a capirlo. Non volevi capirlo. Non volevi pensare che io potessi provare qualcosa al di là del... »

« Del narcisismo? Del tuo tornaconto? »

Per tutta risposta, Lynley sentì un rumore metallico, una cosa che scivolava bruscamente dentro un'altra. Era il suono inequivocabile di una cartuccia che veniva caricata in un fucile da caccia. Si accostò alla porta dello studio fin quasi a toccarla, ma i due restavano al di fuori del suo campo visivo. Ascoltandone le voci, tentò di stabilire le loro posizioni. Appoggiò una mano al pannello di legno.

«Non credo che tu voglia davvero prendermi a fucilate, Tony», gli disse Sarah Gordon, «esattamente come non vuoi consegnarmi alla polizia. In entrambi i casi, lo scandalo ti farebbe crollare il mondo addosso, e non credo sia quello che vuoi. Non dopo tutto ciò che è già accaduto fra noi.»

«Hai ucciso mia figlia. Hai telefonato a Justine dal mio studio all'università, domenica sera; hai fatto in modo che Elena uscisse a correre da sola e poi l'hai uccisa. Elena. Hai ucciso Elena.»

«La tua creazione, Tony. Sì. Ho ucciso Elena.»

«Non ti ha mai torto un capello. Non ha mai nemmeno saputo...»

«Che tu e io eravamo amanti? No, non l'ha mai saputo. In quello, sono stata buona. Ho mantenuto la promessa. Non gliel'ho mai detto. E lei è morta pensando che tu fossi devoto a Justine. Non è quello che volevi pensasse? Non è quello che volevi pensassero tutti?»

Per quanto esausta, la sua voce era più limpida e squillante di quella di Anthony. Di conseguenza, pensò Lynley, la donna doveva essere girata verso la porta. Vi appoggiò sopra la mano, delicatamente. E la porta si aprì ancora di qualche centimetro. Adesso vedeva il bordo della giacca di tweed di Weaver e il calcio del fucile che teneva appoggiato alla cintola.

«Come hai potuto farlo? La conoscevi, Sarah. *La conoscevi.* Si sedeva in questa stanza e tu la ritraevi, la facevi mettere in posa, le parlavi e...» La sua voce si spense in un singhiozzo.

«E?» ripeté lei. «E, Tony? E, che cosa?» Vedendo che lui non rispondeva, proruppe in una risatina addolorata. «E la dipingevo. Ecco come sono andate le cose. Ma non finiva lì. È stata Justine a premurarsene.»

«No.»

«Sì. La *mia* creazione, Tony. Un esemplare unico. Proprio come Elena.»

«Ho cercato di dirti quanto ero dispiaciuto per...»

«Dispiaciuto? Tu eri... dispiaciuto?» Per la prima volta la voce di Sarah si ruppe.

«Quando ha saputo di noi, ho dovuto accettare le sue condizioni. Non avevo altra scelta.»

«Nemmeno io.»

«Così, per vendicarti, hai ammazzato mia figlia, un essere

umano fatto di carne e sangue, non un pezzo di tela dipinta, senza vita.»

«Non volevo vendicarmi. Volevo giustizia. Ma non l'avrei certo ottenuta in un tribunale, perché il quadro era tuo, il mio regalo per te. Che importanza poteva avere quanto ci avevo messo di me stessa in quel quadro? Ormai non mi apparteneva più. Non avevo argomenti a mio favore. Così ho dovuto pensare io stessa a pareggiare i conti.»

«Ed è quello che sto facendo anch'io adesso.»

Ci fu un movimento nella stanza. Sarah Gordon passò davanti alla porta. Aveva i capelli arruffati ed era scalza, infagottata in una coperta. Pallidissima, perfino le labbra erano esangui. «La tua auto è parcheggiata nel viale. E qualcuno ti ha visto di sicuro, mentre arrivavi. Come pensi di cavartela, se mi uccidi?»

«Non me ne importa granché.»

«Dello scandalo? Oh, ma non sarà poi così clamoroso, ti pare? Sei un padre straziato dal dolore, sconvolto e spinto alla violenza dalla morte della figlia.» Raddrizzò le spalle e gli si parò di fronte. «Senti, io penso che dovresti ringraziarmi per averla ammazzata. Con la pubblica opinione schierata al completo dalla tua parte, ormai hai la cattedra garantita.»

«Maledetta...»

«Ma come farai a premere il grilletto senza che ci sia Justine a reggerti il fucile?»

«Me la caverò. Credimi. Ce la farò. E con grande piacere.»

Fece un passo verso di lei.

«Weaver!» urlò Lynley e, nello stesso istante, spalancò la porta.

Weaver si voltò di scatto verso di lui. Lynley si buttò a terra. Dal fucile partì un colpo. Un'esplosione assordante rimbombò nella stanza. L'odore acuto della polvere da sparo saturò l'aria, e sembrò che dal nulla si levasse una nuvola di fumo nero-azzurro. Lynley riuscì a intravedere Sarah Gordon a meno di un metro e mezzo da lui, accasciata sul pavimento, ripiegata su se stessa.

Prima che riuscisse a raggiungerla, udì, anzi, vide il *clic* della cartuccia che sfregava contro il metallo mentre Weaver ricaricava l'arma. Balzò in piedi un momento prima che, con movimenti impacciati, il professore rivolgesse il fucile contro se stesso. Lynley lo raggiunse e spostò il fucile, da cui partì un secondo colpo proprio mentre la porta d'ingresso della casa veniva spalancata a calci.

Un gruppo di agenti armati percorse il corridoio ed entrò nello studio, pronti a sparare.

« Alt! Fermatevi! » urlò Lynley, malgrado si sentisse fischiare le orecchie.

In effetti era inutile commettere ulteriori atti di violenza. Weaver si lasciò cadere su uno degli alti sgabelli, annientato. Si tolse gli occhiali, che caddero sul pavimento. Ne calpestò le lenti.

« Dovevo farlo », disse. « Per Elena. »

La squadra della Scientifica era la stessa che aveva già eseguito i rilievi del caso alla morte di Georgina Higgins-Hart. Arrivarono solo pochi minuti dopo che l'ambulanza era partita a tutta velocità verso l'ospedale, aprendosi un varco tra la folla dei curiosi raccolti in fondo al viale, dove il signor Davies e il signor Jeffries tenevano banco, orgogliosi di poter affermare che erano stati i primi ad arrivare sul posto e di poter annunciare a tutti i presenti di aver capito subito che qualcosa non andava nel preciso momento in cui avevano notato la signorina grassottella avviarsi verso il pub con Fiamma al guinzaglio.

« Sarah non avrebbe mai permesso a nessuno di portare a spasso Fiamma », spiegò il signor Davies. « A parte il fatto, poi, che il cane non era attaccato al solito guinzaglio. Appena ho visto la scena, ho capito subito che c'era qualcosa di strano. Vero, signor Jeffries? »

In altre circostanze, per Lynley la presenza continua del signor Davies sarebbe forse risultata irritante. Invece, data la situazione, si trasformò in una fortuna inaspettata, perché il cane di Sarah Gordon lo conosceva, quindi non fece difficoltà a seguirlo quando la sua padrona venne portata fuori in barella, dopo una medicazione sommaria, con un tampone applicato all'arteria per fermare il sangue.

« Mi prendo anche il gatto », disse il signor Davies mentre procedeva a passo strascicato per il viale, verso la strada, con Fiamma al seguito. « Non abbiamo una grande simpatia per i felini, il signor Jeffries e io, però non vogliamo vedere quel poverino andare in giro a mendicare un ricovero fino al giorno in cui Sarah tornerà a casa. » Lanciò un'occhiata inquieta in direzione della ex scuola, davanti alla quale era fermo a chiacchierare un gruppetto di agenti armati. «Perché Sarah tornerà a casa, vero? E guarirà?»

«Guarirà, certo.» Ma il proiettile l'aveva colpita al braccio destro e, dall'esame che gli infermieri dell'ambulanza avevano fatto alla ferita valutandone la gravità, Lynley si domandò se quella frase avesse qualcosa di vero. Poi tornò verso la casa della pittrice.

Dallo studio gli giunsero subito le domande taglienti del sergente Havers e la voce smorzata di Anthony Weaver. E poi il rumore degli esperti della Scientifica che stavano raccogliendo gli indizi. Sentì chiudere lo sportello di una credenza, poi St James disse al sovrintendente Sheehan: «Ecco il mortaio». Decise di non raggiungerli.

Preferì passare nel soggiorno, dove si mise a esaminare alcune delle opere di Sarah Gordon appese alle pareti: quattro giovani di colore – tre accucciati per terra, uno in piedi – intorno al vano della porta di uno di quegli enormi e fatiscenti casermoni periferici di Londra; un vecchio ambulante che vendeva caldarroste all'ingresso della metropolitana di Leicester Square ai passanti diretti a teatro, eleganti e impellicciati; un minatore e sua moglie nella cucina della loro misera casupola nel Galles.

C'erano artisti, e lo sapeva, che si servivano delle loro opere come pura e semplice dimostrazione di tecnica, in cui rischiavano poco e comunicavano ancora meno. Altri, invece, erano abilissimi a trattare i materiali, e lavoravano l'argilla o la pietra, il legno o i colori con la stessa abilità e naturalezza di un artigiano. E altri ancora cercavano di creare qualcosa dal nulla, di generare l'ordine dal caos, ed esigevano da se stessi di riuscire a comunicare strutture, composizioni, colore ed equilibrio, e da ogni loro opera che servisse a comunicare anche dei valori. In un mondo di immagini in continuo movimento, un'opera d'arte impone alla gente di fermarsi a guardare. Ma anche quando la gente trova il tempo di soffermarsi di fronte a una tela, a una scultura di bronzo, di vetro o di legno, il risultato è degno di nota se non si limita a esprimere una tacita lode al talento dell'autore ma esige pensiero e riflessione.

Adesso si rendeva conto che Sarah Gordon era proprio quel genere di artista. Aveva comunicato i suoi sentimenti e le sue passioni nella pietra e sulla tela. Solo quando aveva cercato di fare altrettanto nella vita reale aveva fallito.

«Ispettore?» Il sergente Havers entrò nella stanza.

Con gli occhi fissi sul quadro dei bambini pakistani, Linley disse: «Non so se avesse proprio intenzione di spararle, Barbara. D'accordo, la minacciava. Ma il proiettile può essere partito accidentalmente. Dovrò dirlo in tribunale».

«A parte quello che potrà dire o non dire lei, mi sembra che la posizione di Weaver non sia facile.»

«La sua colpevolezza è controversa. Gli occorre soltanto un buon avvocato e la solidarietà generale.»

«Forse. Ma lei ha fatto del suo meglio.» E allungò la mano. Fra le dita stringeva un pezzo di carta bianca ripiegato. «Uno degli uomini di Sheehan ha trovato un fucile da caccia nel portabagagli dell'auto di Sarah Gordon. E Weaver aveva questo con sé. Però non ne ha voluto parlare.»

Lynley prese il foglio e lo aprì; stupendo, era il disegno di una tigre che aveva assalito e stava cercando di abbattere un unicorno, la cui bocca era spalancata in un silente urlo di terrore e di dolore.

La Havers continuò: «Ha detto solo di averlo trovato in una busta nel suo studio al college quando ieri ci è andato per parlare con Adam Jenn. Ci capisce qualcosa lei, ispettore? Ricordo che Elena aveva poster di unicorni appesi su tutte le pareti della sua camera. Ma la tigre? Confesso che non ci arrivo».

Lynley le restituì il foglio. «È una tigre femmina», disse, e finalmente comprese per quale motivo Sarah Gordon avesse avuto quella reazione, il primo giorno in cui le avevano parlato, quando le aveva menzionato Whistler. No, non c'entravano affatto le critiche di John Ruskin, e tantomeno questioni relative alla sua arte o al suo modo di dipingere la notte oppure la nebbia. Era semplicemente perché chiamava la sua amante, la sconosciuta modista, *La Tigresse*. «Voleva fargli capire di avere assassinato sua figlia.»

Il sergente Havers rimase a bocca aperta. Poi, di scatto, la richiuse. «Ma perché?»

«Era l'unico modo per chiudere quel cerchio di distruzione con cui cercavano di ferirsi l'uno con l'altra. Weaver aveva distrutto la sua creazione e la sua capacità di creare, Sarah lo sapeva. E voleva fargli sapere che lei aveva fatto altrettanto con la sua creazione.»

23

Justine se lo trovò davanti, sulla porta. Anthony aveva appena fatto in tempo a inserire la chiave nella serratura, che si era precipitata ad aprirgli. Si accorse che era ancora vestita come quando lo aveva lasciato per andare in ufficio. Anche se portava quel tailleur nero e la camicetta grigio perla almeno da tredici ore, apparivano perfetti, neanche una piega, come se li avesse appena indossati.

Justine guardò il viale dietro le sue spalle; i fari di un'auto della polizia che si stava allontanando diventavano sempre più piccoli. «Dove sei stato?» gli domandò. «Dov'è la Citroën? Anthony, dove sono i tuoi occhiali?»

Lo seguì nello studio e rimase sulla soglia mentre lui frugava nella scrivania cercandone un altro paio, quelli con la montatura di corno, che non portava da anni. Alla Woody Allen, così gli aveva detto Elena. *Quando te li metti, papà, hai proprio l'aria da stupido.* Da quel giorno, non li aveva più usati.

Si voltò, alzando gli occhi verso la finestra. Nel vetro scorse il riflesso della propria immagine e di quella della moglie, dietro di lui. Era una donna incantevole. Per dieci anni – tanto era durato il loro matrimonio – gli aveva chiesto ben poco, solo che l'amasse, che rimanesse con lei. E in cambio gli aveva creato questa casa, dove aveva dato il benvenuto ai suoi colleghi. Gli aveva offerto il suo appoggio, aveva creduto nella sua carriera, gli era stata fedele. Però non era riuscita a dargli quel senso di unione ineffabile che esiste tra le persone quando è come se fossero un'anima sola.

Fintanto che avevano avuto un obiettivo comune da raggiungere e per cui impegnarsi sodo – andare alla ricerca di una casa, ridipingerla e arredarla, acquistare i mobili, scegliere le auto, studiare la disposizione del giardino – erano esistiti nell'illusione sicura che la loro fosse l'unione ideale. Stavolta il mio è proprio un matrimonio felice, aveva perfino pensato. È un legame che mi fa sentire rinato, devoto, impegnato, tenero, affettuoso e forte. Siamo perfino entrambi dei Gemelli. Come se fossimo destinati l'uno all'altra fin dalla nascita.

Ma quando questi interessi comuni superficiali erano svaniti, quando la casa era stata comprata e arredata alla perfezione, quando il giardino era stato disegnato e gli alberi piantati, quando le affusolate e lucenti auto francesi avevano occupato il garage, lui si era ritrovato con un indefinibile senso di vuoto e una vaga e scomoda incompletezza. Voleva di più.

Mi manca uno sfogo per la mia creatività, aveva pensato. Ho trascorso più di vent'anni della mia vita a dedicarmi in polverose università a scrivere, dare lezioni, incontrare gli studenti, a far carriera, insomma. È venuto il momento di allargare i miei orizzonti e di arricchire la mia esperienza.

E lei, come sempre, gli aveva dato il suo pieno appoggio. Non lo aveva seguito nelle sue scelte, poiché non provava un interesse particolare per l'arte, però ne aveva ammirato i disegni, montato e incorniciato gli acquarelli e ritagliato dal giornale locale l'annuncio delle lezioni di pittura di Sarah Gordon. «Forse ti piacerebbe frequentarle, tesoro», gli aveva detto. «Personalmente non ho mai sentito parlare di lei, però il giornale dice che è una donna di talento straordinario. Non sarebbe meraviglioso se potessi conoscere una vera artista?»

Ironia della sorte, aveva pensato. Che si fossero conosciuti proprio grazie a Justine, cioè. E che fosse stata proprio lei a informarlo della presenza di Sarah Gordon a Grantchester era addirittura servito a chiudere il cerchio della loro storia con perfetto equilibrio. In fondo, era Justine l'unica vera responsabile delle vicende che avevano portato a quella tragedia atroce, quindi era più che appropriato che fosse stata lei la causa scatenante, perché tutto era cominciato con le lezioni di disegno dal vero che si era messo a seguire insieme ad altri allievi.

«Se è proprio finita fra voi, devi liberarti di quel quadro», gli aveva detto Justine. «Distruggilo. Vedi di eliminarlo dalla mia vita. Anzi, di eliminare anche lei dalla mia vita.»

Non le era bastato che lo rovinasse con quei grumi di pittura a olio. Soltanto la completa distruzione avrebbe potuto placare la rabbia furiosa di Justine e lenire il dolore atroce per la sua infedeltà. Dunque, quell'atto di distruzione poteva avvenire solo in una precisa occasione e in un preciso luogo per convincere sua moglie della sincerità con cui dava un taglio definitivo al rapporto con Sarah. Ed ecco perché aveva affondato il coltello nella tela per tre volte alla presenza di Justine. Alla fine, però, non aveva avuto la forza di disfarsi del dipinto rovinato.

Se lei, tanto per cominciare, fosse stata quello di cui avevo bisogno, pensò, non sarebbe successo niente. Se lei fosse stata disposta ad aprire il proprio cuore, se fosse riuscita a non perdere i contatti con il proprio spirito, se creare, per lei, avesse significato qualcosa di più che possedere, se avesse fatto qualcos'altro, non limitandosi ad ascoltare e a sembrare comprensiva, se avesse avuto qualcosa da dire su se stessa, sulla vita, se avesse cercato di comprendermi fino in fondo, se avesse cercato di capire chi e che cosa sono...

«Dov'è la Citroën, Anthony?» ripeté Justine. «Dove sono i tuoi occhiali? E dove accidenti sei stato? Sono le nove passate.»

«Dov'è Glyn?» le chiese lui.

«Sta facendo un bagno, consumando quasi tutta l'acqua calda.»

«Domani pomeriggio se ne andrà. Speravo che riuscissi a sopportarla fino a quel momento. In fondo...»

«Sì. Lo so. Ha perduto sua figlia. È annientata, distrutta, e io dovrei riuscire a ignorare tutto quello che fa e ogni cosa abominevole che dice, sempre per lo stesso motivo. Be', non ci sto. E tu sei uno stupido se lo accetti.»

«Bene, allora vuol dire che sono proprio uno stupido.» Voltò le spalle alla finestra. «Del resto della mia stupidità te ne sei servita più di una volta, e a tuo vantaggio, no?»

Sulle guance di Justine apparvero due chiazze rosso cupo. «Siamo marito e moglie. Abbiamo preso un impegno. Abbiamo fatto un giuramento in chiesa. O, perlomeno, io l'ho fatto. E io non l'ho mai tradito. Mai. Nemmeno una volta. Non sono stata io che...»

«Va bene», rispose lui. «Lo so.» Faceva troppo caldo lì dentro. Sentì il bisogno di togliersi la giacca, ma si accorse che gli mancava la volontà.

«Dove sei stato?» ripeté lei. «E cos'hai fatto della macchina?»

«Si trova alla stazione di polizia. Non mi hanno permesso di [illegible]darla fino a casa.»

[illegible]ome... la polizia? Cos'è successo? Cosa sta succedendo?»

« Niente. Perlomeno, non succederà più niente. »

« E questo... cosa vorrebbe dire? » A mano a mano che cominciava a rendersi conto, Justine sembrò irrigidirsi, quasi diventare più alta e impettita. Sotto il bel tessuto del tailleur che indossava, Anthony poteva immaginare il guizzo e il fremito dei suoi muscoli. « Sei stato di nuovo con lei. Te lo leggo in faccia. Me lo avevi promesso, Anthony. Me lo avevi giurato. Avevi detto che era finita. »

« È finita. Credimi. » Lasciò lo studio e si diresse verso il salotto. Sentì il suono dei tacchi alti di Justine che lo seguivano.

« E allora cosa... hai avuto un incidente? Hai distrutto la macchina? Sei forse ferito? »

Ferito... Un incidente... Non c'era nulla di più vero. Di fronte a quella battuta, un classico esempio di umorismo nero, provò una gran voglia di mettersi a ridere. Perché Justine sarebbe sempre partita dal presupposto che lui era la vittima, non il vendicatore. Non avrebbe mai potuto concepire l'idea che, almeno una volta, prendesse in pugno una situazione. Non sarebbe mai stata capace di immaginare che, alla fine, potesse fare qualcosa di testa propria, senza lasciarsi irretire dall'opinione o dalla condanna altrui, perché era persuaso che fosse la cosa giusta da fare. Ma, in fondo, perché avrebbe dovuto comprenderlo se, prima, non aveva mai compiuto un solo gesto di sua spontanea volontà? All'infuori di quando aveva piantato in asso Glyn, pagando lo scotto di tale decisione per i quindici anni successivi.

« Anthony, rispondimi. Che cosa ti è successo oggi? »

« Ho chiuso con certe cose. Definitivamente. » Poi passò in salotto.

« Anthony... »

C'era stato un periodo in cui si era convinto che le nature morte appese sopra il divano rappresentassero le sue opere migliori. *Dipingi qualcosa che si possa appendere in salotto, tesoro. E adopera colori che siano in armonia con il resto.* E lui aveva obbedito. Albicocche e papaveri. Bastava un'occhiata per capire subito che cosa fossero. Ma la vera arte non è proprio questo? Una replica precisa della realtà?

Li aveva staccati dal muro e portati da Sarah per mostrarglieli orgoglioso, alla prima lezione. E non aveva importanza che insegnasse disegno figurato, aveva voluto farle capire fin dal principio che era di molto superiore a tutti gli altri, che possedeva un talento grezzo e stava aspettando qualcuno che facesse di lui un nuovo Manet.

Sarah lo aveva sorpreso fin da subito. Appollaiata su uno sgabello in un angolo dello studio aveva cominciato la lezione senza dare indicazioni di sorta. Invece, aveva parlato. Con i piedi avvinghiati ai pioli dello sgabello, i gomiti appoggiati alle ginocchia, letteralmente ricoperti di schizzi di colore, si era presa la faccia fra le mani, lasciando che le ciocche dei capelli le si insinuassero tra le dita, e aveva parlato. Di fianco a lei c'era un cavalletto con una tela non finita – un uomo che proteggeva con il proprio corpo una bambina dai capelli arruffati. Mentre parlava, non aveva mai indicato il dipinto, nemmeno una volta. Era chiaro che si aspettava fossero loro a trovare una correlazione.

«Non siete qui a imparare come si dà il colore su una tela», aveva detto al gruppetto. Erano in sei: tre donne anziane in camice da lavoro e pesanti scarpe sportive, la moglie di un militare americano con un mucchio di tempo a disposizione, una ragazzina greca di dodici anni, il cui padre sarebbe stato ospite dell'università in qualità di lettore per un anno, e lui. Subito, al primo istante, aveva capito di essere l'allievo più serio e impegnato di tutti. Pareva, anzi, che la pittrice si rivolgesse direttamente a lui.

«Qualsiasi imbecille può imbrattare una tela con i propri sgorbi colorati e chiamarla arte», aveva detto. «Invece, il corso che state per iniziare non riguarda niente di simile. Voi siete qui per mettere parte di voi stessi sulla tela, per rivelare chi siete tramite la vostra composizione, la scelta del colore, il senso dell'equilibrio e del rigore. La difficoltà sta nel capire quello che è già stato fatto in precedenza e andare avanti. Il vostro compito è quello di scegliere un'immagine ma dipingere un concetto. Io posso fornirvi tecniche e metodi, ma, se volete chiamarlo arte, quello che produrrete deve scaturire direttamente dal vostro io. E...» Sorrise. Era un sorriso strano, luminoso, privo di consapevole affettazione. Non poteva sapere che arricciava il naso in un modo ben poco attraente. O forse probabilmente non ci badava. Non sembrava dare grande importanza alle apparenze. «... Se non avete un vostro io, oppure non sapete come trovarlo, o se per qualche motivo avete paura di scoprire chi e che cosa siete, riuscirete ugualmente a creare qualcosa sulla tela con i vostri colori. Sarà gradevole da guardare e sarà un piacere per voi. Ma sarà solo tecnica, non arte. Lo scopo – anzi, il nostro scopo – è quello di comunicare con un determinato mezzo. Ma per farlo, occorre avere qualcosa da dire. »

La chiave di tutto è la delicatezza, questo gli aveva spiegato. Un quadro è un sussurro. Non un grido.

In conclusione, Anthony si era vergognato della semplicistica arroganza che lo aveva spinto a portare con sé quegli acquarelli, tanto era convinto del loro pregio artistico. Così aveva preso la decisione di squagliarsela, uscendo dallo studio senza farsi notare, tenendoli sotto un braccio, avvolti e protetti nella robusta carta da pacchi marrone, perfetta per lo scopo. Ma non era stato abbastanza veloce. Mentre gli altri uscivano, Sarah gli aveva detto: « Ah, vedo che ha portato qualcuno dei suoi lavori da mostrarmi, professor Weaver », e si era avvicinata al suo tavolo in attesa che li scartasse. Come non gli capitava più da anni, lui si ritrovò con i nervi a fior di pelle, annientato.

Li aveva osservati pensierosa. « Albicocche e...? »

Si era sentito avvampare.

« Papaveri. »

« Ah », aveva risposto lei. E poi, in tono molto brusco, aveva commentato: « Sì. Molto carini ».

« Carini. Ma non sono arte. »

Allora si era voltata a fissarlo negli occhi. Il suo era uno sguardo amichevole e franco. E lui aveva trovato sconcertante essere scrutato a quel modo da una donna. « Non mi fraintenda, professore. Sono acquarelli deliziosi. E ogni acquarello delizioso ha il proprio posto. »

« Però lei non li appenderebbe a una delle sue pareti? »

« Io? » Nei suoi occhi apparve un barlume di incertezza, ma poi sostenne il suo sguardo. « Io tendo a dipingere soggetti un poco più provocatori. È una questione di gusti. »

« E questi non hanno niente di provocatorio? »

Aveva studiato gli acquarelli di nuovo. Appollaiata sull'angolo del suo tavolo da disegno, si era messa i due quadri sulle ginocchia, prima l'uno e poi l'altro. Aveva stretto le labbra e gonfiato le guance.

« Non mi offendo, sa? » aveva detto lui ridacchiando in un modo che, se n'era accorto subito, ne rivelava non tanto il buonumore, quanto l'angoscia. « Può dirmelo chiaro e tondo in faccia. »

La pittrice lo aveva preso in parola. « Va bene. Non c'è dubbio che sia capace di copiare. Ne abbiamo qui la prova. Ma sa creare, anche? »

Quel giudizio non gli fece male come pensava. « Mi metta alla prova », aveva ribattuto.

« Sarà un piacere », aveva risposto lei con un sorriso.

Così si era buttato anima e corpo a studiare pittura per i due anni successivi, prima seguendo le lezioni che Sarah offriva alla comunità, poi come studente privato. D'inverno si servivano di un modello in carne e ossa. D'estate prendevano cavalletto, album da disegno e colori e andavano fuori a dipingere la campagna. A volte, come esercizio per imparare l'anatomia umana, si ritraevano a vicenda. « I muscoli sternocleidomastoidei, Tony », gli diceva lei, e appoggiava la punta delle dita al collo. « Cerca di pensare a loro come se fossero corde nascoste sottopelle. » E non mancava mai la musica. « Ascoltami, se stimoli un senso, stimoli anche tutti gli altri », gli spiegava, « non c'è l'arte se l'artista è vuoto e insensibile. Guarda la musica, ascoltala, sentila. Senti l'arte. » E poi partiva la musica: una scelta ossessiva di melodie popolari celtiche, una sinfonia di Beethoven, un gruppo di salsa, una messa africana chiamata *Missa Luba*, lo snervante lamento delle chitarre elettriche.

In presenza di tanta intensità e dedizione, Anthony aveva cominciato a sentirsi come se fosse riemerso dal buio dopo quarantatré anni e finalmente si fosse ritrovato a camminare in piena luce del sole. Si era sentito rinnovato. Aveva trovato il modo di veicolare il proprio interesse e di provocare l'intelletto. Aveva scoperto nuovi sentimenti ed emozioni. E per i sei mesi prima che Sarah diventasse la sua amante, aveva definito tutto ciò la ricerca della propria arte. Questo gli dava una certa sicurezza. Non esigeva una risposta per il futuro.

Sarah, disse tra sé, e si meravigliò perché ancora adesso, dopo quanto accaduto, perfino dopo Elena, provava ancora il desiderio di mormorare quel nome che non si era più concesso di pronunciare negli ultimi sei mesi, da quando Justine lo aveva accusato di tradimento e lui aveva confessato.

Un giovedì sera, lui e la moglie erano andati in macchina alla vecchia scuola, più o meno alla stessa ora in cui lui arrivava di solito. Le luci erano accese e nel camino ardeva un bel fuocherello – ne distingueva il tremulo bagliore qua e là attraverso le tende tirate alla finestra – e aveva capito che Sarah lo stava aspettando e che la musica suonava e una decina o forse più di disegni era sparpagliata sul pavimento, tra i cuscini. Sapeva che, sentendo il campanello, sarebbe andata ad aprirgli, che sarebbe corsa ad accoglierlo, che avrebbe spalancato la porta e lo avrebbe tirato dentro dicendogli: « Tony, ho avuto un'idea meravigliosa su come comporre quel quadro della donna a Soho, sai, quello che mi sta facendo impazzire da una settimana... »

« Non posso », aveva detto a Justine. « Non chiedermi di farlo. La distruggerà. »

« Non mi interessa », aveva replicato Justine scendendo dall'auto.

Probabilmente Sarah stava passando davanti alla porta quando avevano suonato il campanello, perché era venuta subito ad aprire e nello stesso momento il cane aveva cominciato ad abbaiare. Girando appena la testa, gli aveva gridato: « Fiamma, smettila, è Tony. Lo conosci Tony, sciocco che non sei altro ». E poi si era girata di nuovo verso la porta e si era trovata di fronte entrambi, lui davanti, con il ritratto avvolto nella carta da pacco marrone sotto il braccio, mentre sua moglie dietro, un po' scostata.

Sarah non aveva pronunciato una sola parola. Non si era nemmeno mossa. Si era limitata a guardare dietro di lui, dov'era rimasta ferma sua moglie, la cui espressione lasciava a intendere l'entità del peccato del marito. « Il tradimento viaggia in due direzioni, Tony », gli aveva detto in passato. E lui lo aveva capito chiaramente quando gli occhi di Sarah si erano fatti più cupi e, poi, si era affrettata a dare al proprio viso quella patina appena percettibile di buona educazione e di cortesia che, ne era convinta, avrebbe dovuto proteggerla.

« Tony », aveva detto.

« Anthony », aveva precisato Justine.

Erano entrati in casa. Fiamma era uscito dal salotto trotterellando con un vecchio calzino pieno di nodi stretto fra i denti e, senza mollarlo, si era messo ad abbaiare felice alla vista di un amico. Seta aveva alzato il muso dal suo posto accanto al fuoco, dove pisolava, e aveva ondeggiato la coda come pigro cenno di saluto.

« Adesso, Anthony », gli aveva detto Justine.

Gli mancava il coraggio: di farlo, di non farlo, perfino di parlare.

Si era accorto che Sarah guardava il quadro. « Che cosa mi hai portato, Tony », gli aveva detto, come se Justine non fosse lì, al suo fianco.

L'aveva deturpato con grumi di pittura a olio, ma non era abbastanza. Soltanto un sacrificio umano avrebbe ottenuto lo scopo.

In salotto c'era un cavalletto e lui, tolta la carta al dipinto, ve lo aveva appoggiato sopra. Si era aspettato che Sarah si precipitasse a scrutarlo da vicino, subito dopo aver visto quelle grosse chiazze rosse bianche e nere che cancellavano i volti sorridenti di sua figlia. Invece si era limitata ad avvicinarsi a passo lento e, quando aveva notato ciò che già sapeva di trovare in basso, sulla cornice, le era sfuggito un grido sommesso. La placchetta in ottone. Quel nome, *ELENA*, inciso con elegante grafia.

Lui aveva sentito Justine muoversi. L'aveva sentita pronunciare il suo nome, si era accorto che gli metteva il coltello in mano e lo costringeva a stringerne l'impugnatura. Era una grossa lama per tagliare la verdura, l'aveva preso dal cassetto della cucina, a casa. E aveva detto: « Eliminalo dalla mia vita, elimina *lei* dalla mia vita. Dovrai farlo stasera, e sarò presente anch'io, per esserne sicura ».

Si era avventato contro la tela per darle il primo colpo con il cervello in tumulto, sconvolto dalla rabbia e dalla disperazione. Aveva udito Sarah gridare: *« No! Tony! »* e si era sentito le sue dita sul pugno, poi aveva visto il rosso del suo sangue quando il coltello gli era scivolato di taglio sulle nocche, per poi tracciare un altro squarcio attraverso la tela. E poi un altro taglio, il terzo, ma ormai lei era indietreggiata, tenendosi stretta al corpo la mano sanguinante, come una bambina, senza piangere, perché non lo avrebbe mai fatto, non di fronte a lui, certo, e nemmeno a sua moglie.

« Basta così », aveva detto Justine, poi aveva voltato le spalle e se n'era andata.

Lui l'aveva seguita fuori. Senza pronunciare una sola parola.

Una sera, a lezione Sarah aveva parlato del rischio e della ricompensa che comporta produrre qualcosa di personale, offrire frammenti sparsi del proprio io a un pubblico che avrebbe potuto fraintenderlo, ridicolizzarlo o respingerlo.

E benché l'avesse ascoltata diligente, Anthony non aveva inteso il significato di quelle parole fino a quando non aveva visto la sua faccia al momento della distruzione del quadro, fino a quando non aveva udito quel solo, unico grido che accompagnava la morte di un'anima. Non era stata la reazione a settimane e mesi di sforzi per portare a compimento il quadro; né tantomeno al modo in cui lui aveva mutilato il suo dono. In realtà, era tutto molto più semplice: per tre volte aveva sfregiato con il coltello quello che, per Sarah, aveva rappresentato il modo più autentico in cui potergli mostrare pietà e amore.

Forse questo era stato il suo peccato più grave. Averle suggerito quel dono. Averlo fatto a pezzi.

Staccò gli acquarelli – quelle albicocche e quei papaveri così innocui e insipidi – dalla parete sopra il divano. Sulla tappezzeria rimasero due macchie più scure, ma era inevitabile. E Justine avrebbe senz'altro trovato qualcosa di adatto per sostituirli.

« Cosa stai facendo? » gli domandò. « Anthony, rispondimi. » Sembrava spaventata.

« Finisco di fare una cosa », rispose lui.

Portò i due quadri nel vestibolo e provò a tenerne uno in equilibrio sulla punta delle dita, con aria pensierosa. *Non c'è dubbio che sia capace di copiare*, gli aveva detto Sarah, *ma sa creare, anche?*

Gli ultimi quattro giorni gli avevano fornito la risposta che lei, in quei due anni interi, non aveva saputo dargli. C'è chi crea e chi, invece, distrugge.

Distrusse il dipinto scaraventandolo contro il pilastro in fondo alla balaustra delle scale. Il vetro andò in mille pezzi e precipitò sul pavimento di legno come una pioggia di cristallo.

« Anthony! » Justine lo prese per un braccio. « No! Non farlo! Quelli sono i tuoi quadri. Sono la tua arte. Non farlo! »

Mandò in pezzi il secondo con violenza ancora maggiore. E avvertì l'impatto con il pilastro sentendo una fitta di dolore che gli percorse tutto il braccio come una palla di cannone. Schegge di vetro volarono da tutte le parti e lo colpirono al viso.

« La mia non è arte », disse.

A dispetto del freddo, Barbara portò la tazza di caffè fuori, nel giardino interno, ormai completamente incolto, della sua casa di Acton, e prese posto su quel gelido blocco di cemento che serviva da gradino davanti alla porta sul retro. Si strinse ancora di più nel cappotto e tenne la tazza in equilibrio su un ginocchio. Non era ancora buio pesto, non lo sarebbe mai stato in quella brulicante metropoli, in compagnia di svariati milioni di persone; eppure le ombre grevi della notte trasformavano il giardino in un luogo meno familiare di quanto non fosse l'interno della casa, e dunque meno dominato dal conflitto tra senso di colpa e cause di pura e semplice forza maggiore. Che tipo di legame esisteva in realtà fra un genitore e un figlio? si chiese. E a che punto diventa necessario dare uno strappo o, forse, una definizione completamente nuova a tale legame? E in entrambi i casi, è sempre possibile oppure no?

Negli ultimi dieci anni della sua vita, a poco a poco aveva finito per convincersi che non avrebbe mai avuto figli. In principio questa constatazione era stata fonte di dispiacere, poiché le appariva collegata con la consapevolezza che, probabilmente, non si sarebbe mai sposata. Eppure sapeva benissimo che il matrimonio non era un requisito necessario alla maternità. Le adozioni da parte di un solo genitore diventavano sempre più frequenti e, adesso che la sua carriera finalmente aveva ripreso nuovo slancio, sapeva che aveva tutte le carte in regola per far parte della rosa di genitori single alla ricerca di un bambino. Se si fosse offerta volontaria per adottare un bambino svantaggiato, virtualmente avrebbe avuto un successo garantito. Eppure, forse per un eccesso di conformismo, aveva sempre inteso la maternità o la paternità come una specie di *joint venture* fra due partner. E dal momento che la possibilità di trovare un partner diventava ogni anno più remota, l'altrettanto remota possibilità di diventare madre si faceva sempre più incerta e confusa, più simile a una fantasia che non aveva nemmeno il più piccolo riscontro con la realtà.

Non che ci pensasse molto spesso. In realtà, perlopiù era troppo occupata a riflettere su un futuro che le pareva agghiacciante. Ma mentre nella maggior parte dei casi, con il passare degli anni le famiglie crescevano e portavano con sé altri legami, come il matrimonio e i figli, la sua, invece, era in continua diminuzione, e a uno a uno venivano a mancare i relativi legami. Il fratello e il padre erano già morti e sepolti... E adesso doveva affrontare la prospettiva di dare un taglio netto anche all'ultimo legame, quello con sua madre.

Alla fin fine, tutta la vita si riduce alla ricerca di rassicurazioni, pensò, siamo impegnati a guardarci intorno per trovare un segnale a conferma del fatto che, in fondo, non siamo soli del tutto.

Vogliamo un legame, un'ancora che ci tenga saldamente attaccati alla terraferma, in modo da sentire che apparteniamo a qualcosa, che siamo vicini a qualcuno, che possediamo ben altro che i nostri vestiti o la casa in cui abitiamo o l'auto che guidiamo. E, in fondo, queste rassicurazioni possiamo trovarle solo nelle altre persone. Anche se facciamo di tutto per vivere una vita all'insegna della libertà e dell'indipendenza, vogliamo comunque un legame. Perché un rapporto vitale con un altro essere umano contiene sempre latente il potenziale per trasformarsi in apprezzamento di se medesimi. Se gli altri mi amano, vuol dire che me lo merito. Se hanno bisogno di me, vuol dire che sono degna di rispetto. Se continuo a tenere vivo questo rapporto malgrado le difficoltà, bene o male mi sento completa.

Ma, in fondo, qual era l'autentica differenza fra lei e Anthony Weaver? A ben pensarci, il comportamento di entrambi non era forse dominato soprattutto dall'angoscia di non godere più dell'approvazione del mondo? Non era forse una maschera per nascondere una disperazione che scaturiva dalla stessa fonte insidiosa, cioè il senso di colpa? »

« La mamma oggi ha passato proprio una buona giornata, Barbie », le aveva detto la signora Gustafson. « Anche se all'inizio era un po' scontrosa. Non ne voleva sapere di me, e continuava a chiamarmi Doris. Poi non ha voluto mangiare i suoi dolcetti con il tè. E non ha voluto prendere neanche un cucchiaio di minestra. Quando è arrivato il postino, ha creduto che fosse tuo padre e ha cominciato a ripetermi senza sosta che voleva andare via con lui. A Maiorca, diceva. Jimmy mi ha promesso Maiorca, ripeteva. E quando ho tentato di farle capire che non era Jimmy, ha cercato di sbattermi fuori della porta. Poi finalmente si è calmata. » Con un gesto nervoso, si era portata una mano verso la parrucca, un po' come un uccello indeciso, e aveva sfiorato con la punta delle dita i riccioli grigi e stopposi. « Però non ne ha voluto sapere di andare in bagno. Non riesco a capire perché. Il televisore è acceso per lei. E in queste ultime tre ore è stata proprio un angioletto. »

Barbara l'aveva trovava in salotto, seduta sulla poltrona del marito ormai logora, con la testa che le ciondolava nell'incavo che l'untuosa testa di lui, nel corso degli anni, aveva scavato a poco a poco nello schienale. Il televisore andava a tutto volume, perché la signora Gustafson era dura d'orecchi. Humphrey Bogart e Lauren Bacall, in quel film dove c'era la battuta sul modo di fischiare. Barbara lo aveva visto almeno una decina di volte, e aveva spento il televisore nel preciso momento in cui la Bacall attraversava la stanza, per l'ultima volta, verso Bogart. Era sempre stata la sua scena preferita, perché conteneva in sé una velata promessa per il futuro.

«Adesso sta benone, Barbie», le aveva detto angosciata la signora Gustafson dalla porta. «Lo vedi anche tu, no?»

La signora Havers era accasciata contro un bracciolo della poltrona. La bocca aperta. Le mani giocherellavano con l'orlo del vestito tirato su fino all'altezza delle cosce. Intorno a lei si sentiva un odore fetido di escrementi e urina.

«Mamma?» la chiamò.

Ma lei non rispose, benché stesse canticchiando quattro note come se avesse intenzione di mettersi a cantare.

«Lo vedi com'è buona e tranquilla?» fece la signora Gustafson. «Quando vuole, la tua mamma sa essere proprio un tesoro.»

Sul pavimento, a pochi centimetri dai piedi della donna, il tubo dell'aspirapolvere era attorcigliato su se stesso.

«Che cosa fa qui?» le aveva domandato Barbara.

«Ecco, Barbie, serve a tenerla...»

Barbara si era accorta che qualcosa crollava dentro di lei, come una diga che si sbriciola quando non riesce più a contenere la pressione dell'acqua. «Non si è resa conto che la mamma si è sporcata?» aveva chiesto alla signora Gustafson. Che gliel'avesse detto in tono così pacato, era un miracolo.

La signora Gustafson era impallidita. «Sporcata? Figuriamoci, Barbie, ti sbagli. Gliel'ho domandato due volte. Ha detto che non doveva andare in bagno.»

«Ma non sente l'odore? Perché non è venuta a controllare? Perché l'ha lasciata sola?»

La signora Gustafson aveva abbozzato un sorriso a labbra tremanti. «Vedo che ci sei rimasta un po' male, Barbie. Ma se provassi a passare un po' di tempo con lei...»

«Ho passato anni con lei. Una vita intera.»

«Volevo soltanto dire...»

«Grazie, signora Gustafson. Non avremo più bisogno di lei in futuro.»

« Ma come, io... » La donna si prese il corpetto del vestito con le dita, più o meno all'altezza del cuore. « Dopo tutto quello che ho fatto. »

« Appunto. »

Adesso, sul gradino davanti alla porta della cucina, ebbe un fremito, sentiva che il freddo le filtrava attraverso i pantaloni e cercava di scacciare dalla propria mente l'immagine della mamma floscia come una bambola di pezza in quella poltrona, ridotta all'inerzia. Barbara le aveva fatto fare un bagno e le era venuta una tristezza infinita vedendo e toccando quel corpo rugoso e avvizzito. L'aveva accompagnata a letto, le aveva rimboccato le coperte e aveva spento la luce. E per tutto questo tempo sua madre non aveva pronunciato una sola parola. Come una morta vivente.

Qualche volta la cosa giusta da fare è anche la più ovvia, aveva detto Lynley. E in questo c'era del vero. Lei aveva capito fin dal principio cosa bisognava fare, cosa era giusto fare, cosa era meglio fare per sua madre, cosa sarebbe stato utile fare. Ma per paura di essere giudicata una figlia crudele e indifferente da quello che per lei era un mondo crudele e indifferente, aveva esitato, in attesa di una direttiva, istruzioni o un permesso che non le sarebbero mai arrivati. La decisione spettava a lei, come era sempre accaduto anche in passato. Quello di cui non si era resa conto era che spettava a lei giudicare se stessa.

Si alzò a fatica ed entrò in cucina. L'aria era impregnata dall'odore pungente di formaggio andato a male. C'erano i piatti da lavare e il pavimento da pulire e un'altra serie di faccende da sbrigare che l'avrebbero tenuta impegnata, permettendole così di evitare l'inevitabile almeno per un'altra ora. A dire la verità, era da marzo che lo evitava, da quando suo padre era morto. Non poteva andare avanti così per sempre. Si avvicinò al telefono.

Strano, aveva già imparato a memoria il numero. Doveva averlo capito fin dal principio che le sarebbe tornato utile.

Il telefono squillò quattro volte, poi rispose una voce gradevole: « Pronto? Hawthorn Lodge. Parla la signora Flo ».

Barbara buttò fuori tutto d'un fiato. « Sono Barbara Havers. Ha conosciuto mia madre lunedì sera, se ne ricorda? »

24

Lynley e la Havers arrivarono al St Stephen's College alle undici e mezzo. Avevano passato la prima parte della mattinata a scrivere i rapporti, a parlare con il sovrintendente Sheehan e a discutere il capo d'imputazione contro Anthony Weaver. Lynley lo sapeva, la sua speranza che fosse accusato solo di tentato omicidio era ridotta a un lumicino, nel migliore dei casi. Dopotutto, se si voleva considerare il suo caso da un punto di vista rigorosamente legale, Weaver era la parte offesa, almeno in origine. A prescindere dal rapporto intimo, dai giuramenti, dal tradimento che avevano portato all'omicidio di Elena Weaver, agli occhi della legge non era stato commesso nessun vero crimine fino a quando Sarah Gordon non aveva tolto la vita alla ragazza.

Spinto dalla disperazione, avrebbe obiettato la difesa di Weaver. E lui stesso, che – molto saggiamente – non avrebbe pronunciato una sola parola in propria difesa rischiando così un controinterrogatorio, ne sarebbe emerso come un padre affettuoso, un marito devoto, un brillante studioso, un professore di Cambridge. E se anche la verità sulla sua relazione amorosa con Sarah Gordon fosse riuscita ad arrivare fino all'aula del tribunale, sarebbe stata subito accantonata e interpretata come la debolezza di un uomo sensibile, dal temperamento artistico, che non aveva resistito a una tentazione fatale in un momento di difficoltà o in un periodo di discordia coniugale. Sarebbe stato descritto come un uomo che aveva fatto del proprio meglio – anzi, che aveva fatto tutto ciò che era in suo potere – per buttarsi quella relazione amorosa dietro le spalle e per tirare avanti con la solita vita non appena si era accorto del dispiacere causato a una moglie fedele e paziente come la sua.

Il problema era che *lei*, Sarah, non aveva potuto dimenticare: questa sarebbe stata l'obiezione della difesa. Era ossessionata dal bisogno di vendicarsi perché era stata respinta. Così gli aveva ucciso la figlia. Aveva seguito furtivamente lei e la matrigna al mattino, mentre correvano, aveva preso nota dei vestiti che indossava la donna, aveva trovato un modo per far uscire Elena da sola, si era nascosta ad aspettarla, l'aveva colpita selvaggiamente in faccia e l'aveva uccisa. Poi, di notte, era andata nella stanza che il professor Weaver aveva a sua disposizione presso il college e gli aveva lasciato un messaggio che rivelava la propria colpevolezza. Di fronte alla realtà dei fatti, che cosa avrebbe potuto fare lui? Anzi, che cosa avrebbe fatto qualsiasi uomo, ridotto alla disperazione di fronte alla vista del cadavere della propria figlia?

Così, l'attenzione si sarebbe spostata da Anthony Weaver sul crimine che era stato commesso contro di lui. E quale giuria sarebbe mai riuscita a valutare il crimine che Weaver, a sua volta, aveva commesso nei confronti di Sarah Gordon? In fondo, si trattava soltanto di un quadro. Come potevano sperare di comprendere che, per quanto Weaver avesse squarciato e distrutto soltanto un pezzo di tela, in realtà aveva affondato il coltello anche nell'anima di un essere umano?

... Quando si smette di credere che l'azione in se stessa sia superiore all'analisi o al rifiuto di essa da parte di chiunque, ecco che ci si paralizza. Così è successo a me.

Ma come poteva una giuria illudersi di comprendere una cosa del genere se nessuno, fra i giurati, aveva mai sentito la necessità di creare qualcosa? Era molto più facile dipingere Sarah come una donna offesa, piuttosto che cercare di misurare l'entità della sua perdita.

La difesa avrebbe obiettato che durante le sue lezioni Sarah Gordon aveva dato istruzioni terrificanti, che poi le si erano ritorte contro.

C'era un fondo di verità. Lynley pensò all'ultima volta che l'aveva vista. Era notte fonda – si cominciavano già a sentire per strada i furgoni del latte – cinque ore dopo che era uscita dalla sala operatoria. Adesso si trovava in una stanza piantonata da un agente di polizia in uniforme, una ridicola formalità necessaria a garantire che l'imputata, ormai dichiarata ufficialmente colpevole di omicidio, non tentasse la fuga. In quel letto sembrava così piccola che le coperte si sollevavano a malapena. Era vistosamente bendata e ancora sotto l'azione dell'anestetico, le labbra livide e la pelle del colore della neve calpestata. Era ancora viva, respirava ancora, ma non sapeva ancora quale ulteriore perdita avrebbe dovuto affrontare.

« Siamo riusciti a salvarle il braccio », gli aveva spiegato il chirurgo, « ma non posso dire se, in futuro, riuscirà a usarlo. »

Lynley si era soffermato a osservarla, riflettendo sui meriti opposti di giustizia e vendetta. Nella nostra società, la legge esige che si faccia giustizia, eppure l'individuo aspira alla vendetta. Tuttavia, consentire a chiunque, uomo o donna che sia, di rendere la pariglia, era come invitare a ulteriori violenze. Infatti, fuori da un'aula di tribunale, quando è stata commessa un'offesa contro un innocente, non esiste alcun mezzo di rendere il torto subito. E ogni tentativo promette soltanto dispiaceri, ulteriori offese e rimpianti.

Occhio per occhio, dente per dente? Ah, tutte sciocchezze, si disse. Come individui, non possiamo stabilire noi come punire un altro individuo.

Adesso, con il sergente Havers, mentre lasciava la Bentley in Garret Hostel Lane e tornava a piedi verso il college per raccogliere le sue cose dalla piccola camera della Ivy Court, si domandò se la sua non fosse una filosofia troppo semplicistica, per quanto appropriata in una stanza d'ospedale, all'alba. Proprio di fronte alla St Stephen's Church era parcheggiato un carro funebre. E allineate davanti e dietro si vedevano almeno una decina di altre auto.

« Non le ha detto niente? » domandò la Havers. « Niente di niente? »

« 'Pensava che fosse il cane. Elena amava gli animali.' »

« Tutto qui? »

« Sì. »

« Nessun rimpianto? Nessun rimorso? »

« No », rispose Lynley. « Non le so dire se ne provasse. »

« Ma che cosa pensava, ispettore? Che se avesse ucciso Elena Weaver, poi sarebbe riuscita a dipingere di nuovo? Che il delitto, chissà come, avrebbe dato via libera alla sua creatività? »

« Secondo me era convinta che, se fosse riuscita a far soffrire Weaver esattamente come stava soffrendo lei, forse sarebbe riuscita a sopravvivere. »

« Non mi sembra molto razionale, se vuole il mio parere. »

« No, sergente. Ma non c'è mai niente di razionale nei rapporti umani, no? »

Stavano costeggiando il cimitero. La Havers socchiuse gli occhi e guardò il campanile della torre in stile normanno. Il tetto in ardesia era un filo poco più chiaro del cielo cupo. La giornata ideale per una cerimonia funebre.

« Aveva ragione lei, su quella donna, fin dal principio », gli disse. « Bel lavoro, ispettore Lynley. »

« Non c'è bisogno di complimenti. Anche lei aveva ragione. »

« In che senso? »

« Quella donna mi ha ricordato Helen fin dal primo momento che l'ho vista. »

Lynley ci mise pochi minuti a radunare la sua roba e metterla in valigia. Mentre lui vuotava armadi e cassettoni e riponeva il set da barba, la Havers era rimasta vicino alla finestra a guardare verso la Ivy Court. Sembrava più in pace con se stessa di quanto non fosse stata negli ultimi mesi. Provava con una certa soddisfazione il senso di sollievo che si sente sempre dopo aver messo la parola fine a qualcosa di doloroso.

« Ha poi accompagnato sua madre a Greenford? » le domandò con noncuranza mentre scaraventava un ultimo paio di calzini in valigia.

« Sì. Stamattina. »

« E? »

La Havers stava scalfendo con un'unghia un pezzetto di vernice bianca che era sul punto di scrostarsi dal davanzale. « Dovrò abituarmi. Rassegnarmi, cioè. A essere sola. »

« A volte è necessario. » Lynley vide che lo stava guardando e che stava per dire qualcosa. « Sì. Lo so, Barbara. Lei è una persona migliore di me. Io non sono ancora stato capace di farlo. »

Lasciarono l'edificio e attraversarono il cortile, costeggiando di nuovo il cimitero attraverso il quale uno stretto sentiero si snodava serpeggiando fra sarcofaghi e lapidi. Era antico e sconnesso, in alcuni punti le radici degli alberi affioravano dal terreno e le erbacce si insinuavano fra una lastra di pietra e l'altra.

Dalla chiesa proveniva la musica di un inno sacro che stava per concludersi e lo squillo acuto e cristallino dell'assolo di tromba di *Amazing Grace*. Miranda Webberly, pensò Lynley, che dava a Elena l'ultimo saluto in pubblico a modo suo. Si sentì inspiegabilmente commosso da quella melodia così semplice e lineare, e si meravigliò per la capacità del cuore umano di lasciarsi toccare da una cosa così semplice come un suono.

Il portone della chiesa si spalancò e il corteo cominciò a uscire a passo lento e monotono, preceduto dalla bara color bronzo portata a spalle da sei ragazzi. Uno di questi era Adam Jenn. Subito dietro venivano la famiglia e i parenti più stretti: Anthony Weaver e la sua ex moglie, poi Justine. E una numerosa folla di dignitari dell'università, colleghi e amici dei Weaver, nonché una gran massa di studenti del St Stephen's. Fra loro Lynley notò Victor Troughton con al braccio una donna dai fianchi larghi.

Quando Weaver gli passò accanto, seguendo la cassa coperta da un manto di rose di un pallido colore rosato, l'ispettore non notò nessuna reazione e tantomeno un segno di riconoscimento sul suo viso. In quell'aria così pesante, aleggiava il dolce profumo dei fiori. Quando gli sportelli del carro funebre si chiusero e uno dei becchini vi si insinuò frettoloso per ritoccare il contorno floreale, la folla si raccolse intorno a Weaver, a Glyn e a Justine – uomini e donne vestiti di nero con il viso malinconico, che offrivano affetto sincero e condoglianze. Fra loro c'era Terence Cuff, e fu verso di lui che si diresse il portiere del college, facendosi largo con qualche parola di scusa. In mano stringeva una busta rigonfia color avorio che gli consegnò mormorandogli qualcosa all'orecchio.

Il preside annuì e la aprì. Scorse rapidamente il messaggio. Sulla faccia gli balenò un sorriso. Era vicino ad Anthony Weaver e ci mise soltanto un momento a raggiungerlo. Poco dopo, le parole che gli mormorò cominciarono a filtrare tra la folla.

A Lynley arrivarono da diverse direzioni contemporaneamente.

«La cattedra Penford...»

«Ha ricevuto la nomina...»

«La meritava...»

«... quale onore.»

Al suo fianco, la Havers gli domandò: «Si può sapere che succede?»

Lynley osservò Weaver chinare la testa, premersi il pugno chiuso contro i baffi, poi rialzare di nuovo la testa, scuoterla, forse stupito, forse commosso, forse mortificato, forse incredulo. «Il professor Weaver», le spiegò, «in questo momento, proprio davanti ai nostri occhi, ha raggiunto l'apice della sua carriera. Gli è stata assegnata la cattedra Penford.»

« Davvero? Che mi venga un colpo! » replicò lei.

Concordo, pensò Lynley. Si trattennero ancora per qualche istante, per vedere le condoglianze trasformarsi in congratulazioni sommesse e sentire il mormorio dei presenti che commentavano come da una tragedia potesse scaturire un trionfo.

« Se sarà accusato di tentato omicidio, se andrà in tribunale, gliela toglieranno? » gli domandò la Havers.

« Quando uno ottiene una cattedra, se la tiene per tutta la vita, sergente. »

« Ma non sanno cosa...? »

« Cos'ha fatto ieri? E come potrebbe saperlo la commissione? Del resto, ormai la decisione era stata presa. E comunque, anche se avessero deciso stamattina, in fondo lui si è comportato soltanto come un padre mosso da un folle dolore. »

Aggirarono la ressa, puntando in direzione della Trinity Hall. La Havers strascicava i piedi per terra, guardandosi la punta delle scarpe. Si infilò le mani nelle tasche del cappotto.

« L'ha fatto per ottenere la cattedra, secondo lei? » gli domandò di punto in bianco. « Voleva che Elena studiasse al St Stephen's per questo? Voleva che si comportasse decorosamente per questo? E sempre per questo non ha lasciato Justine? E ha messo la parola fine alla sua relazione con Sarah Gordon? »

« Non lo sapremo mai, Havers », replicò Lynley. « E non sono del tutto sicuro che Weaver stesso riuscirà a capirlo. »

« Perché? »

« Perché dovrà pur sempre guardarsi allo specchio ogni mattina. E se comincia a frugare nella propria vita alla ricerca della verità, come può riuscirci? »

Svoltarono l'angolo e presero per Garret Hostel Lane. La Havers si fermò di colpo, si diede una pacca sulla fronte con la mano e si lasciò sfuggire un gemito. « Il libro di Nkata! » esclamò.

« Cosa? »

« Avevo promesso a Nkata di fare un salto in qualche libreria... mi pare ce ne sia una decente che si chiama Helfers... Devo cercare... cos'era... dove ho messo quell'appunto... » Aprì la cerniera della borsa a tracolla e cominciò a frugarvi dentro frenetica. « Vada pure avanti senza di me, ispettore. »

« Ma abbiamo lasciato la sua macchina... »

«Nessun problema. La stazione non è lontana, e vorrei dire una parola a Sheehan prima di tornare a Londra.»

«Ma...»

«Va bene così. Sul serio. Allora ci vediamo.» Gli fece un cenno di saluto con la mano e si dileguò in fretta e furia.

Lui la seguì con gli occhi sbarrati. A quanto ne sapeva, il detective Nkata non apriva un libro come minimo da dieci anni, se non di più. Per lui trascorrere una serata divertente voleva dire costringere il capo della squadra artificieri a raccontare per l'ennesima volta di quando aveva perso l'occhio sinistro in una rissa a Brixton, senza dubbio provocata dallo stesso Nkata in qualità – all'epoca – di capo della banda del quartiere. Avrebbero chiacchierato, discusso e riso davanti a un piatto di sottaceti e polpette e boccali di birra. E anche se il loro discorso si fosse spostato su altri argomenti, era molto improbabile che qualcuno di questi avesse carattere letterario. E allora, che cosa stava combinando la Havers?

Si voltò verso il viottolo e trovò la risposta, seduta su una grossa valigia marrone di fianco alla sua macchina. La Havers l'aveva scorta mentre giravano l'angolo. Aveva intuito l'importanza del momento, così l'aveva lasciato da solo.

Lady Helen si alzò. «Tommy...» gli disse.

Lui la raggiunse, cercando di non fissare la valigia, come se, così facendo, potesse cambiare radicalmente il motivo della sua presenza, trasformandolo in qualcosa di diverso da ciò che lui sperava.

«Come hai fatto a trovarmi?» le chiese.

«Con un po' di fortuna, e con il telefono.» Gli sorrise con tenerezza. «E perché so che vuoi sempre portare a termine le cose, anche se non vanno come vorresti.» Si voltò verso Trinity Lane, dove le auto cominciavano a mettersi in moto e le persone si rivolgevano un ultimo saluto silenzioso. «È finita, dunque.»

«Sì, almeno la parte ufficiale.»

«E il resto?»

«Il resto?»

«La parte in cui ti rimproveri di non essere stato più veloce e più furbo, e di non essere stato capace di impedire a certe persone di commettere il peggio l'una verso dell'altra?»

«Ah, quello.» Seguì l'arrivo di un gruppo di studenti in bicicletta, che li oltrepassarono pedalando in direzione del Cam, mentre dalle campane della St Stephen's Church cominciavano a levarsi cupi e solenni rintocchi, che solitamente accompagnano la conclusione di una cerimonia funebre. « Non so, Helen. Si direbbe che quella parte, per me, non finisca mai. »

La donna gli sfiorò il braccio con una carezza. « Hai l'aria esausta. »

« Sono rimasto sveglio tutta la notte. Ho bisogno di andare a casa. Ho bisogno di dormire un po'. »

« Portami con te », gli disse.

Lynley si voltò a guardarla. Le sue parole erano state pronunciate con una certa disinvoltura, e in tono convinto, però Helen sembrava dubbiosa, come se non sapesse bene come sarebbero state accolte. Quanto a lui, era poco disposto a rischiare di fraintenderla o a lasciare che la speranza affondasse le radici, anche solo per un momento, nel proprio cuore.

« A Londra? » le domandò.

« A casa », rispose lei. « Con te. »

Che strano, pensò Lynley. Era come se qualcuno gli avesse dato una pugnalata che non lo faceva soffrire, ma aveva provocato una ferita dalla quale sgorgava a fiotti la sua forza vitale. Era la sensazione più strana e incredibile del mondo, come se sangue, ossa e tendini si fossero trasformati in una corrente palpabile, che gli usciva dal cuore e circondava Helen. Travolto da quel diluvio, la vedeva con chiarezza, si sentiva lì, presente, con il proprio corpo, ma non riusciva a pronunciare una sola parola.

Osservata, lei ebbe un attimo di titubanza, come se pensasse di aver commesso un errore di valutazione. « Oppure puoi lasciarmi in Onslow Square », aggiunse. « Sei stanco. E non sarai dell'umore più adatto per avere compagnia. E poi sono sicura che il mio appartamento avrà bisogno di essere arieggiato, dovrò aprire le finestre, insomma. Caroline non sarà ancora tornata. È a casa dei suoi – non te l'avevo detto? – Toccherebbe a me controllare in che stato è ridotta la casa, perché... »

Lynley ritrovò la voce. « Non ci sono garanzie, Helen. Né in questo, né in nient'altro. »

Il viso di lei si addolcì. « Lo so. »

« E non ha importanza? »

« Certo, ma tu sei più importante. Io e te siamo importanti. Noi due. Insieme. »

Non voleva ancora sentirsi felice. Gli pareva una condizione troppo effimera. Dunque rimase immobile dove si trovava per un attimo e si concesse solamente di sentire l'aria fredda che soffiava dai college e dal fiume, il peso del soprabito sulle spalle, il contatto con il terreno sotto i piedi. E infine, quando fu sicuro che sarebbe riuscito a sopportare qualsiasi risposta, le disse: « Io ti desidero ancora, Helen. Non è cambiato niente ».

« Lo so », gli rispose lei, e quando vide che stava per aggiungere qualcosa, lo zittì: « Andiamo a casa, Tommy ».

Lynley caricò le valigie nel portabagagli e si accorse che il cuore gli batteva lieve nel petto e che il suo spirito si librava libero nell'aria. Non contarci troppo, si disse bruscamente, e non credere neppure che la tua vita dipenda da questo. Anzi, non credere mai che la tua vita dipenda da qualcosa. Perché è così che bisogna vivere.

Salì in macchina, deciso a mostrarsi disinvolto, ad avere la situazione sotto controllo. « Hai corso un bel rischio, Helen, ad aspettarmi qui », le disse. « Magari ci sarebbero volute ore. Saresti potuta rimanere qui seduta al freddo tutto il giorno. »

« Non importa. » Si accoccolò sul sedile, pronta ad affrontare il viaggio. « Ti avrei aspettato, Tommy. »

« Oh. E per quanto tempo? » le chiese con noncuranza. Aveva ancora il controllo della situazione. Ma poi Helen gli sorrise. E gli sfiorò la mano.

« Appena un po' più di quanto tu non abbia aspettato me. »

Nota dell'autrice

Chiunque abbia una certa familiarità con la città e l'Università di Cambridge, si accorgerà subito che, tanto per cominciare, la distanza fra il Trinity College e la Trinity Hall è troppo esigua; figuriamoci, quindi, se è credibile che possa contenere i sette cortili interni e l'edificio antico di quattro secoli che costituiscono il St Stephen's College così come è descritto nel libro. Ho un debito di gratitudine, e non solo, nei confronti di un gruppo di persone straordinariamente gentili, che hanno fatto del loro meglio per rivelarmi i misteri sui professori e i cattedratici dell'università in questione: la dottoressa Elena Shire del Robinson College, il professor Lionel Elvin della Trinity Hall, il dottor Mark Bailey del Gonville and Caius College, il dottor Graham Miles e il signor Alan Banford dell'Homerton College.

Sono anche molto grata agli studenti, ai laureati dei corsi di specializzazione e ai borsisti, i quali hanno fatto quanto potevano per istruirmi su alcune delle peculiarità della loro vita presso l'ateneo: Sandy Shafernich e Nick Blain del Queen's College, Eleanor Peters dell'Homerton College e David Derbyshire del Clare College. Ma soprattutto devo esprimere la mia più profonda gratitudine a Ruth Schuster dell'Homerton College, che ha orchestrato le mie visite alle lezioni, mi ha fatto ottenere l'invito ad alcune cene ufficiali, ha eseguito per conto mio ulteriori ricerche fotografiche e, infine, ha risposto con pazienza eroica a innumerevoli domande sulla città, gli istituti, le facoltà e l'università. Senza di lei sarei stata davvero un'anima persa.

Ringrazio anche l'ispettore Pip Lane della polizia di Cambridge per la sua assistenza e per alcuni suggerimenti relativi a particolari della trama; Beryl Polley della Trinity Hall, per avermi presentata ai suoi ragazzi della scala L, e il signor John East della C.E. Computing Services di Londra per tutte le informazioni relative al Ceephone.

Un ringraziamento speciale a Tony Mott per aver ascoltato pazientemente una succinta ed entusiastica descrizione della località in cui è avvenuto il delitto, nonché per averla riconosciuta e averle dato un nome.

Negli Stati Uniti, nutro un profondo debito di gratitudine nei confronti di Blair Maffris, che ha risposto con grande abilità a tutte le mie domande sui più svariati aspetti artistici; del pittore Carlos Ramos, che mi ha consentito di trascorrere una giornata con lui nel suo studio di Pasadena; di Alan Hallback, che mi ha tenuto un vero e proprio corso per principianti sul jazz; di mio marito Ira Toibin, la cui pazienza, incoraggiamento e sostegno sono i punti di forza della mia vita; di Julie Mayer, che non si stanca mai di leggere bozze; di Kate Miciak e di Deborah Schneider – redattrice e agente letteraria – che continuano a credere nel mistero della letteratura.

La cura di questo libro si deve solo al generoso contributo di questo gruppo di persone. Qualsiasi errore o interpretazione sbagliata è responsabilità mia e mia soltanto.

Opere di

ELIZABETH GEORGE

in edizione Longanesi

Un pugno di cenere
In presenza del nemico
Il prezzo dell'inganno
Il morso del serpente
E liberaci dal padre
Cercando nel buio
La miglior vendetta
Un omicidio inutile
Agguato sull'isola
Scuola omicidi
Nessun testimone
Prima di ucciderla
Corsa verso il baratro
La donna che vestiva di rosso

Elizabeth George
Scuola omicidi

L'atmosfera tranquilla del romantico cimitero di Stoke Poges, nella campagna inglese, s'infrange bruscamente in un freddo pomeriggio di marzo, quando ai piedi di un albero Deborah St. James trova il corpo senza vita di un ragazzo. Intanto, all'esclusivo collegio di Bredgar Chambers il tredicenne Matthew Whateley pare essersi volatilizzato. Mentre da un lato la polizia di Stoke Poges indaga sul macabro ritrovamento, l'ispettore Thomas Lynley arriva a Bredgar chiamato da un insegnante, suo ex compagno di scuola, che si rivolge a lui per evitare uno scandalo che metterebbe in gioco il buon nome dell'istituto. Ma le indagini dell'ispettore e del sergente Barbara Havers si scontrano con un ostinato silenzio, e quando il corpo viene identificato, e risulta chiaro che Matthew è stato torturato e ucciso, la tensione cresce e si esaspera. Lynley si addentra nei segreti più inconfessabili di studenti e insegnanti, e si convince che la soluzione dell'enigma vada cercata non nel rassicurante anonimato di un «maniaco», ma all'interno dei chiostri quattrocenteschi della scuola.

Elizabeth George
Agguato sull'isola

È una nebbiosa mattina di dicembre quando, su una spiaggia nell'isola di Guernsey, viene ritrovato il cadavere di Guy Brouard, ricco uomo d'affari e prodigo benefattore della comunità. Le circostanze oscure dell'omicidio e l'assenza di un movente non impediscono alla polizia di fermare China River, una fotografa californiana venuta sull'isola per consegnare dei progetti a Brouard. Prima di finire assassinato, infatti, il milionario ebreo, che da bambino era fuggito da Parigi invasa dai nazisti, stava pianificando un museo in onore della resistenza di Guernsey contro l'occupazione tedesca. A China, che si protesta innocente, non rimane che chiedere aiuto all'amica di un tempo, Deborah, moglie di Simon St. James, esperto della Scientifica. Da Londra, Deborah vola subito con il marito a Guernsey, senza sospettare cosa li attende veramente. Nella loro indagine privata, i St. James scaveranno nei segreti inconfessati degli isolani, in un intreccio di menzogne pietose e colpevoli silenzi, che li condurrà a ciò che l'assassino ha preparato per loro, un *agguato sull'isola*...

Finito di stampare nel mese di ottobre 2009
per conto della TEA S.p.A.
dal Nuovo Istituto Italiano d'Arti Grafiche - Bergamo
Printed in Italy

TEADUE
Periodico settimanale del 14.10.2009
Direttore responsabile: Stefano Mauri
Registrazione del Tribunale di Milano
n. 565 del 10.7.1989

15

Due auto della polizia, con i lampeggianti accesi e le sirene spiegate, precedevano il corteo di veicoli che uscì a velocità sostenuta da Cambridge, imboccando rapidamente Lensfield Road, passando al volo su Fen Causeway per poi svoltare a ovest in direzione di Madingley. Lasciarono nella loro scia gruppetti di studenti strabiliati, ciclisti che, con uno scarto di qua e di là, si affrettavano a liberare la strada, professori in toga nera diretti alle rispettive lezioni, e due autobus che scaricavano turisti giapponesi sul viale già ammantato dai colori dell'autunno, che conduceva verso la New Court al Trinity College.

La Mini della Havers era incuneata fra la seconda auto della polizia e quella personale di Sheehan, sulla quale aveva temporaneamente fissato uno dei soliti lampeggianti. Dietro procedevano veloci il furgone della Scientifica e un'ambulanza, nell'assurda illusione che il «corpo», come l'aveva chiamato il sovrintendente, non fosse per forza un cadavere.

Imboccarono e superarono rapidamente il cavalcavia sulla M11 e svoltarono per attraversare il pugno di cottage del paesino di Madingley. Poi infilarono una stretta strada campestre. La zona era rurale, e brusco il cambiamento da città a campagna solo a pochi minuti di distanza da Cambridge. C'erano moltissime siepi di biancospino, agrifoglio e rosa canina che segnavano il confine di campi nei quali era stato seminato da poco il grano invernale che viene mietuto in primavera.

Presero una curva, dietro cui era fermo un trattore, metà sulla carreggiata e metà nei campi, con le grosse ruote incrostate di fango. Al volante sedeva un uomo infagottato in una voluminosa giacca con il bavero tirato fin sulle orecchie e le spalle incurvate contro il vento e il freddo. Agitò una mano perché si fermassero, e con un salto balzò a terra. Un cane pastore scozzese, che fino a quel momento era rimasto sdraiato, immobile, dietro una delle

Alzò gli occhi mentre Sheehan tornava impetuosamente nel suo ufficio e si dirigeva subito verso l'attaccapanni di metallo al quale era appeso il suo soprabito. Lo tirò giù, afferrò il sacco di plastica che la Havers aveva posato per terra vicino alla propria sedia e lo lanciò all'agente che lo aveva seguito.

«Veda di farlo arrivare alla Scientifica», gli ordinò. «Andiamo», disse poi a Lynley e alla Havers.

Senza fare domande, Lynley intuì dall'espressione tesa del volto che cosa volesse dire Sheehan. L'aveva già vista troppe volte per stupirsene. Si accorse che perfino sul suo viso si stava disegnando quella rabbia sorda che accompagna sempre la rivelazione di un delitto.

Quindi era preparato all'inevitabile annuncio che diede Sheehan mentre si alzavano. «Abbiamo trovato un altro corpo.»